A VERDADE SOBRE O CASO HARRY QUEBERT

"Dicker mantém uma prosa simples mas de ritmo intenso, numa trama cheia de reviravoltas."
KIRKUS REVIEWS

"O burburinho nas redes sociais a respeito do livro antecipa um próximo fenômeno global."
PUBLISHING PERSPECTIVES

"O best-seller fenomenal de Joël Dicker é uma história de mistério e assassinato brilhantemente intrincada, um hino para a imaginação ilimitada e uma história de amor como nenhuma outra."
THE GUARDIAN

"*A verdade sobre o caso Harry Quebert*, do suíço Joël Dicker, de apenas 28 anos, é o livro mais inteligente e intrigante que você vai ler este ano. O romance francês mais comentado da década, com uma trama de tirar o fôlego e uma história viciante."
THE TELEGRAPH

"Magistral."
EL CULTURAL DE EL MUNDO (ESPANHA)

"*A verdade sobre o caso Harry Quebert* desperta um poder de imaginação raro nos dias de hoje. Dicker escreveu um romance complexo e ambicioso, que alterna entre duas épocas, diferentes pontos de vista e múltiplas intrigas e personagens."
LE FIGARO

"Talento para a narrativa consiste em dar vida a uma obra de arte. E Dicker é capaz disso."
VANITY FAIR (ITÁLIA)

"Um livro dentro do livro, um romance policial e uma história de amor. Extraordinário."
COSMOPOLITAN (ALEMANHA)

"Um *thriller* que lembra o melhor de Truman Capote."
PARIS-MATCH

"Um golpe de mestre. Uma história de suspense cheia de ritmo, mudanças de curso e várias camadas que, como uma boneca russa, se encaixam perfeitamente. De forma extraordinária, Dicker alterna períodos e vozes (relatórios policiais, entrevistas, excertos de outros livros) e explora os Estados Unidos em todos os seus excessos – midiáticos, literários, religiosos –, enquanto questiona o que é ser um escritor."
L'EXPRESS (FRANÇA)

"Um livro que será celebrado e estudado por futuros escritores. É um *thriller* exemplar."
EL PERIÓDICO DE CATALUNYA

"O melhor livro do ano. Deixa os leitores entretidos, sobressaltados, desconcertados e encantados enquanto tentam decifrar o mistério."
EL PAÍS

"Você não vai conseguir parar até chegar à última página. Você será manipulado, desvirtuado, impressionado, irritado e cativado por uma história com inúmeras reviravoltas, pistas falsas e surpresas espetaculares."
LE JOURNAL DU DIMANCHE (FRANÇA)

"Repleto de ação, drama psicológico e um suspense extraordinário."
NRC HANDELSBLAD (HOLANDA)

"O livro de Joël Dicker é um labirinto aparentemente sem saída."
VOGUE (ITÁLIA)

"Um livro divertido, inteligente e de tirar o fôlego. É uma alegria descobrir um romance tão extraordinário."
LIRE (FRANÇA)

"Tem todos os ingredientes de um best--seller global."
DIE ZIET (SUÍÇA)

"Um livro que lembra o jornalismo investigativo de Truman Capote, as tramas de assassinato de Donna Tartt e o escandaloso romance de *Lolita*, de Nabokov."
NRC NEXT (HOLANDA)

"Cativante e encantador. Uma verdadeira aventura literária."
ALGEMEEN DAGBLAD (HOLANDA)

"Uma narrativa brilhante."
STERN (ALEMANHA)

"Uma história construída com tanta inteligência e sutileza que é impossível não lamentar quando chega o fim. Um livro que abarca diferentes categorias: é um romance policial, uma história de amor, uma comédia de costumes, e também uma incisiva crítica à indústria editorial contemporânea."
ELSEVIER (HOLANDA)

"Nunca me recomendaram tanto um livro. Continuei fascinado e intrigado, um magnetismo que persiste muito tempo depois de ter terminado de ler."
SERGI PÀMIES, LA VANGUARDIA (ESPANHA)

"*A verdade sobre o caso Harry Quebert* é um *thriller* magistralmente construído."
LE MATIN (FRANÇA)

"Com diálogos brilhantes, personagens cheios de vida e reviravoltas inesperadas, é um romance que não permite nem uma pausa para respirar. Todos esses elementos são perfeitamente entrelaçados para criar uma história irresistível, em que absolutamente nada é o que parece ser."
TROUW (HOLANDA)

"'Todo mundo falava do livro.' Essa é a primeira frase do romance *A verdade sobre o caso Harry Quebert*. Uma profecia que se cumpriu, pois o livro de Joël Dicker já se transformou em um fenômeno mundial."
LE MONDE

JOËL DICKER
A VERDADE SOBRE O CASO HARRY QUEBERT

Tradução de André Telles

Copyright © Éditions de Fallois/L'Âge d'Homme, 2012

TÍTULO ORIGINAL
La verité sur l'affaire Harry Quebert

PREPARAÇÃO
Clarissa Peixoto

REVISÃO
Milena Vargas

DIAGRAMAÇÃO
editoríarte

CIP-BRASIL. CATALOGAÇÃO-NA-FONTE
SINDICATO NACIONAL DOS EDITORES DE LIVROS, RJ

D545v

Dicker, Joël, 1975-
    A verdade sobre o caso Harry Quebert / Joël Dicker ; tradução André Telles. — 1. ed. — Rio de Janeiro : Intrínseca, 2014.
    576 p. ; 23 cm.

    Tradução de: La vérité sur l'affaire Harry Quebert
    ISBN 978-85-8057-511-8

    1. Romance suíço. I. Telles, André. II. Título.

14-10404   CDD: 848.9949403
                             CDU: 821.133.1(494)-3

[2014]

Todos os direitos desta edição reservados à
EDITORA INTRÍNSECA LTDA.
Av. das Américas, 500, bloco 12, sala 303
22640-904 – Barra da Tijuca
Rio de Janeiro – RJ
Tel./Fax: (21)3206-7400
www.intrinseca.com.br

A meus pais

O dia do desaparecimento

(sábado, 30 de agosto de 1975)

— Central de polícia, como posso ajudar?
— Alô? Meu nome é Deborah Cooper, eu moro em Side Creek Lane. Acho que acabei de ver uma garota sendo perseguida por um homem na floresta.
— O que aconteceu exatamente?
— Não sei! Eu estava na janela, olhando para o bosque, e vi essa garota correndo por entre as árvores... Tinha um homem atrás dela... Acho que ela estava tentando fugir dele.
— Onde eles estão agora?
— Eu... eu não consigo mais ver. Estão na floresta.
— Estou enviando agora mesmo uma patrulha para o local, senhora.

Essa foi a ligação que deu início ao caso criminal que agitou a pequena cidade de Aurora, no estado de New Hampshire. Nesse dia, Nola Kellergan, uma adolescente de quinze anos que morava na região, desapareceu. Seu rastro nunca foi encontrado.

PRÓLOGO

Outubro de 2008
(Trinta e três anos após o desaparecimento)

Todo mundo falava do livro. Eu não conseguia mais andar em paz pelas ruas de Nova York, nem dar uma corridinha pelas aleias do Central Park, sem que os passantes me reconhecessem e exclamassem: "Ei, é o Goldman! É aquele escritor!" Havia inclusive quem arriscasse passos de corrida para me seguir em busca de respostas para as perguntas que os atormentavam: "O que você disse no seu livro é verdade? Harry Quebert fez mesmo aquilo?" No bar do West Village que eu frequentava, alguns fregueses não se constrangiam mais em se sentar à minha mesa para me questionar: "Estou lendo o seu livro, Sr. Goldman, e não consigo parar! O primeiro já era bom, mas este agora! É verdade que recebeu um milhão de dólares para escrevê-lo? Quantos anos o senhor tem? Só trinta? Trinta anos! E já com essa grana!" Até o porteiro do meu prédio, que eu via avançar na leitura a cada vez que eu entrava ou saía, acabou me acuando demoradamente em frente ao elevador, assim que terminou o livro, para externar sua indignação: "Ah, então foi isso que aconteceu com Nola Kellergan? Que horror! Mas como é que pode chegar a esse ponto? Hein, Sr. Goldman, como é possível uma coisa dessas?"

Nova York inteira estava apaixonada pelo meu livro; fazia duas semanas que ele tinha sido lançado e já prometia ser o mais vendido do ano em todo o continente americano. Todo mundo queria saber o que havia acontecido em Aurora em 1975. Não se falava em outra coisa: na televisão, no rádio e nos jornais. Eu tinha só trinta anos e, com esse livro, que era apenas o segundo da minha carreira, havia me tornado o escritor mais conhecido do país.

O caso que havia chocado os Estados Unidos, e do qual eu extraíra a essência de minha história, estourara alguns meses antes, no início do verão, quando os restos mortais de uma adolescente desaparecida há trinta e três anos foram encontrados. Assim se iniciaram os eventos ocorridos em New Hampshire que serão relatados aqui, e sem os quais a pequena cidade de Aurora certamente teria permanecido desconhecida para o restante do mundo.

PRIMEIRA PARTE

A doença dos escritores
(Oito meses antes da publicação do livro)

jornais, nas capas das revistas. Meu rosto estava presente em imensos cartazes publicitários nas estações de metrô. Os críticos mais severos dos grandes jornais da Costa Leste eram unânimes: o jovem Marcus Goldman estava destinado a ser um grande escritor.

Um livro, somente um, e agora eu via serem abertas as portas de uma nova vida. Me mudei da casa dos meus pais em Newark para um apartamento chique do Village, troquei meu Ford de terceira mão por um Range Rover novinho em folha com vidros fumê, passei a frequentar restaurantes caros e contratei os serviços de um agente literário, que administrava meu tempo e ia à minha casa nova assistir a jogos de beisebol numa tela gigante. Aluguei um escritório a dois passos do Central Park, no qual uma secretária ligeiramente apaixonada por mim, Denise, separava minha correspondência, preparava o café e arquivava documentos importantes.

Durante os seis primeiros meses que sucederam o lançamento do livro, me contentei em aproveitar as delícias de minha nova existência. Pela manhã, ia ao escritório dar uma olhada nas matérias que haviam saído a meu respeito e ler as dezenas de cartas de fãs que chegavam diariamente, as quais eram, em seguida, organizadas por Denise em grandes arquivos. Então, satisfeito comigo mesmo e julgando ter trabalhado o suficiente, perambulava pelas ruas de Manhattan, causando um burburinho entre os transeuntes ao passar. Dedicava o restante do dia a usufruir dos novos direitos que ser uma celebridade me outorgava: o direito de comprar tudo que me desse na telha, o direito de acesso aos camarotes VIP do Madison Square Garden para acompanhar os jogos dos Rangers, o direito de caminhar pelos tapetes vermelhos ao lado de astros da música, de quem, quando eu era mais jovem, comprara todos os discos, o direito de sair com Lydia Gloor, atriz principal da série de televisão do momento e disputada por meio mundo. Eu era um escritor famoso; tinha a impressão de exercer a profissão mais bonita que existe. E, certo de que meu sucesso duraria para sempre, não me preocupei com as primeiras advertências do meu agente e do meu editor, que me intimavam a voltar ao trabalho e começar a escrever meu segundo romance.

Foi ao longo dos seis meses seguintes que compreendi que o vento estava mudando: as cartas de admiradores começaram a rarear e eu era abordado na rua com menos frequência. Os leitores que ainda me reconheciam logo passaram a perguntar: "Sobre o que é seu próximo livro, Sr. Goldman? E quando vai ser lançado?" Entendi que devia me concentrar e foi o que fiz:

31

Nos abismos da memória

— O primeiro capítulo, Marcus, é essencial. Se os leitores não gostarem dele, não vão ler o resto do livro. Como pretende começar o seu?
— Não sei, Harry. Acha que um dia vou conseguir fazer isso?
— Isso o quê?
— Escrever um livro.
— Tenho certeza que sim.

No início de 2008, ou seja, um ano e meio após eu me tornar, graças a meu primeiro romance, a nova estrela da literatura americana, fui acometido pela terrível crise da página em branco, síndrome, ao que parece, não rara entre escritores que tiveram um sucesso meteórico e inesperado. A doença não viera de supetão: instalara-se em mim lentamente. Era como se meu cérebro tivesse congelado aos poucos. Quando os primeiros sintomas apareceram, não liguei para eles: pensei que a inspiração voltaria no dia seguinte, ou no outro, ou talvez três dias depois. No entanto, dias, semanas e meses haviam se passado, e nem sinal dela.

Minha descida ao inferno podia ser decomposta em três fases. A primeira, indispensável a toda queda vertiginosa digna desse nome, havia sido uma ascensão fulgurante: meu primeiro romance tinha vendido dois milhões de exemplares, propelindo-me, aos vinte e oito anos, ao patamar de escritor de sucesso. Era outono de 2006 e, em poucas semanas, me tornei uma celebridade: eu era visto em tudo que é lugar, na televisão, nos anotei algumas ideias em folhas avulsas e esbocei sinopses no computador. Nada, porém, que prestasse. Tive então outras ideias e rascunhei mais algumas sinopses. Igualmente sem sucesso. Por fim, acabei comprando um laptop novo, na esperança de que já viesse com boas ideias e excelentes sinopses. Mas foi em vão. Tentei então mudar de método: fiz Denise ficar até tarde da noite anotando o que eu ditava e julgava serem frases impactantes, palavras precisas e inícios excepcionais de um romance. Contudo, no dia seguinte, as palavras me pareciam insípidas, as frases banais e meus começos, derrotas. Eu estava entrando na segunda fase da minha doença.

No outono de 2007, fazia um ano que meu primeiro livro fora lançado e eu ainda não havia escrito uma única linha do seguinte. Quando não tinha mais cartas para arquivar e deixei de ser reconhecido em locais públicos, quando os cartazes com fotos minhas desapareceram das grandes livrarias da Broadway, compreendi que a glória era efêmera. Era uma górgona faminta, e aqueles que não a alimentavam acabavam sendo rapidamente substituídos: os políticos do momento, a subcelebridade do último *reality show* que passou na televisão e a banda de rock que acabava de estourar haviam roubado para si a atenção antes direcionada a mim. Não haviam passado, entretanto, mais do que doze reles meses desde meu livro: um lapso de tempo ridiculamente curto, a meu ver, mas que, na escala humana, correspondia a uma eternidade. Durante esse mesmo ano, só nos Estados Unidos, um milhão de crianças havia nascido, um milhão de pessoas, morrido, uns dez mil levaram um tiro, meio milhão se envolvera com drogas, um milhão se tornara milionário, dezessete milhões haviam trocado de celular, cinquenta mil haviam morrido num acidente de carro e, nas mesmas circunstâncias, dois milhões se feriram com maior ou menor gravidade. Quanto a mim, havia escrito um único livro.

A Schmid & Hanson, poderosa editora nova-iorquina que me oferecera uma bela quantia para publicar meu primeiro romance e depositara grandes esperanças em mim, assediava meu agente, Douglas Claren, que, por sua vez, me pressionava. Ele dizia que o tempo estava se esgotando, que eu precisava apresentar um novo original de qualquer maneira, e eu me esforçava para tranquilizá-lo — querendo, na verdade, tranquilizar a mim mesmo —, assegurando-lhe que meu segundo romance estava indo de vento em popa e que ele não tinha motivo para se preocupar. Contudo, a despeito das horas que eu passava trancado no escritório, minhas páginas continuavam em branco: a inspiração fugira sem fazer alarde e eu não conseguia mais encontrá-la. E, à noite, na cama, incapaz de pegar no sono, eu pensava que em breve, e antes de completar trinta anos, o grande Marcus Goldman já não existiria mais. Esse pensamento me assustou de tal forma que decidi tirar umas férias para espairecer. Me dei de presente um mês num hotel de luxo em Miami, em teoria para recarregar as baterias, intimamente persuadido de que relaxar à sombra de palmeiras me permitiria recobrar o pleno uso de meu gênio criativo. Porém, era evidente que a Flórida não passava de uma tentativa de fuga e, dois mil anos antes de mim, o filósofo Sêneca já deparara com o mesmo impasse — não importa para onde você fuja, seus problemas esgueiram-se para dentro de suas malas e o seguem aonde quer que você vá. Era como se, mal eu tivesse chegado a Miami, um gentil carregador cubano tivesse corrido atrás de mim na saída do aeroporto e me interpelado:

— O senhor é o Sr. Goldman?

— Sou.

— Então isso é do senhor.

Ele teria me estendido um envelope contendo um maço de folhas de papel.

— São minhas páginas em branco?

— Sim, Sr. Goldman. O senhor não achou que ia sair de Nova York sem elas, não é?

Assim, passei aquele mês na Flórida sozinho, trancado numa suíte com meus demônios, me sentindo miserável e despeitado. No laptop, ligado dia e noite, o documento que eu intitulara *novoromance.doc* permanecia desesperadamente virgem. Na noite em que ofereci uma margarita ao pianista do bar do hotel, percebi que havia contraído uma doença muito comum no meio artístico. No balcão, ele me contou que, durante toda sua vida, escreveu uma única canção, mas que essa canção havia sido um hit tremendo. O sucesso foi tão grande que ele nunca mais conseguiu escrever nada e, agora, arruinado e infeliz, sobrevivia tocando as músicas dos outros para os hóspedes dos hotéis.

— Na época, fiz turnês nos maiores salões do país — ele me contou, agarrando o colarinho da minha camisa. — Dez mil pessoas berrando meu nome, gatinhas se derretendo enquanto outras jogavam calcinhas para mim. Não era pouca coisa. — E, após ter lambido feito um cachorrinho o sal em torno do copo, acrescentou: — Juro que é verdade.

O pior, justamente, é que eu sabia que era mesmo.

A terceira fase do meu infortúnio começou assim que retornei a Nova York. No avião em que voltei de Miami, li uma matéria sobre um jovem autor que acabava de lançar um romance incensado pela crítica e, quando cheguei ao aeroporto de LaGuardia, deparei com seu rosto em grandes cartazes no saguão das esteiras de bagagens. A vida me afrontava: não apenas tinham me esquecido, como, pior ainda, estavam me substituindo. Douglas, que foi me buscar no aeroporto, estava nervosíssimo: a Schmid & Hanson, já sem a menor paciência, queria uma prova de que eu estava avançando e de que logo estaria em condições de apresentar um novo original finalizado.

— A situação está feia. — Essa foi sua primeira frase dentro do carro que nos levava de volta para Manhattan. — Diga que a Flórida o revigorou e que conseguiu adiantar bastante o livro! Surgiu esse cara agora de quem todo mundo está falando... O livro dele será o grande best-seller do Natal. E você, Marcus? O que tem para o Natal?

— Vou botar a mão na massa! — prometi, em pânico. — Vou conseguir! Faremos uma grande campanha de marketing e vai dar tudo certo! As pessoas gostaram do meu primeiro livro, vão gostar do próximo!

— Você não está entendendo, Marc. Poderíamos ter feito isso alguns meses atrás. Era essa a estratégia: surfar na onda do seu sucesso, alimentar o público, dar o que ele pedia. O público queria Marcus Goldman, só que, como Marcus Goldman foi relaxar na Flórida, os leitores compraram o livro de um outro sujeito qualquer. Você estudou um pouco de economia, Marc? Os livros viraram um produto supérfluo. As pessoas querem um livro que as agrade, relaxe e divirta. E se não for você a lhes dar um livro assim, alguém dará, e você acaba indo parar na lata de lixo.

Apavorado com as profecias de Douglas, pus-me a trabalhar feito um louco: começava a escrever às seis da manhã, nunca parava antes das nove ou dez da noite. Passava dias inteiros confinado no escritório, escrevendo sem trégua, sendo arrastado pelo frenesi do desespero, esboçando palavras, alinhavando frases e multiplicando as ideias para o romance. Porém, para minha grande lástima, não produzia nada de aproveitável. Denise, por sua vez, passava os dias se descabelando com a minha situação. Como não tinha mais o que fazer — ditados a anotar, correspondência a arquivar, café a preparar —, ela andava de uma ponta a outra do corredor. E, quando não se aguentava mais, ia bater à porta.

— Estou implorando, Marcus, abra para mim! — gemia ela. — Saia desse escritório, vá dar um passeio no parque. Você não comeu nada hoje!

Eu respondia gritando:

— Não estou com fome! Não estou com fome! Sem livro não como! Ela quase soluçava.

— Não diga barbaridades, Marcus. Vou à *delicatessen* da esquina buscar um sanduíche de rosbife, seu preferido. Já volto! Já volto!

Eu a ouvia pegar a bolsa e correr para a porta de entrada antes de se lançar pelas escadas, como se aquela pressa fosse mudar alguma coisa na minha situação. Mas eu finalmente tinha entendido o alcance do mal que me acometia: escrever um livro partindo do zero me parecera muito fácil. Agora, porém, que eu estava no auge, agora que precisava assumir meu talento e repetir a marcha exaustiva rumo ao sucesso, o qual consiste em escrever um bom romance, eu me sentia impotente. Estava acometido pela doença dos escritores e não havia ninguém que pudesse me ajudar. Aqueles com quem eu falava replicavam que não era nada, que seguramente era muito comum e que, se eu não escrevesse meu livro hoje, o faria amanhã. Tentei, durante dois dias, trabalhar no meu antigo quarto, na casa dos meus pais, em Newark, no mesmo lugar em que encontrara inspiração para meu primeiro livro. Mas essa tentativa resultou num fracasso lamentável, ao qual minha mãe talvez não fosse alheia, em especial por ter passado esses dois dias sentada a meu lado, esquadrinhando a tela do meu laptop e repetindo para mim: "Está ótimo, Markie."

— Não escrevi uma linha, mãe — falei, por fim.

— Mas sinto que vai ficar ótimo.

— Mãe, se você me deixasse sozinho...

— Por que sozinho? Está com dor de barriga? Quer peidar? Pode peidar comigo aqui, querido. Sou sua mãe.

— Não, não quero peidar, mãe.

— Está com fome, então? Quer um crepe? Waffles? Alguma coisa salgada? Ovos, talvez?

— Não, estou sem fome.

— Então por que eu preciso sair? Está querendo dizer que a presença da mulher que lhe deu a vida o incomoda?

— Não, não incomoda, mas...

— *Mas* o quê?

— Nada, mãe.

— Você precisa de uma namorada, Markie. Acha que não sei que terminou com aquela atriz da televisão? Como era mesmo o nome dela?

— Lydia Gloor. De toda forma, não tínhamos um relacionamento sério, mãe. Quer dizer: nós só ficamos.

— *Só ficamos, só ficamos*! É isso que os jovens fazem agora: *ficam* e, aos cinquenta anos, estão carecas e sem família!

— Que relação isso tem com ficar careca, mãe?

— Nenhuma. Mas você acha normal que eu fique sabendo por uma revista que você está com essa garota? Que filho faz isso com a mãe, hein? Imagine que um pouco antes de você viajar para a Flórida eu chego no Scheingetz, o cabeleireiro, não o açougueiro, e todo mundo me olha com uma cara estranha. Pergunto o que aconteceu, e eis que a Sra. Berg, debaixo daquele capacete de permanente, aponta para a revista que está lendo e então vejo uma foto sua e dessa Lydia Gloor, na rua, juntos, e a manchete da reportagem dizendo que vocês se separaram. Todo o salão sabia que vocês tinham terminado, sendo que eu não sabia nem que você estava saindo com ela! É claro que eu não queria passar por idiota e disse que ela era uma garota encantadora e que vocês jantaram diversas vezes aqui em casa.

— Mãe, eu não contei para você porque não era sério. Não era a garota certa, sabe.

— Mas nunca é a garota certa! Você não conhece uma única garota certa, Markie! Esse é o problema. Acha que atrizes de televisão podem administrar um lar? Sabia que encontrei a Sra. Emerson ontem no supermercado e que a filha dela também está solteira? Seria perfeita para você. Além disso, ela tem dentes lindos. Quer que eu peça a ela para dar uma passada aqui?

— Não, mãe. Estou tentando trabalhar.

Nesse instante, a campainha tocou.

— Acho que são elas — disse minha mãe.

— Como assim, *são elas*?

— A Sra. Emerson e a filha dela. Convidei-as para tomar um chá às quatro. São quatro em ponto. Pontualidade é algo importante numa mulher. Já não adora ela?

— Você as convidou para tomar chá? Suma com elas daqui, mãe! Não quero vê-las! Tenho um livro para escrever, caramba! Não estou aqui para brincar de casinha, tenho que escrever um romance!

— Ah, Markie, você precisa mesmo é de uma namoradinha. Uma namorada para noivar e casar. Você pensa demais nos livros e pouco em casamento…

Ninguém percebia o cerne da questão: eu precisava desesperadamente de um livro novo, nem que fosse só para cumprir com as cláusulas do contrato que eu assinara com a editora. Em meados de janeiro de 2008, Roy Barnaski, o poderoso diretor da Schmid & Hanson, convocou-me a seu escritório, no quinquagésimo primeiro andar de um arranha-céu na Lafayette Street, para uma séria admoestação:

— E então, Goldman, quando terei o seu novo original? — ladrou ele. — Nosso contrato contempla cinco livros: precisa pôr mãos à obra, e rápido! Queremos resultado, queremos números! Você não está cumprindo os prazos! Está atrasado em tudo! Viu esse cara que lançou um livro qualquer antes do Natal? Ele tomou o seu lugar com o público! O agente dele disse que o próximo romance já está praticamente pronto. E você? Está nos fazendo perder dinheiro! Então mexa-se e tome as rédeas da situação. Surpreenda-nos, escreva um bom livro e salve sua pele. Vou lhe dar seis meses: espero até junho.

Eu tinha seis meses para escrever um livro quando estava travado fazia quase um ano e meio. Era impossível. Pior ainda foi que Barnaski, ao me impor aquele prazo, não me informara das consequências às quais eu me expunha caso não obedecesse. Foi Douglas quem se encarregou disso, duas semanas mais tarde, durante nossa enésima conversa em meu apartamento. Ele me disse:

— Você vai ter que escrever, meu velho, não pode mais enrolar. Você assinou para cinco livros! Cinco livros! Barnaski está furioso, perdeu a paciência... Ele comentou comigo que esticou o prazo até junho. E sabe o que vai acontecer se você furar? Eles vão romper o contrato, entrar com um processo e sugá-lo até a medula! Vão pegar toda a sua grana e você vai ter que abandonar sua vida mansa, seu belo apartamento, seus sapatos italianos, seu carrão esportivo. Vai ficar sem nada. Vão lhe tirar tudo.

Se um ano antes eu era a nova estrela da literatura americana, agora eu me tornara o grande desespero, o grande transtorno do mundo editorial. Lição número dois: além de ser efêmera, a glória não vem sem consequências. Na noite seguinte à advertência de Douglas, peguei o telefone e digitei o número da única pessoa que eu julgava capaz de me tirar daquela dificuldade: Harry Quebert, que foi meu professor na faculdade e, acima de tudo, é um dos autores mais lidos e respeitados dos Estados Unidos, com quem eu tinha uma forte ligação havia dez anos, desde que fora seu aluno na Universidade de Burrows, em Massachusetts.

Fazia mais de um ano que eu não o via e quase o mesmo tempo que não lhe telefonava. Liguei para sua casa, em Aurora, no estado de New Hampshire. Ao ouvir minha voz, ele gracejou:

— Ah, Marcus! É você mesmo quem está ligando? Inacreditável. Desde que virou celebridade não me dá notícias. Tentei telefonar mês passado, mas uma secretária atendeu e falou que você não estava para ninguém.

Respondi bruscamente:

— As coisas vão mal, Harry. Acho que não sou mais escritor.

Ele ficou sério:

— Do que está falando, Marcus?

— Não sei o que escrever, estou acabado. Totalmente travado. Faz meses. Talvez um ano.

Ele desatou numa risada tranquilizadora e calorosa.

— É só uma estafa mental, Marcus, só isso! Bloqueios criativos são algo tão irracional quanto broxar: é o pânico do gênio, o mesmo que deixa seu pauzinho mole quando você está se preparando para transar com uma de suas fãs e só pensa em lhe proporcionar um orgasmo que pode ser medido pela escala Richter. Não se preocupe com o talento, limite-se a alinhar um conjunto de palavras. O talento vem naturalmente.

— Você acha?

— Tenho certeza. Mas você devia deixar um pouco de lado as noitadas e os drinques. Escrever é coisa séria. Achei que tinha conseguido enfiar isso na sua cabeça.

— Mas estou trabalhando duro! É a única coisa que faço! E, mesmo assim, não sai nada.

— Então é porque está lhe faltando o cenário apropriado. Nova York é uma cidade bem bonita, mas acima de tudo é muito barulhenta. Por que não vem para cá, para minha casa, como fazia quando era meu aluno?

Sair de Nova York, mudar de ares. Nunca um convite ao exílio me pareceu tão sensato. Ir encontrar a inspiração de um novo livro numa pequena cidade litorânea em companhia do meu mentor: era exatamente disso que eu precisava. Foi assim que, uma semana depois, em meados de fevereiro de 2008, fui me instalar em Aurora, New Hampshire. Isso foi alguns meses antes dos acontecimentos dramáticos que me preparo para contar aqui.

* * *

Antes do episódio que agitou os Estados Unidos no verão de 2008, ninguém nunca tinha ouvido falar em Aurora, que é uma cidadezinha à beira-mar, a cerca de uma hora de carro da fronteira com o estado de Massachusetts. Há um cinema na rua principal — cuja programação está constantemente atrasada em relação ao restante dos Estados Unidos —, algumas lojas, uma agência dos correios, um posto policial e meia dúzia de restaurantes, entre eles o Clark's, o *diner* histórico da cidade. O entorno é formado por bairros pacatos, com casas de madeira coloridas e varandas encimadas por telhados de ardósia e rodeadas por jardins com gramados impecáveis. Uma espécie de arquétipo dos Estados Unidos. Um desses lugares que só existe na Nova Inglaterra, onde os moradores não trancam a porta de casa, tão sossegado que o consideramos ao abrigo de tudo.

Eu conhecia bem Aurora por já ter ido lá diversas vezes visitar Harry quando era seu aluno. Ele morava numa esplêndida casa de pedra e pinho maciço, que ficava fora da cidade, na estrada em direção a Vermont, e com vista para um braço de mar consignado nos mapas com o nome de Goose Cove. Era uma casa de escritor debruçada sobre o oceano, com uma varanda para os dias bonitos da qual uma escada dava acesso direto à praia. Os arredores eram apenas uma quietude selvagem: a mata costeira, os aglomerados de seixos e pedras gigantes, os bosques úmidos com touceiras e musgos, algumas trilhas de caminhada margeando a praia. Daria para acreditar que estávamos no fim do mundo se não soubéssemos que ficava a apenas poucos quilômetros da civilização. E não era difícil imaginar o velho autor produzindo suas obras-primas na varanda, inspirado pelas marés e pelos poentes.

Em 10 de fevereiro de 2008, nas profundezas de meu bloqueio criativo, deixei Nova York. Os Estados Unidos, por sua vez, já fervilhavam com as primárias das eleições presidenciais: alguns dias antes, a Super Tuesday (que caíra excepcionalmente em fevereiro e não em março, prova de que aquele seria um ano fora do comum) oficializara a candidatura republicana do senador McCain, enquanto entre os democratas a batalha entre Hilary Clinton e Barack Obama ainda se desenrolava. Percorri o trajeto de carro até Aurora num estirão só. Havia nevado muito no inverno e as paisagens à minha volta estavam saturadas de branco. Eu gostava de New Hampshire: da tranquilidade, das imensas florestas, dos lagos cobertos de ninfeias nos quais era possível nadar no verão e patinar no inverno, gostava de pensar que lá não se pagavam taxas nem imposto de renda. Achava que aquele era um estado libertário, e sua divisa Viver livre ou morrer, cunhada nas placas dos carros que me ultrapassavam na autoestrada, resumia perfeitamente a poderosa sensação de liberdade que me impregnava todas as vezes que ia a Aurora. A propósito, eu me lembro de que, quando cheguei à casa de Harry naquele dia, no meio de uma tarde tão fria e enevoada, tive imediatamente uma sensação de paz interior. Ele me esperava no portão, agasalhado num casacão de inverno. Saí do carro, ele veio a meu encontro, colocou as mãos em meus ombros e me ofereceu um sorriso reconfortante.

— O que há com você, Marcus?

— Não sei, Harry...

— Vamos, vamos. Você sempre foi um rapaz muito sensível.

Antes mesmo que eu desfizesse a mala, fomos para a sala conversar um pouco. Ele serviu café. Na lareira, o fogo crepitava; o interior estava aconchegante, enquanto, pela ampla sacada envidraçada, eu via o oceano atormentado pelos ventos gelados e a neve úmida caindo nos rochedos.

— Tinha esquecido como aqui é bonito — murmurei.

Ele aquiesceu.

— Você vai ver, meu querido Marcus, vou cuidar de você. Você vai escrever um romance maravilhoso. Não fique cabisbaixo, todos os bons escritores passam por um momento difícil como esse.

Ele estava com aquele ar sereno e confiante de sempre. Era um homem que eu nunca vira vacilar: carismático, seguro, cuja presença emanava uma autoridade natural. Estava com sessenta e sete anos e tinha uma bela aparência, com sua grande cabeleira grisalha sempre penteada, ombros largos e um corpo robusto que comprovava a longa prática do boxe. Era um pugilista, e havia sido justamente por intermédio desse esporte, que eu mesmo praticava com certa frequência, que havíamos nos aproximado na Universidade de Burrows.

Os laços que me uniam a Harry, e aos quais voltarei mais adiante nesta história, eram fortes. Ele entrara em minha vida no ano de 1998, quando ingressei na Universidade de Burrows, em Massachusetts. Na época, eu tinha vinte anos e ele, cinquenta e sete. Fazia aproximadamente quinze anos que ele dirigia com sucesso o departamento de Literatura da modesta universidade rural, de atmosfera serena e frequentada por estudantes simpáticos e educados. Antes disso, como todo mundo, eu conhecia O Grande Escritor Harry Quebert de nome. Em Burrows, conheci simplesmente Harry, aquele que, a despeito de nossa diferença de idade, acabaria se tornando um de meus amigos mais próximos e me ensinaria a ser um escritor. Ele conhecera a consagração em meados dos anos 1970, quando seu segundo livro, *As origens do mal*, que vendera quinze milhões de exemplares, recebera o Booker Prize e o National Book Award, os dois prêmios literários mais prestigiosos do país. Desde então, publicava com certa regularidade e escrevia uma crônica mensal bastante popular no *Boston Globe*. Era uma das grandes figuras da *intelligentsia* norte-americana: dava inúmeras conferências, era frequentemente solicitado para eventos culturais importantes; sua opinião sobre as questões políticas tinha peso. Era um homem muito respeitado, um dos orgulhos do país, o que os Estados Unidos podiam produzir de melhor. Quando fui passar algumas semanas em sua casa, eu esperava voltar a ser um escritor e aprender como transpor o abismo da página em branco. Fui, contudo, obrigado a constatar que, embora decerto Harry julgasse minha situação difícil, nem por isso a considerava anormal.

— Os escritores às vezes têm brancos e isso faz parte dos riscos da profissão — ele me explicou. — Comece a trabalhar e verá: vai desbloquear por si só.

Harry me instalou em seu escritório do térreo, onde ele mesmo escrevera todos os seus livros, inclusive *As origens do mal*. Ali passei longas horas tentando escrever, embora ficasse acima de tudo absorto pelo mar e pela neve que caía do outro lado da janela. Quando Harry me trazia um café ou alguma coisa para comer, observava minha expressão de desespero e tentava levantar meu moral. Certa manhã, acabou me dizendo:

— Não faça essa cara, Marcus, parece até que vai morrer.

— É quase isso...

— Vamos, preocupe-se com a situação do mundo, com a guerra no Iraque, não com míseros alfarrábios... É cedo demais para isso. Você me dá pena, fique sabendo: arma um escarcéu porque peleja para voltar a escrever três linhas. Melhor encarar as coisas de frente: você escreveu um livro formidável, ficou rico e famoso e o seu segundo livro está enfrentando dificuldade para sair da sua cabeça. Não há nada de estranho ou de preocupante nisso.

— E você? Nunca teve esse problema?

Ele deu uma risada barulhenta.

— Bloqueio criativo? Está brincando? Bem mais do que pode imaginar, meu amigo!

— Meu editor falou que, se eu não entregar um livro novo agora, será o meu fim.

— Sabe o que é um editor? É um escritor frustrado que tem um papai com grana suficiente para poder se apropriar do talento dos outros. Você verá, Marcus, tudo vai entrar nos eixos muito em breve. Tem uma carreira fantástica pela frente. Seu primeiro livro foi notável e o segundo será ainda melhor. Não se preocupe, vou ajudá-lo a reencontrar a inspiração.

Não posso dizer que meu retiro em Aurora tenha me devolvido a inspiração, mas é inegável que me fez bem. E, pelo que eu sabia, Harry sentia-se muitas vezes sozinho, também: era um homem sem família e sem muitas distrações. Foram dias felizes. Na realidade, foram nossos últimos dias felizes juntos. Nesse período, fizemos longos passeios à beira-mar, escutamos os grandes clássicos da ópera, percorremos pistas de esqui, eventos culturais locais, e fizemos incursões nos supermercados da região à procura de salsichinhas aperitivas vendidas em prol dos veteranos do exército americano (Harry era louco por elas e considerava que eram motivo suficiente para justificar a intervenção no Iraque). Também costumávamos almoçar no Clark's, passar tardes inteiras tomando café e discorrendo sobre a vida, como fazíamos na época que eu era seu aluno. Todo mundo em Aurora conhecia e respeitava Harry e, com o tempo, todo mundo passou a me conhecer também.

As duas pessoas com quem eu tinha mais afinidade eram Jenny Dawn, a dona do Clark's, e Erne Pinkas, bibliotecário municipal voluntário, que era muito próximo de Harry e às vezes passava em Goose Cove no fim do dia para tomar um copo de *scotch*. Eu mesmo ia todas as manhãs à biblioteca ler o *The New York Times*. No primeiro dia, notei que Erne Pinkas colocara um exemplar do meu livro num mostruário bem à vista. Apontara para ele com orgulho e dissera:

— Está vendo, Marcus? Seu livro está na área nobre! Foi o livro que mais pegaram no ano passado. Para quando é o próximo?

— Para falar a verdade, estou com certa dificuldade para começar. É por isso que estou aqui.

— Não se preocupe. Vai ter uma ideia genial, tenho certeza. Alguma coisa irresistível.

— Tipo o quê?

— Não faço ideia, o escritor é você. Mas é preciso encontrar um assunto que apaixone as massas.

No Clark's, Harry ocupava a mesma mesa havia mais de trinta anos, a número dezessete, sobre a qual Jenny mandara aparafusar uma placa de metal com os seguintes dizeres:

FOI NESTA MESA QUE, DURANTE O VERÃO DE 1975,
O ESCRITOR HARRY QUEBERT ESCREVEU SEU CÉLEBRE ROMANCE
"AS ORIGENS DO MAL"

Embora eu conhecesse essa placa desde sempre, nunca havia prestado muita atenção a ela. Foi só ao longo dessa temporada que passei a me interessar mais detidamente, examinando-a com vagar. Aquela série de palavras gravadas no metal logo me deixou obcecado: sentado àquela mísera mesa de madeira grudenta de gordura e xarope de bordo, naquele *diner* de uma cidadezinha de New Hampshire, Harry escrevera sua imensa obra-prima, aquela que o transformara numa lenda da literatura. Como foi que ele teve tamanha inspiração? Também queria me sentar à mesma mesa, escrever e ser fustigado pelo gênio. Cheguei a me acomodar nela, munido de papel e canetas, por duas tardes consecutivas. Só que não tive sucesso. Acabei perguntando a Jenny:

— Então era só isso, ele se sentava aqui e escrevia?

Ela concordou com a cabeça:

— O dia inteiro, Marcus. Todo santo dia. Nunca parava. Foi no verão de 1975, lembro direitinho.

— E quantos anos ele tinha em 1975?

— A sua idade. Trinta anos, mais ou menos. Talvez fosse um pouco mais velho.

Eu sentia uma espécie de furor efervescer dentro de mim: também queria escrever uma obra-prima, também queria escrever um livro que se tornasse uma referência. Harry deu-se conta disso quando percebeu que, após quase um mês de estadia em Aurora, eu ainda não conseguia escrever nem uma linha sequer. A cena aconteceu no início de março, no escritório de Goose Cove. Eu esperava a Iluminação divina quando ele entrou, com um avental feminino amarrado na cintura, para me oferecer umas rosquinhas que tinha acabado de fritar.

— E então, conseguiu avançar?

— Escrevi um negócio grandioso — respondi, estendendo-lhe o maço de folhas de papel que o carregador cubano recuperara para mim três meses antes.

Ele pousou sua bandeja e correu para examiná-las antes de compreender que não passavam de folhas em branco.

— Não escreveu nada? Faz três semanas que está aí e não escreveu nada?

Exaltei-me:

— Nada! Nada! Nada que preste! Só consegui pensar em romances ruins!

— Mas, porra, Marcus, o que pretende escrever se não um romance?

Respondi sem sequer refletir:

— Uma obra-prima! Quero escrever uma obra-prima!

— Uma obra-prima?

— É. Quero escrever um grande romance, com grandes ideias! Quero escrever um livro que marque época.

Harry me contemplou por um instante e caiu na risada:

— Sua ambição desmedida enche o saco, Marcus. E não é de hoje que lhe digo isso. Você vai ser um grande escritor, eu sei, estou convencido disso desde que o conheci. Mas, sabe qual é o seu problema? Você é muito apressado! Quantos anos tem exatamente?

— Trinta.

— Trinta anos! E já quer ser uma espécie de cruzamento entre Saul Bellow e Arthur Miller? A glória virá, não se afobe. Eu mesmo tenho sessenta e sete anos e estou apavorado: o tempo passa rápido demais, sabe, e todo ano que termina é um ano a menos que não posso mais recuperar. O que estava pensando, Marcus? Que ia parir sem mais nem menos um segundo livro? Uma carreira precisa ser construída, meu velho. Quanto a escrever um grande romance, não há necessidade de grandes ideias: limite-se a ser você mesmo e certamente chegará lá, não tenho dúvida quanto a isso. Ensino literatura há vinte e cinco anos, vinte e cinco longos anos, e você é a pessoa mais brilhante que já conheci.

— Obrigado.

— Não me agradeça, é a pura verdade. Mas não venha resmungar aqui feito uma gralha porque ainda não ganhou o prêmio Nobel, pelo amor de Deus... Trinta anos... Olhe, vou lhe dizer o que penso dos grandes romances... Prêmio Nobel da Estupidez é o que você merece.

— Mas como foi que você fez, Harry? Seu livro, *As origens do mal*. É uma obra-prima! E era apenas o seu segundo livro... Como foi que você fez? Como se escreve uma obra-prima?

Harry abriu um sorriso triste:

— Marcus: obras-primas não se escrevem. Elas existem por si mesmas. E, além disso, se quer mesmo saber, para muita gente é simplesmente o único livro que escrevi... Quer dizer, nenhum dos outros que o sucederam fizeram o mesmo sucesso. Quando falam de mim, pensam na mesma hora e quase exclusivamente em *As origens do mal*. E isso é triste, porque acho que se aos trinta anos me falassem que eu atingira o ápice da minha carreira, com certeza eu teria me jogado no mar. Não tenha tanta pressa.

— Você se arrepende desse livro?

— Talvez... Um pouco... Não sei... Não gosto muito do conceito de arrependimento: ele significa que não assumimos o que fomos.

— Mas então o que devo fazer?

— O que sempre fez de melhor: escrever. E, se me permite um conselho, Marcus, não faça como eu. Somos muito parecidos, você sabe, então o estou intimando a não repetir os erros que cometi.

— Que erros?

— Eu também, no verão em que cheguei aqui, em 1975, queria escrever um grande romance de qualquer maneira, estava obcecado com essa ideia e com vontade de me tornar um grande escritor.

— E conseguiu...

— Você não entende: claro que hoje sou um *grande escritor* como você diz, mas vivo sozinho nesta casa imensa. Minha vida é vazia, Marcus. Não faça como eu. Não se deixe levar pela ambição. Caso contrário, seu coração ficará sozinho e sua chama, apagada. Por que você não tem uma namorada?

— Não tenho namorada porque não encontro ninguém que me agrade de verdade.

— Acho que o problema é que você trepa da mesma forma que escreve: o êxtase ou nada. Encontre uma moça decente e dê a ela uma chance. Faça a mesma coisa com seu livro: dê uma chance a si mesmo também. Dê uma chance à sua vida! Sabe qual é minha principal ocupação? Alimentar as gaivotas. Junto pão dormido naquela lata com os dizeres LEMBRANÇA DE ROCKLAND, MAINE, que fica na cozinha, e jogo para as gaivotas. Não se deve escrever o tempo todo...

Apesar dos conselhos de Harry, eu continuava aturdido: como ele próprio, na minha idade, tivera o clique, aquele momento de gênio que lhe permitira escrever *As origens do mal*? Essa pergunta foi me deixando cada vez mais obcecado, e, como Harry me instalara em seu escritório, autorizei-me a bisbilhotar um pouco. Nem podia imaginar o que iria acabar descobrindo. Tudo começou quando abri uma gaveta à procura de uma caneta e deparei com um caderno e algumas folhas avulsas: os originais de Harry. Fiquei animadíssimo: era a oportunidade de entender como Harry trabalhava, saber se suas anotações estavam cobertas de rasuras ou se o gênio lhe advinha naturalmente. Insaciável, comecei a explorar sua biblioteca em busca de outros papéis, na esperança de encontrar o manuscrito de *As origens do mal*. Para ter o terreno livre, eu precisava esperar Harry sair de casa; ora, era às quintas-feiras que ele dava aula em Burrows, saindo cedo pela manhã e só retornando, geralmente, no final do dia. Foi assim que, na tarde da quinta-feira, 6 de março de 2008, ocorreu um incidente que decidi esquecer na mesma hora: descobri que Harry mantivera um caso com uma garota de quinze anos quando ele tinha trinta e quatro. Isso acontecera por volta de 1975.

Desvendei seu segredo quando, vasculhando freneticamente e sem cerimônia as prateleiras de seu escritório, encontrei, escondida atrás dos livros, uma grande caixa de madeira laqueada, fechada por uma tampa com dobradiças. Senti que ali poderia estar meu Santo Graal, o original de *As origens do mal*. Peguei a caixa e a abri, mas, para minha grande decepção, não havia original algum lá dentro: apenas um monte de fotografias e artigos de jornal. As fotos mostravam Harry ainda jovem — trinta e poucos anos, esbelto, elegante, altivo — e, a seu lado, uma adolescente. Havia quatro ou cinco fotos e ela aparecia em todas. Numa delas, Harry estava numa praia, com o torso nu, bronzeado e musculoso, puxando para si aquela adolescente risonha, com os óculos escuros enfiados no longo cabelo louro para prendê-lo, beijando-o no rosto. O verso da fotografia trazia uma anotação: *Nola e eu, Martha's Vineyard, final de julho de 1975*. Nesse instante, entusiasmado com minha descoberta, não notei a presença de Harry, que chegara da universidade antes do horário habitual: não ouvi os rangidos dos pneus de seu Corvette no cascalho da entrada de Goose Cove nem o som de sua voz quando ele entrou na casa. Não ouvi nada porque, na caixa, debaixo das fotografias, encontrei uma carta sem data. Uma letra infantil, num belo papel, dizia:

Não se preocupe, Harry, não se preocupe comigo, darei um jeito de encontrá-lo. Espere por mim no quarto 8, gosto desse número, é o meu preferido. Espere por mim nesse quarto às 19 horas. Então, iremos embora para sempre.

Amo muito você.
Com todo o meu carinho,
Nola

Afinal, quem era essa Nola? Com o coração disparado, comecei a vasculhar os recortes de jornal: todas as reportagens mencionavam o desaparecimento enigmático, em uma noite de agosto de 1975, de uma certa Nola Kellergan; e a Nola das fotos dos jornais correspondia à Nola das fotos de Harry. Foi nesse momento que Harry adentrou o escritório, tendo em mãos uma bandeja com xícaras de café e um prato de biscoitos, que ele deixou cair quando, empurrando a porta com o pé, encontrou-me de cócoras no tapete, com o conteúdo de sua caixa secreta espalhado a minha frente.

— Mas... O que está fazendo? — gritou ele. — Você... você está bisbilhotando, Marcus? Eu o convido para minha casa e você revira as minhas coisas? Que tipo de amigo é você?

Balbuciei explicações nada convincentes:

— Apareceu na minha frente, Harry. Encontrei a caixa por acaso. Não devia ter aberto... Sinto muito.

— Não devia mesmo! Com que direito fez isso?! Com que direito, porra?

Ele arrancou as fotos das minhas mãos, recolheu os recortes de jornal e recolocou tudo misturado dentro da caixa, que levou para o quarto, onde se trancou. Eu nunca o tinha visto assim, não podia dizer se estava em pânico ou furioso. Do outro lado da porta, me atrapalhei com as desculpas, explicando que não quisera magoá-lo, que topara com a caixa sem querer, mas de nada adiantou. Ele só saiu do quarto duas horas mais tarde e desceu direto para a sala para virar algumas doses de uísque. Quando me pareceu um pouco mais calmo, fui a seu encontro.

— Harry... Quem é essa garota? — perguntei gentilmente.

Ele olhou para o chão.

— Nola.

— Quem é Nola?

— Não pergunte quem é Nola. Por favor.
— Harry, quem é Nola? — insisti.
Ele balançou a cabeça.
— Eu a amei, Marcus. Amei demais.
— Mas por que nunca me falou dela?
— É complicado...
— Nada é complicado para os amigos.
Ele encolheu os ombros.
— Como já encontrou as fotos, não faz muita diferença se eu contar... Em 1975, eu havia acabado de chegar a Aurora, e me apaixonei por essa garota, que tinha apenas quinze anos. O nome dela era Nola e foi a mulher da minha vida.

Houve um breve silêncio, ao fim do qual perguntei, abalado:
— O que aconteceu com Nola?
— Uma história sórdida, Marcus. Ela desapareceu. Numa noite do fim de agosto de 1975, ela desapareceu após ter sido vista por uma vizinha, sangrando. Se você abriu a caixa, com certeza viu as matérias. Nunca a encontraram, ninguém sabe o que aconteceu com ela.
— Que horror — murmurei.

Ele balançou a cabeça demoradamente.
— Sabe — desabafou ele —, Nola mudou a minha vida. E eu nem teria me importado em me tornar o grande Harry Quebert, o talentoso escritor. Teria ligado pouco para a glória, o dinheiro, meu grande destino, se pudesse ter continuado com ela. Nada do que fiz depois dela deu tanto sentido à minha vida quanto o verão que passamos juntos.

Era a primeira vez desde que o conhecera que eu via Harry tão perturbado. Após me observar por um instante, ele acrescentou:
— Marcus, ninguém nunca soube dessa história. Você agora é o único a saber. E deve guardar segredo.
— Claro.
— Prometa!
— Prometo, Harry. Será nosso segredo.
— Se alguém em Aurora descobrir que tive um caso com Nola Kellergan, isso poderia ser o meu fim...
— Pode confiar em mim, Harry.

* * *

Foi tudo o que fiquei sabendo a respeito de Nola Kellergan. Não falamos mais sobre ela, nem sobre a caixa, e decidi enterrar para sempre esse episódio nos abismos de minha memória, sem nem desconfiar de que, por um acaso das circunstâncias, o fantasma de Nola ressurgiria em nossas vidas alguns meses depois.

Retornei a Nova York no final de março, após seis semanas em Aurora que em nada me ajudaram a criar meu próximo grande romance. Eu estava a três meses do prazo imposto por Barnaski e sabia que não havia mais como salvar minha carreira. Eu queimara minhas asas, estava oficialmente em decadência, era o mais infeliz e improdutivo dos escritores nova-iorquinos. As semanas foram passando: dediquei o máximo de meu tempo a preparar ardorosamente minha defesa. Arranjei outro emprego para Denise, fiz contato com advogados que poderiam revelar-se úteis quando a Schmid & Hanson resolvesse me levar à justiça e organizei uma lista de meus objetos preferidos para esconder na casa de meus pais antes que os oficiais de justiça batessem à minha porta. Quando junho começou, o mês fatídico, o mês do cadafalso, comecei a contar os dias que faltavam para minha morte artística: trinta ínfimos dias, depois uma convocação ao escritório de Barnaski com vistas à execução. A contagem regressiva tinha começado. Eu não desconfiava de que um incidente dramático iria mudar o jogo.

30

O Formidável

— O segundo capítulo é muito importante, Marcus. Ele deve ser incisivo, uma porrada.
— Como assim, Harry?
— Como no boxe. Você é destro, mas em posição de guarda é sempre seu punho esquerdo que está na frente: o primeiro direto deixa seu adversário zonzo, seguido por um poderoso cruzado de direita, que o derruba. É o que deve ser o segundo capítulo: um golpe de direita no maxilar dos seus leitores.

Aconteceu na quinta-feira, 12 de junho de 2008. Eu tinha passado a manhã em casa, lendo na sala. Do lado de fora, fazia calor, embora chovesse: havia três dias que Nova York estava sob uma garoa morna. Por volta da uma da tarde, recebi um telefonema. Atendi, mas no início me pareceu que não havia ninguém do outro lado da linha. Em seguida, distingui um soluço abafado.
— Alô? Alô? Quem está falando? — indaguei.
— Ela... ela está morta.
A voz era quase inaudível, mas a reconheci na mesma hora.
— Harry? Harry, é você?
— Ela está morta, Marcus.
— Morta? Quem está morta?
— Nola.

— O quê? Como assim?

— Ela está morta, e é tudo culpa minha. Marcus... O que eu fiz? Caramba, o que foi que eu fiz?

Ele estava chorando.

— Do que você está falando, Harry? O que está tentando me dizer?

Ele desligou. Liguei imediatamente para a casa dele, mas ninguém atendeu. Depois, tentei o celular, sem sucesso. Tentei de novo várias vezes, deixando mais de uma mensagem na caixa postal. Mas deu na mesma. Eu estava uma pilha de nervos. Naquele instante ignorava que Harry me ligara da sede da polícia estadual, em Concord. Não entendi nada do que estava acontecendo, até que, perto das quatro da tarde, Douglas me liga.

— Marc, pelo amor de Deus, já ficou sabendo? — esgoelou-se.

— Sabendo de quê?

— Porra, ligue a televisão! É sobre Harry Quebert! Foi Quebert!

— Quebert? O que tem Quebert?

— Ligue a televisão, porra!

Liguei imediatamente num canal de notícias. Na tela, vi, estupefato, imagens da casa de Goose Cove e ouvi o apresentador explicar: *Foi aqui, em sua casa em Aurora, no estado de New Hampshire, que o escritor Harry Quebert foi preso hoje, depois que a polícia desenterrou restos humanos em sua propriedade. De acordo com os primeiros elementos do inquérito, pode tratar-se do cadáver de Nola Kellergan, uma adolescente que morava na região e desapareceu em agosto de 1975 aos quinze anos, sem que jamais descobrissem o que aconteceu...*

De repente tudo começou a rodar à minha volta; deixei-me cair no sofá, completamente atordoado. Não ouvia mais nada: nem a televisão, nem Douglas, que dizia no outro lado da linha:

— Marcus? Você está aí? Alô? Ele matou uma garota?

Na minha cabeça, tudo se misturava como num pesadelo.

Foi dessa maneira que fiquei sabendo, junto com um país inteiro estupefato, o que havia acontecido algumas horas mais cedo: no início da manhã, uma empresa de jardinagem fora a Goose Cove, a pedido de Harry, para plantar mudas de hortênsias perto de sua casa. Ao revolver a terra, os jardineiros encontraram uma ossada humana a um metro de profundidade e avisaram imediatamente à polícia. Um esqueleto inteiro logo foi desenterrado e Harry, preso.

Na televisão, tudo passava muito rápido. As entradas ao vivo alternavam entre Aurora, na cena do crime, e Concord, capital de New Hampshire, situada cem quilômetros a nordeste, onde Harry agora estava detido nas dependências da Divisão de Homicídios da polícia estadual. Equipes jornalísticas despachadas para o local já acompanhavam de perto as investigações. Pelo visto, um indício encontrado junto ao corpo permitia considerar seriamente a possibilidade de o cadáver ser de Nola Kellergan. Um policial já dera a entender que, se tal informação se confirmasse, isso também apontaria Harry Quebert como suspeito do assassinato de uma certa Deborah Cooper, a última pessoa a ver Nola com vida em 30 de agosto de 1975, encontrada morta no mesmo dia, após ter ligado para a polícia. Era simplesmente apavorante. O rumor se propagava de maneira exponencial: as notícias cruzavam o país em tempo real, revezando-se na televisão, no rádio, na internet e nas redes sociais: Harry Quebert, de sessenta e sete anos, um dos autores mais importantes da segunda metade do século XX, era um sórdido assassino de garotas.

Precisei de um longo tempo para me dar conta do que estava acontecendo: várias horas talvez. Às oito da noite, quando Douglas, preocupado, apareceu lá em casa para certificar-se de que eu estava segurando a onda, eu continuava convencido de que tudo não passava de um engano. Disse a Douglas:

— Como podem acusá-lo de dois assassinatos, quando eles nem têm certeza de que se trata do corpo dessa Nola?!

— Em todo caso, havia um cadáver enterrado no jardim dele!

— Mas por que Harry mandaria escavar bem no lugar em que ele próprio teria enterrado um corpo? Isso não faz o menor sentido! Preciso ir até lá.

— Ir aonde?

— A New Hampshire. Eu me sinto na obrigação de defender Harry.

Douglas respondeu com aquele bom senso pragmático que caracteriza os nativos do Meio-Oeste:

— Não faça isso, Marcus. Não vá até lá. Não vá se meter nessa merda.

— Harry me ligou...

— Quando? Hoje?

— Por volta da uma da tarde. Acho que era o telefonema ao qual ele tinha direito. Preciso dar apoio a ele! É muito importante.

— Importante? Importante é o seu segundo livro. Espero que não tenha dado para trás e que tenha um original no fim do mês. Barnaski está quase desistindo de você. Será que não se dá conta do que vai acontecer com Harry? Não se meta nessa sujeira, Marc, você é muito jovem! Não estrague sua carreira.

Não respondi nada. Na televisão, o assistente do promotor estadual acabava de se pronunciar diante de uma multidão de repórteres. Ele enumerou as acusações que pesavam sobre Harry: sequestro em primeiro grau e duplo assassinato em primeiro grau. Harry estava sendo oficialmente acusado de ter assassinado Deborah Cooper e Nola Kellergan. E, pelo sequestro e os assassinatos acumulados, incorria na pena de morte.

A queda de Harry estava apenas começando. As imagens da audiência preliminar realizada no dia seguinte percorreram os Estados Unidos de ponta a ponta. Na mira de dezenas de câmeras de televisão e diante das rajadas de flashes dos fotógrafos, ele foi visto chegando à sala do tribunal, algemado e escoltado por policiais. Parecia devastado: cabisbaixo, barba por fazer, cabelo desgrenhado, camisa desabotoada, olhos inchados. Benjamin Roth, seu advogado, estava a seu lado. Roth era um profissional renomado de Concord, que assessorara Harry no passado e que eu conhecia um pouco por ter esbarrado com ele algumas vezes em Goose Cove.

O milagre da televisão permitiu ao país inteiro acompanhar aquela audiência, ver Harry declarar-se inocente dos crimes de que era acusado e o juiz decretar sua prisão preventiva na penitenciária estadual masculina de New Hampshire. Era o início da tempestade: a essa altura, eu ainda tinha a ingênua esperança de um desfecho rápido. Contudo, uma hora depois da audiência, recebi uma ligação de Benjamin Roth.

— Harry me deu seu número — disse ele. — Insistiu que eu ligasse para você, pois quer lhe dizer que é inocente e que não matou ninguém.

— Eu sei que ele é inocente! — respondi. — Tenho certeza disso. Como ele está?

— Mal, como pode imaginar. A pressão dos policiais é grande. Ele admitiu ter tido um caso com Nola no verão anterior ao desaparecimento dela.

— Eu já sabia de Nola. Mas e quanto ao resto?

Roth hesitou um segundo antes de responder:

— Ele nega. Mas...

Interrompeu-se.

— *Mas* o quê? — perguntei, inquieto.

— Marcus, não vou fingir que não vai ser difícil. Eles têm uma prova importante.
— Do que você está falando? Diga, porra! Preciso saber!
— Isso deve ficar entre nós. Ninguém pode saber.
— Não direi nada. Pode confiar em mim.
— Junto com os restos mortais da garota, os investigadores encontraram o original de *As origens do mal*.
— O quê?
— Vou repetir: o original desse malfadado livro estava enterrado junto a ela. Harry está ferrado.
— Ele se explicou?
— Sim. Declarou que escreveu o livro para ela. Que ela estava sempre enfurnada na casa dele, em Goose Cove, e que era normal ela pegar o texto para ler. Ele disse que, poucos dias antes de desaparecer, ela levou o texto.
— O quê? — exclamei. — Ele escreveu o livro para ela?
— Sim. Isso não pode vazar de jeito nenhum. Imagine só o escândalo se a mídia descobrir que um dos livros mais vendidos dos últimos cinquenta anos nos Estados Unidos não é o simples relato de uma história de amor, como todo mundo imagina, e sim o fruto de uma relação amorosa ilegal entre um sujeito de trinta e quatro anos e uma garota de quinze...
— Acha que consegue libertá-lo sob fiança?
— Sob fiança? Você não entendeu a gravidade da situação, Marcus: não há possibilidade de fiança em caso de crime capital. Harry corre o risco de receber uma injeção letal. Dentro de dez dias, ele será apresentado a um grande júri que decidirá sobre o prosseguimento das acusações e a realização de um julgamento. Em geral, isso não passa de uma formalidade, não resta qualquer dúvida de que haverá julgamento. Daqui a seis meses, talvez um ano.
— E nesse meio-tempo?
— Ele deve continuar na prisão.
— Mesmo sendo inocente?
— É a lei. Estou dizendo, Marcus, a situação é muito grave. Ele está sendo acusado do assassinato de duas pessoas.

Afundei no sofá. Eu precisava falar com Harry.
— Peça para ele me ligar! — insisti com Roth. — É muito importante.
— Vou dar o recado a ele...

— Diga que preciso conversar com ele de qualquer maneira e que ficarei esperando o telefonema!

Logo depois de desligar, peguei *As origens do mal* na minha estante. Na primeira página, Harry havia escrito uma dedicatória:

> *Para Marcus, meu aluno mais brilhante.*
> *Com todo o carinho,*
> *H. L. Quebert, maio de 1999*

Voltei a mergulhar naquele livro que eu não reabria havia tantos anos. Era uma história de amor que misturava narrativa e passagens epistolares; a história de um homem e de uma mulher que se amavam sem terem efetivamente esse direito. Então ele escrevera aquele livro para a tal garota misteriosa, sobre quem eu nada sabia. Quando, já tarde da noite, terminei de relê-lo, detive-me demoradamente no título. E, pela primeira vez, interroguei-me sobre seu significado: por que *As origens do mal*? A que mal Harry se referia?

Passaram-se três dias, durante os quais os exames de DNA e das arcadas dentárias confirmaram que a ossada descoberta em Goose Cove pertencia mesmo a Nola Kellergan. A análise dos ossos permitiu concluir que se tratava de uma adolescente de aproximadamente quinze anos, o que indicava que Nola morrera poucas horas depois de ter desaparecido. Porém, o mais importante é que uma fratura da parte posterior do crânio permitia afirmar com certeza, mesmo mais de trinta anos depois, que a vítima perecera devido a pelo menos um dos golpes que tinha recebido; Nola Kellergan havia sido espancada até a morte.

Eu não tinha nenhuma notícia de Harry. Tentei, mesmo assim, entrar em contato com ele por intermédio da polícia estadual, da penitenciária, ou ainda de Roth, mas sem sucesso. Andava em círculos em meu apartamento, milhares de perguntas me atormentavam, estava atônito com o misterioso telefonema de Harry. Ao cabo do final de semana, não me aguentando mais, ponderei que não tinha outra escolha a não ser ir ver o que estava se passando em New Hampshire.

Nas primeiras horas da segunda-feira, 16 de junho de 2008, joguei a bagagem no porta-malas do meu Range Rover e deixei Manhattan pela Franklin

Roosevelt Drive, que margeia o East River. Do acostamento da autoestrada, de onde a cidade parece ser uma minúscula ilha no coração da mata fechada, vi Nova York desfilar: Brooklin, Harlem, o Bronx, o estádio dos Yankees à beira d'água, a grande ponte George Washington e a calçada do Rockefeller. Para não correr o risco de me deixar convencer a desistir e voltar como um bom menino para casa, só avisei a meus pais que estava a caminho de New Hampshire quando já estava embrenhado em Nova Jersey. Minha mãe falou que eu estava louco:

— Mas o que está aprontando, Markie? Está indo defender esse criminoso bárbaro?

— Ele não é um criminoso, mãe. É meu amigo.

— Pois muito bem, seus amigos são criminosos! Seu pai está aqui do meu lado e está dizendo que você está fugindo de Nova York por causa do livro.

— Não estou fugindo.

— Então está fugindo por causa de uma mulher?

— Já disse que não estou fugindo. Não estou namorando ninguém.

— Quando vai arranjar uma namorada? Andei pensando naquela Natalia que você nos apresentou ano passado. Era uma *shiksa* tão bonitinha. Por que não liga de novo para ela?

— Você a detestava.

— E por que não escreve mais livros? Todo mundo gostava de você quando era um grande escritor.

— Ainda sou um escritor.

— Volte para casa. Farei cachorro-quente e uma torta de maçã com uma bola de sorvete de creme para você colocar por cima e deixar derreter.

— Mãe, tenho trinta anos, posso fazer cachorro-quente sozinho quando me der na telha.

— Seu pai não pode mais comer cachorro-quente, imagine só. Foi o médico que falou. — Ouvi meu pai resmungar ao fundo que, de qualquer jeito, ele tinha esse direito de vez em quando, e minha mãe buzinando em seus ouvidos: "Fim dos cachorros-quentes e de todas essas porcarias. O médico falou que isso o deixa todo entupido." — Markie, querido? Seu pai disse que você deveria escrever um livro sobre Quebert. Isso daria um gás na sua carreira. Como está todo mundo falando de Quebert, todo mundo vai se interessar pelo seu livro. Por que não aparece mais para jantar aqui em casa, Markie? Faz tanto tempo. E você gosta tanto da minha torta de maçã...

Eu tinha acabado de atravessar o estado de Connecticut quando, após ter a péssima ideia de interromper meu disco de ópera para ouvir as notícias no rádio, descobri que houvera um vazamento na polícia: a mídia havia sido informada da descoberta do original de *As origens do mal* junto ao cadáver de Nola Kellergan e sabia que Harry admitira ter se inspirado em seu relacionamento com ela para escrever o livro. Em apenas uma manhã, essas novidades já haviam rodado todo o país. Na birosca de um posto de gasolina onde enchi o tanque, pouco depois de Mystic, encontrei o frentista grudado na frente da televisão que relatava sem parar aquelas notícias. Plantei-me a seu lado e, como o intimei a aumentar o som, ele perguntou ao ver minha expressão aterrada:

— Não estava sabendo? Faz horas que todo mundo só fala nisso. Onde você estava? Em Marte?

— No meu carro.

— Ah. Não tem rádio?

— Estava escutando ópera. Ópera me relaxa.

Ele me encarou por um instante.

— A gente se conhece, não?

— Não — respondi.

— Acho que conheço você...

— Tenho um rosto muito comum.

— Não, tenho certeza de que já vi você antes... Você é um cara da televisão, é isso? É ator?

— Não.

— O que faz da vida?

— Sou escritor.

— Ah, então é isso, caramba! Vendemos seu livro aqui no ano passado. Lembro perfeitamente, tinha a sua cara na capa.

Ele serpenteou por entre as gôndolas para encontrar o livro, que evidentemente não estava mais lá. Por fim, desencavou um no estoque e, triunfal, retornou ao balcão:

— Aqui, é você! Olhe, é o seu livro. Marcus Goldman é o seu nome, está escrito aqui em cima.

— Você é que está dizendo.

— E então? O que há de novo, Sr. Goldman?

— A bem da verdade, não muita coisa.

— E aonde vai assim, se me permite a indiscrição?

— A New Hampshire.
— Lugar maneiro. Principalmente no verão. Vai fazer o que lá? Pescar?
— É.
— Pescar o quê? Há lagos cheios de achigãs por lá.
— Pescar aborrecimentos, acho. Vou encontrar um amigo que está com problemas. Problemas muito sérios.
— Ah, não podem ser problemas tão sérios como os de Harry Quebert!

Ele morreu de rir e apertou minha mão calorosamente porque "não se veem muitas celebridades por aqui", depois me ofereceu um café para a estrada.

A opinião pública estava em polvorosa: não só a presença do original junto à ossada de Nola definitivamente incriminava Harry, como, e isso era o principal, a revelação de que aquele livro fora inspirado num relacionamento com uma garota de quinze anos suscitava profundo mal-estar. O que se deveria pensar daquele livro agora? Que os Estados Unidos referendaram um maníaco, elevando Harry ao nível de escritor-celebridade? Num clima de escândalo, os jornalistas, por sua vez, interrogavam-se sobre as diferentes hipóteses que poderiam ter levado Harry a assassinar Nola Kellergan. Será que ela estaria ameaçando tornar público o relacionamento dos dois? Será que quis terminar e ele perdera a cabeça? Não consegui me impedir de repassar essas perguntas durante todo o trajeto até New Hampshire. Bem que tentei espairecer desligando o rádio para voltar à ópera, mas não havia ária que me fizesse deixar de pensar em Harry, e bastava me lembrar dele para voltar a pensar naquela garota jazendo debaixo da terra por trinta anos, ao lado da casa onde eu julgava ter passado os mais belos dias de minha vida.

Após nove horas de viagem, finalmente cheguei a Goose Cove. Dirigira sem refletir: por que ir para lá em vez de para Concord, encontrar Harry e Roth? Furgões para transmissão via satélite estavam estacionados ao longo do acostamento da estrada, enquanto, no entroncamento com a alameda de cascalho que dava acesso à casa, jornalistas aguardavam os acontecimentos, fazendo aparições ao vivo nos programas de televisão. Justamente quando eu ia seguir por um dos dois caminhos, todos se precipitaram na direção do carro e bloquearam a passagem para ver quem chegava. Um deles me reconheceu e exclamou: "Ei, é aquele escritor, Marcus Goldman!" O enxame agitou-se mais ainda, lentes de filmadoras e câmeras fotográficas colaram em meus vidros e os ouvi gritando todo tipo de pergunta para mim: "Acredita que Harry Quebert matou aquela garota?"; "Sabia que ele tinha escrito *As origens do mal* para ela?"; "Acha que esse livro deve ser retirado das prateleiras?". Eu não pretendia dar qualquer declaração, por isso mantive as janelas fechadas e os óculos escuros nos olhos. Agentes da polícia de Aurora, presentes no local para canalizar o fluxo de jornalistas e curiosos, conseguiram abrir passagem para mim e pude desaparecer na aleia, protegido pelos bosques de amoreiras e grandes pinheiros. Ainda ouvi alguns jornalistas gritarem: "Sr. Goldman, por que veio a Aurora? O que o senhor está fazendo na casa de Harry Quebert? Sr. Goldman, por que está aqui?"

Por que eu estava ali? Por tratar-se de Harry. Que era provavelmente meu melhor amigo. Pois, por mais espantoso que possa parecer — e só percebi isso nesse momento —, Harry era o amigo mais precioso que eu tinha. Durante meus anos no ensino médio e na universidade, eu me sentia incapaz de estabelecer relações duradouras com garotos da minha idade, fazer aqueles amigos que conservamos para sempre. Eu só tinha Harry na vida e, estranhamente, para mim não importava saber se ele era ou não culpado daquilo de que era acusado: a resposta em nada mudaria a amizade profunda que eu nutria por ele. Era um sentimento estranho: acho que gostaria de odiá-lo e cuspir na sua cara assim como toda a nação; isso teria sido bem mais simples. O incidente, contudo, não afetava em nada meus sentimentos por ele. No pior dos casos, ruminava simplesmente, é um homem, e os homens têm seus demônios. Todo mundo tem seus demônios. A questão é simplesmente saber até que ponto esses demônios são toleráveis.

Parei o carro no estacionamento de cascalho, ao lado da marquise. O Corvette vermelho de Harry continuava ali, em frente ao pequeno anexo que funcionava como garagem, como ele sempre o deixava. Como se o dono estivesse lá dentro e tudo corresse bem. Quis entrar na casa, mas estava trancada. Era a primeira vez, pelo que me lembrava, que a porta resistia a mim. Contornei a construção; embora não houvesse mais policial algum, o acesso aos fundos da propriedade estava obstruído por faixas de isolamento. Limitei-me a observar de longe o amplo perímetro que fora estabelecido e que se estendia até a orla da mata. Era possível perceber a cratera que atestava a ferocidade das buscas da polícia e, bem ao lado, as mudas de hortênsias esquecidas e em vias de morrer.

Devo ter ficado por cerca de uma hora ali, porque não demorou muito até eu ouvir um carro atrás de mim. Era Roth, chegando de Concord. Tinha me visto na televisão e saíra imediatamente para me encontrar. Suas primeiras palavras foram:

— Então você veio?

— Vim. Por quê?

— Harry falou que você viria. Ele me disse que você era teimoso feito uma mula e que viria para cá meter o bedelho na investigação.

— Harry me conhece bem.

Roth vasculhou o bolso de seu sobretudo e tirou um pedaço de papel.

— É dele — disse.

Desdobrei a folha. Era um bilhete escrito a mão.

Meu caro Marcus,

Se está lendo estas linhas, é porque veio a New Hampshire saber notícias de seu velho amigo.

Você é um sujeito corajoso. Nunca duvidei disso. Juro que sou inocente dos crimes de que estão me acusando. Contudo, acho que passarei um tempo na prisão e você tem mais é que cuidar da sua própria vida. Cuide de sua carreira, cuide de seu romance, que deverá entregar no fim do mês a seu editor. Sua carreira é o mais importante para mim. Não perca seu tempo comigo.

Tudo de bom,
Harry

PS: Se apesar de tudo quiser ficar um pouco em New Hampshire, ou aparecer de vez em quando por aqui, saiba que você está em casa em Goose Cove. Pode ficar o tempo que quiser. Só lhe peço um favor: alimente as gaivotas. Deixe pão na varanda. Alimente as gaivotas, isso é importante.

— Não o abandone — disse Roth. — Quebert precisa de você.

Concordei com a cabeça.

— Como estão as coisas para ele?

— Mal. Viu o noticiário? Todo mundo já está sabendo do livro. É uma catástrofe. Quanto mais descubro, mais me pergunto como defendê-lo.

— Qual a origem do vazamento?

— Se quer saber minha opinião, acho que veio diretamente do escritório do promotor. A intenção é aumentar a pressão em cima de Harry, destroçando-o junto à opinião pública. Querem confissões completas, sabem que num caso de mais de trinta anos não há nada melhor que uma confissão.

— Quando posso visitá-lo?

— A partir de amanhã. A penitenciária estadual fica na saída de Concord. Onde vai dormir?

— Aqui, se for possível.

Roth fez uma expressão de incredulidade.

— Duvido — disse ele. — A polícia fez buscas na casa. É a cena do crime.

— A cena do crime não é lá onde está o buraco? — retorqui.

Roth foi inspecionar a porta da entrada, depois vistoriou rapidamente a casa, antes de dirigir-se outra vez a mim, sorrindo.

— Você daria um bom advogado, Goldman. Não há lacres na casa.

— Quer dizer que tenho o direito de ficar aqui?

— Quer dizer que não está proibido de ficar aqui.

— Não tenho certeza se entendi.

— Nisto reside a beleza do direito nos Estados Unidos, Goldman: quando não existe lei, você inventa. E se ousarem espezinhá-lo por bagatelas, você vai à Corte Suprema, que lhe dará razão e publicará um decreto em seu nome: Goldman contra o estado de New Hampshire. Sabe por que o policial é obrigado a ler nossos direitos quando somos presos neste país? Porque nos anos 1960 um tal Ernesto Miranda foi condenado por estupro com base em suas próprias confissões. Pois bem, imagine você que o advogado dele declarou que aquilo era injusto porque Miranda, esse homem honesto, ficara muito tempo sem ir à escola e não sabia que a lei o autorizava a permanecer em silêncio. O advogado em questão fez um escarcéu, recorreu à Corte Suprema e blá-blá-blá, e imagine você que ele ganhou, o imbecil! Confissões inválidas, o célebre caso Miranda contra o estado do Arizona, e agora o policial que engaiolar você tem que zurrar: "O senhor tem o direito de permanecer calado e de ter um advogado, e, se não tiver recursos, um defensor público lhe será designado." Em suma, esse blá-blá-blá idiota que ouvimos o tempo todo no cinema, nós o devemos ao amigo Ernesto! A justiça nos Estados Unidos, Goldman, é um trabalho de equipe: todo mundo pode participar. Portanto, tome posse deste lugar, nada o impede. E, se a polícia tiver a ousadia de vir encher o seu saco, alegue uma lacuna da lei, mencione a Corte Suprema e então ameace-os com indenizações colossais. Isso sempre assusta. Por outro lado, não tenho as chaves da casa.

Tirei um chaveiro do bolso.

— Harry me deu uma há muito tempo — falei.

— Goldman, você é um mágico! Mas, por favor, não atravesse as áreas delimitadas pela polícia, senão estaremos encrencados.

— Prometido. A propósito, Benjamin, em que resultaram as buscas na casa?

— Em nada. A polícia não encontrou nada. Por isso a casa não foi lacrada.

Roth foi embora e eu entrei naquela imensa casa deserta. Tranquei a porta e fui direto ao escritório, em busca da famigerada caixa. Mas ela não estava mais lá. O que Harry poderia ter feito com ela? Querendo encontrá-la a todo custo, comecei a vasculhar as estantes do escritório e da sala; em vão. Decidi então vistoriar todos os cômodos, à procura de qualquer elemento que pudesse me ajudar a entender o que acontecera ali em 1975. Será que foi num daqueles cômodos que Nola Kellergan fora assassinada?

Acabei encontrando alguns álbuns de fotos que eu nunca vira ou notara. Abri um deles ao acaso e, lá dentro, vi fotos de Harry ao meu lado na universidade. Nas salas de aula, na academia de boxe, no campus, naquele *diner* onde costumávamos nos encontrar. Havia inclusive registros da minha formatura. O álbum seguinte estava repleto de recortes de jornal sobre mim e meu livro. Algumas passagens estavam circuladas em vermelho ou sublinhadas; nesse instante percebi que Harry acompanhara minha trajetória o tempo todo com bastante atenção, guardando religiosamente tudo que fizesse referência a ela. Encontrei até mesmo a matéria de um jornal de Newark de um ano e meio antes descrevendo a cerimônia promovida em minha homenagem no Colégio Felton. Como ele conseguiu aquela reportagem? Eu me lembrava perfeitamente daquele dia. Foi pouco antes do Natal de 2006: meu primeiro romance tinha batido a marca de um milhão de exemplares vendidos e o diretor do Colégio Felton, onde eu cursara o ensino médio, entusiasmado com a efervescência do meu sucesso, decidira me prestar uma homenagem, que ele julgava merecida.

A cerimônia desenrolou-se com grande pompa numa tarde de sábado, no pátio principal do colégio, diante de um plateia seleta de alunos, ex-alunos e alguns jornalistas locais. Toda essa gente distinta ficou amontoada em cadeiras dobráveis fitando um grande lençol que o diretor descerrara após um discurso triunfal, revelando um grande armário envidraçado, decorado com os dizeres EM HOMENAGEM A MARCUS P. GOLDMAN, "O FORMIDÁVEL", ALUNO DESTE COLÉGIO DE 1993 A 1998, sendo que no interior havia um exemplar do meu livro, meus boletins antigos, algumas fotos, meu uniforme de jogador de lacrosse e o da equipe de corrida.

Abri um sorriso ao reler o artigo. Minha passagem pelo Colégio Felton, pequeno e sossegado estabelecimento de ensino no norte de Newark, frequentado por adolescentes pacatos, ficara gravada na memória das pessoas a ponto de eu receber a alcunha de O Formidável por parte de colegas e professores. Contudo, nesse dia de dezembro de 2006, o que todos ignoravam no momento de aplaudir aquela vitrine à minha glória era que o fato de eu ter me transformado na estrela incontestável de Felton durante seis longos e belos anos devia-se exclusivamente a uma série de mal-entendidos, a princípio fortuitos, depois calculadamente orquestrados.

A epopeia do *Formidável* começou no meu primeiro ano do ensino médio, quando fui obrigado a escolher uma disciplina esportiva. Eu tinha decidido que seria futebol ou basquete, mas o número de vagas para essas duas equipes era limitado e, para meu azar, no dia da matrícula cheguei atrasado ao guichê de inscrições.

— Já fechamos — dissera a mulher gorda encarregada da tarefa. — Volte no ano que vem.

— Por favor, senhora — eu suplicara —, preciso me matricular de qualquer maneira numa disciplina esportiva, ou serei reprovado.

— Seu nome? — suspirou ela.

— Goldman. Marcus Goldman, senhora.

— Que esporte?

— Futebol. Ou basquete.

— Os dois estão esgotados. Só temos vaga na equipe de dança acrobática ou na de lacrosse.

Lacrosse ou dança acrobática. O mesmo que dizer peste ou cólera. Eu sabia que me juntar à equipe de dança faria meus colegas zombarem de mim, então optei pelo lacrosse. Por outro lado, fazia duas décadas que o Felton não contava com um time forte nesse esporte, tanto que quase nenhum aluno queria fazer parte da equipe, e por isso agora ela era formada por alunos reprovados nos demais esportes ou que se atrasaram para a matrícula. E foi assim que ingressei numa equipe dizimada, pouco valente e desastrada, mas que iria fazer minha glória. Na esperança de ser recrutado pelo time de futebol durante a temporada, planejei realizar proezas esportivas para ser notado: treinei com uma motivação sem precedente e, ao fim de duas semanas, o técnico enxergou em mim o astro que ele esperava desde sempre. Fui imediatamente promovido a capitão da equipe e não precisei despender esforços de outro mundo para ser considerado o melhor jogador de lacrosse da história do colégio. Bati sem dificuldade o recorde de gols dos vinte anos anteriores — que era absolutamente ridículo — e tal proeza levou meu nome ao quadro de honra do colégio, o que nunca acontecera com aluno algum do primeiro ano. Isso acabou impressionando meus colegas e chamando a atenção dos professores: a experiência me ensinou que, para ser formidável, bastava ter astúcia nas relações com os outros; afinal, tudo não passava de aparência.

Não demorou muito para eu me apaixonar pelo jogo. Evidentemente, tirei da cabeça abandonar a equipe de lacrosse, pois a partir de então minha única obsessão passou a ser, por todos os meios e a todo custo, tornar-me o melhor, ser o centro das atenções. Houve, por exemplo, o concurso geral de projetos individuais de ciências, vencido por uma pestinha superdotada chamada Sally, e no qual terminei em décimo sexto lugar. Na entrega do prêmio, no auditório do colégio, dei um jeito de tomar a palavra e aleguei finais de semana inteiros de caridade junto a portadores de deficiência mental, que haviam consideravelmente atrapalhado o andamento de meu projeto, antes de concluir, com os olhos brilhando de lágrimas: "Pouco me importa o primeiro lugar se eu puder plantar uma semente de felicidade em minhas amigas, as crianças com síndrome de Down." Claro que todo mundo ficou profundamente comovido e assim consegui ofuscar Sally aos olhos dos professores, colegas e da própria Sally, que, sendo irmã de um garotinho com uma deficiência grave — o que eu não sabia —, recusou o prêmio e exigiu que este fosse entregue a mim. O episódio fez meu nome ser incluído, sob as rubricas *esporte*, *ciências* e *prêmio de coleguismo*, no quadro de honra, que eu secretamente batizara de *quadro desonra*, plenamente consciente de minhas imposturas. Mas eu não conseguia parar; parecia que eu estava possuído. Uma semana mais tarde, bati o recorde de venda de bilhetes de rifa, pois eu mesmo os comprei com o dinheiro de dois anos limpando os gramados em volta da piscina municipal. Bastou isso para um boato logo se espalhar pelo colégio: Marcus Goldman era uma criatura de excepcional qualidade. Foi essa constatação que levou alunos e professores a me apelidarem de O Formidável, como uma marca de fábrica, uma garantia de sucesso absoluto; e minha pequena notoriedade logo estendeu-se a todo o bairro de Newark, enchendo meus pais de imenso orgulho.

Essa reputação escusa incitou-me a praticar a nobre arte do boxe. Eu sempre tivera uma queda por esse esporte, e sempre fora um excelente pugilista, porém, o que eu procurava ao ir treinar em segredo num clube no Brooklyn — a uma hora de trem da minha casa, onde ninguém me conhecia, onde O Formidável não existia — era a possibilidade de ser falível: eu reivindicava o direito de ser derrotado pelo mais forte, o direito de ser humilhado. Era a única maneira de me evadir para longe do monstro de perfeição que eu criara: naquela academia de boxe, O Formidável podia perder, podia ser ruim. E Marcus podia existir. Pois aos poucos minha obsessão em ser o número um absoluto superou o imaginável: quanto mais eu ganhava, mais tinha medo de perder.

No terceiro ano, devido a restrições orçamentárias, o diretor foi obrigado a desmantelar a equipe de lacrosse, que saía cara demais para o colégio na relação custo-benefício. Para o meu grande desespero, tive então de escolher uma nova disciplina esportiva: os times de futebol e basquete me espreitavam, mas eu sabia que, se me juntasse a um deles, acabaria sendo confrontado por jogadores bem mais talentosos e determinados que os meus companheiros de lacrosse. Correria o risco de ser ofuscado, voltar a cair no anonimato, ou, pior, regredir: o que diriam quando Marcus Goldman, vulgo "O Formidável", ex-capitão da equipe de lacrosse e recordista do número de gols marcados nos últimos vinte anos, virasse roupeiro do time de futebol? Vivi duas semanas de angústia até que chegou aos meus ouvidos a superdesconhecida equipe de corrida do colégio, formada por dois obesos de pernas curtas e um magricela fracote. Verificou-se, além disso, que aquela era a única modalidade em que o Felton não participava de nenhuma competição intercolegial: isso me assegurava jamais ter de me comparar a quem quer que pudesse me ameaçar. Foi então que, aliviado e sem qualquer hesitação, me juntei à equipe de corrida da escola, em cujo seio, e desde o primeiro treino, bati sem dificuldade o recorde de velocidade de meus plácidos colegas sob os olhares apaixonados de algumas *groupies* e do diretor.

Tudo teria transcorrido bem se justamente o diretor, seduzido pelos meus resultados, não tivesse tido a extravagante ideia de promover um grande campeonato de corrida entre as escolas da região com o intuito de redourar o brasão de seu colégio, certo de que *O Formidável* ganharia com um pé nas costas. Ao anúncio dessa notícia, tomado pelo pânico, treinei sem parar durante um mês inteiro; mas sabia que ninguém era capaz de enfrentar os corredores dos outros colégios, experientes em competições. Eu não passava de uma fachada: seria ridicularizado e, como se não bastasse, em meu próprio terreno.

No dia da corrida, o Felton inteiro, além de metade do meu bairro, estava lá para me aclamar. Foi dada a largada e, como eu temia, fui prontamente deixado para trás pelos demais corredores. O momento era crucial: minha reputação estava em jogo. O percurso era de dez quilômetros, ou seja, vinte e cinco voltas no estádio. Vinte e cinco humilhações. Eu ia terminar em último, derrotado e desonrado. Quem sabe até retardatário, uma volta inteira atrás do primeiro. Precisava salvar *O Formidável* a todo custo. Reuni então todas as minhas forças, toda a minha energia e, numa arrancada desesperada, lancei-me num *sprint* desvairado: sob os vivas da multidão conquistada para a minha causa, assumi a primeira posição. Foi nesse momento que recorri ao plano maquiavélico que havia arquitetado: ocupando provisoriamente a primeira posição e percebendo que atingira meus limites, fingi prender os pés no solo e me joguei no chão, esperneando de forma espetacular ao som de uivos e gritos da multidão e, no final, consegui uma perna quebrada, o que decerto não estava nos planos, mas que, ao preço de uma cirurgia e duas semanas no hospital, salvou a grandeza do meu nome. E, na semana seguinte ao episódio, o jornal do colégio escreveu a meu respeito:

> *Durante essa corrida antológica, Marcus Goldman, "O Formidável", quando dominava amplamente os adversários e estava prestes a conquistar uma esmagadora vitória, foi vítima da má qualidade da pista: levou um tombo espetacular e quebrou uma perna.*

Foi o fim da minha carreira como corredor e atleta: por causa da gravidade da lesão, fui dispensado da educação física até terminar o colégio. Por minha dedicação e meu sacrifício, tive direito a uma placa com meu nome na vitrine das honrarias, onde já reinava minha camiseta de lacrosse. Quanto ao diretor, amaldiçoando as condições execráveis das instalações do Felton, mandou reformar, onerosamente, todo o revestimento da pista da quadra de esporte, financiando as obras com a verba do orçamento das excursões do colégio e privando assim os alunos de todas as séries de qualquer atividade física durante o ano letivo.

No fim dos meus anos de colégio, consagrado com boas notas, certificados de honra ao mérito e cartas de recomendação, tive que fazer a famigerada escolha da universidade. E uma tarde, em meu quarto, deitado na cama, tendo à frente três cartas de aprovação, uma de Harvard, outra de Yale e uma terceira de Burrows, uma pequena universidade desconhecida de Massachusetts, não hesitei: eu queria Burrows. Ir para uma grande universidade era correr o risco de perder o rótulo de "*Formidável*". Harvard e Yale eram areia demais para o meu caminhãozinho: eu não tinha a menor vontade de enfrentar as elites insaciáveis vindas dos quatro cantos do país e que parasitariam os quadros de honra. Os quadros de honra de Burrows pareciam-me muito mais acessíveis. *O Formidável* não queria ter as asas cortadas. *O Formidável* queria continuar sendo *O Formidável*. Burrows era perfeita: um campus modesto, onde eu com certeza poderia brilhar. Não tive dificuldade em convencer meus pais de que o departamento de letras de Burrows era em todos os quesitos superior aos de Harvard e Yale, e assim, no outono de 1998, desembarquei de Newark nessa cidadezinha industrial de Massachusetts, onde acabaria conhecendo Harry Quebert.

No início da noite, enquanto eu continuava na varanda olhando os álbuns e remoendo as lembranças, recebi uma ligação de Douglas, alarmado.

— Marcus, em nome de Deus! Não consigo acreditar que você foi para New Hampshire sem me avisar! Recebi ligações de vários jornalistas querendo saber o que você está fazendo aí, e eu completamente por fora. Tive que ligar a televisão para ficar sabendo. Volte para Nova York. Volte enquanto é tempo. Essa história vai sair do controle! Saia já desse buraco e volte para Nova York amanhã na primeira hora. Quebert tem um excelente advogado. Deixe que ele faça esse trabalho e concentre-se no seu livro. Precisa entregar os originais a Barnaski em quinze dias.

— Harry precisa de um amigo a seu lado — insisti.

Houve um momento de silêncio e Douglas murmurou, como se só agora percebesse o que lhe escapava há meses:

— Você não tem livro algum, é isso? Estamos a duas semanas do prazo de Barnaski e você não teve a decência de escrever a porra desse livro! É isso, Marc? Está aí para ajudar um amigo ou fugiu de Nova York?

— Cale a boca, Douglas.

Outro longo silêncio.

— Marc, diga que tem uma ideia na cabeça. Diga que tem um plano e que há uma boa razão para estar aí em New Hampshire.

— Uma boa razão? Amizade não é suficiente?

— Mas, porra, o que você deve a Harry para estar aí?

— Tudo, absolutamente tudo.

— Como assim, *tudo*?

— É complicado, Douglas.

— Que diabo está tentando me dizer, Marcus?

— Doug, há um episódio em minha vida que nunca lhe contei... Quando terminei o colégio, com certeza eu teria me dado mal. E então conheci Harry... Ele de certa forma salvou minha vida. Tenho uma dívida com ele... Sem ele, nunca teria me tornado o escritor que sou. Isso aconteceu em Burrows, Massachusetts, em 1998. Devo tudo a ele.

29

É ilegal apaixonar-se por uma garota de quinze anos?

— Eu gostaria de lhe ensinar a escrever, Marcus, não para que você saiba escrever, mas para que se torne um escritor. Porque escrever livros não é nada: todo mundo sabe escrever, mas nem todo mundo é escritor.
— E como vou saber que sou um escritor, Harry?
— Ninguém sabe que é escritor. São os outros que nos dizem isso.

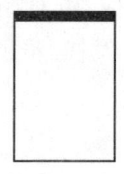

Todos os que se lembram de Nola dizem que ela era uma garota maravilhosa. Daquelas que ficam gravadas na nossa memória: delicada e solícita, multitalentosa e radiante. Parecia ter aquela alegria de viver inigualável, capaz de iluminar os piores dias de chuva. Aos sábados, trabalhava no Clark's: saracoteava entre as mesas, ligeira, fazendo dançar nos ares seu cabelo louro e cacheado. Tinha sempre uma palavra gentil para cada freguês. Não se via ninguém além dela. Nola era um mundo inteiro em si.

Era filha única de David e Louisa Kellergan, evangélicos do Sul, originários de Jackson, no Alabama, onde ela também nasceu, em 12 de abril de 1960. Os Kellergan haviam se mudado para Aurora no outono de 1969, depois que o pai de Nola fora nomeado reverendo da paróquia de St. James, a principal comunidade de Aurora, que tinha uma notável afluência na época. O templo de St. James, situado na entrada sul da cidade, consistia num imponente pavilhão de madeira do qual mais nada subsiste hoje, depois que as comunidades de Aurora e Montburry foram obrigadas a fundir-se por motivos de economia orçamentária e escassez de fiéis. No lugar, há agora um McDonald's. Assim que chegaram, os Kellergan foram morar numa bela casa térrea, propriedade da paróquia, situada na Terrace Avenue, 245 — tudo indica ter sido pela janela de seu quarto que, seis anos mais tarde, Nola se volatilizou na natureza, num sábado, 30 de agosto de 1975.

Essas descrições estiveram entre as primeiras que ouvi dos fregueses do Clark's, aonde fui na manhã seguinte ao dia em que cheguei a Aurora. Eu acordara espontaneamente ao amanhecer, atormentado pela desagradável sensação de não ter muita certeza do que estava fazendo ali. Após correr na praia, alimentara as gaivotas e começara a me indagar se eu viera a New Hampshire unicamente para distribuir pão dormido a aves marinhas. Tinha um encontro com Benjamin Roth, para irmos visitar Harry em Concord às onze horas; nesse meio-tempo, como não queria ficar sozinho, fui comer panquecas no Clark's. Quando eu era estudante e dormia em sua casa, Harry costumava me arrastar para lá às primeiras horas do dia: me acordava antes do nascer do sol, sacudindo-me sem cerimônia e dizendo que estava na hora de vestir meu moletom. Depois, descíamos para a beira do mar, para correr e praticar boxe. Quando ele arrefecia um pouco, passava a dar uma de treinador: interrompia seu esforço supostamente para corrigir meus gestos e posturas, mas sei que o que queria mesmo era recuperar o fôlego. Enquanto fazíamos exercícios e dávamos *sprints*, percorríamos os poucos quilômetros de praia que ligavam Goose Cove a Aurora. Voltávamos em seguida pelos rochedos de Grand Beach e atravessávamos a cidade ainda adormecida. Na rua principal, mergulhada na escuridão, percebíamos de longe a luz agressiva que jorrava pela sacada envidraçada do *diner*, o único estabelecimento a abrir tão cedo. No interior, reinava uma calma absoluta; os raros fregueses eram caminhoneiros ou trabalhadores rurais que engoliam seu café da manhã em silêncio. Como fundo musical, ouvia-se o rádio, sempre sintonizado num programa de notícias e cujo volume, excessivamente baixo, não nos permitia compreender todas as palavras do locutor. Nas manhãs de muito calor, o ventilador pendurado chicoteava o ar num rangido metálico, fazendo dançar a poeira em torno das luminárias. Nós nos sentávamos à mesa dezessete, e Jenny logo aparecia para nos servir um café. Sempre abria para mim um sorriso de uma doçura quase maternal. Dizia: "Coitadinho do Marcus, você o força a sair da cama de madrugada, não é? Ele faz isso desde que o conheço." E ríamos.

Porém, nesse 17 de junho de 2008, apesar de ser de manhã cedo, o Clark's já estava às voltas com uma grande agitação. Todo mundo só falava do caso e, quando entrei, os fregueses de sempre, que me conheciam, me cercaram para perguntar se *era verdade*, se Harry tivera um relacionamento com Nola e se a matara, a ela e a Deborah Cooper. Eu me esquivei das perguntas e fui me sentar à mesa dezessete, que estava livre. Descobri então que a placa em homenagem a Harry tinha sido retirada: no lugar, havia apenas os dois buracos dos parafusos na madeira da mesa e a marca do metal que descascara o verniz.

Jenny veio servir café e me cumprimentou educadamente. Tinha o semblante triste.

— Vai ficar na casa do Harry? — perguntou ela.

— Acho que sim. Você tirou a placa?

— Tirei.

— Por quê?

— Ele escreveu aquele livro para uma criança, Marcus. Para uma criança de quinze anos. Não posso deixar a placa aí. É um amor nojento.

— Acho que é mais complicado que isso.

— E eu acho que você não devia se intrometer nesse caso, Marcus. O melhor que tem a fazer é voltar para Nova York e ficar longe de toda essa história.

Pedi panquecas e salsichas. Um exemplar manchado de gordura do *Aurora Star* estava jogado na mesa. Na primeira página, uma imensa foto de Harry em seu auge, com o ar respeitável, o olhar penetrante e seguro de si. Logo abaixo, uma imagem de sua entrada na sala de audiência do tribunal de justiça de Concord, algemado, humilhado, o cabelo desalinhado, os traços marcados, a aparência desfigurada. No detalhe, um retrato de Nola e outro de Deborah Cooper. E a manchete: Harry Quebert está mesmo envolvido?

Erne Pinkas chegou pouco depois de mim e veio se sentar à minha mesa com sua xícara de café.

— Vi você na televisão ontem à noite — disse ele. — Você se mudou para cá?

— É, talvez.

— Para fazer o quê?

— Não faço ideia. Por Harry.

— Ele é inocente, não é? Não consigo acreditar que tenha feito uma coisa dessas… Não faz sentido.

— Não sei mais, Erne.

A meu pedido, ele contou sobre como a polícia, dias antes, havia desenterrado o cadáver de Nola em Goose Cove, a um metro de profundidade. Naquela quinta-feira, todo mundo em Aurora fora alertado pelas sirenes dos carros de polícia, que haviam afluído de todo o condado, desde patrulhas rodoviárias a veículos descaracterizados do departamento de Homicídios, incluindo um furgão da polícia técnica.

— Quando soubemos que poderia ser o cadáver de Nola Kellergan — explicou Pinkas —, foi um choque para todo mundo! Ninguém podia acreditar: esse tempo todo, aquela menininha estava bem ali, à vista de todos. Quer dizer, quantas vezes estive na casa de Harry, naquela varanda, tomando um *scotch*... Praticamente ao lado dela... Seja franco, Marcus, ele realmente escreveu aquele livro para ela? Não consigo acreditar que tenham tido alguma coisa... Por acaso você sabia de algo?

Para não ter que responder, mexi a colherinha dentro da xícara até formar um redemoinho. E disse:

— É um grande mal-entendido, Erne.

Pouco depois, Travis Dawn, chefe da polícia de Aurora e, a propósito, marido de Jenny, juntou-se a nós à mesa. Ele fazia parte daquele grupo que eu conhecia desde sempre em Aurora: um homem pacato, na casa dos sessenta anos, grisalho, o tipo de policial do interior de boa cepa que não assustava mais ninguém fazia muito tempo.

— Sinto muito, meu velho — disse ele, cumprimentando-me.

— Por quê?

— Por essa história que estourou. Sei que você é muito próximo de Harry. Não deve ser fácil para você.

Travis era a primeira pessoa a se preocupar com o que eu podia estar sentindo. Concordei com a cabeça e perguntei:

— Por que, desde que venho aqui, nunca ouvi falar de Nola Kellergan?

— Porque, até encontrarmos o corpo dela em Goose Cove, essa era uma velha história. Daquelas que não gostamos de lembrar.

— Travis, o que aconteceu em 30 de agosto de 1975? E o que aconteceu com essa Deborah Cooper?

— Negócio brabo, Marcus. Muito brabo. Que assisti de camarote, pois estava de plantão nesse dia. Na época, eu era um simples agente. Fui eu quem recebi a ligação da central... Deborah Cooper era uma senhora boa e amável que, desde a morte do marido, morava sozinha numa casa isolada perto da mata de Side Creek. Sabe onde fica Side Creek? É onde começa a floresta, três quilômetros depois de Goose Cove. Lembro-me perfeitamente da Sra. Cooper: nessa época, fazia pouco tempo que eu estava na polícia, mas ela ligava com certa regularidade. Sobretudo à noite, para comunicar barulhos suspeitos nos arredores da casa. Ela morria de medo, naquela grande cabana no limiar da floresta, e precisava que alguém fosse tranquilizá-la de vez em quando. Todas as vezes, desculpava-se pelo incômodo e oferecia bolo e café aos agentes que tinham ido até lá. E no dia seguinte ia à delegacia nos levar um agrado. Uma senhorinha legal, no fim das contas. Do tipo a quem você presta favores espontaneamente. Resumindo, naquele 30 de agosto de 1975, a Sra. Cooper discou o número de emergência da polícia e declarou ter visto uma garota sendo perseguida por um homem, na floresta. Eu era o único agente em patrulha em Aurora e fui imediatamente à casa dela. Era a primeira vez que ela ligava à luz do dia. Quando cheguei, ela estava me esperando na frente de casa. Disse: "Travis, você vai achar que estou maluca, mas dessa vez juro que vi algo de estranho." Fui dar uma olhada na beira da floresta, onde ela tinha visto a garota, e encontrei um pedaço de tecido vermelho. Na mesma hora achei que devia levar o caso a sério e então avisei ao chefe Pratt, o chefe da polícia de Aurora na época. Ele estava de folga, mas veio imediatamente. A floresta é imensa e éramos apenas dois para entrar e procurar. Nós nos embrenhamos na mata: cerca de um quilômetro e meio depois encontramos vestígios de sangue, fios de cabelo louro, outros farrapos de tecido vermelho. Não tivemos tempo de confabular, porque nesse instante ouvimos um tiro vindo da casa de Deborah Cooper... Corremos para lá e acabamos encontrando a Sra. Cooper na cozinha, ensopada de sangue. Em seguida, soubemos que ela tinha acabado de telefonar para a central avisando que a garota que vira pouco antes viera refugiar-se na casa dela.

— A garota foi para a casa dela?

— Isso mesmo. Enquanto estávamos na floresta, ela tinha reaparecido, sangrando, procurando ajuda. Porém, quando chegamos, afora o cadáver da Sra. Cooper, não havia mais ninguém na casa. Coisa de maluco.

— E essa garota era Nola? — indaguei.

— Era. Não levou muito tempo até entendermos isso. Primeiro, o pai dela ligou, um pouco mais tarde, para notificar seu desaparecimento. E, depois, descobrimos que Deborah Cooper havia ligado mais uma vez para a central e identificado Nola.

— O que aconteceu em seguida?

— Após a segunda ligação da Sra. Cooper, unidades da região já estavam a caminho. Ao chegar ao limite da floresta de Side Creek, um auxiliar do xerife notou um Chevrolet Monte Carlo preto fugindo na direção Norte. Começamos uma perseguição, mas, por causa das barreiras, o veículo escapou. Passamos as semanas seguintes procurando Nola: reviramos toda a região. Quem poderia imaginar que ela estava em Goose Cove, na casa de Harry Quebert? Todos os indícios sugeriam que estava provavelmente em algum lugar na floresta. Organizamos buscas intermináveis, sendo que a floresta estende-se até Vermont, imagine só... Nunca encontramos o carro nem a garota. Se tivéssemos condições, teríamos parado o país inteiro, mas fomos obrigados a interromper as buscas três semanas depois, desolados, pois os parasitas da polícia estadual afirmaram que eram dispendiosas demais e o resultado, muito incerto.

— Tinham algum suspeito na época?

Ele hesitou por um instante e respondeu:

— Isso nunca foi oficial, mas... havia Harry. Tínhamos nossas razões. Quer dizer, três meses depois de ele chegar a Aurora, a garota desaparece. Estranha coincidência, não acha? E, o principal, qual era o carro que ele dirigia na época? Um Chevrolet Monte Carlo preto. Mas não tínhamos provas suficientes contra ele. No fundo, esse original é a prova que procurávamos trinta e três anos atrás.

— Não acredito nisso. Harry, não. E, além do mais, por que ele deixaria uma evidência tão comprometedora junto ao corpo? E por que mandaria os jardineiros cavarem justamente o local onde teria enterrado o cadáver? As coisas não estão batendo.

Travis deu de ombros:

— Acredite em minha experiência de policial: nunca sabemos do que as pessoas são capazes. Ainda mais as que julgamos conhecer melhor.

Com essas palavras, Travis se levantou e me cumprimentou educadamente:

— Se eu puder fazer alguma coisa por você, não hesite em me falar — ofereceu ele, antes de ir embora.

Erne, que acompanhara a conversa sem intervir, repetiu, incrédulo:

— E essa agora... Nunca soube que a polícia tinha suspeitado de Harry...

Não respondi. Contentei-me em arrancar a primeira página do jornal para levá-la comigo e, embora ainda fosse cedo, segui para Concord.

* * *

A penitenciária estadual masculina de New Hampshire fica na North State Street, 281, ao norte da cidade de Concord. Para chegar lá partindo de Aurora, basta sair da autoestrada 93, logo após o shopping Capitol, pegar a North Street até a esquina do Holiday Inn e seguir reto por uns dez minutos. Depois de passar pelo cemitério de Blossom Hill e por um pequeno lago em forma de ferradura próximo ao rio, o caminho segue margeando uma série de grades de ferro e arame farpado que não deixam dúvida quanto ao que é aquele lugar. Uma placa oficial indica o presídio um pouco adiante e avistamos então pavilhões austeros de tijolos vermelhos, protegidos por um espesso muro circundante, depois os portões de ferro da entrada principal. Bem defronte, do outro lado da estrada, há uma concessionária de automóveis.

Roth me esperava no estacionamento, fumando um cigarro barato. Sua expressão estava serena. À guisa de cumprimento, premiou-me com um tapa no ombro, como se fôssemos velhos amigos.

— Primeira vez numa prisão? — perguntou ele.

— É, sim.

— Tente relaxar.

— Quem disse que não estou relaxado?

Ele percebeu a multidão de jornalistas de plantão ali perto.

— Estão em toda parte — comentou Roth. — Por favor, não responda as solicitações deles. São abutres, Goldman. Vão espremer você até conseguirem arrancar informações bem picantes. Resista e continue calado. Qualquer frase sua mal interpretada pode voltar-se contra nós e atrapalhar minha estratégia de defesa.

— Qual é a sua estratégia?

Ele me encarou com uma expressão séria.

— Negar tudo.

— Negar tudo? — repeti.

— Tudo. O relacionamento, o rapto, os assassinatos. Vamos declará-lo inocente, vou absolver Harry e espero inclusive reivindicar milhões de dólares em indenizações ao estado de New Hampshire.

— E o que vai fazer a respeito do original que a polícia encontrou junto ao corpo? E das confissões de Harry sobre seu caso com Nola?

— Isso não prova nada! Escrever não é matar. Além do mais, Harry afirmou o seguinte, e sua explicação é convincente: Nola levou consigo o original antes de desaparecer. Quanto ao namoro, era uma paixonite. Nada de muito perverso. Nada que possa ser considerado um crime. Você vai ver, o promotor não conseguirá provar nada.

— Conversei com o auxiliar do chefe da polícia de Aurora, Travis Dawn. Ele disse que, na época, consideraram Harry um possível suspeito.

— Babaquice! — exclamou Roth, que se tornava facilmente grosseiro quando contrariado.

— Ao que parece, na época o suspeito dirigia um Chevrolet Monte Carlo preto. Travis disse que era justamente o modelo do carro de Harry.

— Babaquice ao quadrado! — exagerou Roth. — Mas é bom saber. Bom trabalho, Goldman, esse tipo de informação é importante para mim. Aliás, você que conhece todos os caipiras que moram em Aurora, interrogue-os um pouco para saber desde já as lorotas que eles pretendem contar aos jurados se forem citados como testemunhas durante o julgamento. E trate de descobrir também quem exagera na bebida e quem bate na mulher: uma testemunha que bebe ou bate na mulher não é digna de confiança.

— Isso é uma técnica detestável, não acha?

— Guerra é guerra, Goldman. Bush mentiu aos Estados Unidos para atacar o Iraque, mas era necessário: veja só, deram um pé na bunda do Saddam, libertaram os iraquianos e desde então o mundo está bem melhor.

— A maioria dos americanos era contra essa guerra. Ela não passou de um desastre.

Pela expressão dele, parecia decepcionado.

— Ah, não — lamentou —, eu tinha certeza...

— De quê?

— Vai votar nos democratas, Goldman?

— É claro que vou votar nos democratas.

— Espere para ver, eles vão cobrar impostos estratosféricos de ricaços como você. E depois vai ser tarde demais para chorar. Para governar os Estados Unidos é preciso ter colhões. E os elefantes têm colhões maiores que os burros. É assim, é genético.

— Você é um doce, Roth. De qualquer jeito, os democratas já ganharam a eleição. A maravilhosa guerra de vocês foi impopular o suficiente para fazer a balança pender para o nosso lado.

Roth abriu um sorriso irônico, quase incrédulo.

— Mas não me diga que acredita nisso! Uma mulher e um negro, Goldman! Uma mulher e um negro! Fala sério, você é um rapaz inteligente, vamos ser realistas: quem elegerá um negro ou uma mulher para liderar o país? Transforme isso num livro. Numa bela história de ficção científica. Na próxima vez vai ser o quê? Uma lésbica porto-riquenha e o cacique de uma tribo indígena?

A meu pedido, após as formalidades de praxe, Roth me deixou por um instante a sós com Harry, na sala onde ele nos aguardava. Ele estava sentado diante de uma mesa de plástico, vestindo uniforme de presidiário, com um ar desamparado. No momento em que entrei ali, seu rosto se iluminou. Pôs-se de pé e demos um longo abraço, antes de nos sentarmos um de cada lado da mesa, mudos. Por fim, ele disse:

— Estou com medo, Marcus.
— Vamos tirar você daqui, Harry.
— Tenho uma televisão, sabia? Vejo tudo que dizem. É o meu fim. Minha carreira está acabada. Minha vida está acabada. Isso marca o início da minha queda: acho que estou caindo.
— Você nunca deve ter medo de cair, Harry.

Ele esboçou um sorriso triste.

— Obrigado por ter vindo.
— É o que fazem os amigos. Estou em Goose Cove e alimentei as gaivotas.
— Pois saiba que, se quiser voltar para Nova York, vou entender perfeitamente.
— Não vou a lugar algum. Roth é meio esquisito, mas parece saber o que faz, e ele diz que você será absolvido. Ficarei aqui, vou ajudá-lo. Farei o que for preciso para descobrir a verdade e salvarei sua honra.
— E o seu novo livro? Ficou de entregá-lo à editora no fim do mês, não foi?

Abaixei a cabeça.

— Não tem livro. Não tenho mais ideias.
— Como assim, *mais ideias*?

Não respondi e mudei de assunto, puxando do bolso a página de jornal que peguei no Clark's algumas horas antes.

— Harry — intimei-o —, eu preciso entender. Preciso saber a verdade. Não consigo tirar da cabeça o que você falou outro dia, ao telefone. Você se perguntava o que havia feito com Nola...

— Foi no calor do momento, Marcus. Eu tinha acabado de ser detido pela polícia, tinha direito a um telefonema e você foi a única pessoa que me ocorreu avisar. Não avisar que eu havia sido preso, mas que ela estava morta. Porque você era o único que sabia de Nola e porque eu precisava dividir minha dor com alguém... Durante todos esses anos, alimentei a esperança de que ela estivesse viva, em algum lugar. Mas estava morta desde o início... Estava morta e eu me sentia culpado por isso, pelos mais diversos motivos. Culpado por não ter sabido protegê-la, talvez. Mas nunca lhe fiz mal, juro que sou inocente de tudo o que estão me acusando.

— Acredito em você. O que disse aos policiais?

— A verdade. Que eu era inocente. Por que eu mandaria plantar flores naquele lugar, hein? É totalmente ridículo! Disse também que não sabia como aquele original tinha ido parar lá, mas que eles precisavam saber que eu escrevi aquele romance para Nola, e que era sobre ela, antes do desaparecimento. Que Nola e eu estávamos apaixonados. Que tivemos um relacionamento no verão anterior e que dele eu extraíra um romance, do qual tinha, na época, duas versões: uma delas, a primeira, manuscrita; a outra, o original datilografado. Nola se interessava muito pelo que eu escrevia, inclusive me ajudava a passar a limpo. E um dia não encontrei mais a versão datilografada. Isso foi no final de agosto, imediatamente antes do desaparecimento dela... Supus que Nola o tivesse levado para ler, às vezes ela fazia isso. Lia meus textos e depois dava sua opinião. Levava sem pedir autorização... mas dessa vez não tive como lhe perguntar se pegara o texto, porque ela desapareceu logo depois. Fiquei só com o exemplar manuscrito. Esse romance era *As origens do mal*, que meses depois fez o sucesso todo que você já sabe.

— Então você realmente escreveu esse livro para Nola?

— Escrevi. Vi na televisão que estão sugerindo tirá-lo de circulação.

— Mas o que aconteceu entre você e Nola?

— Uma história de amor, Marcus. Eu me apaixonei loucamente por ela. E acho que isso me levou à perdição.

— O que mais a polícia tem contra você?

— Não sei.

— E a caixa? Onde está aquela caixa com a carta e as fotos? Não a encontrei na sua casa.

Ele não teve tempo de responder; a porta da sala se abriu e fizeram um sinal para que eu me calasse. Era Roth. Ele se juntou a nós em volta da mesa e, enquanto se acomodava, Harry pegou discretamente o bloco de anotações que eu deixara à minha frente e nele escreveu algumas palavras que não consegui ler na hora.

Roth começou a dar longas explicações sobre o desenrolar do processo e os trâmites. Em seguida, após meia hora de solilóquio, perguntou a Harry:

— Por acaso há algum detalhe sobre Nola que omitiu de mim? Eu tenho que saber tudo, isso é muito importante.

Houve um momento de silêncio. Harry nos fitou por um longo tempo e então falou:

— Na verdade, há uma coisa que você precisa saber. É sobre o dia 30 de agosto de 1975. Naquela noite, no fatídico dia em que Nola desapareceu, ela iria me encontrar...

— Encontrar você? — repetiu Roth.

— A polícia me perguntou o que eu estava fazendo no fim do dia 30 de agosto de 1975. Pois eu menti. Foi a única hora que não falei a verdade. Era fim de tarde e eu estava nas proximidades de Aurora, no quarto de um motel de beira de estrada, no caminho para Vermont. O Sea Side Motel. Ele ainda existe. Eu estava no quarto 8, sentado na cama, esperando, perfumado como um adolescente, com uma braçada de hortênsias azuis, as flores prediletas de Nola. Tínhamos marcado um encontro às sete horas, e me lembro de estar esperando, mas ela não chegava. Deu nove da noite, ela estava duas horas atrasada. Sendo que nunca se atrasava. Nunca. Coloquei as hortênsias de molho na pia e liguei o rádio para me distrair. Era uma noite pesada, tempestuosa, eu estava com muito calor, sufocando dentro do meu blazer. Tirei o bilhete do bolso e o reli umas dez vezes, talvez cem. Um bilhete que ela me escrevera alguns dias antes, uma pequena mensagem de amor da qual nunca me esquecerei e que dizia para encontrá-la naquele quarto às sete da noite e que então ficaríamos juntos para sempre.

"Eu me lembro do locutor do rádio informando que eram vinte e duas horas. Vinte e duas horas, e nada de Nola. Acabei pegando no sono, de roupa e tudo, deitado na cama. Quando abri os olhos, a noite ficara para trás. O rádio continuava ligado e estava passando o boletim das sete da manhã: ...*Alerta geral na região de Aurora após o desaparecimento de uma adolescente de quinze anos, Nola Kellergan, ontem à noite, por volta das dezenove horas. A polícia procura qualquer pessoa que possa ter alguma informação [...] Na hora em que desapareceu, Nola Kellergan usava um vestido vermelho [...]*. Eu me levantei de um pulo, em pânico. Corri para me livrar das flores e fui imediatamente para Aurora, amarrotado e com o cabelo desgrenhado. Já tinha pago pelo quarto com antecedência.

"Eu nunca vira tantos policiais em Aurora. Havia viaturas de todos os condados. Na estrada, uma grande barreira verificava os carros que entravam e saíam da cidade. Vi o chefe da polícia, Gareth Pratt, com um fuzil automático nas mãos.

"'Chefe, acabei de ouvir no rádio...', comecei.

"'Um absurdo, um absurdo', disse ele.

"'O que aconteceu?'

"'Ninguém sabe. Nola Kellergan despareceu de casa. Foi vista pela última vez perto de Side Creek Lane ontem à noite e desde então não temos qualquer vestígio dela. Toda a região está cercada, a floresta está sendo vasculhada.'

"No rádio, davam ininterruptamente sua descrição: *adolescente, branca, um metro e cinquenta e oito de altura, quarenta e oito quilos, cabelo comprido e louro, olhos verdes, usando um vestido vermelho. Tinha um colar de ouro com o nome NOLA gravado.* Vestido vermelho, vestido vermelho, vestido vermelho, repetia o rádio. O vestido vermelho era seu preferido. Ela o vestira para mim. Pronto. Era isso o que eu estava fazendo na noite de 30 de agosto de 1975.

Roth e eu estávamos boquiabertos.

— Vocês iam fugir juntos? — perguntei. — No dia que ela desapareceu, vocês iam fugir juntos?

— Íamos.

— Foi por isso que me disse que se sentia culpado quando me ligou outro dia? Vocês tinham um encontro marcado e ela desapareceu no caminho para ele...

Ele balançou a cabeça, consternado.

— Acho que, se não fosse esse encontro, talvez ela ainda estivesse viva...

Quando saímos da sala, Roth disse que aquela história de fuga planejada era uma catástrofe e não podia vazar de jeito nenhum. Se a acusação ficasse sabendo, Harry estava fodido. Nós nos despedimos no estacionamento e esperei entrar no carro para abrir o bloco de anotações e ler o que Harry escrevera:

> *Marcus, no meu escritório há um vaso de porcelana. Dentro há uma chave. É do vestiário da academia de ginástica de Montburry. Escaninho 201. Está tudo lá. Queime tudo. Estou correndo perigo.*

Montburry era uma cidade vizinha a Aurora, situada a cerca de quinze quilômetros para o interior. Fui até lá na mesma tarde, após ter passado por Goose Cove e encontrado a chave no vaso, dissimulada entre clipes. Havia somente uma academia em Montburry, que ficava num prédio moderno todo envidraçado na rua principal da cidade. No vestiário deserto, encontrei o escaninho 201, que a chave abriu. Dentro dele, havia um moletom, energéticos, luvas para musculação e a caixa de madeira que eu havia descoberto meses antes no escritório de Harry. Estava tudo lá: as fotos, as matérias de jornal, o bilhete escrito a mão por Nola. Encontrei também um maço de folhas amareladas e encadernadas. A página da capa estava em branco, sem título. Folheei as outras: era um texto escrito a mão, e só precisei ler as primeiras linhas para perceber que era o manuscrito de *As origens do mal*. O manuscrito que meses antes eu tanto procurara dormia no vestiário de uma academia. Eu me sentei num banco e comecei a percorrer cada página, maravilhado, febril: a caligrafia era perfeita, sem rasuras. Alguns homens entraram para se trocar, mas permaneci alheio: não conseguia desviar os olhos do texto. A obra-prima que eu queria tanto ter escrito, Harry fizera. Sentara-se à mesa de uma cafeteria e escrevera aquelas palavras absolutamente geniais, aquelas frases sublimes, que haviam comovido o país inteiro, tomando o cuidado de dissimular em meio à trama seu caso de amor com Nola Kellergan.

De volta a Goose Cove, segui escrupulosamente as instruções de Harry. Acendi a lareira da sala e nela atirei o conteúdo da caixa: a carta, as fotos, os recortes de jornal e, por fim, o manuscrito. *Estou correndo perigo*, ele me escrevera. Mas a que perigo se referia? As chamas avivaram-se: a carta de Nola virou pó, as fotos ficaram esburacadas e enfim desapareceram por completo sob o efeito do calor. O manuscrito incandesceu, formando uma grande labareda laranja, e as páginas decompuseram-se em brasas. Sentado diante da lareira, eu assistia à história de Harry e Nola se desfazendo.

Terça-feira, 3 de junho de 1975

O tempo estava feio nesse dia. A tarde chegava ao fim e a praia estava deserta. Nunca, desde que chegara a Aurora, o céu estivera tão escuro e ameaçador. A tormenta deixara o mar de ressaca, inchado de espuma e cólera: a chuva era iminente. Fora o mau tempo que o estimulara a sair: ele descera a escada de madeira que levava da varanda da casa à praia e se sentara na areia. Com o bloco de anotações no colo, deixava a caneta deslizar pelo papel: a tempestade iminente o inspirava, ideias para um grande romance fervilhavam. Naquelas últimas semanas, até que tivera várias boas ideias para o seu novo livro, mas nenhuma frutificara; mal as começara ou mal as terminara.

Os primeiros pingos caíram do céu. Bem esporádicos no início, depois, subitamente, despencou um aguaceiro. Ele quis fugir, procurar um abrigo, mas foi então que a viu: ela caminhava descalça, sandálias na mão, na beirinha d'água, dançando debaixo da chuva e brincando com as ondas. Ele ficou estupefato e, fascinado, contemplou-a: ela acompanhava o desenho dos vaivéns das águas, tomando cuidado para não molhar a barra do vestido. Momentaneamente distraída, deixou a água subir até seus tornozelos e, assustada, começou a rir. Adentrou um pouco mais o mar cinzento, rodopiando e oferecendo-se à imensidão. Parecia que o mundo era todo seu. Em seu cabelo louro balançado pelo vento, um prendedor amarelo em forma de flor impedia as mechas de lhe fustigarem o rosto. O céu despejava agora torrentes de água.

Quando se deu conta da presença dele, a uns dez metros, ela ficou imóvel. Incomodada com o flagrante, exclamou:

— Sinto muito... Não tinha visto o senhor!

Ele sentiu o coração acelerar.

— Para início de conversa, não peça desculpas — respondeu ele. — Continue. Por favor, continue! É a primeira vez que vejo alguém apreciar tanto a chuva.

Ela estava radiante.

— Gosta também? — perguntou ela, entusiasmada.

— Do quê?

— Da chuva.

— Não... Eu... Na verdade, detesto.

Ela abriu um sorriso magnífico.

— Como é possível alguém detestar a chuva? Nunca vi algo tão bonito. Olhe! Olhe!

Ele ergueu a cabeça e a água correu por seus olhos. Harry viu milhões de traços estriando a paisagem e girou ao redor de si. Ela fez a mesma coisa. Riram, estavam encharcados. Acabaram indo se abrigar sob as colunas da varanda. Ele tirou do bolso um maço de cigarros parcialmente poupado pelo dilúvio e acendeu um.

— Posso fumar também? — pediu ela.

Ele estendeu-lhe o maço e a menina se serviu. Ele estava encantado.

— O senhor é escritor? — perguntou ela.

— Sou.

— Veio de Nova York...

— Isso...

— Queria lhe fazer uma pergunta: por que deixou Nova York e veio para este fim de mundo?

Ele abriu um sorriso.

— Estava com vontade de mudar de ares.

— Eu gostaria tanto de conhecer Nova York! — disse ela. — Lá eu caminharia durante horas e assistiria a todos os espetáculos da Broadway. Já me vejo como uma estrela. Uma estrela em Nova York...

— Desculpe — interrompeu Harry —, mas será que já não nos conhecemos?

Ela riu novamente, aquela risada deliciosa.

— Não. Mas todo mundo sabe quem é o senhor. É o escritor. Bem-vindo a Aurora, cavalheiro. Eu me chamo Nola. Nola Kellergan.

— Harry Quebert.

— Eu sei. Todo mundo sabe, já disse.

Ele estendeu a mão para cumprimentá-la, mas ela se apoiou no braço dele e, erguendo-se na ponta dos pés, deu um beijo em sua bochecha.

— Preciso ir. Não vá dizer por aí que eu fumo, hein?

— Não, prometo.

— Até logo, senhor Escritor. Espero vê-lo de novo.

E desapareceu na chuva inclemente.

Harry ficara completamente transtornado. Quem era aquela garota? Seu coração batia forte. Deixou-se ficar imóvel por um longo tempo, na varanda, até escurecer. Não sentia mais a chuva nem a noite. Perguntava-se que idade ela devia ter. Era muito jovem, sabia disso. Mas tinha sido conquistado. Ela ateara fogo em sua alma.

Foi uma ligação de Douglas que o trouxe de volta à realidade. Duas horas haviam se passado, já anoitecia. Na lareira, só restavam brasas.

— Todo mundo só fala em você — disse Douglas. — Ninguém entende o que foi fazer em New Hampshire... Estão achando que está cometendo a maior burrice da sua vida.

— Todo mundo sabe que Harry e eu somos amigos. Não posso ficar de braços cruzados.

— Mas esse caso é diferente, Marc. Há essa história dos assassinatos, o tal do livro. Acho que não percebeu a dimensão do escândalo. Barnaski está furioso, desconfia de que você não tem um novo romance para apresentar. Para ele, você foi se esconder em New Hampshire. E ele não está errado. Hoje é dia 17 de junho, Marc. O prazo se esgota em treze dias. Daqui a treze dias você estará acabado.

— E acha que não sei disso, pelo amor de Deus? Foi para isso que me ligou? Para me lembrar da minha situação?

— Não, liguei porque acho que tive uma ideia.

— Uma ideia? Pode falar.

— Escreva um livro sobre o caso Harry Quebert.

— O quê? Não, nem pensar, não vou construir minha carreira nas costas de Harry.

— Por que *nas costas*? Não falou que queria defendê-lo? Prove a inocência dele e escreva um livro sobre o caso. Pense no sucesso que faria...

— Tudo isso em dez dias?

— Sugeri ao Barnaski, para acalmá-lo...

— O quê? Você...

— Preste atenção, Marc, antes de dar um ataque. Barnaski acha que é uma oportunidade de ouro! Disse que Marcus Goldman contando o caso Harry Quebert é um negócio de cifras com sete zeros! Poderia ser o livro do ano. Ele está disposto a renegociar seu contrato. Propõe começar do zero: um novo contrato, que anula o anterior e lhe dá, além disso, meio milhão de dólares como adiantamento. Sabe o que isso significa?

O que aquilo significava é que escrever aquele livro daria um gás à minha carreira. Seria com certeza um best-seller, um sucesso garantido, representando, por conseguinte, uma montanha de dinheiro.

— Por que Barnaski faria isso por mim?

— Ele não está fazendo por você, está fazendo por si mesmo. Marc, você não tem noção, todo mundo só fala nesse caso. Um livro como esse é o golpe do século!

— Acho que não sou capaz disso. Não sei mais escrever. Não sei nem se soube escrever um dia. E investigar... É tarefa da polícia. Não sei fazer isso.

Douglas continuou insistindo:

— Marc, é a oportunidade da sua vida.

— Vou pensar no caso.

— Quando você fala assim é porque não vai pensar coisa nenhuma.

Esta última frase acabou fazendo nós dois rirmos: ele me conhecia bem.

— Doug... É contra a lei se apaixonar por uma garota de quinze anos?

— É.

— Como pode ter tanta certeza?

— Eu não tenho certeza de nada.

— E o que é o amor?

— Marc, tenha piedade, não me venha com esse papo filosófico agora...

— Mas, Douglas, ele a amou! Harry se apaixonou perdidamente por essa garota. Ele me contou hoje na prisão: estava na praia, na frente de casa, quando a viu e se apaixonou. Por que ela e não outra?

— Não sei, Marc. Mas gostaria de saber o que o une dessa forma a Quebert.

— *O Formidável* — respondi.

— Quem?

— *O Formidável*. Um rapaz que não conseguia progredir na vida. Até conhecer Harry. Foi Harry quem me ensinou a ser escritor. Foi ele quem me ensinou a importância de saber cair.

— Do que está falando, Marc? Você bebeu? Você é um escritor porque é talentoso.

— Não, justamente. Ninguém nasce escritor, a gente se torna um.

— Foi isso que aconteceu em Burrows, em 1998?

— Foi. Harry me transmitiu todo o seu conhecimento... Eu devo tudo a ele.

— Quer conversar sobre isso?

— Se você quiser.

Aquela noite, contei a Douglas a história que me ligava a Harry. Após nossa conversa, desci à praia. Eu precisava de ar. Através da escuridão, adivinhavam-se nuvens espessas: o ar estava abafado, o temporal era iminente. O vento bateu de súbito: as árvores começaram a balançar em fúria, como se o próprio mundo anunciasse o fim do grande Harry Quebert.

Só bem mais tarde retornei a Goose Cove. Foi ao chegar à porta da entrada principal que encontrei o bilhete, escrito a mão por um anônimo durante minha ausência. Um envelope bem simples, sem qualquer referência, dentro do qual encontrei uma mensagem impressa de um computador, que dizia:

Volte para casa, Goldman.

28

A importância de saber cair
(Universidade de Burrows, Massachusetts, 1998-2003)

— Harry, de todos os seus ensinamentos, se tivesse que escolher apenas um, qual seria?
— Devolvo a pergunta.
— Para mim, seria *a importância de saber cair*.
— Concordo plenamente. A vida é uma longa queda, Marcus. O mais importante é saber cair.

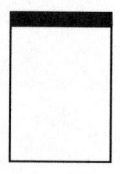

O ano de 1998, além de ter sido marcado pelas grandes geadas que paralisaram o norte dos Estados Unidos e parte do Canadá, deixando milhões de infelizes no escuro por vários dias, foi também o ano em que conheci Harry Quebert. Naquele outono, ao sair do Felton, passei a frequentar o campus da universidade de Burrows, uma mistura de edifícios pré-fabricados e prédios vitorianos cercados por vastos gramados magnificamente bem-cuidados. Designaram-me um quarto na ala leste dos dormitórios, que eu dividia com um simpático magricela de Idaho chamado Jared, um belo negro de óculos que abandonara uma família intrusiva e, visivelmente assustado com sua nova liberdade, me perguntava sempre se *podia* fazer as coisas. "Posso sair para comprar uma Coca? Posso voltar para o campus depois das dez da noite? Posso guardar comida no quarto? Posso faltar aula se estiver doente?" Eu lhe respondia que desde a 13ª emenda, que abolira a escravidão, ele podia fazer tudo que quisesse, o que o deixava extasiado.

Jared tinha duas obsessões: estudar e telefonar para a mãe para lhe dizer que estava tudo bem. De minha parte, eu só tinha uma: me tornar um escritor famoso. Passava meu tempo escrevendo contos para a revista da universidade, mas esta só publicava um em cada dois, e nas páginas ruins, as dos encartes publicitários das empresas locais que não interessavam a ninguém: *Gráfica Lukas, Cisternas Forster, Cabeleireiro François* ou ainda *Julie Hu Flores*. Eu achava aquela situação totalmente escandalosa e injusta. Para falar a verdade, quando cheguei ao campus me vi obrigado a enfrentar um concorrente de peso: Dominic Reinhartz, um aluno do terceiro ano dotado de talento excepcional para escrever e ao lado de quem eu não passava de uma pálida figura. Ele tinha direito a todas as honras da revista e, sempre que um número era lançado, eu me surpreendia ao ouvir na biblioteca os comentários dos alunos que o admiravam. O único a me apoiar de maneira indefectível era Jared: lia meus contos com paixão quando eles saíam da minha impressora e os relia quando eram publicados na revista. Eu sempre lhe dava um exemplar, mas ele insistia em depositar na redação da revista os dois dólares que ela custava e que ele próprio ganhava tão arduamente trabalhando na equipe de faxina da universidade durante os finais de semana. Acho que sentia uma admiração sem limites por mim. Ele me dizia: "Você é um sujeito incrível, Marcus... O que está fazendo num buraco como Burrows, Massachusetts? Hein?" Em uma noite de veranico, fomos nos deitar no gramado do campus para tomar cerveja e contemplar o céu. Jared começou perguntando se podíamos beber cerveja nas dependências do campus, depois perguntou se tínhamos permissão para frequentar o gramado à noite, depois avistou uma estrela cadente e exclamou:

— Faça um pedido, Marcus! Faça um pedido!

— Desejo que a gente seja bem-sucedido — falei. — O que gostaria de fazer da vida, Jared?

— Eu só queria ser alguém decente, Marc. E você?

— Eu gostaria de me tornar um grande escritor. Vender milhões e milhões de livros.

Ele arregalou bem os olhos e vi suas órbitas luzindo feito duas luas na noite.

— Tenho certeza de que vai conseguir, Marc. Você é um camarada incrível!

E então me ocorreu que uma estrela cadente era uma estrela que até podia ser bonita, mas tinha medo de brilhar e fugia para o mais longe possível. Um pouco como eu.

Às quintas-feiras, Jared e eu nunca perdíamos a aula de um dos personagens centrais da universidade: o escritor Harry Quebert. Era, por seu carisma e personalidade, um homem impressionante, um professor fora do comum, adulado pelos alunos e respeitado pelos colegas. Fizesse chuva ou sol em Burrows, todo mundo o escutava e respeitava suas opiniões, não somente por ele ser Harry Quebert, O Harry Quebert, praticamente uma instituição, mas porque ele se impunha, por sua grande estatura, sua elegância natural e sua voz ao mesmo tempo quente e troante. Nos corredores da universidade e nas aleias do campus, todos o cumprimentavam quando ele passava. Sua popularidade era imensa: todos os estudantes eram gratos por ele doar seu tempo a uma universidade tão pequena, conscientes de que lhe bastaria um simples telefonema para que fosse nomeado para as cátedras mais prestigiosas de todo o país. Ele era, além disso, o único de todo o corpo docente a dar aulas no grande anfiteatro, normalmente reservado às cerimônias de entrega de diplomas ou peças teatrais.

O ano de 1998 foi também o ano do caso Lewinsky. O ano do boquete presidencial, durante o qual os Estados Unidos descobriram horrorizados a infiltração da sacanagem nas mais altas esferas do país e viram o respeitável presidente Clinton compelido a uma sessão de contrição perante todo o país por ter sido chupado em suas partes íntimas por uma estagiária devotada. Como toda boa fofoca, o episódio estava na boca de todos: não rolava outro assunto no campus, e nos perguntávamos, com o coração na boca, o destino do nosso querido presidente.

Uma manhã de quinta-feira, no final de outubro, Harry Quebert começou sua aula da seguinte forma: "Senhoras e senhores, estamos todos muito agitados com o que está acontecendo agora em Washington, não é? O caso Lewinsky... Imaginem que desde George Washington, em toda a história dos Estados Unidos da América, duas razões puseram um ponto final a um mandato presidencial: ser um crápula notório, como Richard Nixon, ou a morte. E até hoje nove presidentes viram seu mandato ser interrompido por uma dessas duas causas: Nixon renunciou e os outros oito morreram, sendo que a metade foi assassinada. Mas então surge uma terceira causa que poderia ser acrescentada a essa lista: o sexo. O sexo oral, o boquete, o chupa-chupa, a mamada. E todos se perguntam se nosso poderoso presidente, quando está com as calças nos joelhos, continua sendo nosso presidente. Pois essa é a paixão dos Estados Unidos: as histórias sexuais, as histórias moralistas. Os Estados Unidos são o paraíso do pau. E vocês verão, daqui a alguns anos, que ninguém se lembrará mais que o Sr. Clinton reergueu nossa economia desastrosa, governou com esperteza com uma maioria republicana no Senado ou fez Rabin e Arafat apertarem as mãos. Só o que todos se lembrarão será do caso Lewinsky, pois os boquetes, senhoras e senhores, ficam gravados na memória. Resumindo, então, descobrimos que nosso presidente gosta de ser chupado de vez em quando. E daí? Com certeza ele não é o único. Quem, nesta sala, também gosta disso?"

Após dizer estas palavras, Harry se calou e seus olhos varreram o auditório. Houve um longo momento de silêncio: a maioria dos alunos fitava os próprios sapatos. Jared, sentado a meu lado, chegou a fechar os olhos para não encontrar o olhar do professor. Pois levantei a mão. Eu estava sentado nas últimas fileiras e Harry, apontando com o dedo, declarou, dirigindo-se a mim:

— Levante-se, meu jovem. Levante-se para que possamos vê-lo bem e extravase o que há em seu coração.

Subi indomitamente na cadeira.

— Gosto muito de boquete, professor. Meu nome é Marcus Goldman e gosto de ser chupado. Como o nosso bom presidente.

Harry abaixou seus óculos de leitura e fitou-me com um ar divertido. Mais tarde, me confessaria: "Nesse dia, quando o vi, Marcus, quando vi aquele rapaz atrevido, de pé na cadeira, pensei comigo: puta merda, finalmente um homem, porra." Naquela hora, ele só me perguntou:

— Mas conte para nós, mocinho, gosta de ser chupado por garotos ou garotas?

— Por garotas, professor Quebert. Sou um bom heterossexual e um bom americano. Deus abençoe o nosso presidente, o sexo e os Estados Unidos.

O auditório, atordoado, caiu na risada e aplaudiu. Harry estava encantado. Explicou a meus colegas:

— Mas vejam só, agora mais ninguém olhará para esse pobre rapaz com os mesmos olhos. Todo mundo pensará: este é o garoto nojento que gosta de uma sacanagem. E pouco importam seus talentos, suas qualidades, ele será para sempre o "senhor Boquete". — Voltou-se novamente para mim. — Senhor Boquete, será que agora pode nos indicar o motivo de tais confissões, quando seus outros colegas tiveram o bom senso de ficar calado?

— Porque no paraíso do pau, professor Quebert, o sexo pode tanto destruí-lo como levá-lo ao ápice. E agora que a plateia está com os olhos fixos em mim, tenho o prazer de informar que escrevo ótimos contos que são publicados na revista da universidade, cujos exemplares estarão à venda por míseros cinco dólares no fim desta aula.

Quando a aula acabou, Harry veio me encontrar na saída do anfiteatro. Meus colegas conseguiram esgotar todo o estoque da revista. Harry comprou o último exemplar.

— Vendeu quantas? — perguntou ele.

— Tudo que eu tinha, ou seja, cinquenta exemplares. E me encomendaram cem, pagos antecipadamente. Paguei dois dólares por cada um e os revendi a cinco. Assim acabei de lucrar quatrocentos e cinquenta dólares. Sem falar que um dos membros do conselho editorial da revista me convidou para ser editor-chefe. Ele disse que fui o responsável por uma grande ação publicitária para a revista e que nunca tinha visto algo parecido. Ah, sim, já ia esquecendo: umas dez garotas me deram seus números de telefone. O senhor tinha razão, estamos no paraíso do pau. E cabe a cada um de nós utilizá-lo com sabedoria.

Ele sorriu e estendeu a mão para mim.

— Harry Quebert — apresentou-se.

— Sei quem o senhor é. Sou Marcus Goldman. Sonho em ser um grande escritor, como o senhor. Espero que goste do meu conto.

Trocamos um forte aperto de mão e ele me dirigiu as seguintes palavras:

— Caro Marcus, não resta dúvida alguma de que você vai longe.

Para ser sincero, nesse dia não fui além do escritório do decano do departamento de Letras, Dustin Pergal, que, irritadíssimo, havia me chamado para uma conversa.

— Mocinho — grunhiu ele, com sua voz exaltada e anasalada, enquanto se agarrava aos braços da poltrona. — Por acaso no dia de hoje, em pleno anfiteatro, proferiu frases de cunho pornográfico?

— Pornográfico, não.

— Não fez, diante de trezentos colegas seus, apologia de sexo oral?

— Falei em boquete, senhor. Efetivamente.

Ele ergueu os olhos para o teto.

— Sr. Goldman, admite ter dito as palavras Deus, abençoar, sexo, heterossexual, homossexual e Estados Unidos na mesma frase?

— Não me lembro mais exatamente do teor de minhas declarações, mas, sim, era mais ou menos por aí.

Ele tentou manter a calma e articulou as palavras devagar:

— Sr. Goldman, pode me dizer que tipo de frase obscena é capaz de conter todas essas palavras juntas?

— Ah, não se aflija, senhor decano, não foi uma frase nada obscena. Foi simplesmente uma bênção destinada a Deus, aos Estados Unidos, ao sexo e a todas as práticas daí decorrentes. Pela frente, por trás, pela esquerda, pela direita e em todas as direções, se é que me entende. Como sabe, nós, americanos, somos um povo que gosta de abençoar. É cultural. Sempre que estamos satisfeitos, abençoamos.

Ele ergueu o olhar para o teto.

— É verdade que depois montou um estande irregular de venda da revista da universidade na saída do anfiteatro?

— Perfeitamente, senhor. Mas foi um caso de força maior e o qual esclareço aqui de bom grado. Veja bem, não me dá muito trabalho escrever contos para a revista, mas a redação insiste em publicar o que escrevo nas piores páginas. Portanto, eu precisava de um pouco de publicidade, caso contrário ninguém leria meu conto. Por que escrever se ninguém lê?

— É um conto pornográfico?

— Não, senhor.

— Eu gostaria de dar uma olhada.

— Será um prazer. Custa cinco dólares o exemplar.

Pergal explodiu.

— Sr. Goldman! Acho que ainda não percebeu a gravidade da situação! Suas frases chocaram! Recebemos queixas dos alunos! É uma situação constrangedora para o senhor, para mim, para todo mundo. Aparentemente o senhor teria declarado — ele leu um papel a sua frente: "Gosto de boquete... Sou um bom heterossexual e um bom americano. Deus abençoe o nosso presidente, o sexo e os Estados Unidos." Pelo amor de Deus, que palhaçada é essa?

— É a pura verdade, senhor decano: sou um bom heterossexual e um bom americano.

— Isso não me interessa! Sua orientação sexual não diz respeito a ninguém, Sr. Goldman! Quanto às práticas repulsivas que se desenrolam entre as suas pernas, seus colegas nada têm a ver com isso!

— Mas eu simplesmente respondi às perguntas do professor Quebert.

Ao ouvir esta última frase, Pergal engasgou.

— O que... O que disse? As perguntas do professor Quebert?

— Isso mesmo. Ele perguntou quem gostava de ser chupado e, como levantei a mão porque julgo ser falta de educação não responder quando lhe fazem uma pergunta, ele quis saber se eu preferia ser chupado por garotos ou por garotas. Só isso.

— O professor Quebert perguntou se o senhor gosta de...?

— Exatamente isso. Entenda, senhor, é tudo culpa do presidente Clinton. O que o presidente faz é o que todo mundo quer fazer também.

Pergal levantou-se para procurar um envelope entre suas pastas suspensas. Ele se sentou diante de sua mesa e me olhou diretamente nos olhos.

— Quem é você, Sr. Goldman? Fale-me um pouco de sua pessoa. Estou curioso para saber de onde vem.

Contei que nascera no fim dos anos 1970, em Newark, de uma mãe funcionária de uma loja de departamentos e de um pai engenheiro. Família de classe média, bons americanos. Filho único. Infância e adolescência felizes, em que pese uma inteligência superior à média. Colégio Felton. *O Formidável.* Torcedor dos Giants. Aparelho nos dentes aos catorze anos. Férias na casa de uma tia em Ohio, avós na Flórida, para aproveitar o sol e as laranjas. Nada além do muito normal. Nenhuma alergia, nenhuma doença digna de ser assinalada. Intoxicação alimentar com frango durante um acampamento de férias com os escoteiros aos oito anos. Gosto de cães, não de gatos. Esportes que pratico: lacrosse, corrida e boxe. Ambição: me tornar um célebre escritor. Não fumo porque dá câncer no pulmão e a pessoa fica cheirando mal ao acordar. Bebo razoavelmente. Prato predileto: bife e macarrão com queijo ralado. Consumo eventual de frutos do mar, sobretudo no Joe's Stone Crab, na Flórida, embora minha mãe pense que isso traz má sorte por causa da nossa *origem*.

Pergal ouviu minha biografia sem pestanejar. Quando terminei, ele disse simplesmente:

— Sr. Goldman, quer parar com suas histórias, por favor? Acabo de tomar conhecimento de seu histórico escolar. Dei alguns telefonemas, falei com o diretor do Felton. Ele me relatou que o senhor era um aluno fora do comum e poderia ter ido para as grandes universidades. Então responda: o que está fazendo aqui?

— Não entendi, senhor decano...

— Sr. Goldman: quem prefere Burrows, podendo escolher Harvard ou Yale?

Minha audácia no anfiteatro, mesmo quase custando minha vaga em Burrows, mudaria minha vida drasticamente. Naquele momento, Pergal encerrou nossa conversa declarando que iria pensar no que fazer comigo e, no fim, o caso não teve maiores consequências para mim. Mais tarde eu ficaria sabendo que Pergal, que acreditava que um estudante uma vez problemático seria sempre problemático, quisera me expulsar e havia sido Harry quem defendera minha permanência em Burrows.

No dia seguinte a esse memorável episódio, fui referendado como editor-chefe da revista da universidade e resolvi imprimir-lhe uma nova dinâmica. Como um bom *Formidável*, decidi que essa nova dinâmica consistiria em deixar de publicar os artigos de Reinhartz e atribuir a mim mesmo a capa de todas as edições. Dias depois, na segunda-feira seguinte, encontrei por acaso Harry na academia de boxe do campus, que eu frequentava assiduamente desde que chegara ali. Era a primeira vez que o via por lá. O lugar não costumava atrair muita gente; em Burrows, as pessoas não praticavam boxe e, exceto eu, o único que aparecia com certa regularidade era Jared, que eu conseguira convencer a lutar alguns rounds comigo uma segunda-feira sim, outra não, pois eu precisava de um parceiro, bem fraco de preferência, para ter certeza de que iria vencer. E, uma vez a cada quinze dias, eu o destroçava com certa volúpia; a de ser, para sempre, *O Formidável*.

Na segunda-feira em que Harry apareceu na academia, eu estava ocupado treinando minha posição de guarda diante de um espelho. Ele usava os trajes esportivos com a mesma elegância com que vestia ternos com colete. Ao entrar, cumprimentou-me de longe e disse simplesmente:

— Não sabia que também gostava de boxe, Sr. Goldman.

Em seguida, foi se exercitar com um saco de pancada num canto da sala. Ele tinha boas posturas, era ágil e rápido. Eu estava morrendo de vontade de ir falar com ele, contar-lhe que, depois de sua aula, eu fora chamado por Pergal para conversar com ele sobre boquetes e liberdade de expressão, dizer que eu era o novo editor-chefe da redação da revista da universidade e como o admirava. Mas estava impressionado demais para ousar abordá-lo.

Ele voltou à academia na outra segunda-feira, quando assistiu à demolição bimensal de Jared. Nas cordas do ringue, ficou me observando com interesse enquanto eu aplicava uma sova sem piedade em meu colega, e, depois do combate, disse que eu era um bom pugilista, que ele mesmo tinha vontade de se dedicar seriamente ao boxe para manter a forma e que meus conselhos seriam bem-vindos. Embora tivesse cinquenta e poucos anos, dava para perceber, sob sua camiseta folgada, que tinha um físico amplo e musculoso: ele batia nos sacos com destreza, tinha uma boa base, o jogo de pernas era um pouco lento, mas estável, a guarda e reflexos, intactos. Sugeri então que treinasse um pouco no saco de pancada para começar e passamos a tarde nisso.

E ele voltou na outra segunda e nas seguintes. E assim me tornei, de certa forma, seu personal trainer. Foi dessa maneira, ao longo dos exercícios, que Harry e eu começamos a nos aproximar. Muitas vezes, após a prática, conversávamos um pouco, sentados um ao lado do outro nos bancos de madeira do vestiário, enquanto secávamos o suor. Ao fim de algumas semanas, chegou o temido instante em que Harry quis subir ao ringue para três assaltos comigo. É evidente que não ousei atingi-lo, mas ele não se fez de rogado e me desferiu algumas direitas bem sonoras no queixo, jogando-me diversas vezes na lona. Ele achava graça e dizia que não praticava daquela forma havia anos e tinha se esquecido de como era divertido. Após eu ter ficado moído e de ter sido chamado de "frangote", ele me convidou para jantar. Levei-o a uma lanchonete frequentada pelos estudantes numa rua animada de Burrows e, comendo hambúrgueres exsudando gordura, falamos de livros e do ofício de escrever.

— Você é um bom aluno — elogiou ele —, muito competente.
— Obrigado. Leu meu conto?
— Ainda não.
— Gostaria muito de saber o que acha dele.
— Muito bem, meu amigo, se isso o faz feliz, prometo dar uma olhada e dizer minha opinião.
— Mas seja severo — repliquei.
— Tem a minha palavra.

Ele me chamara de *amigo*, o que mexera demais comigo. Na mesma noite liguei para meus pais para dar a notícia: em poucos meses de faculdade, eu já estava saindo para jantar com O Grande Harry Quebert. Minha mãe, exultante de alegria, ligou imediatamente para metade do estado de Nova Jersey para anunciar que o prodigioso Marcus, o seu Marcus, *O Formidável*, já começara a se relacionar com as mais altas esferas da literatura. Marcus iria se tornar um grande escritor. Isso era claro e evidente.

O jantar depois do boxe logo foi instituído como o ritual da segunda-feira, momentos que circunstância alguma poderia impedir e que intensificaram minha sensação de ser *O Formidável*. Eu tinha uma relação privilegiada com Harry Quebert; agora, às quintas, quando eu fazia algum comentário durante sua aula, enquanto os demais alunos tinham de contentar-se com um banal *senhorita* ou *senhor*, ele me chamava só de *Marcus*.

Alguns meses mais tarde — devia ser janeiro ou fevereiro, pouco depois do recesso de Natal —, durante um de nossos jantares de segunda-feira, insisti com Harry para saber o que ele achara do meu conto, pois ele continuava sem falar sobre isso. Após um momento de hesitação, ele me perguntou:

— Quer mesmo saber, Marcus?

— Claro. E pode ser crítico. Estou aqui para aprender.

— Você escreve bem. Tem um enorme talento.

Corei de prazer.

— Que mais? — indaguei, impaciente.

— Você tem o dom, isso é inegável.

Eu estava no auge da felicidade.

— Mas há algum aspecto que eu deva melhorar, em sua opinião?

— Ah, com certeza. Sabe, apesar do seu potencial, o que li, no fundo, é ruim. Péssimo, para falar a verdade. Não presta. Aliás, é o caso de todos os outros textos seus que li na revista da universidade. É um crime derrubar árvores para imprimir coisas tão ruins. Proporcionalmente, não há florestas suficientes para a quantidade de maus escritores que povoam este país. Vai precisar se esforçar.

Senti meu sangue parar de correr. Como se eu tivesse levado uma porrada. Estava comprovado, portanto, que Harry Quebert, o rei da literatura, era acima de tudo o rei dos patifes.

— Você é sempre assim? — perguntei, num tom ríspido.

Ele abriu um sorriso divertido, considerando-me com seu ar superior, como se saboreasse aquele instante.

— Sempre assim como? — perguntou Harry.

— Intragável.

Ele desatou a rir.

— Sabe, Marcus, sei exatamente o tipo de sujeito que você é: um pretensiozinho do primeiro ano que pensa que Newark é o centro do mundo. Parecido com o que os europeus pensavam ser na Idade Média, antes de pegarem um barco e descobrirem que a maior parte das civilizações do outro lado do oceano era mais desenvolvida que a deles, o que tentaram escamotear promovendo grandes massacres. O que eu quero dizer, Marcus, é que você é um cara sensacional, mas corre grande risco de sumir na poeira se não mexer um pouco a bunda. Seus textos são bons. Mas precisa rever tudo: estilo, frases, conceitos, ideias. Será preciso se questionar e trabalhar muito mais. Seu problema é que você não trabalha o bastante. Contenta-se com muito pouco, alinha palavras sem escolhê-las direito, e dá para sentir isso. Acha que é um gênio, não é? Mas está errado. Seu trabalho é descuidado e, por conseguinte, não vale nada. Está me acompanhando?

— Mais ou menos...

Eu estava furioso: como ele se atrevia, por mais que fosse Harry Quebert? Como ousava dirigir-se assim a alguém com a alcunha de *O Formidável*? Harry prosseguiu:

— Vou dar um exemplo muito simples. Você é um bom pugilista. Isso é fato. Sabe lutar. Mas olhe-se no espelho, você só mede forças com aquele pobre coitado, aquele magrelo a quem espanca feito um surdo com uma espécie de autossatisfação que me dá ânsia de vômito. Você só mede forças com ele porque tem certeza de que vai dominá-lo. Isso faz de você um fraco, Marcus. Um cagão. Um bunda-mole. Um nada, um vazio absoluto, um blefe, um arrivista. Você é só fachada. E o pior é que se satisfaz plenamente com isso. Meça forças com um adversário de verdade! Tenha essa coragem! O boxe não mente jamais, subir ao ringue é um meio bastante confiável de saber o que valemos: ou nocauteamos ou somos nocauteados, mas não podemos mentir, nem para nós mesmos nem para os outros. Você, porém, sempre dá um jeito de brilhar. É o que se chama de impostor. Sabe por que colocavam seus textos no final da revista? Porque eles eram ruins. Só por isso. E por que os de Reinhartz recebiam todos os elogios? Porque eram muito bons. Isso poderia estimulá-lo a se superar, trabalhar feito um louco e escrever um texto magnífico, mas era muito mais simples dar seu pequeno golpe de Estado, descartar Reinhartz e publicar a si mesmo em vez de se questionar. Deixe-me adivinhar, Marcus, você funcionou assim a vida inteira. Estou enganado?

Eu estava morrendo de raiva e gritei:

— Você não sabe de nada, Harry! Eu era idolatrado no colégio! Eu era *O Formidável*!

— Olhe para si mesmo, Marcus, você não sabe cair! Você tem medo da queda. E é por essa razão, caso não mude nada, que se tornará uma criatura vazia e desinteressante. Como podemos viver sem saber cair? Olhe nos seus olhos, porra, e pergunte-se o que está fazendo em Burrows! Li seu histórico! Falei com Pergal! Ele estava prestes a expulsá-lo, seu geniozinho! Você poderia ter ido para Harvard, Yale, toda a *Ivy League* se quisesse, mas não, tinha que vir para cá porque Nosso Senhor lhe deu um par de colhões tão exíguos que você não teve coragem de medir forças com verdadeiros adversários. Também liguei para o Felton e conversei com o diretor, aquele coitado totalmente inepto, que falou sobre *O Formidável* com uma voz chorosa. Ao vir para cá, Marcus, você sabia que seria esse personagem invencível forjado da cabeça aos pés, essa persona armada para enfrentar a vida de verdade. Aqui, você sabia com antecedência que não correria o risco de cair. Pois acho que este é o seu problema: você ainda não percebeu a importância de saber cair. E, se não der a volta por cima, este será o motivo do seu fim.

Após dizer essas palavras, escreveu em seu guardanapo um endereço em Lowell, Massachusetts, a uma hora de carro dali. Falou que era uma academia de boxe, onde todas as quintas-feiras realizavam-se combates abertos a todos. E foi embora, deixando a conta para eu pagar.

Na outra segunda-feira, Quebert não apareceu na academia de boxe, nem na seguinte. No anfiteatro, ele me tratou como *senhor* e se mostrou desdenhoso. Finalmente, decidi esperá-lo na saída de uma de suas aulas.

— Não vai mais à academia? — perguntei.

— Gosto muito de você, Marcus, mas, repito, você é um chorão disfarçado de pretensioso, e meu tempo é muito valioso para que eu o desperdice com uma pessoa assim. Burrows não é o seu lugar e não tenho nada a fazer em sua companhia.

Foi assim que, na quinta-feira seguinte, furioso, peguei o carro de Jared emprestado e fui à academia de boxe que Harry me indicara. Era um vasto hangar, em plena zona industrial. Um lugar horrível, apinhado de gente, o ar fedendo a suor e sangue. No ringue central, um combate de rara violência rolava solto, e os numerosos espectadores, espremendo-se nas cordas, uivavam como idiotas. Eu estava com medo, com vontade de fugir, dar-me por vencido, mas nem sequer tive essa chance: um negro colossal, que depois descobri ser o dono da academia, despontou na minha frente. "Vai lutar, branquelo?" perguntou ele. Respondi que sim e ele me mandou trocar de roupa no vestiário. Quinze minutos depois, eu estava no ringue, cara a cara com ele, para um combate em dois assaltos.

Jamais esquecerei a coça que ele me infligiu aquela noite, tanto que cheguei a pensar que ia morrer. Fui literalmente massacrado, sob os vivas selvagens da plateia, encantada ao ver o estudante mauricinho e branquela de Newark ser amarrotado. Apesar do meu estado, por uma questão de orgulho e honra pessoal, resisti até o fim do tempo regulamentar, esperando o toque final do gongo para desmoronar na lona, nocauteado. Quando voltei a abrir os olhos, completamente grogue, mas agradecendo aos céus por não ter morrido, vi Harry debruçado em cima de mim, com uma esponja e água.

— Harry? O que está fazendo aqui?

Ele estancou delicadamente o sangue na minha cara. Estava sorrindo.

— Meu querido Marcus, você tem um par de colhões que vai além da compreensão. Esse sujeito deve pesar uns trinta quilos a mais que você... E você conseguiu travar uma luta magnífica. Estou muito orgulhoso...

Tentei me levantar, mas ele me dissuadiu.

— Não se mexa desse jeito, acho que está com o nariz quebrado. Você é um bom garoto, Marcus. Eu já desconfiava e você acaba de me provar isso. Ao aceitar essa luta, acaba de provar que as esperanças que deposito em você desde o dia em que nos conhecemos não são vãs. Acaba de demonstrar que é capaz de se enfrentar e se superar. Agora podemos ser amigos. Faço questão de dizer: você é a pessoa mais brilhante que conheci nesses últimos anos e não resta nenhuma dúvida de que se tornará um grande escritor. Vou ajudá-lo.

Foi depois do episódio da surra monumental em Lowell, portanto, que nossa amizade começou de verdade e Harry Quebert, meu professor de literatura de dia, tornou-se simplesmente Harry, meu parceiro de boxe nas noites de segunda-feira e amigo e mestre em eventuais tardes de folga, quando me ensinava a ser um escritor. Essa última atividade costumava acontecer aos sábados. Nós nos encontrávamos num *diner* próximo ao campus, e, instalados em uma grande mesa na qual podíamos espalhar livros e papéis, ele relia meus textos e me dava conselhos, incitando-me a recomeçar sempre, a nunca parar de repensar minhas frases. "Um texto nunca está bom", afirmava ele. "Mas há um momento em que ele está menos ruim do que antes." Entre nossos encontros, eu passava horas em meu quarto, trabalhando e retrabalhando meus textos. E foi assim que eu, que sempre evoluíra na vida com certa desenvoltura, eu, que sempre soubera enganar o mundo, me deparei com um obstáculo, e que obstáculo! Harry Quebert em pessoa, que foi o primeiro e único a me confrontar comigo mesmo.

Harry não se limitou a me ensinar a escrever: abriu minha cabeça. Fomos ao teatro, a exposições, ao cinema. À Ópera de Boston também; dizia que uma ópera bem cantada era capaz de levá-lo às lágrimas. Ele nos considerava muito parecidos, ele e eu, e vez por outra discorria sobre sua vida pregressa de escritor. Dizia que escrever mudara sua vida e que isso acontecera em meados dos anos 1970. Eu me lembro de que um dia, enquanto íamos para os arredores de Teenethridge para escutar um coral de aposentados, ele desencavou sua memória. Nascera em 1941, em Benton, no estado de Nova Jersey, filho único de mãe secretária e pai médico. Pelo visto foi uma criança plenamente feliz, não tendo muito o que contar de seus anos de juventude. A meu ver, sua história começava efetivamente no final dos anos 1960, quando, após terminar a faculdade de letras na Universidade de Nova York, arranjou um emprego de professor de literatura num colégio do Queens. Porém, logo sentiu-se tolhido em sala de aula; só tinha um sonho, que acalentava desde sempre: o de escrever. Em 1972, publicou seu primeiro romance, no qual depositara grande expectativa, mas não fez o sucesso que esperava. Decidiu então transpor uma nova etapa. "Um dia", ele me explicou, "retirei todas as economias do banco e me joguei: disse a mim mesmo que era hora de escrever um livro excepcional e saí à procura de um lugar no litoral para passar alguns meses tranquilos e poder trabalhar em paz. Achei uma casa em Aurora; soube na mesma hora que era a casa adequada. Deixei Nova York no final de maio de 1975 e me instalei em New Hampshire, para nunca mais sair. O livro que escrevi naquele verão me abriu as portas para a glória: pois então, Marcus, foi nesse ano, quando me mudei para Aurora, que escrevi *As origens do mal*. Com os direitos autorais, comprei a casa, onde continuo morando. É um lugar sensacional, você tem que ver, precisa dar uma passada lá…"

Fui pela primeira vez a Aurora no início de janeiro de 2000, durante o recesso universitário do Natal. Nessa época, fazia mais ou menos um ano e meio que Harry e eu nos conhecíamos. Lembro-me de que levei uma garrafa de vinho para ele e flores para sua mulher. Harry, ao ver o imenso buquê, me olhou com uma expressão maliciosa e falou:

— Flores? Está aí uma coisa interessante, Marcus. Precisa me confessar algo?

— São para sua mulher.

— Mulher? Mas eu não sou casado.

Então me dei conta de que, durante todo esse tempo, desde que nos conhecemos, nunca tínhamos falado de sua vida íntima — não existia uma Sra. Harry Quebert. Não havia família Harry Quebert. Só havia Harry Quebert. Harry Quebert e mais ninguém. Harry, que ficava tão entediado em casa a ponto de fazer amizade com um de seus alunos. Entendi tudo ao ver sua geladeira: pouco depois da minha chegada, quando estávamos na sala, um cômodo magnífico com paredes revestidas por madeira trabalhada e estantes, Harry me perguntou se eu queria beber alguma coisa.

— Limonada? — sugeriu ele.

— Seria ótimo.

— Há uma jarra na geladeira, feita especialmente para você. Sirva-se e me traga um copo também. Obrigado.

Obedeci. Ao abrir a geladeira, vi que estava vazia: dentro dela havia apenas uma mísera jarra de limonada preparada com carinho, com gelo em forma de estrelas, cascas de limão e folhas de hortelã. Era a geladeira de um homem solitário.

— Sua geladeira está vazia, Harry — falei, voltando para a sala.

— Ah, tenho mesmo que fazer compras. Sinto muito, não estou acostumado a receber visitas.

— Mora sozinho aqui?

— Claro. Com quem eu iria morar?

— Então não tem família?

— Não.

— Mulher, filhos?

— Nada.

— Uma namorada?

Ele abriu um sorriso triste.

— Nenhuma namorada. Nada.

Essa primeira temporada em Aurora me fez compreender que a imagem que eu tinha de Harry era incompleta: sua casa à beira-mar era imensa, mas totalmente vazia. Harry L. Quebert, celebridade da literatura americana, professor respeitado, adulado pelos alunos, sedutor, carismático, elegante, praticante de boxe, intocável, tornava-se simplesmente Harry quando voltava para casa, em sua cidadezinha de New Hampshire. Um homem acuado, às vezes um pouco triste, que apreciava longos passeios pela praia e que levava muito a sério a atividade de distribuir pão dormido — que ele guardava numa lata com os dizeres LEMBRANÇA DE ROCKLAND, MAINE — às gaivotas. E eu me perguntava o que poderia ter acontecido na vida daquele homem para que ele acabasse assim.

A solidão de Harry não teria me atormentado se nossa amizade não tivesse começado a suscitar boatos inevitáveis. Os demais alunos, notando que eu tinha uma relação privilegiada com ele, insinuaram que rolava entre nós dois um amor homossexual. Uma manhã de sábado, aborrecido com os comentários dos meus colegas, acabei perguntando a ele à queima-roupa:

— Harry, por que continua tão sozinho?

Ele balançou a cabeça e vi seus olhos brilharem.

— Está tentando me fazer falar de amor, Marcus, mas o amor é algo complicado, muito complicado. É ao mesmo tempo a coisa mais extraordinária e a pior que pode acontecer. Você descobrirá isso um dia. O amor pode machucar muito. Mas nem por isso deve ter medo de cair, muito menos de cair de amores, pois o amor, embora muito bonito, é igual a todas as outras coisas bonitas, nos deixa deslumbrados e ofusca nossos olhos. É por isso que costumamos chorar quando chega ao fim.

A partir desse dia, comecei a visitar Harry em Aurora com certa regularidade. Às vezes eu saía de Burrows só para passar o dia, outras vezes pernoitava lá. Harry me ensinava a ser escritor e eu o fazia sentir-se menos só. E foi assim que, durante os anos seguintes, até o fim de meu ciclo universitário, eu esbarrava em Burrows com O Grande Escritor Harry Quebert e convivia em Aurora com simplesmente Harry, o homem solitário.

No verão de 2003, após cinco anos em Burrows, terminei minha graduação em literatura. No dia da entrega dos diplomas, após a cerimônia no grande anfiteatro, onde fiz meu discurso na qualidade de orador da turma e onde minha família e meus amigos vindos de Newark puderam constatar com emoção que eu continuava sendo *O Formidável*, fui dar uma volta com Harry pelo campus. Circulamos sob os grandes plátanos e nosso passeio aleatório levou-nos à academia de boxe. O sol estava forte, era um dia magnífico. Fizemos uma última peregrinação em meio aos sacos de pancada e aos ringues.

— Foi aqui que tudo começou — disse Harry. — O que vai fazer agora?

— Voltar para Nova York. Escrever um livro. Me tornar um escritor. Como você me ensinou. Escrever um grande romance.

Harry sorriu.

— Um grande romance? Seja paciente, Marcus, você tem a vida inteira para isso. Voltará aqui de vez em quando, não é?

— Claro.

— Há sempre um lugar para você em Aurora.

— Eu sei, Harry. Obrigado.

Ele me fitou e me segurou pelos ombros.

— Já faz anos que nos conhecemos. Você mudou muito, virou um homem. Estou ansioso para ler seu primeiro livro.

Nós nos encaramos demoradamente e ele acrescentou:

— No fundo, por que deseja escrever, Marcus?

— Não faço ideia.

— Isso não é uma resposta. Por que você escreve?

— Porque está no meu sangue... E porque, quando acordo de manhã, é a primeira coisa que me vem à cabeça. É tudo que posso dizer. E você, por que se tornou escritor, Harry?

— Porque escrever deu sentido à minha vida. Caso não tenha notado ainda, a vida, de uma maneira geral, não tem sentido. A não ser que você se esforce para lhe dar um e lute todos os dias para alcançar esse objetivo. Você tem talento, Marcus: dê sentido a sua vida, faça soprar o vento da vitória em seu nome. Ser escritor é estar vivo.

— E se eu não conseguir?

— Vai conseguir. Será difícil, mas vai conseguir. No dia em que escrever der sentido à sua vida, você terá se tornado um verdadeiro escritor. Mas até lá, o principal é não ter medo de cair.

Foi o romance que escrevi durante os dois anos seguintes que me impulsionou ao ápice. Várias editoras disputaram a compra do meu original e, finalmente, em 2005, assinei um contrato envolvendo uma bela quantia de dinheiro com a prestigiosa editora nova-iorquina Schmid & Hanson, cujo poderoso presidente, Roy Barnaski, como clarividente homem de negócios, me fez assinar um contrato amplo, prevendo cinco livros. Desde o lançamento, no outono de 2006, o livro fez um imenso sucesso. *O Formidável* do Colégio Felton tornou-se um romancista célebre e minha vida virou de cabeça para baixo: eu estava com vinte e oito anos e era rico, conhecido e talentoso. Estava longe de desconfiar que a lição de Harry só estava começando.

27

Ali onde plantaram hortênsias

— Harry, tenho uma certa dúvida sobre o que estou escrevendo. Não sei se é bom. Se vale a pena...
— Vista o calção, Marcus. E saia para correr.
— Agora? Mas está chovendo para caramba.
— Poupe-me desse chororô, seu molenga. Chuva nunca matou ninguém. Se não tem coragem de correr debaixo de chuva, não terá coragem de escrever um livro.
— Este é mais um de seus famosos conselhos?
— É. E este é um conselho que se aplica a todos os personagens que vivem em você: o homem, o pugilista e o escritor. Se um dia tiver dúvidas sobre o que está empreendendo, saia e vá correr. Corra até perder o juízo: sentirá nascer em você a fúria do triunfo. Sabe, Marcus, eu também detestava a chuva antes...
— O que o fez mudar de opinião?
— Uma pessoa.
— Quem?
— Rua. Fora daqui. Só volte quando estiver exausto.
— Como quer que eu saiba se nunca me conta nada?
— Você faz perguntas demais, Marcus. Boa corrida.

Era um homem grandalhão, de aspecto pouco simpático; um afro-americano com mãos que pareciam raquetes, cujo blazer apertado demais denunciava um físico vigoroso e robusto. Na primeira vez que o vi, ele apontou um revólver para mim. Foi, aliás, a única pessoa que já me ameaçou com uma arma. Ele entrou na minha vida numa quarta-feira, 18 de junho de 2008, dia em que comecei a apurar efetivamente os assassinatos de Nola Kellergan e Deborah Cooper. Nessa manhã, após quarenta e oito horas em Goose Cove, decidi que era o momento de enfrentar a cratera que haviam cavado a vinte metros daquela casa e que, até aquele instante, eu me contentara a observar de longe. Após esgueirar-me sob as faixas de isolamento da polícia, inspecionei demoradamente o terreno que eu conhecia tão bem. Goose Cove era cercada pela praia e pela mata costeira e não havia barreira, nem passagem interditada demarcando a propriedade. Qualquer um podia ir e vir e não era raro, aliás, avistar turistas passeando na praia ou atravessando os bosques adjacentes. O buraco fora aberto num canto de relva que dava para o oceano, entre a varanda e a floresta. Ao me aproximar dele, milhares de dúvidas começaram a fervilhar em minha cabeça, entre elas a vontade de saber quantas horas eu passara naquela varanda, no escritório de Harry, enquanto o cadáver daquela garota dormia debaixo da terra. Tirei fotos e cheguei a fazer alguns vídeos com o celular, tentando imaginar o corpo decomposto, tal como a polícia deve ter encontrado. Hipnotizado pela cena do crime, não percebi a presença ameaçadora atrás de mim. Foi quando voltava para filmar o vão até a varanda que, a poucos metros de distância, percebi um homem com um revólver apontado em minha direção. Então gritei:

— Não atire! Não atire, porra! Sou Marcus Goldman! Escritor!

Ele baixou imediatamente a arma.

— Você é Marcus Goldman?

Ele guardou a pistola num coldre preso à cintura e notei que tinha uma insígnia.

— Você é policial? — perguntei.

— Sargento Perry Gahalowood. Divisão de Homicídios da polícia estadual. O que o senhor está procurando por aqui? Essa é a cena de um crime.

— Você costuma apontar uma arma para as pessoas? E se eu fosse da polícia federal? Com que cara ia ficar, hein? Eu o faria ser expulso imediatamente.

Ele caiu na gargalhada.

— Você? Policial? Faz dez minutos que o estou observando, caminhando na ponta dos pés para não sujar os mocassins. E federais não gritam quando veem uma arma. Eles sacam as próprias e atiram em tudo que está se mexendo.

— Achei que você era um bandido.

— Porque sou negro?

— Não, porque tem cara de bandido. Você está usando uma gravata indiana?

— Estou.

— Muito cafona.

— Vai me dizer o que está fuçando?

— Moro aqui.

— Como assim, *moro aqui*?

— Sou amigo de Harry Quebert. Ele me pediu para cuidar da casa durante sua ausência.

— Você está completamente louco! Harry Quebert está sendo acusado de duplo assassinato, a casa foi revistada e o acesso está proibido! Você vem comigo, meu velho.

— Não há faixas de isolamento na casa.

Ele ficou perplexo por um instante, depois disse:

— Não pensei que um escritorzinho fosse aparecer e se infiltrar.

— Pois devia ter pensado. Ainda que isso seja um exercício difícil para um policial.

— Você vem comigo mesmo assim.

— Lacuna na lei! — exclamei. — Se não há faixas, não há interdição! Ficarei aqui! Caso contrário, arrasto você até a Corte Suprema e o processo por ter me ameaçado com seu trabuco. Vou pedir milhões como indenização. Está tudo filmado.

— É um golpe do Roth, não é? — suspirou Gahalowood.

— É.

— Diabo, só podia ser. Ele mandaria a própria mãe para a cadeira elétrica se com isso conseguisse aliviar um de seus clientes.

— Lacuna da lei, sargento. Lacuna da lei. Espero que não me queira mal por isso.

— Mas quero. De toda forma, a casa não nos interessa mais. Por outro lado, eu o proíbo de pôr os pés além das faixas de isolamento da polícia. Não sabe ler? Está escrito: Cena do crime — Proibido ultrapassar.

Tendo recuperado minha soberba, espanei a camisa e dei alguns passos na direção do buraco.

— Olhe só, sargento, também estou investigando — expliquei muito sério. — Aliás, conte-me o que sabe sobre o caso.

Ele riu de novo.

— Não, devo estar sonhando. Você está investigando? Essa é boa. Você me deve quinze dólares, a propósito.

— Quinze dólares? Por quê?

— Foi quanto custou seu livro. Eu o li no ano passado. Péssimo. Sem dúvida, o pior livro que li em toda a minha vida. Gostaria de ser reembolsado.

Fitei-o bem nos olhos e disse:

— Vá se catar, sargento.

E, avançando distraído, sem olhar para o caminho, caí no buraco. Comecei a berrar porque estava justo no lugar em que Nola morrera.

— Mas não é possível! — gritou Gahalowood, do alto do monte de terra.

Ele me estendeu a mão e me ajudou a subir. Fomos nos sentar na varanda e entreguei seu dinheiro. Eu só tinha uma nota de cinquenta.

— Tem troco? — perguntei.

— Não.

— Pode ficar, então.

— Obrigado, escritor.

— Não sou mais escritor.

Não demoraria muito até que eu descobrisse que o sargento Gahalowood, além de um homem mal-humorado, era uma mula teimosa. Contudo, após algumas súplicas, ele deixou escapar que, no dia que descobriram o corpo, estava de plantão e havia sido um dos primeiros a chegar perto do buraco.

— Havia restos humanos e uma bolsa de couro. Uma bolsa com o nome "Nola Kellergan" gravado no forro. Quando a abri encontrei um texto datilografado, em relativo bom estado. Acho que o couro conservou o papel.

— Como soube que o texto era de Harry Quebert?

— Na hora, eu não sabia. Mostrei a ele na sala de interrogatório e ele o reconheceu imediatamente. Depois, claro, verifiquei o texto. Todas as palavras correspondem a seu livro *As origens do mal*, publicado em 1976, menos de um ano após o drama. Coincidência curiosa, não acha?

— O fato de ele ter escrito o livro sobre Nola não prova que a tenha matado. Ele confirmou que esse original havia desparecido e que às vezes Nola o levava consigo.

— Encontramos o cadáver da garota no jardim dele. Com o original do livro dele. Então me mostre uma prova de sua inocência, escritor, e talvez eu mude de opinião.

— Eu gostaria de ver esse texto.

— Impossível. Prova material.

— Mas já lhe disse que também estou investigando — insisti.

— Estou me lixando para sua investigação, escritor. Terá acesso ao inquérito assim que Quebert comparecer diante do Grande Júri.

Resolvi mostrar que não era um amador, que também tinha certo conhecimento do caso.

— Conversei com Travis Dawn, atual chefe da polícia de Aurora. Pelo que parece, no momento em que Nola desapareceu eles tinham uma pista: o motorista de um Chevrolet Monte Carlo preto.

— Estou sabendo — replicou Gahalowood. — E adivinhe só, Sherlock Holmes: Harry Quebert tinha um Chevrolet Monte Carlo preto.

— Como sabe do Chevrolet?

— Li o relatório que fizeram na época.

Refleti por um instante e disse:

— Calma lá, sargento. Se é tão esperto assim, me explique por que Harry teria mandado plantar flores no exato lugar em que ele próprio teria enterrado Nola?

— Ele não imaginava que os jardineiros cavariam tão fundo.

— Isso não faz o menor sentido e você sabe disso. Harry não matou Nola Kellergan.

— Como pode ter tanta certeza?

— Ele a amava.

— É o que todos dizem durante o processo: "Ela era o amor da minha vida, então a matei." Quem ama não mata.

Com essas palavras, Gahalowood levantou-se da cadeira para indicar que a conversa chegara ao fim.

— Já vai, sargento? Mas nossa investigação mal começou.

— Nossa? Minha, você quer dizer.

— Quando nos veremos de novo?

— Nunca mais, escritor. Nunca mais.

E então se foi, sem nenhum outro cumprimento.

* * *

Se o tal Gahalowood não me levava a sério, o mesmo não acontecia com Travis Dawn, com quem fui me encontrar pouco depois na delegacia de Aurora, com a intenção de lhe entregar a mensagem anônima que descobri na noite da véspera.

— Vim até aqui porque encontrei isto em Goose Cove — falei, colocando o pedaço de papel em sua mesa.

Ele o leu.

— "Volte para casa, Goldman"? De quando é isso?

— De ontem à noite. Saí para caminhar na praia. Ao voltar para casa, encontrei essa mensagem presa no vão da porta de entrada.

— E imagino que você não tenha visto nada...

— Nada.

— É a primeira vez?

— É. Mas também faz só dois dias que estou aqui...

— Vou registrar a ocorrência. Terá de ser prudente, Marcus.

— Parece minha mãe falando.

— Não, é sério. Não subestime o impacto emocional dessa história. Posso ficar com o bilhete?

— É seu.

— Obrigado. E o que mais posso fazer por você? Suponho que não veio até aqui só para falar desse pedaço de papel.

— Eu gostaria que me acompanhasse a Side Creek, se tiver algum tempo livre, é claro. Gostaria de ver o lugar onde tudo aconteceu.

Não só Travis aceitou me levar a Side Creek, como me fez viajar no tempo, voltando trinta e três anos. A bordo de sua viatura policial, percorremos o trajeto que ele mesmo fizera após atender a primeira ligação de Deborah Cooper. Depois de Aurora, seguindo pela estrada em direção a Vermont, a qual margeia o litoral, passamos em frente a Goose Cove; depois, alguns quilômetros adiante, chegamos à orla da floresta de Side Creek e, no entroncamento com Side Creek Lane, à estradinha no fim da qual morava Deborah Cooper. Travis seguiu naquela direção e logo chegamos à casa, um encantador bangalô de madeira, com vista para o oceano e cercado pela mata. Era um lugar magnífico, mas completamente ermo.

— Não mudou quase nada — comentou Travis, enquanto contornávamos a casa. — A pintura foi refeita, está um pouco mais clara do que antes. O restante continua exatamente como naquela época.

— Quem mora aqui agora?

— Um casal de Boston, que vem passar o verão aqui. Eles vêm sempre em julho e vão embora no fim de agosto. No resto do tempo, não há ninguém.

Travis apontou para a porta dos fundos, que dava na cozinha, e continuou:

— A última vez que vi Deborah Cooper viva, ela estava diante dessa porta. O chefe Pratt tinha acabado de chegar: recomendou que ela ficasse quietinha em casa e não se preocupasse, então fomos dar uma vasculhada na mata. Quem poderia imaginar que vinte minutos depois ela seria morta com uma bala no peito?

Enquanto falava, Travis seguiu na direção da floresta. Entendi que estava voltando à trilha que percorrera com o chefe Pratt, trinta e três anos antes.

— O que aconteceu com o chefe Pratt? — perguntei, seguindo-o.

— Ele se aposentou. Continua morando em Aurora, em Mountain Drive. Você já deve ter esbarrado com ele. Um senhor parrudo, que está sempre vestindo calças folgadas com elástico na altura do joelho.

Passamos entre as árvores. Através da vegetação densa, ligeiramente mais abaixo, era possível ver a praia. Após uns bons quinze minutos de caminhada, Travis parou diante de três pinheiros bem aprumados.

— Foi aqui — disse ele.

— *Aqui* o quê?

— Aqui que encontramos todo aquele sangue, tufos de cabelo louro, um pedaço de tecido vermelho. Foi terrível. Sempre reconhecerei este lugar: há bastante musgo espalhado nas pedras, as árvores cresceram, mas, para mim, nada mudou.

— O que fez em seguida?

— Percebemos que alguma coisa grave estava acontecendo, mas não ficamos muito tempo aqui, pois ouvimos aquele terrível disparo. Era incompreensível, não vimos qualquer movimento... Quer dizer, num dado momento nós obrigatoriamente cruzamos com a garota ou com o assassino... Não sei como pudemos passar ao lado deles sem vê-los... Acho que estavam escondidos nas moitas e ele a impediu de gritar. A floresta é imensa, não é difícil passar despercebido. Imagino que ela tenha conseguido se aproveitar de um momento de desatenção do agressor para desvencilhar-se dele e correu até a casa em busca de socorro. Ele foi procurá-la ali e se livrou da Sra. Cooper.

— Então, quando vocês ouviram o tiro, voltaram no mesmo instante para a casa...

— Isso mesmo.

Seguimos a mesma trilha de volta para a casa.

— Tudo aconteceu na cozinha — detalhou Travis. — Nola vem da floresta pedindo socorro, a Sra. Cooper a deixa entrar e em seguida vai à sala a fim de ligar para a polícia e avisar que a garota está ali. Sei que o telefone fica na sala porque eu mesmo o usara meia hora antes para ligar para o chefe Pratt. Enquanto ela telefona, o agressor aparece na cozinha para pegar Nola, mas nesse momento a Sra. Cooper surge e ele acaba com ela. Em seguida, carrega Nola e a arrasta até o carro.

— Onde estava esse carro?

— No acostamento da estrada, às margens dessa maldita floresta. Venha, vou lhe mostrar.

Saímos da casa e Travis me levou outra vez para a floresta, mas numa direção completamente diferente, guiando-me com o passo seguro pelas árvores. Em pouco tempo saímos na estrada.

— O Chevrolet preto estava aqui. Na época, os flancos da estrada tinham sido tomados pelo mato e os arbustos o camuflavam.

— Como sabem que foi esta a direção que ele tomou?

— Havia vestígios de sangue da casa até aqui.

— E o carro?

— Evaporou. Como eu estava dizendo, um auxiliar do xerife, enviado como reforço, cruzou com ele na estrada. Começou uma perseguição, barreiras foram erguidas em toda a região, mas ele nos despistou.

— Como o assassino fez para atravessar as malhas da rede?

— É o que eu gostaria de saber, e devo dizer que há trinta e três anos tenho muitas perguntas sobre esse caso. Fique sabendo que não há um dia sequer que, entrando na minha viatura policial, eu não me pergunte o que teria acontecido se tivéssemos alcançado aquela bosta de Chevrolet. Quem sabe não teríamos conseguido salvar a garota...

— Então acha que ela estava no carro?

— Agora que encontraram seu corpo a três quilômetros daqui, eu diria que isso é um fato.

— E também acha que era Harry quem dirigia aquele Chevrolet preto, certo?

Ele deu de ombros.

— Digamos apenas que, pelo que aconteceu recentemente, não imagino quem mais poderia ser.

* * *

O ex-chefe da polícia, Gareth Pratt, que eu viria a conhecer nesse mesmo dia, parecia concordar com seu auxiliar da época quanto à culpa de Harry. Recebeu-me no portão de casa, vestindo bermudas folgadas que iam até o joelho. Sua mulher, Amy, após nos servir uma bebida, fingiu cuidar das plantas que enfeitavam a varanda para escutar nossa conversa, atitude que não escondia, pois chegava a comentar o que o marido dizia.

— Já nos vimos antes, não é? — perguntou Pratt.

— Já, venho muito a Aurora.

— É aquele rapaz gentil que escreveu um livro — soprou a mulher.

— O senhor não é o sujeito que escreveu um livro? — repetiu ele.

— Sou — respondi —, entre outras coisas.

— Acabei de falar isso, Gareth.

— Querida, não nos interrompa, por favor, sou eu que estou recebendo as pessoas, muito obrigado. Então, Sr. Goldman, a que devo o prazer de sua visita?

— Para ser sincero, estou tentando responder a algumas perguntas que me intrigam sobre o assassinato de Nola Kellergan. Conversei com Travis Dawn e ele comentou que naquela época o senhor já suspeitava de Harry.

— É verdade.

— Com base em quê?

— Alguns elementos nos deixaram com uma pulga atrás da orelha. Especialmente o estilo da perseguição, que indicava que o assassino era alguém da região. A pessoa tinha que conhecer muito bem a área para conseguir desaparecer assim, enquanto todos os policiais do condado estavam atrás dela. E depois havia aquele Monte Carlo preto. Como pode imaginar, listamos todos os proprietários desse modelo que moravam na região: o único que não tinha um álibi era Quebert.

— Entretanto, o senhor acabou não seguindo a pista Harry Quebert...

— Não, porque, além dessa história do carro, não tínhamos mais nenhuma acusação concreta contra ele. Tanto que ele foi rapidamente descartado da nossa lista de suspeitos. A descoberta do corpo da pobre garota no jardim da casa dele prova que erramos. Isso não faz o menor sentido, sempre gostamos muito desse cara... Pensando bem, isso pode ter influenciado meu julgamento. Ele sempre foi tão afável, amistoso, convincente... A propósito, o senhor mesmo, Sr. Goldman, que, se entendi direito, o conhece bem: agora que sabe da garota no jardim, não se lembra de alguma coisa que ele tenha feito ou dito um dia e que possa ter despertado no senhor uma pequena suspeita?

— Não, chefe. Não me lembro de nada.

De volta a Goose Cove, percebi, do outro lado da faixa de isolamento, as mudas de hortênsias morrendo na beira do buraco, todas as raízes para fora. Fui então para o pequeno anexo que era usado como garagem e peguei um ancinho. Em seguida, entrando na zona proibida, preparei um canteiro de terra fofa, de frente para o mar, e ali plantei as flores.

30 de agosto de 2002

— Harry?

Eram seis horas da manhã. Ele estava na varanda de Goose Cove, com uma xícara de café na mão. Virou-se para mim.

— Marcus? Você está suando em bicas... Não me diga que já foi correr?

— Como pode ver. Percorri meus doze quilômetros.

— Você acordou que horas?

— Cedo. Lembra-se de como, há dois anos, quando comecei a vir aqui, você me obrigava a pular da cama de madrugada? Agora já me acostumei. Levanto cedo para que o mundo me pertença. E você, o que está fazendo do lado de fora?

— Observando, Marcus.

— Observando o quê?

— Está vendo aquele cantinho de relva espremido entre os pinheiros, dominando a praia? Já faz tempo que estou querendo fazer alguma coisa ali. É a única área da propriedade que é plana o bastante para um pequeno jardim. Eu gostaria de montar para mim um recanto aprazível, com dois bancos, uma mesa de ferro e cercado por hortênsias. Muitas hortênsias.

— Por que hortênsias?

— Conheci uma pessoa que as adorava. Eu queria ter arbustos de hortênsias para me lembrar dela o tempo todo.

— É alguém que você amava?

— É.

— Você parece triste, Harry.

— Não ligue para isso.

— Harry, por que nunca me conta de sua vida amorosa?

— Por que não tenho nada para contar. Em vez disso, olhe, olhe bem. Ou melhor, feche os olhos! Isso, feche-os bem fechados para que nenhuma luz atravesse as suas pálpebras. Está vendo? Há esse caminho que parte da varanda e leva às hortênsias. E há esses dois banquinhos, dos quais é possível contemplar ao mesmo tempo o oceano e as magníficas flores. O que pode haver de melhor do que contemplar o oceano e as hortênsias? Há inclusive um pequeno tanque, com uma fonte em forma de estátua no centro. E, dependendo do tamanho, colocarei carpas japonesas multicoloridas dentro dele.

— Peixes? Não resistirão nem por uma hora, as gaivotas irão exterminá-los.

Ele sorriu.

— Aqui as gaivotas têm o direito de fazer o que bem entendem, Marcus. Mas você tem razão: não colocarei carpas no tanque. Agora vá tomar uma ducha morna, por favor. Antes que morra ou pegue uma porcaria qualquer, o que fará seus pais pensarem que não cuido direito de você. Enquanto isso, preparo o café da manhã. Marcus...

— Sim, Harry?

— Se eu tivesse um filho...

— Eu sei, Harry. Eu sei.

Na manhã de quinta-feira, 19 de junho de 2008, fui ao Sea Side Motel. Era fácil chegar lá: saindo de Side Creek Lane, era só seguir em linha reta pela estrada por sete quilômetros na direção norte e, então, era impossível não ver a imensa placa de madeira indicando:

SEA SIDE MOTEL & RESTAURANTE
desde 1960

O lugar onde Harry esperara Nola ainda existia, embora com certeza eu já tivesse passado em frente a ele centenas de vezes sem jamais prestar a menor atenção — aliás, que razões teria tido para fazer isso até esse dia? Era uma construção de madeira coberta por um telhado vermelho e cercada por um roseiral. Os fundos davam para a mata. Todos os quartos do térreo davam diretamente para o estacionamento e o acesso ao andar de cima era feito por uma escada do lado de fora.

De acordo com o funcionário da recepção a quem interroguei, o estabelecimento não mudara desde que fora construído, a não ser pelos quartos, que foram modernizados, e por um restaurante acrescentado ao imóvel. Como prova do que afirmava, o homem desencavou para mim o livro de recordações dos quarenta anos do hotel, e me mostrou as fotografias de época.

— Por que está tão interessado neste lugar? — perguntou ele por fim.

— Porque estou atrás de uma informação muito importante — respondi.

— Sou todo ouvidos.

— Eu gostaria de saber se alguém passou a noite aqui, no quarto 8, de sábado, 30 de agosto, para domingo, 31 de agosto de 1975.

Ele deu uma risada.

— 1975? Está falando sério? Depois que digitalizamos os registros, podemos acessar as informações de dois anos atrás, no máximo. Posso lhe dizer quem passou a noite aqui em 30 de agosto de 2006, se quiser. Enfim, tecnicamente, porque são informações que não tenho o direito de revelar, é claro.

— Quer dizer que não tenho como saber?

— Além do registro, os únicos dados que guardamos são os e-mails de quem recebe nossa newsletter. Estaria interessado em receber nossa newsletter?

— Não, obrigado. Mas, se possível, gostaria de visitar o quarto 8.

— Não é permitido visitar. Mas ele está livre. Quer passar a noite? São cem dólares.

— Sua tabuleta mostra que todos os quartos custam setenta e cinco dólares. Está pensando o quê? Dou-lhe vinte dólares, você me mostra esse quarto e todo mundo fica feliz.

— É difícil negociar com o senhor. Mas aceito.

O quarto 8 ficava no andar de cima. Era um quarto com tudo que há de mais comum: cama, frigobar, televisão, mesinha e banheiro.

— Por que está tão interessado neste quarto? — indagou o funcionário, mais uma vez.

— É complicado. Um amigo me falou que passou a noite aqui, mais de trinta anos atrás. Se for verdade, isso significa que ele é inocente do que o acusam.

— E do que o acusam?

Não respondi à pergunta e continuei a interrogá-lo:

— Por que chamam este local de Sea Side Motel? Nem vista para o mar tem...

— Não, mas há uma trilha que dá acesso à praia, pela mata. Está escrito nos prospectos. De qualquer maneira, os hóspedes não estão nem aí. Quem se hospeda aqui não vai à praia.

— Você quer dizer que seria possível, por exemplo, vir por beira-mar, de Aurora, atravessar a mata e chegar aqui.

— Tecnicamente, sim.

Passei o restante do dia na biblioteca municipal, consultando os arquivos e procurando reconstituir o passado. Erne Pinkas me foi de grande auxílio nessa busca, dedicando seu tempo livre a me ajudar nas pesquisas.

Segundo os jornais da época, ninguém notara nada fora do normal no dia do desaparecimento: nem Nola fugindo, nem qualquer sujeito vagando nas proximidades da casa. Aos olhos de todos, aquele desaparecimento era um grande mistério que o assassinato de Deborah Cooper contribuía para adensar. Contudo, enquanto algumas testemunhas — vizinhos, basicamente — haviam declarado ter ouvido alguns barulhos e gritos na casa dos Kellergan naquele dia, outros garantiam que os barulhos eram na verdade música que o reverendo escutava muito alto, como fazia com frequência. Pelo que o *Aurora Star* apurou, o Sr. Kellergan consertava suas geringonças na garagem e, enquanto trabalhava, sempre escutava música. Colocava o som no volume máximo, para encobrir o estrépito de suas ferramentas, estimando que música boa, mesmo nas alturas, era sempre preferível ao barulho de um martelo. Sendo assim, ainda que a filha tivesse pedido socorro, ele não teria escutado. De acordo com Pinkas, o Sr. Kellergan continuava se remoendo por ter colocado aquela música tão alto: nunca deixara a casa da família na Terrace Avenue, na qual vivia recluso, ouvindo sem parar aquele mesmo disco, ficando surdo como se para se castigar. Do casal Kellergan, agora só restava ele. Sua esposa, Louisa, morrera havia muitos anos. Aparentemente, na noite em que se confirmou ser mesmo o corpo da pequena Nola que fora desenterrado, jornalistas foram assediar o velho David Kellergan em sua casa.

— Foi uma cena muito triste — disse Pinkas. — Ele falou alguma coisa do tipo: *Então ela está morta... Eu vinha economizando esse tempo todo para que ela pudesse cursar uma faculdade.* E imagine você que, no dia seguinte, cinco Nolas falsas bateram à sua porta. Pela grana. O coitado estava completamente desorientado. Sem dúvida, vivemos numa época maluca: a humanidade tem o coração cheio de merda, Marcus. Pelo menos é a minha opinião.

— E o pai dela fazia muito isso, ouvir música assim tão alto? — perguntei.

— O tempo todo. Sabe, falando em Harry... Encontrei a Sra. Quinn ontem na cidade...

— A Sra. Quinn?

— É, a ex-dona do Clark's. Ela anda espalhando que sempre soube que Harry dava em cima de Nola... Diz que na época tinha uma prova irrefutável.

— Que tipo de prova?

— Não faço ideia. Notícias de Harry?

— Vou visitá-lo amanhã.

— Diga que mandei um abraço.

— Você pode lhe fazer uma visita... Ele iria gostar.

— Não tenho muita certeza de que quero isso.

Eu sabia que Pinkas, de setenta e cinco anos, aposentado de uma indústria têxtil de Concord que não continuara seus estudos e lamentava nunca ter podido saciar sua paixão pelos livros fora de sua função de bibliotecário voluntário, tinha uma gratidão eterna a Harry depois que ele lhe permitira assistir livremente às suas aulas de literatura na universidade de Burrows. Portanto, eu sempre o considerara um de seus apoiadores mais fiéis, mas agora até ele preferia manter certa distância de Harry.

— Sabe — esclareceu ele —, Nola era uma garota muito especial, meiga, gentil com todo mundo. Todo mundo gostava dela aqui! Era como uma filha para todos nós. Então como Harry pôde... Quer dizer, ainda que não a tenha matado, ele escreveu aquele livro para ela! Porra! Ela tinha quinze anos! Era só uma menina! Amá-la a ponto de escrever um livro? Um livro de amor! Pois eu fui casado com minha mulher durante cinquenta anos e nunca senti necessidade de escrever um livro para ela.

— Mas esse livro é uma obra-prima.

— Esse livro é o Demo. É um livro de perversão. Aliás, joguei fora os exemplares que tínhamos aqui. Está todo mundo chocado.

Suspirei, mas não respondi. Não queria me desentender com ele. Perguntei simplesmente:

— Erne, eu poderia mandar entregar uma remessa aqui, endereçada à biblioteca?

— Uma remessa? Claro. Por quê?

— Pedi a minha empregada que procurasse um objeto importante na minha casa e o despachasse por Fedex para cá. Mas prefiro que seja entregue aqui, pois passo pouco tempo em Goose Cove e a caixa de correio está atulhada de mensagens repulsivas nas quais eu nem toco... Aqui, pelo menos, tenho certeza de que chegará.

A caixa de correio de Goose Cove resumia bem como estava a reputação de Harry: o país inteiro, após tê-lo admirado, achincalhava-o e cobria-o de cartas insultuosas. O maior escândalo da história da edição estava em andamento, *As origens do mal* já havia evaporado das prateleiras das livrarias e dos currículos escolares, o *Boston Globe* suspendera sua colaboração de forma unilateral; já o conselho de administração da universidade de Burrows decidira demiti-lo sumariamente de suas funções. Agora os jornais não tinham mais escrúpulos em descrevê-lo como um predador sexual — ele era o assunto de todos os debates e conversas. Roy Barnaski, farejando nisso uma oportunidade comercial imperdível, encasquetou que queria lançar um livro sobre o caso. E, como Douglas não conseguia me convencer, ele mesmo acabou me ligando para me dar uma pequena aula de economia de mercado:

— O público quer esse livro — explicou ele. — Por favor, ouça isto, há um monte de fãs na calçada do prédio gritando seu nome.

Ele ligou o viva voz e fez um sinal para os seus auxiliares, que bradaram: *Gold-man! Gold-man! Gold-man!*

— Não são fãs, Roy, são seus assistentes. Bom dia, Marisa.

— Bom dia, Sr. Marcus — respondeu Marisa.

Barnaski pegou o aparelho de volta.

— Enfim, reflita um pouco, Goldman: lançaremos o livro no outono. Sucesso garantido! Um mês e meio para escrevê-lo, acha razoável?

— Um mês e meio? Precisei de dois anos para escrever o primeiro livro. Aliás, nem imagino o que eu poderia contar, ainda não sabemos o que aconteceu.

— Pense bem, posso lhe fornecer *ghost-writers* para ir mais depressa. E além disso, não há necessidade de uma grande obra literária: as pessoas querem mesmo é saber o que Quebert fez com a menina. Limite-se a narrar os fatos, com suspense, sordidez e, obviamente, um pouco de sexo.

— Sexo?

— Fala sério, Goldman, não vou lhe ensinar o seu ofício: quem iria querer comprar esse livro se não houvesse cenas indecentes entre o coroa e a garotinha de sete anos? É isso que as pessoas querem. Mesmo se o livro não for bom, venderemos toneladas. É o que importa, certo?

— Harry tinha trinta e quatro anos e Nola, quinze!

— Para que complicar... Se escrever esse livro, não só anulo seu contrato anterior, como lhe ofereço, além disso, meio milhão de dólares de adiantamento como agradecimento pela cooperação.

Recusei categoricamente e Barnaski exaltou-se:

— Muito bem, se prefere jogar pesado, Goldman, também posso jogar assim: espero um original daqui a exatamente onze dias, caso contrário entrarei com um processo e vou arruiná-lo.

Ele desligou na minha cara. Pouco depois, quando estava fazendo umas compras na mercearia da rua principal, recebi uma ligação de Douglas, que, certamente alertado pelo próprio Barnaski, ainda tentou me convencer.

— Marc, você não pode se fazer de difícil numa situação como essa — argumentou ele. — Não se esqueça que Barnaski o tem nas mãos! Seu último contrato continua válido e o único jeito de anulá-lo é aceitar a proposta dele. Além disso, esse livro vai fazer sua carreira estourar. Um adiantamento de meio milhão, o que mais você quer, afinal?

— Barnaski quer me obrigar a escrever um livro totalmente apelativo! Isso está fora de cogitação. Não quero um livro assim, não quero um lixo escrito em algumas semanas. Bons livros demandam tempo.

— Mas são os métodos modernos de fazer dinheiro! Escritores que divagam e esperam a neve cair em busca de inspiração, isso acabou! Seu livro, sem que ainda exista sequer uma linha dele, já estourou porque todo mundo quer saber tudo sobre o assunto. E imediatamente. A janela de mercado é limitada: no outono, teremos as eleições presidenciais e os candidatos com certeza lançarão livros que irão ocupar todo o espaço da mídia. Todo mundo já está falando do livro do Barack Obama, acredita?

Eu não acreditava em mais nada. Peguei minhas compras e voltei para o meu carro, estacionado na rua. Foi então que encontrei, preso num dos limpadores de para-brisa, um pedaço de papel. Outra vez a mesma mensagem:

Volte para casa, Goldman.

Olhei em volta: ninguém. Havia poucas pessoas sentadas à mesa numa varanda próxima, fregueses saindo da mercearia. Quem estava me seguindo? Quem não queria que eu investigasse a morte de Nola Kellergan?

* * *

No dia seguinte a esse novo incidente, sexta-feira, 20 de junho, fui outra vez visitar Harry na prisão. Antes de deixar Aurora, dei uma passada na biblioteca, onde minha encomenda acabara de chegar.

— O que é isso? — perguntou Pinkas, curioso, esperando que eu abrisse na sua frente.

— Uma ferramenta que estava me fazendo falta.

— Uma ferramenta de quê?

— Uma ferramenta de trabalho. Obrigado por tê-la recebido, Erne.

— Espere, por que não toma um café? Acabei de fazer. Quer uma tesoura para abrir o pacote?

— Obrigado, Erne. O café fica para uma próxima vez. Preciso ir.

Ao chegar a Concord, decidi fazer um desvio pela sede da polícia estadual com a intenção de encontrar o sargento Gahalowood e lhe submeter algumas hipóteses que eu cogitara depois de nosso breve encontro.

A sede da polícia de New Hampshire, onde ficavam os escritórios da Divisão de Homicídios, era um vasto pavilhão de tijolos vermelhos situado no número 33 de Hazen Drive, no centro de Concord. Era quase uma da tarde; me informaram que Gahalowood saíra para almoçar e pediram que aguardasse no corredor, num banco, ao lado de uma mesa onde havia revistas e podia-se comprar café. Quando ele chegou, uma hora depois, exibia, gravado no rosto, seu mau humor.

— Você? — exclamou ele ao me ver. — Me chamam e dizem: *Perry, vá logo, há um sujeito esperando por você há uma hora*, e eu interrompo o fim do meu almoço para verificar o que é porque talvez seja importante e me deparo com o escritor!

— Não me queira mal... Achei que não havíamos nos despedido em bons termos e talvez...

— Eu o detesto, escritor, anote isso. Minha mulher leu o seu livro, e ela o acha bonito e inteligente. Sua cara, na contracapa do livro, reinou na mesa de cabeceira dela semanas a fio. Você morou no nosso quarto! Dormiu com a gente! Jantou com a gente! Saiu de férias com a gente! Tomou banho com a minha mulher! Fez todas as suas amigas soltarem gritinhos agudos! Você estragou a minha vida!

— É casado, sargento? Não acredito, você é uma pessoa tão desagradável que eu podia jurar que não tinha família.

Ele afundou furiosamente a cabeça em sua papada.

— Pelo amor de Deus, o que você quer? — ladrou ele.

— Entender.
— É muita ambição para um sujeito como você.
— Eu sei.
— Não prefere deixar a polícia agir?
— Preciso de informações, sargento. Gosto de saber de todas as coisas, é um problema. Sou muito ansioso, preciso controlar tudo.
— Muito bem, controle-se, então!
— Podemos ir para a sua sala?
— Não.
— Pode me dizer apenas se Nola tinha mesmo quinze anos quando foi morta?
— Tinha. A análise dos ossos confirmou isso.
— Então ela foi raptada e morta no mesmo dia?
— Exatamente.
— Mas aquela bolsa... Por que ela foi enterrada com a bolsa?
— Não faço ideia.
— Se Nola estava mesmo com uma bolsa, podemos deduzir que ela fugiu?
— Ao preparar uma bolsa para fugir, você a enche de roupas, não é?
— Suponho que sim.
— Ora, naquela bolsa só havia o livro.
— Ponto para você — falei. — Sua sagacidade me fascina. Mas essa bol...

Ele me interrompeu:
— Eu não devia ter mencionado essa bolsa, no outro dia. Não sei o que me deu...
— Também não faço ideia.
— Pena, imagino. É, foi isso. Você me deu pena, com sua cara de desarvorado e os sapatos cobertos de lama.
— Obrigado. Se ainda me permite: o que pode me contar da autópsia? Aliás, chamamos de "autópsia" no caso de um esqueleto?
— E eu sei lá!
— Será que "exames médico-legais" seria uma expressão mais adequada?
— Estou me lixando para a expressão adequada. O que posso lhe dizer é que racharam o crânio dela! Racharam! *Pam*! *Pam*!

Como ele ilustrou suas palavras com gestos, fingindo golpear, perguntei:
— Então foi com um porrete?

— Não faço a mínima ideia, seu chato!
— Uma mulher? Um homem?
— O quê?
— Será que uma mulher poderia ter desferido esses golpes? Por que obrigatoriamente um homem?
— Porque a testemunha ocular na época, Deborah Cooper, identificou categoricamente um homem. Bem, nossa conversa chegou ao fim, escritor. Você já acabou com a minha paciência.
— Mas e você, o que acha deste caso?
Ele tirou da carteira uma fotografia de família.
— Tenho duas filhas, escritor. Catorze e dezessete anos. Não consigo imaginar passar pelo que o velho Kellergan passou. Quero a verdade. Quero a justiça. A justiça não é a soma de simples fatos: é um trabalho muito mais complexo. Então vou prosseguir com a minha investigação. Se eu descobrir a prova da inocência de Quebert, acredite em mim, ele será libertado. Mas se ele for culpado, esteja certo de uma coisa: não permitirei que Roth engane o júri com um charlatanismo, com algum segredo que só ele sabe, e liberte um criminoso. Porque isso também não é justiça.
Gahalowood, sob seus ares de bisão agressivo, fazia uso de uma filosofia que me agradava.
— No fundo, você é um cara legal, sargento. Posso pagar um donut para continuarmos o papo?
— Não quero um donut, quero que me deixe em paz. Tenho trabalho a fazer.
— Mas preciso que me explique como se investiga. Não sei investigar. O que devo fazer?
— Tchauzinho, escritor. Já vi você o suficiente pelo resto da semana. Talvez até pelo resto da vida.
Eu estava decepcionado por não ser levado a sério e não insisti. Estendi a mão para cumprimentá-lo, ele moeu minhas falanges com sua mãozona e saí fora. No estacionamento, contudo, ouvi sua voz: "Escritor!" Eu me virei e vi seu corpanzil se movendo em minha direção.
— Escritor — disse ele, aproximando-se, ofegante. — Os bons policiais não se interessam pelo assassino... E sim pela vítima. É sobre a vítima que você deve interrogar. Deve começar pelo início, por antes do assassinato. Não pelo fim. Você perde o foco ao se concentrar no assassi-

nato. Deve interrogar-se sobre quem era a vítima... Pergunte-se quem era Nola Kellergan...

— E Deborah Cooper?

— Se quer minha opinião, tudo está ligado a Nola. Deborah Cooper foi uma simples vítima colateral. Descubra quem era Nola e assim descobrirá seu assassino e o da velha Cooper.

Quem era Nola Kellergan? Esta era a pergunta que eu pretendia fazer a Harry ao chegar na penitenciária estadual. Ele estava nervoso. Parecia preocupado com o conteúdo do seu escaninho na academia.

— Encontrou tudo? — perguntou Harry, antes mesmo de me cumprimentar.

— Encontrei.

— E queimou tudo?

— Queimei.

— O manuscrito também?

— O manuscrito também.

— Por que não me avisou? Eu estava morrendo de preocupação! E onde você se meteu nesses dois dias?

— Estava seguindo com a minha investigação. Harry, por que essa caixa estava no escaninho de uma academia?

— Sei que pode parecer estranho... Mas depois de sua visita a Aurora, em março, fiquei com medo de que outra pessoa pudesse descobrir a caixa. Percebi que qualquer um podia topar com ela: uma visita sem escrúpulos, a faxineira. Julguei mais prudente esconder minhas recordações em outro lugar.

— Você as escondeu? Mas isso o transforma em culpado. E esse manuscrito... Era o de *As origens do mal*?

— Era. A primeiríssima versão.

— Reconheci o texto. Não havia título na capa...

— Escolhi o título depois.

— Depois do desaparecimento de Nola, é isso?

— É. Mas não vamos falar desse manuscrito, Marcus. Ele é maldito, só atraiu o mal à minha volta, prova disso é que Nola está morta e eu, preso.

Entreolhamo-nos por um instante. Coloquei sobre a mesa o saco plástico que continha minha encomenda de Nova York.

— O que é isso? — perguntou Harry.

Sem responder, tirei um MiniDisc ao qual estava conectado um microfone, para fazer gravações. Instalei-o diante de Harry.

— Porra, Marcus, o que está aprontando? Não me diga que conservou essa máquina satânica...

— Claro que sim, Harry. Guardei-a com cuidado.

— Guarde-a de volta, por favor.

— Não faça essa cara, Harry...

— Mas o que é que você pretende com essa geringonça?

— Quero que me fale de Nola, de Aurora, de tudo. Do verão de 1975, do seu livro. Preciso saber. A verdade, Harry, deve estar em algum lugar.

Ele abriu um sorriso triste. Liguei o gravador e deixei-o falar. Era uma cena bonita: naquele locutório de presídio onde, entre mesas de plástico, maridos encontravam esposas e pais encontravam filhos, eu encontrava meu antigo professor, que me contou sua história.

Nessa noite, jantei cedo, na estrada de volta para Aurora. Em seguida, como não julguei tentador retornar imediatamente a Goose Cove e ficar sozinho naquele casarão, peguei o carro e percorri sem pressa o litoral. O dia chegava ao fim, o mar cintilava: tudo estava magnífico. Passei pelo Sea Side Motel, pela mata de Side Creek, por Side Creek Lane, por Goose Cove, atravessei Aurora e fui até a praia de Grand Beach. Caminhei até a beira d'água, depois me sentei nos seixos para contemplar a noite nascente. As luzes de Aurora dançavam ao longe no espelho das águas; as aves marinhas soltavam pios estridentes, rouxinóis cantavam nos arbustos circundantes, eu ouvia os apitos dos faróis orientando os barcos pela neblina. Liguei o gravador e a voz de Harry ressoou na escuridão:

Conhece a praia de Grand Beach, Marcus? É a primeira em Aurora para quem vem de Massachusetts. Às vezes vou até lá ao anoitecer para contemplar as luzes da cidade. E volto a pensar em tudo o que aconteceu ali há trinta anos. Foi nessa praia que parei no dia em que cheguei a Aurora. Foi em 20 de maio de 1975. Eu tinha trinta e quatro anos. Chegava de Nova York, onde tinha acabado de decidir mudar meu destino: eu havia largado tudo, inclusive meu cargo de professor de literatura, juntara minhas economias e resolvera tentar a aventura de ser escritor: isolar-me na Nova Inglaterra e lá escrever o romance com o qual eu sonhava.

A princípio pensei em alugar uma casa no Maine, mas um corretor de imóveis de Boston me convenceu a escolher Aurora. Ele havia mencionado uma casa dos sonhos, que correspondia exatamente ao que eu procurava: era Goose Cove. Assim que bati os olhos na casa, me apaixonei por ela. Era o lugar que me convinha: um refúgio sossegado e selvagem, sem no entanto ser totalmente isolado, pois estava a apenas poucos quilômetros de Aurora. A cidade me agradava muito também. A vida parecia pacata, as crianças brincavam nas ruas sem maiores preocupações, os índices de criminalidade eram praticamente nulos; um cenário de cartão-postal. A casa de Goose Cove estava muito acima de meus recursos, mas a administradora aceitou que eu pagasse em duas vezes e fiz meus cálculos: se não gastasse muito dinheiro, poderia dar conta. E, além disso, eu tinha o pressentimento de que estava fazendo a escolha certa. Não estava enganado, pois essa decisão transformou a minha vida: o livro que escrevi naquele verão fez de mim um homem rico e famoso.

Acho que o que me agradou tanto em Aurora foi o status que ganhei em pouco tempo. Em Nova York, eu era apenas um misto de professor de colégio e escritor anônimo, já em Aurora eu era Harry Quebert, um escritor que viera de Nova York para escrever ali seu próximo romance. Lembra um pouco, Marcus, aquela história de "O Formidável", de quando você estava no colégio e se limitou a passar a perna nos outros para brilhar. Foi exatamente o que aconteceu comigo ao me mudar para cá. Eu era um rapaz autoconfiante, elegante, esbelto, atlético e culto, residindo, como se não bastasse, na magnífica propriedade de Goose Cove. Os moradores da cidade, embora sem me conhecer de nome, avaliaram meu sucesso pela minha atitude e pela casa em que eu residia. Isso bastou para que a população imaginasse que eu era um grande astro nova-iorquino: e do dia para a noite, tornei-me alguém. O escritor respeitado que eu não podia ser em Nova York, eu o era em Aurora. Eu doara à biblioteca municipal alguns exemplares do meu primeiro livro, que trouxera comigo, e imagine só que esse mísero monte de papel desdenhado por Nova York suscitou entusiasmo em Aurora. Isso aconteceu em 1975, numa cidadezinha minúscula de New Hampshire que, mesmo antes da internet e de toda essa tecnologia, buscava uma razão de existir, e que viu em mim a estrela local com que sempre sonhara.

* * *

Eram aproximadamente onze da noite quando retornei a Goose Cove. Percorrendo a alameda de cascalho que dava acesso à casa, vi surgir, no facho dos faróis, uma silhueta mascarada, que saiu em retirada e embrenhou-se na mata. Freei bruscamente e pulei para fora do carro gritando, preparando-me para me lançar no encalço do intruso. Nesse instante, meu olhar foi atraído por uma luminosidade intensa: alguma coisa estava queimando próximo à casa. Corri para verificar o que era: o Corvette de Harry ardia em chamas. O fogo já estava alto e uma coluna de fumaça acre subia para o céu. Liguei para a emergência, mas ninguém atendeu. Eu não via senão a floresta à minha volta. Sob efeito do calor, os vidros do Corvette explodiram, a lataria começou a se retorcer e as chamas aumentaram, lambendo as paredes da garagem. Eu não podia fazer nada. O fogo estava prestes a se alastrar.

26

N-O-L-A
(Aurora, New Hampshire, sábado, 14 de junho de 1975)

— Se os escritores são criaturas frágeis, Marcus, é porque são passíveis de conhecer dois tipos de sofrimentos sentimentais, ou seja, duas vezes mais que os seres humanos normais: as dores de amor e as dores literárias. Escrever um livro é como amar alguém: pode acabar sendo muito doloroso.

MEMORANDO INTERNO
ENDEREÇADO A TODA A EQUIPE

Como vocês já devem ter notado, de uma semana para cá, Harry Quebert tem vindo todos os dias almoçar em nosso estabelecimento. O Sr. Quebert é um grande escritor nova-iorquino e merece atenção especial. Seus pedidos devem ser atendidos com a maior discrição. Ninguém jamais deve importuná-lo.

A mesa 17 está reservada para ele até segunda ordem. Deve estar sempre à sua disposição.

Tamara Quinn

* * *

Foi o peso da garrafa de xarope de bordo que desequilibrou a bandeja. Ao acomodá-la na superfície, ela oscilou; na tentativa de agarrá-la, acabou perdendo o equilíbrio e, num estrépito monumental, a bandeja foi ao chão, e a menina foi junto.

Harry enfiou a cabeça debaixo do balcão.

— Nola? Tudo bem?

Ela se levantou, um pouco zonza.

— Tudo, tudo, eu...

Observaram por um instante a extensão do estrago e começaram a rir.

— Não ria, Harry — repreendeu Nola graciosamente. — Se a Sra. Quinn souber que derrubei outra bandeja, estou frita.

Ele foi para trás do balcão e se agachou para ajudá-la a catar os cacos de vidro que jaziam numa mistura de mostarda, maionese, ketchup, xarope de bordo, manteiga, açúcar e sal.

— Ei — perguntou ele —, pode me explicar por que na última semana todo mundo aqui ficou me trazendo todos esses condimentos ao mesmo tempo sempre que peço alguma coisa?

— É por causa do memorando — respondeu Nola.

— Memorando?

Ela apontou com o olhar para o pequeno cartaz colado atrás do balcão; Harry levantou-se e o arrancou para lê-lo em voz alta.

— Não, Harry! O que está fazendo? Enlouqueceu? Se a Sra. Quinn souber...

— Não se preocupe, não tem ninguém aqui.

Eram sete e meia da manhã; o Clark's ainda estava às moscas.

— Que memorando é esse?

— A Sra. Quinn estipulou normas.

— Para quem?

— Para toda a equipe.

Alguns fregueses entraram, interrompendo a conversa. Harry voltou prontamente a sua mesa e Nola correu para seus afazeres.

— Vou trazer outras torradas agora mesmo, Sr. Quebert — declarou ela num tom solene, antes de desaparecer na cozinha.

Atrás da porta vaivém, Nola permaneceu pensativa por um instante e sorriu consigo mesma: ela o amava. Desde que o encontrara na praia, havia duas semanas, desde aquele dia chuvoso e magnífico em que passeava casualmente nas proximidades de Goose Cove, ela o amava. Sabia disso. Era uma sensação que não gerava confusão, não havia outra igual — sentia-se diferente, sentia-se mais feliz, os dias pareciam-lhe mais belos. E, acima de tudo, quando ele estava ali, sentia o coração bater mais forte.

Após o episódio da praia, eles haviam se esbarrado outras duas vezes: em frente à mercearia da rua principal e depois no Clark's, onde ela trabalhava aos sábados. Em cada um desses encontros, algo de especial surgia entre eles. Desde então, Harry adquirira o hábito de ir diariamente ao Clark's para escrever, o que levou Tamara Quinn, a dona do *diner*, a convocar uma reunião urgente com suas "meninas" — como ela chamava as garçonetes — três dias antes, no fim da tarde. Foi nessa ocasião que ela lhes apresentou o famoso memorando.

— Senhoritas — declarara Tamara Quinn às funcionárias, que ela alinhara de maneira militar —, nesta última semana vocês devem ter constatado que o grande escritor nova-iorquino Harry Quebert passou a vir todos os dias aqui, prova de que encontrou em nossas dependências os critérios de sofisticação e qualidade dos melhores estabelecimentos da Costa Leste. O Clark's é um estabelecimento de prestígio: devemos estar à altura das expectativas de nossos clientes mais exigentes. Como algumas de vocês têm o cérebro menor do que uma ervilha, redigi um memorando para lembrar-lhes como o Sr. Quebert deve ser tratado. Devem lê-lo, relê-lo, decorá-lo! Farei interrogatórios de surpresa. Ele será afixado na cozinha e atrás do balcão.

Em seguida, Tamara Quinn repisara suas normas: em primeiro lugar, não perturbar o Sr. Quebert, ele precisa de calma e concentração. Mostrar-se eficiente para que ele se sinta em casa. As estatísticas de suas passagens anteriores pelo Clark's indicavam que só tomava café preto; portanto, servir-lhe café assim que chegasse e nada mais. E se ele precisasse de outra coisa — se o Sr. Quebert estivesse com fome —, ele pediria, isso partiria dele. Não importuná-lo, não empurrar-lhe comida como deviam fazer com os demais clientes. Se ele escolhesse alguma coisa para comer, tinham que levar-lhe imediatamente todos os condimentos e guarnições, para que ele não tivesse que pedir: mostarda, ketchup, maionese, pimenta, sal, manteiga, açúcar e xarope de bordo. Grandes escritores não devem ter de pedir o que quer que seja, precisam estar com a cabeça arejada para poder criar em paz. Talvez o que ele estivesse escrevendo, aquelas anotações que ele fazia por horas a fio, sentado no mesmo lugar, fosse a semente de uma imensa obra-prima e em breve estariam falando do Clark's por todo o país.

E Tamara Quinn sonhava que o livro viesse a oferecer a seu restaurante a notoriedade que ela esperava: com o dinheiro, abriria mais um estabelecimento em Concord, depois outro em Boston, e em Nova York, e em todas as grandes cidades da Costa, até a Flórida.

Mindy, uma das garçonetes, pedira explicações suplementares:

— Mas, Sra. Quinn, como pode ter certeza de que o Sr. Quebert só quer café preto?

— Eu sei disso. E ponto final. Nos grandes restaurantes, os clientes importantes não precisam pedir, os garçons já conhecem seus hábitos. Somos um grande restaurante?

— Sim, Sra. Quinn — responderam as funcionárias.

— Sim, mamãe — bradara Jenny, que era sua filha.

— Não me chame mais de "mamãe" aqui — decretara Tamara. — Assim fica parecendo uma estalagem rural.

— Como devo chamá-la, então? — perguntara Jenny.

— Não me chame, escute minhas ordens e aquiesça servilmente. Não precisa falar nada. Entendido?

Jenny balançara a cabeça como resposta.

— Entendido ou não entendido? — repetira sua mãe.

— Sim, entendido, mamãe. Consenti com a cabeça...

— Ah, que ótimo, minha querida. Veja como aprende depressa. Vamos, meninas, quero ver todas com a expressão servil... Perfeito... Muito bem... E agora, consintam com a cabeça. Perfeito... Assim... De cima para baixo... Está ótimo assim, parece que estamos no Château Marmont.

Tamara Quinn não era a única deslumbrada com a presença de Harry Quebert em Aurora: toda a cidade efervescia. Alguns afirmavam tratar-se de uma grande estrela de Nova York, o que outros confirmavam para não serem tachados de incultos. Erne Pinkas, que expusera diversos exemplares do primeiro romance de Harry na biblioteca municipal, declarava nunca ter ouvido falar daquele Quebert escritor, mas, no fundo, ninguém levava a sério a opinião de um operário de fábrica que não conhecia nada da alta sociedade nova-iorquina. E, acima de tudo, todos concordavam que não era qualquer pessoa que podia morar na magnífica casa de Goose Cove, que nos últimos anos não recebera locatário algum.

Outro assunto palpitante referia-se às mulheres em idade de se casar e, algumas vezes, a seus pais: Harry Quebert era solteiro. Era um coração livre e — por sua notoriedade, suas qualidades intelectuais, sua fortuna e seu belo porte físico — um futuro marido bastante cobiçado. No Clark's, todo o staff compreendera rapidamente que Jenny Quinn, vinte e quatro anos, bonita, loura, sensual e ex-chefe das líderes de torcida do colégio de Aurora dava em cima de Harry. Jenny, que atendia as mesas nos dias de semana, era a única a não respeitar abertamente o memorando interno: jogava charme para Harry, conversava com ele o tempo todo, interrompia-o em seu trabalho e nunca lhe trazia todos os condimentos ao mesmo tempo. Jenny nunca trabalhava nos finais de semana; aos sábados, era substituída por Nola.

O cozinheiro tocou a campainha interna, arrancando Nola de seus pensamentos — as torradas de Harry estavam prontas. Ela colocou o prato na bandeja. Antes de retornar ao salão, arrumou a presilha dourada que prendia seu cabelo, em seguida empurrou a porta, cheia de si. Fazia duas semanas que estava apaixonada.

Levou o pedido para Harry. O Clark's aos poucos ia ficando cheio.

— Bom apetite, Sr. Quebert — disse ela.

— Pode me chamar de Harry...

— Aqui não — murmurou ela —, a Sra. Quinn não quer.

— Ela não está aqui. Ninguém vai saber.

Ela apontou para os outros fregueses com o olhar, encaminhando-se para as outras mesas.

Ele deu uma mordida na torrada e rabiscou algumas linhas em sua folha. Escreveu a data: *sábado, 14 de junho de 1975*. Enchia as páginas sem saber de fato o que escrevia. Já estava ali havia três semanas e não conseguira começar seu romance. As ideias que surgiam em sua mente não frutificavam e, quanto mais ele tentava, menos progredia. Tinha a impressão de naufragar lentamente, sentia-se acometido pelo flagelo mais terrível para indivíduos como ele: contraíra a doença dos escritores. O pânico da página em branco invadia-o cada dia um pouco mais, a ponto de fazê-lo duvidar da viabilidade de seu projeto: tinha acabado de sacrificar todas as suas economias para alugar aquela incrível casa à beira-mar até setembro — uma casa de escritor como sempre sonhara —, mas de que servia bancar o escritor se não sabia o que escrever? Quando se comprometera com aquele aluguel, seu plano parecera infalível: escrever um romance de outro mundo, estar adiantado o suficiente em setembro para submeter os primeiros capítulos a grandes editoras de Nova York, que, seduzidas, sairiam no tapa para conseguir os direitos do original. Ofereceriam um baita adiantamento para ele terminar o livro, seu futuro financeiro estaria garantido e ele se tornaria a celebridade que sempre imaginara. Mas agora seu sonho já tinha um gosto de cinzas: ainda não escrevera uma linha sequer. Naquele ritmo, teria de voltar para Nova York no outono, sem dinheiro, sem livro, e suplicar ao diretor do colégio onde trabalhara que o recontratasse e esquecer a glória para sempre. E se nem isso funcionasse teria que arranjar um emprego de vigia noturno para juntar algum dinheiro.

Observou Nola, que conversava com outros fregueses. Estava radiante. Ao ouvi-la rir, escreveu:

Nola. Nola. Nola. Nola. Nola.
N-O-L-A. N-O-L-A.

N-O-L-A. Quatro letras que haviam virado seu mundo de cabeça para baixo. Nola, pedacinho de mulher que o fazia virar a cabeça desde que a vira. N-O-L-A. Dois dias depois da praia, encontrara-a em frente à mercearia; haviam descido juntos pela rua principal até a marina.

— Todo mundo diz que você veio a Aurora para escrever um livro — comentara ela.

— É verdade.

Ela ficou entusiasmada.

— Ah, Harry, isso é mesmo o máximo! Você é o primeiro escritor que conheço! Eu queria lhe fazer tantas perguntas...

— Por exemplo?

— Como é que se escreve?

— É uma coisa que vem espontaneamente. Ideias que surgem na cabeça até virarem frases que brotam no papel.

— Deve ser o máximo ser escritor!

Ele olhara para ela e acabara se apaixonando perdidamente.

N-O-L-A. Ela lhe contara que trabalhava no Clark's aos sábados e, no sábado seguinte, à primeira hora, ele aparecera. Passara o dia a contemplá-la, admirando cada um de seus gestos. Depois lembrou-se de que ela tinha apenas quinze anos e ficara constrangido: se alguém naquela cidade começasse a desconfiar do que ele sentia pela jovem garçonete do Clark's, ele teria problemas. Corria o risco inclusive de acabar na prisão. Então, para aplacar as suspeitas, passara a almoçar no Clark's todos os dias. Havia mais de uma semana que tornara isso um hábito, aparecendo todos os dias para escrever, fingindo displicência, fingindo que não havia nada de especial em estar ali. Ninguém podia saber que, aos sábados, as batidas de seu coração se aceleravam. E todos os dias, em sua mesa de trabalho, na varanda de Goose Cove, no Clark's, ele só conseguia escrever o nome dela. N-O-L-A. Páginas inteiras, nomeando-a, contemplando-a, descrevendo-a. Páginas que ele em seguida rasgava e queimava em sua cesta de lixo metálica. Se alguém encontrasse aquelas linhas, ele estaria acabado.

Por volta de meio-dia, Nola foi substituída por Mindy em pleno corre-corre do almoço, o que era incomum. Educadamente, ela foi se despedir de Harry acompanhada por um homem que Harry percebeu ser o seu pai, o reverendo David Kellergan. Ele chegara no fim da manhã e tomara um copo de leite com grenadine no balcão.

— Até logo, Sr. Quebert — disse Nola. — Terminei por hoje. Eu só queria lhe apresentar meu pai, o reverendo Kellergan.

Harry se levantou e os dois homens trocaram um aperto de mão amistoso.

— Então o senhor é o famoso escritor. — O reverendo abriu um sorriso.

— E o senhor deve ser o reverendo Kellergan, de quem tanto falam por aqui — disse Harry.

David Kellergan respondeu com uma expressão de felicidade:

— Não ligue para o que as pessoas falam. Elas sempre exageram.

Nola tirou do bolso um pequeno cartaz e estendeu-o para Harry.

— Hoje é a apresentação de fim de ano do colégio, Sr. Quebert. É por isso que preciso sair mais cedo. É às cinco horas, quer ir?

— Nola — repreendeu-a brandamente o pai —, deixe o Sr. Quebert em paz. O que espera que ele faça na apresentação do colégio?

— Será uma bela apresentação! — justificou ela, entusiasmada.

Harry agradeceu a Nola pelo convite e a cumprimentou. Pelo vidro da sacada, observou-a desaparecer na esquina, depois retornou a Goose Cove para mergulhar novamente em seus rabiscos.

Eram duas da tarde. N-O-L-A. Já estava sentado no escritório havia duas horas e não escrevera nada, pois não despregava os olhos do relógio de pulso. Não devia ir ao colégio, de jeito nenhum. Contudo, nem as paredes nem as prisões podiam impedi-lo de querer estar com ela. Seu corpo estava confinado em Goose Cove, mas seu espírito dançava na praia com Nola. Deu três horas. Depois quatro. Ele se agarrava à caneta para não sair da mesa. Ela tinha quinze anos, era um amor proibido. N-O-L-A.

Às dez para as cinco, vestindo um elegante terno escuro, Harry entrou no auditório do colégio. A sala transbordava de gente; toda a cidade estava lá. Conforme passava pelas fileiras, teve a impressão de que todos cochichavam, que os pais dos alunos com que cruzava olhares diziam: *Eu sei por que o senhor está aqui*. Sentiu-se terrivelmente constrangido e, escolhendo uma fileira ao acaso, afundou numa cadeira para não ser mais visto.

A apresentação começou: ele ouviu um coral horrível, depois um conjunto de trompetes sem suingue. Bailarinas sem ritmo, um dueto sem alma e cantores sem voz. Em seguida, as luzes se apagaram completamente e, da escuridão, brotou apenas o halo de um spot, que desenhou um círculo de luz no palco. Ela então apareceu, num vestido azul com lantejoulas que a fazia cintilar. N-O-L-A. Houve um silêncio acachapante; ela sentou-se numa cadeira de bar, ajeitou sua presilha no cabelo e ajustou o pé do microfone que acabava de colocar à sua frente. Em seguida, abriu seu sorriso radioso para a plateia, empunhou um violão e cantou *Can't Help Falling in Love with You*, numa versão com arranjo próprio.

O público ficou boquiaberto e, naquele instante, Harry compreendeu que, ao levá-lo para Aurora, o destino pusera-o no caminho de Nola Kellergan, a criatura mais extraordinária que ele já conhecera e viria a conhecer. Talvez seu destino não fosse ser escritor, e sim ser amado por aquela jovem fora do comum. Poderia haver destino mais belo? Estava tão transtornado que, ao fim da apresentação, levantou-se da cadeira no meio dos aplausos e fugiu. Voltou precipitadamente para Goose Cove, foi para a varanda da casa e, enquanto tomava grandes goles de uísque, pôs-se a escrever freneticamente *N-O-L-A, N-O-L-A, N-O-L-A*. Não sabia mais o que fazer. Ir embora de Aurora? E para onde? Para a cacofonia de Nova York? Comprometera-se com o aluguel daquela casa por quatro meses e já pagara metade. Viera para escrever um livro, tinha que resistir. Precisava se controlar e se comportar como um escritor.

Depois de escrever até ficar com o pulso dolorido, entorpecido pelo uísque, desceu para a praia e deitou-se junto a uma grande pedra para contemplar o horizonte. Ouviu subitamente o barulho de passos às suas costas.

— Harry? Harry, o que há com você?

Era Nola, em seu vestido azul. Ela foi na direção dele e se ajoelhou na areia.

— Harry, pelo amor de Deus! Você está passando mal?
— O que... O que está fazendo aqui? — perguntou ele, como resposta.
— Fiquei esperando por você depois da apresentação. Eu o vi sair durante os aplausos e não o encontrei mais. Fiquei preocupada... Por que foi embora tão depressa?
— Você não deveria estar aqui, Nola.
— Por quê?
— Porque eu bebi. Quer dizer, estou um pouco bêbado. Estou arrependido agora, porque se soubesse que você viria, teria ficado sóbrio.
— Por que você bebeu, Harry? Parece tão triste...
— Eu me sinto sozinho. Terrivelmente sozinho.

Ela enlaçou-o e sustentou seu olhar com olhos cintilantes.

— Ora, há tanta gente a sua volta, Harry!
— A solidão está me matando, Nola.
— Vou lhe fazer companhia, então.
— Não deveria...
— Eu quero. A não ser que vá incomodar.
— Você nunca incomoda.
— Harry, por que os escritores são tão solitários? Hemingway, Melville... São os homens mais solitários do mundo!
— Não sei se os escritores são solitários ou se é a solidão que os leva a escrever...
— E por que todos os escritores se suicidam?
— Nem todos se suicidam. Apenas aqueles cujos livros não são lidos.
— Li seu livro. Peguei na biblioteca municipal e li em uma noite! Adorei! Você é um grande escritor, Harry! Harry... hoje à tarde cantei para você. Aquela música foi para você!

Ele sorriu e olhou para ela. Nola passou a mão pelo cabelo dele com uma ternura infinita, antes de repetir:

— Você é um grande escritor, Harry. Não precisa se sentir sozinho. Estou aqui.

25

Sobre Nola

— De verdade, Harry, como alguém se torna um escritor?
— Sem nunca desistir. Preste atenção, Marcus: a liberdade, a aspiração à liberdade, é uma guerra por si só. Vivemos numa sociedade de burocratas resignados e, para sair desse marasmo, é preciso lutar ao mesmo tempo contra si próprio e contra o mundo inteiro. A liberdade é um combate a cada instante, do qual pouco temos consciência. Nunca irei me resignar.

Um inconveniente das pequenas cidades do interior dos Estados Unidos é só disporem de brigadas de bombeiros voluntários, menos rápidos de mobilizar que os profissionais. Portanto, na noite de 20 de junho de 2008, enquanto eu via as chamas escaparem do Corvette e se alastrarem para o pequeno anexo que funcionava como garagem, algum tempo se passou desde o momento em que pedi o socorro até que ele chegasse a Goose Cove. Logo, foi um milagre a casa em si não ter sido atingida, ainda que, aos olhos do capitão dos bombeiros de Aurora, o milagre se devesse sobretudo ao fato de a garagem ser uma construção separada e isso ter possibilitado isolar com agilidade o incêndio.

Enquanto a polícia e os bombeiros trabalhavam em Goose Cove, Travis Dawn, igualmente alertado, também chegara.

— Está ferido, Marcus? — perguntou ele, precipitando-se em minha direção.

— Não, tudo certo comigo, exceto pelo fato de a casa quase ter virado cinzas...

— O que aconteceu?

— Eu estava voltando de Grand Beach e, ao entrar na alameda que dá acesso à casa, vi uma silhueta fugindo pela mata. Depois, as chamas...

— Teve tempo de identificar o indivíduo?

— Não. Foi tudo muito rápido.

Um policial que chegara ao local junto com os bombeiros e estava dando uma verificada nas cercanias da casa nos chamou de repente. Tinha acabado de encontrar, enfiada no vão da porta, uma mensagem, na qual se lia:

Volte para casa, Goldman.

— Porra! Recebi outra dessas ontem! — exclamei.

— Ontem? Onde? — indagou Travis.

— No carro. Parei dez minutos na mercearia e ao voltar havia essa mesma mensagem presa no limpador de para-brisa.

— Acha que alguém o seguiu?

— Eu... eu não faço ideia. Não estava ligando muito para isso. Mas o que significa?

— Esse incêndio está me parecendo um aviso, Marcus.

— Um aviso? Por que me dariam um aviso?

— Parece que alguém não está gostando da sua presença em Aurora. Todo mundo sabe que você faz muitas perguntas...

— E daí? Alguém tem medo de que eu possa descobrir algo sobre Nola?

— Talvez. De qualquer jeito, não estou gostando nada disso. Esse negócio não está me cheirando bem. Vou deixar uma patrulha aqui essa noite, é mais seguro.

— Não vejo necessidade de patrulha nenhuma. Se esse sujeito me procurar, que venha: estarei aqui.

— Calma, Marcus. Você querendo ou não, uma patrulha passará a noite aqui. Se, como acho, isso for um aviso, significa que outras coisas estão por vir. Todo cuidado é pouco.

Logo cedo na manhã seguinte, fui à prisão estadual relatar o incidente a Harry.

— *Volte para casa, Goldman*? — repetiu ele, quando mencionei a descoberta do bilhete.

— Estou lhe dizendo. Digitado no computador.
— O que a polícia fez?
— Travis Dawn foi até lá. Levou o bilhete, disse que enviaria para análise. Segundo ele, é um aviso. Talvez de alguém que não queira que eu vasculhe esse caso a fundo. Alguém que vê em você o culpado ideal e não quer que eu fique bisbilhotando.
— O assassino de Nola e Deborah Cooper?
— Por exemplo.

Harry estava com um ar grave.

— Roth falou que devo comparecer perante o Grande Júri na próxima terça-feira. Um bando de bons cidadãos, que vão estudar meu caso e decidir se as acusações procedem. Aparentemente, o Grande Júri sempre vai de acordo com o promotor... É um pesadelo, Marcus, cada dia que passa tenho a impressão de afundar ainda mais. De perder o pé. Primeiro me prendem e suponho ser um engano, um aborrecimento de algumas horas, depois me vejo enjaulado aqui até o julgamento, que acontecerá Deus sabe quando, podendo ser condenado à morte. A pena capital, Marcus! Isso não sai da minha cabeça. Estou com medo.

Harry definhava a olhos vistos. Estava havia pouco mais de uma semana na prisão, era evidente que não aguentaria um mês.

— Vamos tirá-lo daqui, Harry. Vamos descobrir a verdade. E Roth é um excelente advogado, devemos confiar nele. Continue me contando, pode ser? Conte-me sobre Nola, volte à sua história. O que aconteceu depois?
— Depois do quê?
— Depois do episódio da praia. Quando Nola foi encontrá-lo aquele sábado, depois da apresentação do colégio, e disse que você não precisava se sentir sozinho.

Enquanto ele falava, coloquei meu gravador na mesa e o liguei. Harry esboçou um sorriso.

— Você é um bom sujeito, Marcus. Porque isso é importante: Nola ter ido à praia me dizer que eu não precisava me sentir sozinho, que ela estava ali para mim... No fundo, sempre fui um cara bastante solitário, só que tudo mudou de repente. Com Nola, eu me sentia fazendo parte de um todo, de uma entidade que formávamos juntos. Quando ela não estava a meu lado, reinava um vazio dentro de mim, uma sensação de falta que eu nunca sentira até aquele momento, como se, depois que ela entrara em minha vida, meu mundo não pudesse mais girar com perfeição sem ela.

Eu sabia que precisava dela para ser feliz, mas estava igualmente consciente de que nós dois juntos seria uma situação terrivelmente complicada. Minha primeira reação, aliás, foi reprimir meus sentimentos; era um relacionamento impossível. Naquele sábado, ficamos um pouco na praia, depois falei que já estava tarde, que ela deveria voltar para casa antes que seus pais ficassem preocupados, e ela obedeceu. Saiu caminhando pela areia e a vi se afastar, torcendo para que se virasse, pelo menos uma vez, para me dar um breve aceno de mão. Por outro lado, precisava tirá-la da cabeça... Então, durante toda a semana seguinte, esforcei-me para me aproximar de Jenny com a intenção de esquecer Nola. A Jenny que é a atual dona do Clark's.

— Espere um pouco... Quer dizer que a Jenny a que você se refere, a garçonete do Clark's, a de 1975, é Jenny Dawn, mulher de Travis, a que comanda o Clark's hoje em dia?

— Ela mesma. Trinta e três anos mais velha. Na época, era uma mulher muito bonita. Ainda é bonita, aliás. Sabe, ela poderia ter tentado a sorte em Hollywood, como atriz. Falava sempre nisso. Em sair de Aurora e ir tentar uma bela vida na Califórnia. Mas não foi o que aconteceu: ficou aqui, herdou o restaurante da mãe e vai acabar vendendo hambúrgueres pelo resto da vida. Erro dela, pois temos a vida que escolhemos, Marcus. E sei do que estou falando...

— Por que diz isso?

— Esqueça... Acabei divagando e me perdi na história. Estava falando de Jenny. Jenny, portanto, aos vinte e quatro anos, era uma mulher muito bonita, a mais bonita da cidade, uma loura sensual capaz de atrair o olhar de qualquer homem. Aliás, todo mundo paquerava Jenny na época. Eu passava os dias no Clark's, em sua companhia. Tinha uma conta lá e deixava tudo pendurado. Não prestava atenção em quanto gastava, apesar de ter torrado minhas economias com a casa e de ter um orçamento apertadíssimo.

Quarta-feira, 18 de junho de 1975

Desde a chegada de Harry, Jenny Quinn precisava de pelo menos uma hora para se arrumar de manhã. Apaixonara-se por ele no primeiro dia em que o vira. Nunca antes experimentara sensação parecida: ele era o homem da sua vida, ela sabia disso. Era por quem ela esperava desde sempre. Todas as vezes que o via, imaginava como seria viver a seu lado: o casamento triunfal e a vida nova-iorquina. Goose Cove passaria a ser a casa de veraneio, onde ele poderia ler seus textos sossegado e ela viria visitar os pais. Era ele quem a levaria para longe de Aurora, e assim ela nunca mais teria de limpar as mesas engorduradas nem os banheiros daquele restaurante da ralé. Teria uma carreira na Broadway, filmaria na Califórnia. O casal seria notícia nos jornais.

Ela não inventava nada, sua imaginação não lhe pregava nem uma peça sequer: era evidente que estava rolando alguma coisa entre Harry e ela. Ele a amava também, sem sombra de dúvida. Caso contrário, por que viria todos os dias ao Clark's? Todos os dias! E suas conversas no balcão! Adorava quando ele ia se sentar à sua frente para bater papo. Ele era diferente de todos os homens que ela já conhecera, muito mais evoluído. Sua mãe, Tamara, impusera normas aos funcionários do Clark's, proibira rigorosamente que conversassem com ele e o distraíssem, e Jenny acabara sendo repreendida em casa por sua mãe julgar inapropriada a forma como o tratava. Mas Tamara não entendia nada, não entendia que Harry a amava a ponto de escrever um livro sobre ela.

Fazia alguns dias que vinha desconfiando daquele livro: teve certeza naquela manhã. Harry chegou ao Clark's bem cedinho, em torno das seis e meia, pouco depois da abertura. Era raro que ele fosse tão cedo. Normalmente, apenas caminhoneiros ou trabalhadores rurais apareciam àquela hora. Mal se acomodou em sua mesa cativa e começou a escrever, freneticamente, quase deitado sobre a folha de papel, como se temesse algum olhar indiscreto. Às vezes parava e a observava detidamente; ela fingia nada perceber, sabendo que ele a devorava com os olhos. No início, não captara o motivo daqueles olhares insistentes. Era pouco antes do meio-dia quando compreendeu que ele escrevia um livro sobre ela. Sim, ela, Jenny Quinn, era o tema central da nova obra-prima de Harry Quebert. Era por isso então que ele não queria que vissem seus papéis. Assim que compreendeu isso, sentiu-se invadida por uma imensa alegria. Aproveitou o ensejo da hora do almoço para levar-lhe o cardápio e conversar um pouco.

Ele passara a manhã escrevendo as quatro letras do nome dela: *N-O-L-A*. Ela não saía da sua cabeça, o rosto dela impregnava seus pensamentos. Às vezes, fechava os olhos para imaginá-la. Depois, como se para salvaguardar-se, procurava olhar para Jenny na esperança de esquecê-la totalmente. Jenny era uma mulher deslumbrante, por que não conseguia amá-la?

Quando, pouco antes do meio-dia, viu Jenny avançar em sua direção com o cardápio e um café, cobriu o que escrevera com uma folha em branco, como fazia sempre que alguém se aproximava.

— Hora de comer alguma coisa, Harry — ordenou ela, num tom maternal. — Você não comeu nada o dia inteiro, e tomou um litro e meio de café! Vai acabar tendo uma gastrite se continuar com o estômago vazio.

Ele se obrigou a abrir um sorriso educado e a dar-lhe dois dedos de prosa. Sentiu a testa transpirar e secou-a rapidamente com as costas da mão.

— Está com calor, Harry? É o excesso de trabalho!

— É possível.

— Está inspirado?

— Estou. Não tenho do que reclamar dos últimos tempos que passei aqui.

— Não levantou o rosto do papel a manhã inteira.

— É mesmo.

Jenny esboçou um sorriso cúmplice, querendo insinuar que sabia tudo sobre o livro.

— Harry... Sei que é um atrevimento de minha parte, mas... Posso ler? Só algumas páginas? Morro de curiosidade para saber o que tanto escreve. Devem ser palavras maravilhosas.

— Ainda não está pronto...

— Com certeza já está espetacular.

— Quem sabe mais tarde.

Ela sorriu de novo.

— Vou trazer uma limonada para você se refrescar. Quer comer alguma coisa?

— Ovos com bacon, por favor.

Jenny desapareceu na cozinha e berrou para o cozinheiro: "Ovos com bacon para o graaaande escritor!" Sua mãe, que a vira requebrar-se no salão do restaurante, repreendeu-a:

— Jenny, quero que pare de importunar o Sr. Quebert!

— Importunar? Ah, mamãe, você não entendeu: eu o inspiro.

Tamara Quinn olhou para a filha com ares de pouca convicção. Sua Jenny era uma garota bonita, pecando apenas pela grande ingenuidade.

— Quem enfiou essas besteiras na sua cabeça?

— Sei que Harry tem uma queda por mim, mamãe. E acho que ocupo um lugar de destaque em seu livro. Pois é, mamãe, sua filha não servirá bacon e café a vida inteira. Sua filha será alguém.

— Que história é essa?

Jenny exagerou um pouco para que a mãe entendesse direito.

— Harry e eu oficializaremos em breve.

Então, triunfante e com uma expressão maliciosa, retornou ao salão andando como se fosse uma primeira-dama.

Tamara Quinn não conseguiu reprimir um sorriso de satisfação. Se a filha conseguisse fisgar Quebert, falariam do Clark's no país inteiro. Quem sabe, o casamento poderia inclusive ser realizado ali. Ela conseguiria convencer Harry. Quarteirão fechado, grandes tendas brancas na rua, convidados escolhidos a dedo — a metade da nata nova-iorquina, dezenas de jornalistas cobrindo o evento, e o espocar infindável de flashes. Era o homem providencial.

Nesse dia, Harry deixou o Clark's às quatro da tarde, de maneira precipitada, como se surpreendido pelo relógio. Enfiou-se dentro do carro que estacionara em frente ao estabelecimento e arrancou bruscamente. Não queria se atrasar, não queria perdê-la. Assim que saiu, uma viatura policial de Aurora estacionou na vaga que ele desocupara. O oficial de polícia Travis Dawn examinou com discrição o interior do restaurante, agarrando-se nervosamente ao volante. Julgando haver ainda muita gente, não ousou entrar. Aproveitou para ensaiar a frase que preparara. Uma única frase, tinha que conseguir. Não podia ser tão tímido. Uma reles frase, não mais que dez palavras. Olhou-se no espelho retrovisor e declamou para si próprio: *Jom dia, Benny. Eu estava pensando se não podíamos ir ao cinema no sábado...* Xingou a si mesmo. A frase não era aquela! Uma única e mísera frase e ele não conseguia se lembrar dela. Desdobrou um pedaço de papel e releu as palavras que escrevera:

Bom dia, Jenny. Eu estava pensando se você não está livre para irmos ao cinema em Montburry, no sábado à tarde.

No entanto, não era difícil: bastava entrar no Clark's, sorrir, sentar-se junto do balcão e pedir um café. Enquanto ela enchesse a xícara, ele diria a frase. Ajeitou o cabelo e fingiu estar falando no microfone do rádio de bordo para parecer ocupado se alguém o visse. Esperou dez minutos. Quatro fregueses deixaram o Clark's ao mesmo tempo. O caminho estava livre. Seu coração batia acelerado, sentia-o no peito, nas mãos, na cabeça, até as pontas dos dedos pareciam reagir a cada uma de suas pulsações. Saiu da viatura, esmagando nas mãos o pedaço de papel. Ele a amava. Desde o colégio, a amava. Era a mulher mais maravilhosa que já conhecera. Havia sido por ela que permanecera em Aurora. Na academia de polícia, suas aptidões não haviam passado despercebidas, sugeriram-lhe sonhar mais alto do que com a polícia local. Falavam na polícia estadual e até na federal. Um sujeito que viera de Washington aconselhara-o: "Meu camarada, não perca seu tempo neste buraco. O FBI está recrutando. E o FBI é o FBI." Haviam lhe sugerido o FBI. Quem sabe não pleiteava ingressar no respeitadíssimo serviço secreto, encarregado da proteção do presidente e das maiores personalidades dos Estados Unidos? Mas havia aquela moça que trabalhava como garçonete no Clark's, em Aurora, aquela garota por quem era apaixonado desde menino e cujos olhos sempre esperara que se detivessem nele: Jenny Quinn. Pedira então para ficar na polícia de Aurora. Sem Jenny, sua vida não fazia sentido. Ao chegar à porta do restaurante, respirou fundo e entrou.

Ela pensava em Harry enquanto enxugava xícaras já secas num gesto mecânico. Naqueles últimos tempos, Harry saía sempre por volta das quatro horas, e Jenny se perguntava aonde ele ia com tanta regularidade. Será que teria um encontro? E com quem? Um freguês sentou-se no balcão, arrancando-a de seus devaneios.

— Bom dia, Jenny.

Era Travis, seu gentil colega de colégio, que entrara para a polícia.

— Olá, Travis. Aceita um café?

— Com prazer.

Ele fechou os olhos um instante para se concentrar. Estava na hora de dizer a frase. Ela colocou uma xícara a sua frente e o serviu. Era o momento de se jogar.

— Jenny... eu queria lhe dizer...

— Sim?

Ela fixou seus grandes olhos claros nos dele, deixando-o desestabilizado. Qual era a continuação da frase? O cinema.

— O cinema — disse ele.

— Que é que tem o cinema?

— Eu... Assaltaram o cinema de Manchester.

— Ah, é? Um assalto no cinema? Que coisa mais estranha.

— Na agência dos correios de Manchester, melhor dizendo.

Que droga o levara a falar naquele assalto? O cinema! Devia ter falado do cinema!

— Na agência dos correios ou no cinema? — perguntou Jenny.

O cinema. O cinema. O cinema. O cinema. Fale do cinema! Seu coração estava prestes a explodir. Prosseguiu:

— Jenny... Eu queria... Enfim, eu estava pensando se talvez... Enfim, se você queria...

Nesse instante, Tamara, da cozinha, chamou a filha e Travis viu-se obrigado a interromper o discurso.

— Desculpe, Travis, preciso ir. Mamãe tem andado com um humor de cão.

A moça desapareceu atrás da porta vaivém sem dar tempo para o jovem policial terminar sua frase. Ele suspirou e murmurou: *Eu estava pensando se você não está livre para irmos ao cinema em Montburry, sábado à tarde.* Em seguida, deixou cinco dólares por um café de cinquenta centavos no qual ele nem tocara e saiu do Clark's, decepcionado e triste.

— Aonde ia todos os dias às quatro horas, Harry? — perguntei.

Ele não me respondeu imediatamente. Olhou pela janela mais próxima e sorriu com satisfação. Por fim, disse:

— Eu precisava tanto vê-la...

— Nola, certo?

— Certo. Sabe, Jenny era uma ótima garota, mas não era Nola. Estar com Nola era viver de verdade. Eu não saberia me expressar de outra forma. Cada segundo passado com ela era um segundo de vida plenamente vivido. É isso que significa o amor, creio eu. Aquela risada, Marcus, ouço aquela risada dentro de minha cabeça todos os dias há trinta e três anos. Aquele olhar extraordinário, aqueles olhos fulgurantes continuam aqui, bem à minha frente... Assim como seus gestos, sua maneira de mexer no cabelo, de mordiscar os lábios. Sua voz continua ressoando em mim, às vezes é como se ela estivesse aqui. Quando vou ao centro da cidade, à marina, à mercearia, eu a vejo falando comigo sobre a vida e os livros. Naquele mês de junho de 1975, não fazia nem um mês que ela entrara em minha vida e, no entanto, eu tinha a impressão de que sempre fizera parte dela. E quando Nola não estava lá, parecia que nada fazia sentido: um dia sem vê-la era um dia desperdiçado. Minha necessidade de vê-la era tão grande que eu não conseguia esperar o sábado seguinte. Então comecei a esperar por ela na saída do colégio. Era isso o que eu fazia ao sair do Clark's às quatro horas. Pegava o carro e ia até o colégio de Aurora. Parava no estacionamento dos professores, bem em frente à entrada principal, e a esperava sair, escondido no carro. Assim que ela aparecia, eu me sentia muito mais vivo, muito mais forte. A felicidade de vislumbrá-la me bastava. Eu a observava até que ela entrasse no ônibus escolar e continuava lá, esperando o ônibus desaparecer pela rua. Eu estava louco, Marcus?

— Não, acho que não, Harry.

— Tudo o que sei é que Nola vivia em mim. Literalmente. Depois veio o sábado seguinte, e esse sábado foi maravilhoso. Nesse dia, o tempo bom levara as pessoas à praia; o Clark's estava deserto e Nola e eu conversamos bastante. Ela dizia que pensava muito em mim, em meu livro, que eu certamente estava escrevendo uma grande obra-prima. No fim de seu expediente, por volta das seis da tarde, ofereci-lhe uma carona. Deixei-a a um quarteirão de casa, num beco deserto, ao abrigo dos olhares. Ela me perguntou se eu queria caminhar um pouco, mas expliquei que era complicado, que a cidade falaria poucas e boas se alguém nos visse passeando juntos. Lembro que ela replicou: "Passear não é crime, Harry..." "Sei disso, Nola, mas acho que as pessoas estranhariam." Ela não se conformou. "Gosto tanto da sua companhia, Harry. Você é uma pessoa excepcional. Seria ótimo se pudéssemos ficar um pouco juntos sem precisar nos esconder."

Sábado, 28 de junho de 1975

Era uma hora da tarde. Jenny Quinn estava sobrecarregada atrás do balcão do Clark's. Todas as vezes que a porta do restaurante se abria, ela se sobressaltava, pensando ser ele. Mas nunca era. Estava nervosa e irascível. A porta bateu mais uma vez, depois outra e não era Harry. Era sua mãe, Tamara, que ficou admirada diante dos trajes da filha. Jenny estava usando um deslumbrante conjunto creme, normalmente reservado para dias de festa.

— Por que está vestida assim, querida? — perguntou Tamara. — Onde está seu avental?

— Pode ser que eu não queira mais usar esses aventais horríveis que me deixam horrorosa. Tenho o direito de me arrumar um pouco de vez em quando, não? Acha que gosto de servir bifes o dia inteiro?

Jenny estava com lágrimas nos olhos.

— Mas, afinal, o que está acontecendo? — perguntou a mãe.

— Acontece que hoje é sábado e eu não devia estar trabalhando! Nunca trabalho no final de semana!

— Mas foi você mesma que insistiu em substituir Nola quando ela me pediu para ter folga hoje.

— É. Pode ser. Já não sei mais. Ah, mamãe, estou tão triste!

Jenny, que estava com um pote de ketchup nas mãos, deixou-o cair desastradamente no chão. O pote quebrou e seus tênis, imaculadamente brancos, ficaram cobertos de respingos vermelhos. Ela rebentou em soluços.

— Minha querida, mas o que há com você? — preocupou-se a mãe.

— Estou esperando Harry, mamãe! Ele vem todos os sábados... Então por que não está aqui hoje? Ah, mamãe, não passo de uma idiota! Como pude pensar que ele me amava? Um homem como Harry nunca vai querer uma reles garçonetezinha de hambúrgueres como eu! Sou uma burra!

— Ei, não fale assim — consolou-a Tamara, dando um abraço na filha. — Vá se divertir, aproveite o dia. Vou substituí-la. Não quero que chore. Você é uma garota maravilhosa e tenho certeza de que Harry está caidinho por você.

— Mas então por que ele não veio?

A Sra. Quinn refletiu por um instante.

— Ele sabia que você ia trabalhar hoje? Você nunca trabalha aos sábados, por que ele viria se você não está aqui? Você sabe o que acho, querida. Harry deve se sentir muito infeliz aos sábados, pois é o dia em que não a vê.

O semblante de Jenny se iluminou.

— Ah, mamãe, como não pensei nisso?

— Você devia passar na casa dele. Tenho certeza de que ele ficará feliz em vê-la.

O semblante de Jenny se iluminou ainda mais: que ideia maravilhosa sua mãe tinha acabado de ter! Encontrar Harry em Goose Cove e levar um piquenique para ele! O coitado devia estar trabalhando muito, certamente se esquecera de almoçar. E correu para a cozinha para preparar o farnel.

Nesse mesmo momento, a duzentos quilômetros de Aurora, na cidadezinha de Rockland, no Maine, Harry e Nola faziam um piquenique num calçadão à beira-mar. Nola jogava migalhas de pão para gaivotas enormes, que soltavam pios roucos.

— Adoro gaivotas! — exclamou Nola. — São minhas aves preferidas. Talvez porque eu amo o mar e porque onde há gaivotas há mar. É verdade. Mesmo quando as árvores escondem o horizonte, os voos das gaivotas no céu nos lembram de que o mar está logo atrás. Você vai citar alguma gaivota no seu livro, Harry?

— Se você quiser... Colocarei tudo que você quiser no livro.

— É sobre o quê?

— Eu gostaria de contar, mas não posso.

— É uma história de amor?

— De certa forma.

Ele a observava, bem-humorado. Tinha um bloco de anotações na mão e tentou desenhar a cena a lápis.

— O que está fazendo? — perguntou ela.

— Um desenho.

— Você desenha também? Você tem mesmo todos os dons. Mostre para mim, quero ver!

Ela se aproximou e, ao ver o desenho, ficou entusiasmada.

— Está tão bonito, Harry! Você é mesmo muito talentoso!

Num impulso de ternura, ela se enlaçou nos seus braços, mas, quase num reflexo, ele a repeliu, olhando em volta como se quisesse se certificar de que ninguém os vira.

— Por que faz isso? — zangou-se Nola. — Tem vergonha de mim?

— Nola, você tem quinze anos... Tenho trinta e quatro. As pessoas não aprovariam.

— As pessoas são imbecis!

Ele riu e, em poucos traços, esboçou o semblante furioso dela. Nola se aproximou novamente de Harry, que dessa vez permitiu. Observaram juntos as gaivotas brigarem por um pedaço de pão.

Haviam decidido dar aquela escapada alguns dias antes. Ele a esperara perto da casa dela, depois da escola. Perto do ponto do ônibus escolar. Ao vê-lo, Nola ficou toda alegre e perplexa ao mesmo tempo.

— Harry? Por que está aí? — perguntara ela.

— Na verdade, não faço ideia. Estava com vontade de vê-la. Eu... Sabe, Nola, andei pensando na sua ideia...

— De nós dois ficarmos sozinhos?

— É. Pensei que podíamos sair no final de semana. Não muito longe. Rockland, por exemplo. Onde ninguém nos conheça. Para ficarmos mais à vontade. Se você quiser, é claro.

— Ah, Harry, seria maravilhoso! Mas teria que ser no sábado, não posso faltar o culto no domingo.

— Então será no sábado. Acha que consegue uma folga?

— Claro! É só pedir à Sra. Quinn. E já sei o que vou dizer a meus pais. Não se preocupe.

Ela já sabia o que diria aos pais. Quando Nola pronunciou aquelas palavras, Harry se perguntou o que dera nele para acabar se apaixonando por uma adolescente. E, naquela praia em Rockland, pensou neles dois.

— Em que está pensando, Harry? — perguntou Nola, sempre grudada nele.

— No que estamos prestes a fazer.

— Que mal há nisso?

— Você sabe muito bem. Ou talvez não. O que disse a seus pais?

— Eles pensam que estou com minha amiga Nancy Hattaway e que saímos cedinho para passar o dia inteiro no barco do pai de Teddy Bapst, namorado dela.

— E onde está Nancy?

— No barco com Teddy. Sozinhos. Ela falou que eu estava com ela, para os pais de Teddy deixarem eles saírem de barco sozinhos.

— Então a mãe dela pensa que ela está com você e a sua, que você está com Nancy, o que significa que se elas se telefonarem a história se confirmará.

— Exatamente. É um plano infalível. Preciso estar de volta às oito da noite. Será que teremos tempo de dançar? Eu queria tanto que dançássemos juntos!

Eram três da tarde quando Jenny chegou a Goose Cove. Ao estacionar o carro em frente à casa, constatou que o Chevrolet preto não estava lá. Provavelmente Harry tinha saído. Tocou a campainha, mas, como era de se esperar, ninguém atendeu. Deu a volta na casa para verificar se ele não estava na varanda, mas lá também não havia ninguém. Por fim, resolveu entrar. Sem dúvida, Harry saíra para espairecer. Ele andava trabalhando muito nos últimos tempos, precisava mesmo descansar um pouco. E certamente ia adorar encontrar um belo lanche na mesa quando voltasse, com sanduíches de carne, ovos, queijo, frios para mergulhar num molho de ervas cujo segredo só ela conhecia, uma fatia de torta e algumas frutas bem suculentas.

Jenny nunca vira o interior da casa de Goose Cove. Achou tudo deslumbrante. A construção era ampla, decorada com bom gosto, tinha vigas aparentes nos tetos, grandes estantes nas paredes, assoalhos de sinteco e amplas sacadas envidraçadas, que forneciam uma vista do mar de tirar o fôlego. Não pôde deixar de se imaginar morando ali com Harry: no verão, cafés da manhã na varanda; no inverno, o aconchego do lar, onde se aninhariam ao pé da lareira da sala para que ele lesse trechos de seu novo romance para ela. Por que sonhar com Nova York? Mesmo aqui, juntos, seriam muito felizes. Não precisariam de mais ninguém além de si mesmos. Ela deixou o lanche na mesa da sala de jantar, espalhou a louça que encontrara num armário e, quando terminou, sentou-se numa poltrona e ficou esperando. Para lhe fazer uma surpresa.

Esperou pacientemente por uma hora. O que ela podia fazer? Como estava ficando entediada, decidiu conhecer o restante da casa. O primeiro cômodo em que entrou foi o escritório do primeiro andar. Apesar de ser pequeno, o aposento era jeitoso, com um armário, uma escrivaninha de ébano, uma estante e uma ampla mesa de madeira, cheia de papéis e canetas. Era ali que Harry trabalhava. Ela se aproximou da mesa, como quem não quer nada, para dar uma espiada. Não queria violar sua obra ou trair sua confiança, queria simplesmente ver o que ele escrevia sobre ela durante o dia. E, no fim, ninguém saberia de nada. Convencida de que tinha esse direito, pegou a primeira folha de papel da pilha e, com o coração acelerado, leu o que estava escrito. As primeiras linhas estavam rasuradas e riscadas com caneta preta, de modo que não conseguiu decifrá-las. Mas embaixo leu nitidamente:

Só vou ao Clark's para vê-la. Só vou lá para ficar perto dela. Ela é tudo que sempre sonhei. Estou possuído. Estou obcecado. Não tenho esse direito. Eu não deveria. Não deveria ir lá, não deveria nem mesmo permanecer nesta cidade funesta. Deveria ir embora, fugir, nunca mais voltar. Não tenho o direito de amá-la, é proibido. Será que estou louco?

Radiante de felicidade, Jenny começou a beijar o papel e apertá-lo no corpo. Em seguida, esboçou um passo de dança e exclamou em voz alta: "Harry, meu amor, você não está louco! Eu também o amo e você tem todos os direitos do mundo sobre mim. Não fuja, meu amor! Amo tanto você!" Animada com a descoberta, se apressou para colocar o papel de volta na mesa, temendo ser pega de surpresa, e retornou prontamente à sala. Deitou-se no sofá, levantou a saia para deixar as coxas à mostra e abriu o botão da blusa para destacar os seios. Ninguém jamais escrevera nada tão bonito para ela. Assim que Harry voltasse, ela se entregaria a ele. Iria lhe oferecer sua virgindade.

* * *

No mesmo instante, David Kellergan entrou no Clark's, acomodou-se no balcão e, como sempre, pediu um copo de leite morno com grenadine.

— Sua filha não veio hoje, reverendo — disse Tamara Quinn, ao servi-lo. — Pediu folga.

— Sei disso, Sra. Quinn. Ela está em alto mar com amigos. Saiu de manhã bem cedo. Ofereci levá-la de carro, mas ela recusou, falou que eu devia descansar, ficar na cama. É uma boa menina.

— Tem razão, reverendo. Estou muito satisfeita com ela.

David Kellergan sorriu e Tamara considerou por um instante aquele homenzinho jovial, que tinha um rosto doce, emoldurado pelos óculos. Devia ter cinquenta anos e, embora fosse magro, franzino até, dele emanava uma grande força. Tinha uma voz calma e ponderada, nunca pronunciava uma palavra mais alto que a outra pessoa com quem conversava. Ela sentia grande simpatia por ele, como todos na cidade, aliás. Gostava de seus sermões, apesar daquele seu sotaque sulista apressado. A filha se parecia com ele: meiga, amável, solícita, afável. David e Nola Kellergan eram boas pessoas; bons americanos e bons cristãos. Eram muito queridos em Aurora.

— Quanto tempo já faz que mora em Aurora, reverendo? — perguntou Tamara Quinn. — Tenho a impressão de que está aqui desde sempre.

— Lá se vão seis anos, Sra. Quinn. Seis belos anos.

O reverendo espiou por um instante os outros fregueses, e, como era cliente assíduo, notou que a mesa dezessete estava livre.

— Ué — espantou-se —, o escritor não veio? Coisa rara, não é mesmo?

— Hoje, não. É um homem encantador, sabe.

— Também simpatizo com ele. Eu o conheci aqui. Ele fez a gentileza de ir assistir à apresentação de fim de ano do colégio. Eu gostaria muito que ele se tornasse membro da paróquia. Precisamos de personalidades para fazer a cidade ir para a frente.

Tamara pensou então na filha e, esboçando um sorriso, não conseguiu conter a grande novidade:

— Não conte a ninguém, reverendo, mas tem alguma coisa acontecendo entre ele e minha Jenny.

David Kellergan sorriu e deu um grande gole no seu coquetel.

Seis horas da tarde em Rockland. Numa varanda, iluminados pelo sol, Harry e Nola bebericavam sucos de frutas. Nola queria que Harry lhe contasse sobre sua vida em Nova York. Queria saber de tudo.

— Conte tudo — pediu ela. — Conte o que é ser uma celebridade em Nova York.

Ele sabia que ela imaginava uma vida regada a coquetéis e canapés, então o que ele podia responder? Que ele não era nada daquilo que imaginavam em Aurora? Que ninguém o conhecia em Nova York? Que seu primeiro livro passara despercebido e até agora ele não era nada além de um obscuro professor de colégio? Que não tinha mais quase dinheiro algum, porque tinha usado todas as suas economias para alugar a casa de Goose Cove? Que não estava conseguindo escrever nada? Que era um impostor? Que o soberbo Harry Quebert, escritor renomado, que morava numa luxuosa casa à beira-mar e que passava os dias escrevendo em cafeterias só existiria no lapso de um verão? Não poderia, claro, contar a verdade para ela, pois correria o risco de perdê-la. Resolveu inventar, desempenhar até o fim o papel de sua vida: o de um artista talentoso e respeitado, cansado dos tapetes vermelhos e da agitação nova-iorquina, que viera em busca do sossego requerido por seu gênio numa cidadezinha de New Hampshire.

— Você tem muita sorte, Harry — deslumbrou-se ela, ouvindo seu relato. — Que vida excitante, a sua! Às vezes tenho vontade de fugir e ir para longe daqui, longe de Aurora. Sabe, aqui eu não consigo respirar. Meus pais são pessoas difíceis. Meu pai é um homem muito bom, mas é um homem da Igreja e tem ideias muito particulares. E minha mãe é muito dura comigo! Parece que nunca foi jovem. E depois, ainda tem a igreja, todas as manhãs de domingo, o que me deixa de saco cheio! Não sei se acredito em Deus. Você acredita em Deus, Harry? Se acredita, então acreditarei também.

— Não sei, Nola. Não sei mais.

— Minha mãe diz que somos obrigados a acreditar em Deus, senão Ele nos castigará feio. Às vezes, por via das dúvidas, acho melhor obedecer.

— No fundo — opinou Harry —, o único que sabe se Deus existe ou não é Ele próprio.

Ela desatou a rir. Uma risada ingênua e inocente. Nola segurou a mão dele com ternura e perguntou:

— Será que temos o direito de não amar nossa mãe?

— Acho que sim. O amor não é uma obrigação.

— Mas está nos dez mandamentos. Honrar pai e mãe. É o quarto ou quinto. Não sei mais. De toda forma, o primeiro mandamento é amar a Deus. Mas se não acredito em Deus, não sou obrigada a honrar minha mãe, certo? Minha mãe é muito rígida. Às vezes me deixa trancada no quarto, diz que sou uma sem vergonha. Não sou sem vergonha, só queria ser livre. Gostaria de ter o direito de sonhar um pouco. Meu Deus, já são seis horas! Eu queria que o tempo parasse. Temos que voltar, nem tivemos tempo de dançar.

— Nós dançaremos, Nola. Dançaremos. Temos a vida inteira para dançar.

Às oito da noite, Jenny acordou, assustada. De tanto esperar no sofá, acabou caindo no sono. O sol agora se punha, estava anoitecendo. E ela prostrada no sofá, com um filete de baba no canto da boca, resfolegante. Arrumou a saia, ajeitou os seios, correu para embrulhar de volta o lanche e fugiu de Goose Cove, envergonhada.

Alguns minutos depois, Harry e Nola chegavam a Aurora. Ele parou o carro num beco, próximo ao porto, para que ela se encontrasse com sua amiga Nancy e as duas chegassem juntas. Ficaram um tempo no carro. A rua estava deserta, o dia chegava ao fim. Nola tirou um embrulho da bolsa.

— O que é isso? — perguntou Harry.

— Abra. É um presente para você. Encontrei-o naquela lojinha no centro da cidade, lá onde bebemos aqueles sucos. É uma lembrancinha para você nunca se esquecer desse dia maravilhoso.

Ele desfez o embrulho. Era uma lata pintada de azul com os dizeres: LEMBRANÇA DE ROCKLAND, MAINE.

— É para guardar o pão dormido — explicou Nola. — Para alimentar as gaivotas da sua casa. Deve alimentá-las, é importante.

— Obrigado. Prometo que nunca vou deixar de alimentar as gaivotas.

— Agora me diga palavras carinhosas, Harry querido. Diga que sou sua Nola querida.

— Nola querida...

Ela sorriu e aproximou o rosto do dele para beijá-lo. Harry recuou de repente.

— Nola — disse ele bruscamente —, isso não é possível.

— Ora, e por que não?

— Você e eu, isso é muito complicado.

— O que é muito complicado?

— Tudo, Nola, tudo. Você deve ir encontrar sua amiga agora, está ficando tarde. Eu... eu acho que deveríamos parar de nos ver.

Ele saiu precipitadamente do carro para abrir a porta para ela. Ela devia ir embora; era muito difícil não lhe dizer o quanto a amava.

— Quer dizer que sua lata de pão, na cozinha, é uma recordação daquele dia em Rockland? — perguntei.
— Isso mesmo, Marcus. Eu alimento as gaivotas porque Nola me pediu.
— O que aconteceu depois de Rockland?
— Esse dia foi tão maravilhoso que me deixou assustado. Era maravilhoso, mas supercomplicado. Decidi então me afastar de Nola e partir para outra garota. Uma que eu tivesse o direito de amar. Adivinhe quem?
— Jenny.
— Na mosca.
— E?
— Conto outro dia, Marcus. Já falamos muito, estou cansado.
— Claro, eu entendo.
Desliguei o gravador.

24

Recordações do feriado nacional

— Posição de guarda, Marcus.
— Posição de guarda?
— É. Ande logo! Erga os punhos, finque as pernas, prepare-se para a luta. O que sente?
— Eu... me sinto pronto para tudo.
— Ótimo. Olhe, escrever ou lutar boxe é praticamente a mesma coisa. Ficamos em posição de guarda, decidimos nos lançar à batalha, erguemos os punhos e investimos contra o adversário. Um livro é bem parecido com isso. Um livro é uma batalha.

— Precisa parar com essa investigação, Marcus.
Essas foram as primeiras palavras que Jenny me dirigiu quando fui encontrá-la no Clark's para ouvir a versão dela sobre sua relação com Harry em 1975. A televisão local fizera uma reportagem sobre o incêndio e a notícia se espalhava aos poucos.
— Por que eu deveria parar?
— Porque estou bastante preocupada com você. Não gosto desse tipo de coisa... — Sua voz era marcada por uma ternura maternal. — Começou com esse incêndio, mas ainda não fazemos ideia de como é que isso pode terminar.
— Não vou sair desta cidade enquanto não entender o que aconteceu há trinta e três anos.

— Você é impossível, Marcus! Teimoso feito uma mula, exatamente como Harry!

— Vou considerar isso um elogio.

Ela sorriu.

— Bem, o que posso fazer por você?

— Quero conversar um pouco. Poderíamos dar um passeio, se quiser.

Ela deixou o Clark's sob responsabilidade de uma funcionária e descemos até a marina. Nós nos sentamos num banco, de frente para o mar, e contemplei aquela mulher que, pelas minhas contas, devia estar com cinquenta e sete anos. Ela estava um pouco acabada, era magra demais e tinha o rosto marcado e com olheiras. Tentei imaginá-la tal como Harry a descrevera, uma jovem bonita e loura, com um corpão, rainha da beleza durante seus anos no colégio. De repente, ela me perguntou:

— Marcus... Como é?

— Como é o quê?

— Ser famoso.

— A fama faz mal. É agradável, mas quase sempre faz mal.

— Lembro de quando você era estudante e vinha ao Clark's com Harry para trabalhar seus textos. Ele era impiedoso. Você passava horas ali, na mesa dele, relendo, rabiscando, recomeçando. Eu me lembro das temporadas que passava aqui, quando esbarrávamos com Harry e você correndo de manhã cedinho, com aquela disciplina ferrenha. Sabe, quando você vinha, ele ficava exultante. Não era o mesmo. E sabíamos que você viria, porque ele anunciava para todo mundo dias antes. Ficava repetindo: "Já falei que Marcus vem me visitar semana que vem? Que rapaz extraordinário ele é. Ele vai longe, sei disso." Suas visitas mudavam a vida dele. Sua presença mudava a vida dele. Porque ninguém era bobo, todos sabiam como Harry vivia sozinho naquele casarão. No dia em que você apareceu na vida dele, tudo mudou. Foi um renascimento. Como se o velho eremita tivesse conseguido ser amado por alguém. As temporadas que você passava aqui faziam um bem imenso a ele. Quando você ia embora, ele enchia nossos ouvidos: Marcus para lá, Marcus para cá. Ele tinha muito orgulho de você. Orgulho como um pai tem de seu filho. Você era o filho que ele nunca teve. Ele falava de você o tempo todo. Você nunca deixou de ser lembrado em Aurora, Marcus. E então um dia vimos sua foto no jornal. O fenômeno Marcus Goldman. Nascia um grande escritor. Harry comprou todos os jornais da mercearia, bancou rodadas de champanhe no Clark's. Para Marcus, hip, hip, hurra! E vimos você na televisão, o ouvimos no rádio, todo esse país fodido só falava de você e do seu livro. Ele comprou dezenas de exemplares e os distribuía em toda parte. E nós perguntávamos como você estava, quando o veríamos novamente. E ele respondia que com certeza você devia estar muito bem, mas que não tivera muitas notícias mais. Que você devia estar assoberbado. De um dia para o outro, você parou de ligar para ele, Marc. Estava tão ocupado bancando o importante, dando entrevistas aos jornais e se exibindo na televisão, que o abandonou. Nunca mais voltou aqui. E ele, que tinha tanto orgulho de você, ficou esperando um pequeno sinal seu, que nunca chegava. Você tinha conseguido, tinha alcançado a glória, então não precisava mais dele.

— Isso é mentira! — exclamei. — Eu me deixei levar pelo sucesso, mas pensava nele. Todos os dias. Não tive mais um segundo de sossego.

— Nem para telefonar?

— Claro que liguei para ele!

— Ligou quando estava com a merda até o pescoço, isso sim. Porque depois de vender não sei quantos milhões de livros, o senhor grande escritor se borrou de medo e não sabia mais o que escrever. Também acompanhamos diretamente esse episódio, e é assim que sei de tudo. Harry no balcão do Clark's, preocupadíssimo, porque acabara de receber um telefonema seu, que você estava muito deprimido, que não tinha mais ideia para um livro, que seu editor ia confiscar todo o seu precioso patrimônio. E subitamente você volta a Aurora com um olhar de cachorro abandonado, e Harry faz de tudo para animá-lo. Pobre escritor, o que conseguirá escrever? Até esse belo milagre, duas semanas atrás: o escândalo estoura e quem é que dá o ar da graça? O simpático Marcus. O que veio fuçar em Aurora, Marcus? Buscar inspiração para seu próximo livro?

— O que a faz pensar isso?

— Minha intuição.

Não respondi nada a princípio, pois estava meio zonzo. Então falei:

— Meu editor me sugeriu escrever um livro. Mas não farei isso.

— Mas este é o ponto, Marc, você tem que escrever esse livro! Porque é provável que um livro seja a única maneira de provar aos Estados Unidos que Harry não é um monstro. Ele não fez nada, tenho certeza. No fundo eu sei. Não pode abandoná-lo, ele só tem a você. Você é famoso, as pessoas darão ouvidos. Deve escrever um livro sobre Harry, sobre seus anos juntos. Mostrar que se trata de um homem excepcional.

— Você o ama, não é? — murmurei.

Ela baixou o olhar.

— Acho que não sei o que significa *amar*.

— Pois acho que sabe, sim. Basta ver como fala dele, apesar de todo o esforço que faz para odiá-lo.

Ela abriu um sorriso triste e lágrimas brotaram em seus olhos.

— Faz mais de trinta anos que penso nele todos os dias. Que o vejo sozinho, quando tudo o que queria era tê-lo feito feliz. E eu, olhe para mim, Marcus... Eu sonhava em ser uma estrela de cinema, mas sou apenas a estrela do óleo de fritura. Não tive toda a vontade que era necessária.

Senti que ela estava disposta a fazer confidências, então perguntei:

— Jenny, fale de Nola. Por favor...

Ela sorriu com tristeza.

— Era uma menina excelente. Minha mãe gostava muito dela, a enchia de elogios e aquilo me irritava. Porque, até Nola aparecer, era eu a linda princesinha desta cidade. Aquela que atraía o olhar de todos. Ela tinha nove anos quando veio para cá. Nessa época, todo mundo a ignorava, é claro. E depois, num verão, como costuma acontecer com as meninas na puberdade, essas mesmas pessoas perceberam que a pequena Nola tornara-se uma bela moça, com pernas deslumbrantes, seios generosos e um rosto angelical. E a nova Nola, de maiô, gerou muita inveja.

— Você sentia ciúmes dela?

Jenny refletiu por um instante antes de responder.

— Ah, hoje posso falar, não tem mais muita importância. Sim, eu fiquei um pouco enciumada. Os homens ficavam olhando para ela e uma mulher nota isso.

— Mas ela só tinha quinze anos...

— Ela não parecia uma garotinha, acredite em mim. Era uma mulher. E uma mulher bonita.

— Você desconfiava dela e de Harry?

— Nem de longe! Não passou pela cabeça de ninguém. Nem com Harry, nem com ninguém. Era uma menina linda, claro, mas tinha quinze anos, todo mundo sabia disso. Além de ser filha do reverendo Kellergan.

— Então não havia rivalidade entre vocês por causa de Harry?
— Não, de jeito nenhum!
— E entre Harry e você houve alguma coisa?
— Quase. Saímos algumas vezes. Ele fazia muito sucesso com as mulheres daqui. Sabe como é, uma grande estrela de Nova York aparece neste buraco...
— Jenny, tenho uma pergunta que talvez a surpreenda, mas... Sabia que, ao chegar aqui, Harry não era ninguém? Ele não passava de um professor de colégio que gastara todas as suas economias para alugar a casa de Goose Cove.
— O quê? Mas ele já era escritor...
— Tinha publicado um romance, mas era uma edição independente, que não teve repercussão alguma. Acho que houve um mal-entendido sobre a fama que ele tinha, e Harry acabou se aproveitando disso para ser em Aurora o que gostaria de ser em Nova York. E como logo em seguida ele publicou *As origens do mal*, que o deixou realmente famoso, a ilusão foi perfeita.

Ela riu, divertindo-se.

— E essa agora! Não sabia disso. Que patife, o Harry... Lembro-me do nosso primeiro encontro de verdade. Eu estava muito animada naquele dia. Não esqueço a data porque era feriado nacional. Quatro de julho de 1975.

Fiz rapidamente os cálculos em minha cabeça: o quatro de julho foi alguns dias depois do passeio a Rockland. Foi quando Harry decidira tirar Nola da cabeça. Encorajei Jenny a continuar sua história:

— Conte-me sobre esse quatro de julho.

Ela fechou os olhos, como se estivesse lá novamente.

— O dia estava bonito. Harry tinha ido ao Clark's mais cedo me convidar para assistir à queima de fogos em Concord. Falou que iria me buscar em casa às seis horas. Na verdade eu encerrava meu expediente às seis e meia, mas disse que estava ótimo. E mamãe me autorizou a sair mais cedo para que eu fosse me arrumar.

Sexta-feira, 4 de julho de 1975

A casa da família Quinn, na Norfolk Avenue, estava às voltas com uma grande agitação. Faltavam quinze para as seis e Jenny não estava pronta.

Subia e descia as escadas em fúria, de calcinha e sutiã, segurando a cada vez um vestido diferente na mão.

— E este, mamãe, o que acha deste? — perguntou ela, entrando pela sétima vez na sala, onde estava a mãe.

— Não, esse não — julgou severamente Tamara. — Ele aumenta sua bunda. Quer que Harry Quebert pense que está engordando? Escolha outro!

Jenny voltou depressa para o quarto, soluçando que era uma garota horrível, que não tinha nada para vestir e ia continuar sozinha e feia até o fim da vida.

Tamara estava uma pilha de nervos, pois convinha que a filha se apresentasse à altura. Harry Quebert era de uma categoria completamente diferente da dos jovens de Aurora, ela não tinha direito a errar. Assim que a filha avisara-lhe do encontro daquela noite, a mãe a intimara a deixar o Clark's, pois era meio-dia, a hora do *rush*, e o restaurante estava apinhado, e ela não queria que sua Jenny ficasse mais um segundo em meio aos cheiros de fritura, que poderiam impregnar sua pele e seu cabelo. Tinha que estar perfeita para Harry. A mãe a mandara ir ao cabeleireiro, à manicure também, fizera uma bela faxina na casa e preparara um tira-gosto que considerava *delicado*, para o caso de Harry Quebert querer mordiscar alguma coisa de passagem. Sua Jenny não se enganara, Harry a cortejava. Ela estava muito entusiasmada, não podia deixar de pensar no casamento. Sua filha ia finalmente se casar. Ouviu a porta de entrada bater. Seu marido, Robert Quinn, que trabalhava como engenheiro numa fábrica de luvas de Concord, acabara de chegar em casa. Ela franziu os olhos, aterrada.

Robert observou imediatamente que a casa tinha sido limpa e arrumada de ponta a ponta. Havia um belo buquê de lírios na entrada e paninhos de mesa que ele nunca vira.

— O que está havendo aqui, amorzinho? — perguntou ele, entrando na sala, onde uma mesinha fora montada com docinhos, tira-gostos, uma garrafa de champanhe e taças especiais.

— Ah, Bobby, meu Bobbo — respondeu-lhe Tamara, contrariada, mas procurando ser cortês —, chegou em péssima hora, não preciso de você atrás de mim. Eu tinha deixado um recado na fábrica.

— Não recebi. O que dizia?

— Para você não voltar de jeito nenhum para casa antes das sete.

— Ah. E por que isso?

— Porque imagine você que Harry Quebert convidou Jenny para assistir à queima de fogos em Concord hoje à noite.

— Quem é Harry Quebert?

— Oh, Bobbo, precisa se inteirar um pouco da vida social! É o grande escritor que chegou no final de maio.

— Ah. E por que eu não podia voltar para casa?

— *Ah*? "Ah" é o que você diz? Um grande escritor corteja nossa filha e você diz "ah"? Pois bem, justamente, eu não queria que voltasse porque você não sabe ter uma conversa chique. Fique sabendo que Harry Quebert não é qualquer um. Ele está morando na casa de Goose Cove.

— Na casa de Goose Cove? Caramba.

— Para você, pode ser uma fortuna, mas, para um sujeito como ele, alugar a casa de Goose Cove é um cuspe na água. Ele é uma celebridade em Nova York!

— Um cuspe na água? Não conhecia essa expressão.

— Ah, Bobbo, você não conhece nada mesmo.

Robert fez um muxoxo e aproximou-se do pequeno bufê preparado pela mulher.

— Por favor, Bobbo, não toque em nada!

— Que coisinhas são essas?

— Não são coisinhas. É um tira-gosto delicado. Muito chique.

— Mas você tinha falado que os vizinhos nos convidaram para comer hambúrguer! Sempre comemos hambúrguer na casa dos vizinhos no quatro de julho!

— Sim, a gente vai. Só que mais tarde! E, faça mais um favor, não comente com Harry Quebert que a gente come hambúrguer como pessoas simples!

— Mas nós somos pessoas simples. Adoro hambúrguer. Você mesma é dona de um restaurante que vende hambúrgueres.

— Você realmente não entende nada, Bobbo! Não é a mesma coisa. E, quanto a mim, tenho grandes planos.

— Eu não sabia. Não me falou nada.

— Não falo tudo para você.

— Por que não me fala tudo? Pois eu lhe falo tudo. Aliás, fiquei com dor de barriga a tarde inteira. Tive gases horríveis. Tive inclusive que me fechar na sala e ficar de quatro para peidar, de tanto que me incomodava. Como pode ver, falo tudo.

— Já chega, Bobbo! Está me desconcentrando!

Jenny reapareceu com outro vestido.

— Formal demais! — ladrou Tamara. — Você tem que estar chique, mas casual.

Robert Quinn, vendo a mulher desviar a atenção, aproveitou para se acomodar em sua poltrona preferida e servir-se de um copo de uísque.

— Está proibido de se sentar! — gritou Tamara. — Vai sujar tudo. Sabe quantas horas passei fazendo faxina? Chispa, vá se trocar.

— Me trocar?

— Vá vestir um terno, ninguém recebe Harry Quebert de chinelo.

— Por acaso aquela é a garrafa de champanhe que estávamos guardando para uma ocasião especial?

— Esta é uma ocasião especial! Não quer que nossa filha se case bem? Depressa, vá se trocar e pare de reclamar. Ele deve estar chegando.

Tamara escoltou o marido até a escada para ter certeza de que ele a obedeceria. No mesmo instante, Jenny descia novamente aos prantos, de calcinha e sem sutiã, explicando entre um soluço e outro que ia cancelar tudo porque aquilo era demais para ela. Robert, por sua vez, aproveitou para resmungar que desejava ler seu jornal e não ser obrigado a ter grandes conversas com o tal grande escritor, até porque, de toda forma, ele nunca lia livros, pois lhe davam sono, e não saberia o que dizer para o escritor. Eram dez para as seis, ou seja, faltavam dez minutos para a hora marcada. Estavam todos os três no hall de entrada, discutindo, quando a campainha tocou subitamente. Tamara pensou que teria um infarto. Ele tinha chegado. O grande escritor havia se antecipado.

A campainha tocou. Harry foi até a porta. Usava um terno de linho e um chapéu leve, pois estava de saída para buscar Jenny. Abriu; era Nola.

— Nola? O que está fazendo aqui?

— O certo é dizer "como vai?". Pessoas educadas dizem "como vai?" quando se encontram, e não "o que está fazendo aqui?".

Ele sorriu.

— Como vai, Nola? Me desculpe, não estava esperando encontrar você.

— O que está acontecendo, Harry? Não tenho mais notícias suas desde o dia em que fomos a Rockland. Nenhuma notícia a semana inteira! Eu fui chata? Desagradável? Ah, Harry, gostei tanto do nosso passeio em Rockland. Foi mágico!

— Não estou nem um pouco bravo com você, Nola. Também adorei nosso passeio em Rockland.

— Então por que não deu sinal de vida?

— Por causa do meu livro. Estava trabalhando muito.

— Eu gostaria de estar com você todos os dias, Harry. A vida inteira.

— Você é um anjo, Nola.

— Agora podemos. Não tenho mais escola.

— Como assim, *não tem mais escola*?

— A escola terminou, Harry. Estou de férias. Não sabia?

— Não.

Entusiasmada, ela prosseguiu:

— Seria o máximo, não acha? Pensei e cheguei à conclusão de que poderia cuidar de você aqui. Você trabalharia melhor nesta casa do que na agitação do Clark's. Poderia escrever na varanda. Acho o mar tão lindo, tenho certeza de que traria inspiração para você! E eu cuidaria do seu conforto. Prometo cuidar bem de você, me entregar de corpo e alma, fazer com que seja um homem feliz! Por favor, me deixe fazer de você um homem feliz, Harry.

Ele percebeu que ela trouxera uma cesta.

— É para um piquenique — disse ela. — Para nós dois, hoje à noite. Trouxe até uma garrafa de vinho. Pensei em fazermos um piquenique na praia, seria tão romântico!

Ele não queria um piquenique romântico, não queria estar com ela, não a queria, precisava esquecê-la. Arrependia-se daquele sábado em Rockland. Viajara para outro estado com uma garota de quinze anos, à revelia dos pais dela. Se fossem parados pela polícia, ele poderia inclusive ser acusado de rapto. Aquela garota seria sua perdição, precisava afastá-la de sua vida.

— Não posso, Nola — respondeu ele, simplesmente.

O rosto dela foi tomado por um ar de decepção.

— Por quê?

Ele precisava contar que tinha um encontro com outra mulher. Seria difícil ter que escutar isso, mas ela precisava compreender que aquele relacionamento era impossível. Ainda assim, vacilou e mentiu, mais uma vez:

— Tenho que ir para Concord. Vou encontrar meu editor, que está lá para a festa do quatro de julho. Vai ser muito chato. Eu preferia fazer outra coisa com você.

— Posso ir junto?

— Não. Já disse que será um tédio.

— Você fica muito bonito com essa camisa, Harry.

— Obrigado.

— Harry... Estou apaixonada por você. Desde aquele dia chuvoso, quando o vi na praia, fiquei perdidamente apaixonada. Quero ficar com você até o fim da minha vida!

— Pare, Nola. Não diga isso.

— Por quê? É verdade! Não aguento passar nem um dia sequer longe de você! Sempre que o vejo, tenho a impressão de que minha vida fica mais bonita! Mas você, você me detesta, não é?

— Mas é claro que não! Óbvio que não!

— Sei que me acha feia. E que em Rockland você me achou muito chata. Foi por isso que sumiu. Você acha que sou feia, estúpida e chata.

— Não diga besteira. Vamos, venha, vou levá-la para casa.

— Me chame de *Nola querida*... Me chame assim outra vez.

— Não posso, Nola.

— Por favor!

— Não posso. Essas palavras estão proibidas!

— Mas por quê? Pelo amor de Deus, por quê? Por que não poderíamos nos amar se nos amamos?

Ele repetiu:

— Venha, Nola. Vou levá-la para casa.

— Mas, Harry, por que viver se não temos direito de amar?

Ele não respondeu e arrastou-a até o Chevrolet preto. Ela estava chorando.

Não fora Harry Quebert quem tocara a campainha, e sim Amy Pratt, mulher do chefe de polícia de Aurora. Estava batendo de porta em porta em sua condição de organizadora do baile de verão, um dos eventos mais importantes da cidade, que aquele ano seria realizado no sábado, 19 de julho. No exato instante em que a campainha soou, Tamara despachou a filha seminua e o marido para cima, antes de constatar com alívio que não era sua célebre visita que estava à porta, e sim Amy Pratt, que viera vender bilhetes da rifa da noite do baile. Naquele ano, o primeiro prêmio seria uma semana de férias num magnífico hotel da ilha de Martha's Vineyard, em Massachusetts, destino de férias de incontáveis celebridades. Quando ficou sabendo qual era o primeiro prêmio, Tamara revirou os olhos e comprou dois bloquinhos de bilhetes, depois, embora o decoro ditasse que ela oferecesse um suco de laranja à visita — que por sinal era uma mulher que ela admirava —, enxotou-a sem clemência, porque agora faltavam cinco para as seis. Jenny, mais calma, desceu mais uma vez num vestidinho verde de verão que lhe caía muito bem, seguida pelo pai, que havia enfiado um terno completo.

— Não era Harry, era Amy Pratt — declarou Tamara, num tom displicente. — Eu sabia que não era ele. Se vissem vocês, correndo como coelhos... Rá! Pois eu sabia que não era Harry porque ele é uma pessoa chique e as pessoas chiques não chegam antes da hora. Isso é ainda mais deselegante do que chegar atrasado. Aprenda isso, Bobbo, você que sempre tem medo de se atrasar para os compromissos.

O relógio da sala tocou seis vezes e a família Quinn posicionou-se em fila atrás da porta de entrada.

— Não se esqueçam de agir com naturalidade! — implorou Jenny.

— Estamos completamente à vontade — respondeu sua mãe. — Não é, Bobbo, não estamos à vontade?

— Estamos, sim, amorzinho. Mas acho que estou com gases de novo. Estou me sentindo como uma panela de pressão prestes a explodir.

Alguns minutos mais tarde, Harry tocou a campainha da casa dos Quinn. Acabava de deixar Nola numa rua próxima à casa dela, para que ninguém os visse juntos. Ela se despedira aos prantos.

Jenny me contou que aquela noite de quatro de julho foi um momento maravilhoso para ela. Descreveu, comovida, a festa popular, o jantar, a queima de fogos em Concord.

Percebi, pelo jeito como ela falava de Harry, que, ao longo de toda a sua vida, nunca deixara de amá-lo, e que a aversão que sentia hoje era

acima de tudo a expressão da mágoa de ter sido trocada por Nola, a jovem garçonete que trabalhava aos sábados, para quem ele escrevera uma obra-prima. Antes de me despedir, ainda perguntei:
— Jenny, quem você acha que poderia me falar mais sobre Nola?
— Sobre Nola? O pai dela, óbvio.
O pai dela. Óbvio.

23

Os que a conheceram bem

— E os personagens? No que você se inspira para criar seus personagens?
— Em todo mundo. Num amigo, na faxineira, no caixa do banco. Mas atenção: não são essas pessoas em si mesmas que inspiram, são suas ações. A forma como elas agem sugere o que cada um dos personagens do seu romance poderia fazer. Os escritores que afirmam não se inspirar em ninguém estão mentindo, mas têm razão em fazer isso, pois assim se poupam de um monte de aborrecimentos.
— Como assim?
— O privilégio dos escritores, Marcus, é que você pode acertar as contas com seus semelhantes por meio do seu livro. A única regra é não citá-los diretamente. Nome verdadeiro, nem pensar, isso é abrir a porta para processos e aporrinhações. Em que número da lista estamos?
— Vinte e três.
— Então esta é a vigésima terceira regra, Marcus: escreva apenas ficção. O resto só lhe trará problemas.

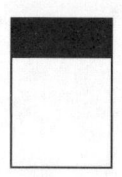

No domingo, 22 de junho de 2008, encontrei pela primeira vez o reverendo David Kellergan. Era um desses dias cinzentos de verão, típicos da Nova Inglaterra, onde a maresia é tão espessa que se agarra na copa das árvores e nos telhados. A casa dos Kellergan ficava na Terrace Avenue, 245, no centro de um agradável bairro residencial. A residência parecia não ter sofrido modificações desde que eles haviam chegado a Aurora.

A mesma cor nos muros e as mesmas plantas em volta. As roseiras recém-plantadas haviam se tornado arbustos e a cerejeira em frente à casa fora substituída por uma árvore da mesma espécie quando morrera, dez anos atrás.

Quando cheguei, uma música ensurdecedora reverberava dentro da casa. Toquei a campainha várias vezes, mas não obtive resposta. Até que um passante gritou para mim: "Se estiver procurando pelo reverendo Kellergan, não adianta tocar a campainha. Ele está na garagem." Fui bater no portão da garagem, de onde efetivamente vinha a música. Após ser obrigado a insistir por bastante tempo, a porta acabou sendo aberta e me vi diante de um velhote baixinho, de aspecto frágil, com o cabelo grisalho e a pele enrugada, vestindo um macacão e usando óculos de proteção. Era David Kellergan, oitenta e cinco anos.

— O que você quer? — berrou ele com certa educação, por causa da música, cujo volume era quase insuportável.

Tive que fazer uma concha com as mãos para que ele pudesse me ouvir.

— Meu nome é Marcus Goldman. O senhor não me conhece, mas estou investigando a morte de Nola.

— É da polícia?

— Não, sou escritor. Poderia desligar a música ou baixar um pouco o volume?

— Impossível. A música não desligo. Mas se quiser podemos ir para a sala.

Ele me fez entrar pela garagem, cujo espaço fora inteiramente transformado em oficina, sendo que no centro reinava uma Harley-Davidson de colecionador. Num canto, uma velha vitrola plugada num aparelho de som expelia clássicos do jazz.

Estava esperando ser mal recebido. Pensei que o velho Kellergan, depois do assédio dos jornalistas, aspirasse a um pouco de tranquilidade, mas pelo contrário, mostrou-se bastante receptivo. Apesar de já ter ido a Aurora inúmeras vezes, nunca o tinha visto na vida. Ele visivelmente ignorava a relação que eu tinha com Harry e evitei mencionar isso. Preparou dois copos de chá gelado e nós nos acomodamos na sala. Ele não tirou os óculos de proteção, como se devesse estar preparado para voltar à sua moto a qualquer momento, e ainda escutávamos aquela música ensurdecedora ao fundo. Tentei imaginar aquele homem trinta e três anos antes, quando era o dinâmico pastor da paróquia de St. James.

— O que o traz aqui, Sr. Goldman? — perguntou ele, após me observar com curiosidade. — Um livro?

— Não faço ideia, reverendo. Estou tentando acima de tudo saber o que aconteceu com Nola.

— Não me chame de reverendo, não sou mais reverendo.

— Sinto muito por sua filha, senhor.

Ele sorriu de maneira espantosamente calorosa.

— Obrigado. O senhor é o primeiro a me dar os pêsames, Sr. Goldman. Faz duas semanas que a cidade inteira está falando da minha filha. Todos acorrem aos jornais para saber os últimos desdobramentos, mas ninguém veio aqui para saber como estou. Os únicos que batem aqui, além dos jornalistas, são vizinhos queixando-se do barulho. Penso que pais enlutados têm direito a ouvir música, concorda?

— Perfeitamente, senhor.

— Então, está escrevendo um livro?

— Não sei mais se consigo escrever. Escrever bem é muito difícil. Meu editor me sugeriu escrever um livro sobre esse caso. Ele disse que isso impulsionaria minha carreira. O senhor teria alguma objeção a um livro sobre Nola?

Ele deu de ombros.

— Não. Isso pode ajudar os pais a serem mais prudentes. Sabe, no dia em que minha filha desapareceu, ela estava no quarto. Eu trabalhava na garagem, ouvindo música. Não escutei nada. Quando fui vê-la, ela não estava mais em casa. A janela do quarto dela estava aberta. Era como se tivesse evaporado. Eu não soube cuidar da minha filha. Escreva um livro para os pais, Sr. Goldman. Os pais devem tomar conta dos seus filhos.

— O que fazia na garagem nesse dia?

— Estava consertando a moto. A Harley que o senhor viu.

— Bela máquina.

— Obrigado. Na época eu a comprei de um mecânico de Montburry. Ele falou que já a havia depenado e me cedeu a desgraçada pelo preço simbólico de cinco dólares. Era isso que eu estava fazendo quando minha filha desapareceu: cuidando dessa maldita moto.

— Mora sozinho aqui?

— Moro. Minha mulher morreu há anos...

Ele se levantou e pegou um álbum de fotografias. Mostrou-me Nola criança e sua mulher, Louisa. Elas pareciam felizes. Fiquei admirado com a facilidade com que ele se abriu, sem nem me conhecer direito. Acho que acima de tudo ele queria fazer a filha reviver um pouco. Contou que haviam chegado a Aurora no outono de 1969, vindos de Jackson, no Alabama, quando, a despeito de uma congregação em plena expansão, o chamado do mar fora mais eloquente. A comunidade de Aurora procurava um novo reverendo e ele fora recrutado. A principal razão da mudança para New Hampshire havia sido a vontade de encontrar um lugar sossegado para criar Nola. Naquela época, os Estados Unidos fervilhavam com dissensões políticas, segregação e a guerra do Vietnã. Os acontecimentos de 1967 — levantes raciais em Saint Quentin e o incêndio criminoso nos bairros negros de Newark e Detroit — os fizeram procurar um lugar pacato, longe de toda aquela agitação. Então, quando seu calhambeque vergado sob o peso da mudança chegara às imediações dos grandes lagos cobertos de nenúfares de Montburry, antes de alcançar a descida que ia em direção a Aurora, ele viu ao longe aquela cidadezinha magnífica e tranquila, e David Kellergan regozijou-se com sua escolha. Como podia adivinhar que, seis anos mais tarde, seria lá que sua única filha acabaria desaparecendo?

— Passei em frente à sua antiga paróquia — comentei. — Virou um McDonald's.

— O mundo inteiro está virando um McDonald's, Sr. Goldman.

— Mas o que aconteceu com a paróquia?

— Ela prosperou por vários anos. Depois houve o desaparecimento da minha Nola e tudo mudou. Quer dizer, só uma coisa mudou: parei de acreditar em Deus. Se Deus existisse de verdade, crianças não desapareceriam. Comecei a fazer todo tipo de coisas, mas ninguém ousou me expulsar. Aos poucos, a comunidade foi se dispersando mais uma vez. Há quinze anos, por motivações econômicas, a paróquia de Aurora fundiu-se à de Montburry. Eles venderam o prédio. Os fiéis agora vão a Montburry aos domingos. Depois do desaparecimento de Nola fiquei sem condições de reassumir minhas funções, embora só tenha pedido oficialmente demissão seis anos mais tarde. A paróquia continua me pagando uma pensão. E me cedeu a casa por uma pechincha.

Em seguida, David Kellergan descreveu os anos de vida feliz e despreocupada em Aurora. Os mais belos de sua vida, segundo ele. Relembrou as noites de verão em que deixava Nola ficar acordada para ler debaixo da marquise; desejara que os verões não chegassem nunca ao fim. Contou também que sua filha tinha consciência de como separar o dinheiro que ganhava no Clark's todos os sábados; dizia que com aquela soma iria para a Califórnia ser atriz. Ele mesmo se sentia muito orgulhoso de ir ao Clark's e ouvir os fregueses, ou a Sra. Quinn, tecer elogios à menina. Durante muito tempo após seu desaparecimento, ele se perguntara se ela teria ido para a Califórnia.

— Por que ela iria embora? Acha que poderia ter fugido?

— Fugido? Por que ela teria fugido? — Ele parecia indignado.

— E Harry Quebert? O senhor o conhece, por acaso?

— Não. Quase nada. Só cruzei com ele algumas vezes.

— Quase nada? — Fiquei espantado. — Mas os senhores moram na mesma cidade há mais de trinta anos.

— Não conheço todo mundo, Sr. Goldman. E, além disso, o senhor sabe, vivo praticamente recluso. Será que tudo isso é verdade? Harry Quebert e Nola? Ele escreveu mesmo aquele livro para ela? O que o livro significa, Sr. Goldman?

— Para ser sincero com o senhor, acho que sua filha amava Harry e era correspondida. O livro conta a história de um amor impossível entre duas pessoas de diferentes classes sociais.

— Eu sei, eu sei! — exclamou ele. — Mas quer dizer então que Quebert substituiu *perversão* por *classe social* para dar um ar de dignidade e vendeu milhões de livros? Um livro que conta histórias obscenas com minha filha, com minha pequena Nola, que os Estados Unidos inteiros leram e exaltaram durante trinta anos!

O reverendo Kellergan estava possesso, suas últimas palavras foram pronunciadas em meio a um surto de violência que eu jamais poderia imaginar vindo de um homem de aspecto tão franzino. Ele se calou por um instante e andou em círculo pelo cômodo, como se precisasse descarregar sua raiva. A música continuava a berrar como fundo sonoro. Então lhe disse:

— Harry Quebert não matou Nola.

— Como pode ter certeza disso?

— Nunca temos certeza de nada, Sr. Kellergan. É por isso que a vida às vezes é tão complicada.

Ele fez um muxoxo.

— O que deseja saber, Sr. Goldman? Se está aqui é porque deve ter perguntas para me fazer, não é?

— Estou tentando entender o que aconteceu. Não ouviu nada na noite em que sua filha desapareceu?

— Nada.

— Na época, alguns vizinhos afirmaram ter ouvido gritos.

— Gritos? Não houve gritos. Nunca houve gritos nesta casa. Por que haveria, aliás? Naquele dia eu estava ocupado na garagem. A tarde inteira. Por volta das sete horas, comecei a preparar a comida. Fui chamá-la no quarto para que me ajudasse, mas ela não estava mais lá. De início pensei que tivesse ido dar uma volta, embora não costumasse fazer coisas como essa. Esperei um pouco e, depois, preocupado, fui dar uma volta no quarteirão. Andei apenas cem metros na calçada até deparar com uma aglomeração: os vizinhos avisavam uns aos outros que uma adolescente fora vista sangrando em Side Creek e que viaturas policiais chegavam de todos os lados e bloqueavam os arredores. Corri para a primeira casa para ligar para a polícia e avisá-los que podia ser Nola... O quarto dela ficava no térreo, Sr. Goldman. Passei mais de trinta anos me perguntando o paradeiro de minha filha. E depois de muito pensar concluí que se tivesse outros filhos faria com que dormissem no sótão. Mas não tive outros filhos.

— O senhor notou algum comportamento estranho em sua filha, no verão em que ela desapareceu?

— Não. Não sei mais. Mas acho que não. Essa é outra pergunta que volta e meia me fazem e à qual não consigo responder.

Ele se lembrava, contudo, de que, naquele verão, quando as férias escolares tinham acabado de começar, algumas vezes Nola lhe parecera melancólica. Ele considerara isso um efeito da adolescência. Em seguida, pedi para visitar o quarto da sua filha; ele me escoltou como um guarda de museu, ordenando: "Por favor, não toque em nada." Desde o desaparecimento, ele deixara o cômodo intacto. Estava tudo ali: a cama, a prateleira cheia de bonecas, a pequena estante de livros, a mesa sobre a qual havia canetas espalhadas e misturadas, uma régua de metal comprida e papéis amarelados. Era papel de carta, o mesmo em que fora escrito o bilhete a Harry.

— Ela comprava esse papel numa papelaria de Montburry — explicou o pai, quando viu que eu me interessara por aquilo. — Nola o adorava. Tinha sempre um com ela, usava-o para fazer anotações, para deixar um bilhete. Esse papel era ela. Tinha sempre vários blocos de reserva.

Havia também, num canto do quarto, uma Remington portátil.

— Era dela? — perguntei.

— Era minha. Mas ela também usava. No verão do desaparecimento, ela a usou bastante. Dizia que tinha documentos importantes para datilografar.

Costumava inclusive sair de casa com a máquina. Eu me oferecia para ajudá-la, mas ela nunca aceitava. Saía a pé, carregando-a debaixo do braço.

— O quarto então foi mantido da mesma forma como estava no momento do desaparecimento de sua filha?

— Tudo estava exatamente assim. Este quarto vazio foi o que vi quando vim chamá-la. A janela estava escancarada e uma brisa balançava as cortinas.

— Acha que alguém invadiu o quarto aquela noite e a levou à força?

— Não saberia dizer. Não ouvi nada. Mas, como pode ver, não há vestígio algum de luta.

— A polícia encontrou uma bolsa com Nola. Uma bolsa com o nome dela gravado no forro.

— Isso mesmo, me pediram inclusive para identificá-la. Foi o presente que lhe dei pelo seu aniversário de quinze anos. Ela tinha visto a bolsa em Montburry, num dia em que havíamos ido juntos até lá. Ainda me lembro da loja na rua principal. Voltei lá no dia seguinte para comprá-la. E mandei uma costureira gravar seu nome dentro.

Tentei montar uma hipótese.

— Mas então, se a bolsa era dela, foi ela que a levou consigo. E, se a levou, foi porque estava indo a algum lugar, não acha? Sr. Kellergan, sei que é difícil imaginar isso, mas não acha que Nola pode ter fugido?

— Não sei mais nada, Sr. Goldman. A polícia já me fez essa pergunta há trinta e três anos e a repetiu há poucos dias. Mas não falta objeto algum aqui. Nem roupas, dinheiro, nada. Olhe, seu cofrinho está aqui, na estante, ainda cheio. — Ele pegou um pote de biscoitos numa prateleira do alto. — Olhe, cento e vinte dólares! Cento e vinte dólares! Por que os teria deixado aqui se tivesse fugido? A polícia afirma que o maldito livro estava na bolsa dela. Será que é verdade?

— É, sim.

As perguntas continuavam martelando em minha cabeça. Por que Nola teria fugido sem levar roupas nem dinheiro? Por que teria levado apenas aquele original?

Na garagem, o disco terminou de tocar a última faixa e o velho pai de Nola correu para reiniciá-lo. Eu não quis importuná-lo mais, então cumprimentei-o e fui embora, tirando, na saída, uma foto da Harley-Davidson.

* * *

De volta a Goose Cove, fui treinar boxe na praia. Para minha grande surpresa, pouco tempo depois o sargento Gahalowood juntou-se a mim, vindo da casa. Eu estava com fone de ouvido e só notei sua presença quando ele me deu um tapinha nas costas.

— Está em forma — comentou ele, admirando meu torso nu e enxugando a mão toda suada na calça.

— Tento me manter ativo.

Tirei o gravador do bolso para desligá-lo.

— Um MiniDisc? — perguntou ele, naquele seu tom antipático. — Sabia que a Apple revolucionou o mundo e que agora podemos armazenar música de forma quase ilimitada num disco rígido portátil chamado iPod?

— Não estou escutando música, sargento.

— O que escuta então enquanto se exercita?

— Não interessa. Em vez disso, me fale a que devo a honra de sua visita. Num domingo, ainda por cima.

— Recebi uma ligação do chefe Dawn; ele me contou sobre o incêndio de sexta-feira à noite. Estava preocupado e devo admitir que não tiro a razão dele, pois não gosto quando as coisas ganham esse tom.

— Quer dizer que está temendo pela minha segurança?

— Nem um pouco. Só quero evitar que tudo isso degringole. Sabemos muito bem que os crimes envolvendo crianças criam sempre um grande alvoroço no seio da população. Posso lhe garantir: todas as vezes que falam da garota morta na televisão, pode estar certo de que há um monte de pais de família inegavelmente civilizados que se dizem dispostos a arrancar os testículos de Quebert.

— Só que, no caso, eu é que fui o alvo.

— É justamente por isso que estou aqui. Por que não contou que tinha recebido um bilhete anônimo?

— Porque você me enxotou da sua sala.

— Não deixa de ser verdade.

— Aceita uma cerveja, sargento?

Ele hesitou um instante, mas acabou aceitando. Voltamos para casa e fui pegar duas garrafas de cerveja, que bebemos na varanda. Contei o episódio da noite da véspera, quando, ao voltar de Grand Beach, deparei com o incendiário.

— Impossível descrevê-lo — falei. — Estava de máscara. Era uma silhueta. E de novo a mesma mensagem: *Goldman, volte para casa*. É a terceira que recebo.

— O chefe Dawn me contou. Quem sabe que você está fazendo uma investigação por contra própria?

— Todo mundo. Quer dizer, passo o dia fazendo perguntas a todos que encontro. Pode ser qualquer um. No que está pensando? Que alguém não gostaria que eu me aprofundasse nessa história?

— Que alguém não gostaria que você descobrisse a verdade sobre Nola. Aliás, como vai sua investigação?

— Minha investigação? Por quê? Está interessado nela agora?

— Talvez. Digamos que sua credibilidade subiu como uma flecha a partir do momento em que ameaçaram calar você.

— Conversei com o reverendo Kellergan. É um bom sujeito. Ele me mostrou o quarto de Nola. Imagino que também o tenha visitado...

— Visitei.

— Então, se ela estava fugindo, como explica que não tenha levado nada consigo? Nem roupas, nem dinheiro, nada.

— Porque não era uma fuga — esclareceu Gahalowood.

— Mas então, se era um rapto, por que não havia sinais de luta? E por que ela teria levado sua bolsa com o original?

— Bastava ela conhecer o assassino. Talvez até tivessem um relacionamento. Ele teria aparecido em sua janela, como talvez fizesse às vezes, e a convencido a ir com ele. Talvez só para dar uma volta ao ar livre.

— Parece estar se referindo a Harry.

— Isso mesmo.

— E depois? Ela pegou o original e saiu pela janela?

— Quem disse que ela saiu com esse original? Quem disse que ela já estava com o original nas mãos? Esta é a explicação de Quebert, a justificativa dele para o original ter sido encontrado com o cadáver de Nola.

Durante uma fração de segundo, hesitei se devia ou não contar o que sabia sobre Harry e Nola, que eles tinham um encontro marcado no Sea Side Motel e pretendiam fugir. Mas preferi não falar nada por ora, para não prejudicar Harry. Simplesmente perguntei a Gahalowood:

— Então qual é a sua hipótese?

— Quebert matou a garota e enterrou o original com ela. Talvez isso tenha sido uma consequência do remorso que sentia. Era um livro sobre o amor deles, e esse amor a matou.

— O que o leva a afirmar uma coisa dessas?

— Há uma mensagem no original.

— Uma mensagem? Que mensagem?

— Não posso falar. É confidencial.

— Ah, deixe de besteira, sargento! Já foi muito longe e não pode mais se esconder atrás do sigilo do inquérito quando isso lhe convém.

Ele suspirou, resignado.

— Está escrito: *Adeus, Nola querida.*

Fiquei sem palavras. *Nola querida.* Não era assim que Nola pedia para Harry a chamar em Rockland? Tentei manter a calma.

— O que fará com isso? — perguntei.

— Vamos iniciar uma perícia grafológica. Na esperança de que possamos extrair alguma coisa.

Essa revelação me deixou completamente zonzo. *Nola querida.* Eram as palavras exatas que foram pronunciadas pelo próprio Harry, as palavras que eu gravara.

Passei parte da noite sem saber o que fazer. Às nove horas, recebi uma ligação da minha mãe. Pelo visto, a televisão havia noticiado o incêndio. Ela vociferou:

— Pelo amor de Deus, Markie, você vai morrer por causa desse Demônio criminoso?

— Calma, mãe. Calma.

— Só se fala em você por aqui, e não é coisa boa, se é que me entende. Os vizinhos estão se questionando... Perguntam por que você cisma em ficar ao lado desse Harry.

— Sem Harry eu nunca teria me tornado o Grande Goldman, mãe.

— Tem razão, sem esse sujeito você teria se tornado o Imenso Goldman. Depois que começou a conviver com ele na faculdade, você mudou. Você é *O Formidável*, Markie. Lembra? Até a modesta Sra. Lang, a caixa do supermercado, continua me perguntando "Como vai *O Formidável*?"

— Mamãe... *O Formidável* nunca existiu.

— *O Formidável* nunca existiu? *O Formidável* nunca existiu? — Ela chamou meu pai. — Nathan, venha cá, por favor! Markie diz que ele nunca foi *O Formidável.* — Ouvi meu pai resmungar indistintamente ao fundo. — Está vendo, seu pai está dizendo a mesma coisa: no colégio você era *O Formidável*. Encontrei o ex-diretor de lá ontem. Ele disse que guardava uma bela recordação de você... Achei até que ia chorar, de tão emocionado que estava. E depois ele se lamentou: "Ah, Sra. Goldman, não sei com que tipo de gente seu filho se meteu agora." Olhe como é triste, até seu ex-diretor está intrigado. E nós, então? Por que você corre para cuidar de um velho professor em vez de ir atrás de uma mulher? Você tem trinta anos e ainda não se casou! Quer que a gente morra sem vê-lo casado?

— Você está com cinquenta e dois anos, mãe. Ainda temos um tempinho.

— Pare de me provocar! Onde aprendeu essas provocações, hein? Outra coisa que você aprendeu com esse maldito Quebert. Por que não se esforça para nos apresentar uma bela moça? Hein? Hein? E então, não responde mais?

— Não encontrei ninguém que me agradasse nestes últimos tempos, mãe. Entre o livro, a turnê, o próximo livro...

— Está inventando desculpas, é isso que está fazendo! E o próximo livro? Será sobre o quê? Histórias de sexo pervertido? Não o reconheço mais, Markie... Markie, querido, escute, preciso lhe perguntar: está apaixonado por esse Harry? Você faz homossexualidade com ele?

— Não! De jeito nenhum!

Escutei-a resmungando para meu pai:

— Ele diz que não. Isso quer dizer que sim.

Depois me indagou, sussurrando:

— Está com a Doença? Sua mamãe continuará amando você mesmo se estiver doente.

— O quê? Que doença?

— Aquela dos homens que são alérgicos às mulheres.

— Está me perguntando se sou gay? Não! E mesmo se fosse esse o caso, não haveria mal algum nisso. Mas gosto das mulheres, mãe.

— Das mulheres? Como assim, *das mulheres*? Contente-se em amar uma só e em desposá-la, faça-me o favor! Das mulheres! Não é capaz de ser fiel, é isso que está tentando me dizer? Você é um maníaco sexual, Markie? Quer ir a um psiquiatra começar um tratamento?

Acabei desligando, contrariado. Eu me sentia muito sozinho. Me acomodei no escritório de Harry, liguei o gravador e escutei novamente sua voz. Eu precisava de um elemento novo, uma prova tangível que mudasse o curso da investigação, algo que pudesse iluminar aquele quebra-cabeça fatigante que eu tentava resolver e até o momento limitava-se a Harry, o original de um livro e uma garota morta. À medida que eu refletia, fui invadido por uma estranha sensação que depois de tanto tempo eu nem conhecia mais: sentia vontade de escrever. Escrever o que eu estava vivendo, o que estava sentindo. Dali a pouco, as ideias se chocaram em minha cabeça. Mais que vontade, eu tinha necessidade de escrever. Isso não acontecia comigo havia um ano e meio. Como um vulcão que desperta subitamente e se prepara para entrar em erupção. Precipitei-me para o laptop e, após ter me perguntado por um instante como deveria começar a história, pus-me a escrever as primeiras linhas do que viria a ser o meu próximo livro:

Na primavera de 2008, aproximadamente um ano após eu me tornar a nova estrela da literatura americana, ocorreu um incidente que resolvi enterrar nas profundezas da memória: descobri que Harry Quebert, que foi meu professor na faculdade, de sessenta e sete anos, um dos escritores mais respeitados do país, tivera um relacionamento com uma garota de quinze anos, quando ele próprio tinha trinta e quatro. Isso acontecera no verão de 1975.

Na terça-feira, 24 de junho de 2008, um Grande Júri popular aceitou o mérito das acusações feitas pelo promotor e indiciou formalmente Harry por rapto e duplo assassinato em primeiro grau. Quando Roth me contou a decisão do júri, explodi ao telefone:

— Você, que aparentemente estudou Direito, pode me explicar em que se baseiam essas asneiras?

A resposta era simples: no inquérito policial. E, em nossa posição de defensores, o indiciamento de Harry agora nos permitia ter acesso a esse inquérito. A manhã que passei com Roth estudando as provas foi tensa, em especial porque, à medida que lia os documentos, ele repetia:

— Ai, meu Deus, isso não é bom. Não é nada bom mesmo.

Eu retorquia:

— Não é bom não quer dizer nada; é você que deve ser bom, não acha?

E ele me respondia com gestos perplexos que minavam minha confiança em seu talento como advogado.

O dossiê reunia fotos, depoimentos, relatórios, perícias, autos de interrogatórios. Parte das fotos datava de 1975, fotos da casa de Deborah Cooper, depois de seu corpo estendido no chão da cozinha, imerso numa poça de sangue e, por fim, do local na mata onde haviam sido encontrados os vestígios de sangue, os fios de cabelo e os farrapos de roupas. Em seguida, fazia-se uma viagem no tempo para trinta e três anos depois, aportando em Goose Cove, onde era possível ver, jazendo no fundo do buraco cavado pela polícia, um esqueleto em posição fetal. Em certos pontos, ainda podia-se ver nacos de carne agarrados aos ossos e alguns fios de cabelo espalhados no topo do crânio; o corpo trajava os restos de um vestido e ao lado havia a famigerada bolsa de couro. Fiquei nauseado.

— É Nola? — perguntei.

— É ela. E era nessa bolsa que estava o original de Quebert. Não havia mais nada além do original. O promotor diz que uma garota que foge não sai sem levar coisa alguma.

O relatório da autópsia, por sua vez, revelava uma fratura séria na altura do crânio. Nola fora golpeada com inaudita violência, o que deixara seu occipital esfacelado. O médico-legista estimava que o assassino usara um bastão bem pesado ou um objeto similar, como um porrete ou um cassetete.

Além disso, tomamos conhecimento dos diversos depoimentos, os dos jardineiros, de Harry e, principalmente, o de Tamara Quinn, que afirmava ao sargento Gahalowood ter descoberto na época que Harry se apaixonara por Nola, mas que a prova que detinha sumira um tempo depois e, por conseguinte, ninguém nunca acreditara nela.

— O depoimento dela tem valor?

— Perante os jurados, sim — estimou Roth. — E não temos nada para contra-atacar. O próprio Harry reconheceu durante um interrogatório ter tido um caso com Nola.

— Bem, o que há então nesse inquérito que não acaba com ele?

Nesse ponto, Roth tinha uma conjetura: vasculhou os documentos e me estendeu um grosso maço de folhas de papel presas entre si por um pedaço de durex.

— Uma cópia do famoso original — disse ele.

A capa estava virgem, sem título; aparentemente Harry só tivera a ideia do título bem depois. No centro dela, contudo, havia três palavras que era possível ler distintamente, escritas a mão, em tinta azul:

Adeus, Nola querida

* * *

Roth encetou uma longa explicação. Avaliava que utilizar aquele original como principal prova de acusação contra Harry era um erro grosseiro da parte do escritório do promotor. Uma perícia grafológica seria realizada e, assim que os resultados fossem divulgados — ele tinha certeza de que inocentariam Harry —, o inquérito desmoronaria como um castelo de cartas.

— É a principal prova da minha defesa — dissera ele, triunfante. — Com um pouco de sorte, não precisaremos nem chegar ao julgamento.

— Mas o que acontece se a caligrafia for autenticada como sendo de Harry? — perguntei.

Roth me encarou com uma expressão estranha:

— E por que seria?

— Devo lhe informar de uma coisa grave: Harry me contou que uma vez foi passear com Nola em Rockland, e lá ela pediu que ele a chamasse de *Nola querida*.

Roth ficou lívido e declarou:

— Você percebe que se, de uma maneira ou de outra, ele for o autor dessas palavras... — E, antes mesmo de terminar a frase, juntou suas coisas e me arrastou para a rua do presídio estadual. Estava fora de si.

Assim que entrou no locutório, Roth brandiu o texto no nariz de Harry e gritou:

— Ela lhe pediu para chamá-la de *Nola querida*?

— Pediu — respondeu Harry, abaixando a cabeça.

— E está vendo o que está escrito aqui? Na primeira página do seu maldito original! Puta merda, quando pretendia me contar isso?

— Eu lhe garanto que essa letra não é minha. Eu não a matei! Não matei Nola! Pelo amor de Deus, vocês sabem disso, não sabem? Não sou um assassino de garotinhas!

Roth se acalmou e se sentou.

— Sabemos disso, Harry — concordou ele. — Mas todas essas coincidências são intrigantes. A fuga, essas palavras... E tenho que defender sua honra perante um júri de bons cidadãos ávidos por condená-lo à morte antes mesmo do início do julgamento.

Harry estava com uma cara péssima. Levantou-se e deu uma volta na saleta de cimento.

— O país está se voltando contra mim. Daqui a pouco todos vão querer a minha cabeça. Se é que já não querem... As pessoas me descrevem com palavras cujo peso elas não avaliam: pedófilo, perverso, desajustado. Sujam meu nome e queimam meus livros. Mas vocês precisam saber, e vou repetir pela última vez: não sou um maníaco de qualquer espécie. Nola foi a única mulher que amei e, para meu infortúnio, ela tinha apenas quinze anos. A gente não controla o amor, porra!

— Mas estamos falando de uma garota de quinze anos! — exaltou-se Roth.
Harry pareceu desapontado e voltou-se para mim.

— Pensa o mesmo, Marcus?

— Harry, o que me deixa confuso é o fato de você nunca ter me contado nada disso… Faz dez anos que somos amigos e você nunca mencionou Nola. Achei que fôssemos mais chegados.

— Mas, pense bem, o que eu teria a lhe dizer? "Ah, meu querido Marcus, a propósito, nunca lhe contei isso, mas em 1975, ao chegar a Aurora eu me apaixonei por uma garota de quinze anos, uma menina que mudou minha vida mas que desapareceu três meses depois, numa noite no fim do verão, e nunca superei completamente isso…?"

Ele chutou uma das cadeiras de plástico, arremessando-a na parede.

— Harry — disse Roth. — Se não foi você quem escreveu essas palavras, e acredito no que está nos dizendo, faz alguma ideia de quem possa ter sido?

— Não.

— Quem sabia sobre você e Nola? Tamara Quinn diz que sempre desconfiou.

— Não sei! Talvez Nola tenha comentado sobre nós dois com alguma amiga…

— Acha mesmo possível que alguém soubesse? — continuou Roth.

Houve um momento de silêncio. O semblante triste e cansado de Harry me dava pena.

— Vamos — insistiu Roth, para incentivá-lo a falar —, dá para perceber claramente que não está me contando tudo. Como quer que eu o defenda se esconde certas informações de mim?

— Recebi… recebi alguns bilhetes anônimos.

— Que bilhetes?

— Logo após o desaparecimento de Nola, comecei a receber bilhetes anônimos. Encontrava-os sempre no vão da porta de entrada, ao voltar da rua. Na época, fiquei morrendo de medo. Aquilo significava que alguém estava me espionando, que ficava à espreita na minha ausência. Num dado momento, eu sentia tanto medo que ligava sistematicamente para a polícia quando encontrava algum. Dizia ter visto um estranho rondando e então mandavam uma patrulha e eu me acalmava. É óbvio que eu não podia mencionar o verdadeiro motivo de minha preocupação.

— Mas quem teria lhe enviado esses bilhetes? — perguntou Roth. — Quem sabia sobre você e Nola?

— Não faço a menor ideia. De qualquer jeito, isso durou seis meses. Depois, parou.

— Você os guardou?

— Guardei. Em casa. Entre as páginas de uma grande enciclopédia, no escritório. Acredito que a polícia não os encontrou, pois ninguém tocou no assunto comigo.

De volta a Goose Cove, fui imediatamente procurar a enciclopédia mencionada por ele. Dissimulado entre as páginas, havia um envelope pardo contendo uma dezena de pequenas folhas. Bilhetes num papel amarelado. Uma mensagem idêntica, datilografada, figurava em cada uma delas:

Sei o que fez com aquela menina de quinze anos.
E logo toda a cidade saberá.

Então alguém sabia de Harry e Nola. Alguém que ficara em silêncio por trinta e três anos.

Durante os dois dias subsequentes, me esforcei para interrogar todas as pessoas que, de uma maneira ou de outra, pudessem ter conhecido Nola. Erne Pinkas, mais uma vez, me deu uma ajuda valiosa nessa empreitada ao encontrar, nos arquivos da biblioteca, o anuário do colégio de Aurora do ano de 1975. Ele também conseguiu elaborar para mim, graças ao anuário e à internet, uma lista dos endereços atuais de grande parte dos ex-colegas de Nola que ainda moravam na região. Infelizmente, tal procedimento não foi nada frutífero, pois hoje com certeza todas aquelas pessoas estavam com quarenta e tantos anos e só poderiam me contar recordações da infância, sem grande interesse no progresso da investigação. Até eu perceber que um dos nomes da lista não me era estranho: Nancy Hattaway. A menina que Harry dissera ter servido de álibi para Nola na ocasião do passeio a Rockland.

De acordo com os dados fornecidos por Pinkas, Nancy Hattaway tinha uma loja de costura e patchwork situada numa zona industrial um pouco afastada da cidade, na estrada em direção a Massachusetts. Fui lá pela primeira vez na quinta-feira, 26 de junho de 2008. Era uma bela loja com uma vitrine multicolorida, espremida entre uma lanchonete e uma loja de ferramentas. A única pessoa que encontrei lá dentro foi uma senhora beirando os cinquenta anos, de cabelo grisalho e curto. Estava sentada a uma mesa com óculos de leitura e, assim que ela me cumprimentou educadamente, perguntei:

— A senhora é Nancy Hattaway?

— Sou eu mesma — respondeu ela, levantando-se. — Por acaso nos conhecemos? Seu rosto não me é estranho...

— Meu nome é Marcus Goldman. Sou...

— Escritor — interrompeu ela. — Agora me lembro. Ouvi dizer que anda fazendo um monte de perguntas sobre Nola.

Ela parecia estar na defensiva. Aliás, acrescentou prontamente:

— Imagino que não esteja aqui pelo patchwork.

— Acertou. E também é verdade que estou interessado na morte de Nola Kellergan.

— E onde eu entro nisso?

— Se é realmente quem acho que é, a senhora conheceu Nola muito bem. Quando tinham quinze anos.

— Quem lhe contou isso?

— Harry Quebert.

Ela se levantou da cadeira e foi até a porta com determinação. Achei que ia pedir para eu me retirar, mas afixou a placa *fechado* na vitrine e empurrou o trinco da entrada. Em seguida, voltou-se para mim e perguntou:

— Como gosta do seu café, Sr. Goldman?

Passamos mais de uma hora nos fundos de sua loja. Era de fato a Nancy a que Harry se referira, a amiga de Nola naquela época. Nunca se casara e conservara o sobrenome da família.

— A senhora nunca saiu de Aurora? — perguntei.

— Nunca. Sou muito apegada a esta cidade. Como me encontrou?

— Pela internet, acho. A internet faz milagres.

Ela assentiu.

— E então? — perguntou ela. — O que deseja saber exatamente, Sr. Goldman?

— Pode me chamar de Marcus. Preciso conversar com alguém que me fale de Nola.

Ela sorriu.

— Nola e eu éramos da mesma turma na escola. Ficamos amigas quando ela chegou a Aurora. Éramos quase vizinhas, na Terrace Avenue, e ela ia com certa frequência à minha casa. Dizia que gostava de ir lá porque eu tinha uma família *normal*.

— Normal? Como assim?

— Imagino que tenha estado com o reverendo Kellergan...

— Sim.

— Ele era muito rigoroso. Difícil de imaginar que tenha tido uma filha como Nola: inteligente, meiga, amável, risonha.

— É estranho o que está dizendo sobre o reverendo Kellergan, Sra. Hattaway. Eu o encontrei há poucos dias e, para falar a verdade, ele me pareceu um homem tranquilo.

— Ele pode até passar essa impressão. Pelo menos em público. Ele já havia pedido ajuda para reerguer a paróquia de St. James, relegada ao abandono, após ter feito, pelo que parece, milagres no Alabama. E é verdade que, logo depois que ele assumiu, a igreja de St. James passou a encher todos os domingos. Mas, fora isso, é difícil dizer o que realmente acontecia na casa dos Kellergan...

— O que quer dizer?

— Nola era espancada.

— O quê?

O episódio que Nancy Hattaway me relatou aconteceu, segundo meus cálculos, numa segunda-feira, 7 de julho de 1975, ou seja, no período durante o qual Harry se afastara de Nola.

Segunda-feira, 7 de julho de 1975

Estavam de férias. Fazia um dia absolutamente magnífico e Nancy fora buscar Nola em casa para irem juntas à praia. Enquanto percorriam a Terrace Avenue, Nola perguntou de repente:

— Ei, Nancy, você acha que sou uma garota má?

— Uma garota má? Não, que horror! Por que está me perguntando isso?

— Porque lá em casa falam que sou uma garota má.

— O quê? Por que falariam algo assim para você?

— Não importa. A que praia vamos?

— A Grand Beach. Responda, Nola, por que falam que você é má?

— Talvez porque seja verdade — prosseguiu Nola. — Talvez por causa do que aconteceu quando estávamos no Alabama.

— No Alabama? E o que aconteceu lá?

— Não importa.

— Você parece triste, Nola.

— E estou.

— Está triste? Mas estamos de férias! Como é possível ficar triste estando de férias?

— É complicado, Nancy.

— Está com problemas? Se está com problemas, pode se abrir comigo!

— Estou apaixonada por alguém que não me ama.

— Quem?

— Não quero falar.

— É Cody, aquele menino do segundo ano que dava em cima de você? Eu tinha certeza de que você tinha uma quedinha por ele! Mas que história é essa de sair com um garoto do segundo ano? Ele é um idiota, não é? É um superidiota! Cá entre nós, a única coisa que ele tem de legal é estar no time de basquete. Foi com ele que você saiu no sábado?

— Não.

— Quem é então? Ah, vai, me conte. Vocês transaram? Você já transou com alguém?

— Não! Está maluca? Estou me guardando para o homem da minha vida.

— E com quem estava no sábado?

— Com uma pessoa mais velha. Mas isso não tem importância. De qualquer jeito, ele nunca me amará. Ninguém nunca me amará.

Elas chegaram a Grand Beach. A praia em si não era muito bonita, mas sempre estava deserta. Melhor ainda, a imensa variação da maré, que drenava sete ou oito metros de mar a cada vez, formava piscinas naturais nos grandes rochedos ocos aquecidos pelo sol. Aquele era o ponto predileto das duas amigas, a temperatura da água no local também era bem mais agradável que a do mar aberto. Como a praia estava deserta, não precisaram se esconder para vestir seus maiôs e Nancy notou os hematomas nos seios de Nola.

— Nola! Que coisa horrível! O que houve aí?

Nola escondeu o peito.

— Não olhe!

— Mas eu vi! Você está com marcas...
— Não é nada.
— Não é nada? O que é isso?
— Mamãe me bateu no sábado.
— O quê? Não diga besteira...
— É verdade! É ela que fala que sou uma garota má.
— Mas afinal o que você está me dizendo?
— Estou dizendo a verdade! Por que ninguém acredita em mim?!

Nancy não ousou fazer mais perguntas e mudou de assunto. Após o banho de mar, foram à casa dos Hattaway. Nancy achou uma pomada no banheiro da mãe e passou o produto nos seios machucados da amiga.

— Nola — disse ela —, sobre a sua mãe, acho que você deveria pedir conselhos a alguém. No colégio, talvez a Sra. Sanders, a enfermeira...

— Esqueça isso, Nancy. Por favor...

Ao se lembrar do seu último verão com Nola, Nancy ficou com os olhos marejados.

— O que tinha acontecido no Alabama? — perguntei.
— Não faço ideia. Nunca soube. Nola não me contou.
— Será que teria alguma relação com o fato de eles terem ido embora de lá?
— Não sei. Eu gostaria de poder ajudá-lo, mas não sei.
— E esse sofrimento por amor, você sabia do que se tratava?
— Não — respondeu Nancy.

Eu desconfiava de que era por causa de Harry; no entanto, precisava saber se ela mesma sabia.

— Mas a senhora sabia que ela estava saindo com alguém — argumentei. — Se não me engano, era a época em que vocês duas serviam de álibi uma da outra para sair com os garotos.

Ela esboçou um sorriso.

— Vejo que está bem informado... As primeiras vezes que usamos essa tática foi para fazer um passeio em Concord. Para nós, Concord era uma grande aventura, sempre havia algo para fazer lá. Nos sentíamos grandes damas. Depois, eu passei a usar essa desculpa para passear no barco do meu namorado da época, sozinha com ele, e ela para... Sabe como é, na época eu já desconfiava de que Nola estava saindo com um homem mais velho. Ela sugeria isso nas entrelinhas.

— Então a senhora sabia sobre ela e Harry Quebert...

Ela reagiu espontaneamente:

— Meu Deus, não!

— Como assim, *não*? Acaba de me dizer que Nola estava saindo com um homem mais velho.

Houve um silêncio constrangedor. Percebi então que Nancy sabia de algo que não tinha intenção alguma de dividir comigo.

— Quem era esse homem? — perguntei. — Não era Harry Quebert, por acaso? Sra. Hattaway, sei que não me conhece, que surgi do nada e estou obrigando-a a vasculhar sua memória. Se eu tivesse mais tempo, faria as coisas de uma forma melhor. Mas o prazo está correndo e Harry Quebert, apodrecendo na prisão, sendo que tenho certeza absoluta de que ele não matou Nola. Portanto, se sabe de alguma coisa que possa me ajudar, deve me contar.

— Eu não sabia de nada sobre Harry — confessou ela. — Nola nunca me contou. Soube pela televisão, há dez dias, como todo mundo... Mas ela me contou de um homem. Sim, eu sabia que ela se relacionava com um homem muito mais velho. Mas esse homem não era Harry Quebert.

Fiquei absolutamente pasmo.

— Mas quando foi isso? — perguntei.

— Não me lembro mais de todos os detalhes da história, pois faz muito tempo, mas posso lhe garantir que, no verão de 1975, quando Harry deu as caras por aqui, Nola mantinha um relacionamento com um homem de aproximadamente quarenta anos.

— Quarenta anos? E a senhora se lembra do nome dele?

— Nunca vou me esquecer disso. Era Elijah Stern, provavelmente um dos homens mais ricos de New Hampshire.

— Elijah Stern?

— Isso. Ela me contava que era obrigada a ficar nua diante dele, obedecer-lhe, submeter-se às suas vontades. Tinha que ir à casa dele, em Concord. Stern enviava um homem de confiança para buscá-la, um sujeito estranho, Luther Caleb era o seu nome. Ele a buscava em Aurora e a levava para a casa de Stern. Sei porque vi com meus próprios olhos.

22

Inquérito policial

— Harry, como ter certeza de que ainda temos forças para escrever?
— Alguns têm, outros não. Você terá, Marcus. Sei que terá.
— Como pode estar tão certo disso?
— Porque está em você. Como se fosse uma doença. Pois a doença dos escritores, Marcus, não é não poder mais escrever: é não querer mais escrever e ser incapaz de parar.

TRECHO DE *O CASO HARRY QUEBERT*
Sexta-feira, 27 de junho de 2008. Sete e meia da manhã. Espero o sargento Perry Gahalowood. Embora este caso tenha começado há apenas quinze dias, tenho a impressão de que se passaram meses. Desconfio de que a cidadezinha de Aurora esconde estranhos segredos, de que as pessoas falam muito menos do que realmente sabem. A questão é entender por que todo mundo fica quieto... Ontem à noite, encontrei mais um bilhete dizendo *Goldman, volte para casa*. Alguém está brincando com meus nervos.

Pergunto-me o que Gahalowood dirá a respeito de minha descoberta sobre Elijah Stern. Pesquisei sobre o sujeito na internet. Ele é o último herdeiro de um império financeiro, o qual administra com êxito. Nasceu em 1933, em Concord, onde continua morando. Tem, hoje, setenta e cinco anos.

* * *

Escrevi essas linhas enquanto aguardava Gahalowood, em frente a sua sala, num corredor da sede da polícia estadual, em Concord. A voz oca do sargento me interrompeu de repente.

— Escritor? O que está xeretando por aqui?

— Fiz descobertas surpreendentes, sargento. Preciso lhe contar.

Ele abriu a porta da sala, deixou o copinho de café numa mesa de apoio, jogou o casaco numa cadeira e baixou as persianas. Então disse, sem parar de cuidar de seus afazeres:

— Francamente, poderia ter me ligado. É o que fazem as pessoas civilizadas. Marcaríamos uma reunião e você viria aqui num horário conveniente a nós dois. Faça as coisas direito, ora.

Recitei de uma vez:

— Nola tinha um amante, um tal de Elijah Stern. Harry começou a receber bilhetes anônimos na época em que se relacionava com Nola, portanto, devia ser de alguém que sabia.

Ele me olhou, estupefato.

— Como é que sabe de tudo isso?

— Já disse: estou fazendo minha própria investigação.

Ele recuperou de imediato sua expressão antipática.

— Você me enche, escritor. Está anarquizando o meu inquérito.

— Está de mau humor, sargento?

— Estou. Porque são sete horas da manhã e você já está gesticulando na minha sala.

Perguntei se ele tinha algum lugar onde eu pudesse escrever. Ele fez um ar resignado e me levou a uma sala vizinha. Fotos de Side Creek e de Aurora haviam sido penduradas no painel de cortiça da parede. Ele apontou para um quadro branco bem ao lado e me estendeu uma caneta hidrográfica.

— Vá em frente — suspirou ele —, sou todo ouvidos.

Escrevi no quadro o nome de Nola e desenhei setas para ligá-lo aos nomes das pessoas envolvidas no caso. O primeiro foi Elijah Stern, depois Nancy Hattaway.

— E se Nola Kellergan não tiver sido o exemplo de menina que todo mundo nos descreveu? — comentei. — Sabemos que ela teve um relacionamento com Harry. Mas acabo de descobrir que teve outro, na mesma época, com um tal de Elijah Stern.

— Elijah Stern, o empresário?

— Ele mesmo.
— Quem lhe contou essa lorota?
— A melhor amiga de Nola na época. Nancy Hattaway.
— Como a encontrou?
— No anuário de 1975 do colégio de Aurora.
— Muito bem. E o que está tentando me dizer, escritor?
— Que Nola era uma menina infeliz. No início do verão de 1975, seu relacionamento com Harry fica complicado: ele a evita e ela acaba deprimida. Quanto à mãe, bate nela sem dó. Sargento, quanto mais penso nisso, mais acho que o desaparecimento dela é consequência dos acontecimentos estranhos daquele verão, ao contrário do que todo mundo quer que os outros acreditem.
— Prossiga.
— Pois bem, tenho certeza absoluta de que outras pessoas sabiam sobre Harry e Nola. Essa Nancy Hattaway, talvez, mas não sei direito, pois ela afirma que ignorava esse relacionamento e me pareceu sincera. De qualquer jeito, alguém enviava bilhetes anônimos a Harry...
— Falando de Nola...
— Sim, olhe só. Encontrados na casa dele — falei, mostrando um dos bilhetes que trouxera comigo.
— Na casa dele? Mas fizemos uma busca.
— Pouco importa. Porém isso significa que alguém sempre soube do caso.
Ele leu o texto em voz alta:
— *Sei o que fez com aquela menina de quinze anos. E logo toda a cidade saberá.* Quando Quebert recebeu esses bilhetes?
— Logo depois de Nola desaparecer.
— Harry faz ideia de quem poderia ser o autor?
— Nenhuma, infelizmente.
Voltei-me para o painel de cortiça, cheio de fotos e anotações espetadas.
— É o seu inquérito, sargento?
— Exatamente. E, se não fizer objeção, vamos voltar para o começo. Nola Kellergan desaparece na noite de 30 de agosto de 1975. Na época, o inquérito da polícia de Aurora conclui não ser possível determinar se ela foi raptada ou se tudo não passou de uma fuga malograda: não havia vestígios de luta, nem testemunha alguma. Contudo, hoje nos debruçamos seriamente na pista do rapto. Ainda mais porque ela não levou dinheiro nem mala.

— Eu acho que ela fugiu — opinei.

— Pode ser. Vamos partir dessa hipótese então — sugeriu Gahalowood. — Ela sai pela janela do quarto e foge. Para onde ela vai?

Estava na hora de revelar o que eu sabia.

— Ela ia se encontrar com Harry — respondi.

— Você acha?

— Não acho, eu sei. Ele me contou. Não tinha revelado isso até agora porque tinha medo de que pudesse comprometê-lo, mas acho que é hora de botar as cartas na mesa. Na noite do seu desaparecimento, Nola devia se encontrar com Harry num motel que ficava na estrada 1. Iam fugir juntos.

— Fugir? Mas por quê? Como? Para onde?

— Isso eu não sei. Mas espero descobrir em breve. Em todo caso, nessa fatídica noite, Harry ficou esperando Nola em um quarto do motel. A menina lhe deixara um bilhete marcando o encontro. Ele a esperou a noite inteira. Ela não apareceu.

— Que motel? E onde está esse bilhete?

— O Sea Side Motel. Fica a poucos quilômetros ao norte de Side Creek. Passei por lá, ele ainda existe. Quanto ao bilhete... Eu o queimei... Para proteger Harry...

— Você o queimou? Por acaso enlouqueceu, escritor? O que estava pensando? Quer ser condenado por destruição de provas?

— Não devia ter feito isso. Sinto muito, sargento.

Gahalowood, enquanto praguejava, pegou um mapa da região de Aurora e desenrolou-o em cima de uma mesa. Apontou para o centro da cidade, depois para a estrada 1, que margeava a costa, Goose Cove, e por fim para a floresta de Side Creek. Refletiu em voz alta:

— Se eu fosse uma garota que quisesse fugir sem ser vista, teria ido para a praia mais próxima da minha casa e seguido pela beira-mar até alcançar a estrada 1. Ou seja, na direção de Goose Cove ou na direção...

— De Side Creek — completei. — Uma trilha pela mata liga o litoral ao motel.

— Na mosca! — exclamou Gahalowood. — Logo, sem extrapolar muito, podemos supor que a garota deu o fora de casa. A Terrace Avenue fica aqui... e a praia mais próxima é... Grand Beach! Ela então atravessa a praia, caminhando pela areia até chegar na floresta. Mas o que pode ter acontecido nessa floresta?

— Poderíamos supor que ela teve um encontro funesto no meio da mata. Um desequilibrado, que tenta abusar dela, pega um galho resistente e acaba com a vida da menina.

— Pode ser, escritor, mas você está omitindo um detalhe que levanta questões espinhosas: o original. E aquelas palavras escritas a mão: *Adeus, Nola querida*. Isso quer dizer que quem a matou e a enterrou conhecia Nola e sentia algo por ela. E, supondo que essa pessoa não tenha sido Harry, falta explicar como ela estava com o original do livro dele.

— Nola estava com o original. Isso é fato. Embora esteja fugindo, ela não quer levar malas, pois isso poderia chamar atenção, ainda mais se seus pais a surpreendessem no momento da fuga. E, além disso, ela acha que não precisa de mais nada, porque imagina que Harry é rico, que comprarão tudo o que for necessário para a nova vida. Portanto, qual é o único objeto que ela leva? O que é insubstituível: o original do livro que Harry acabara de escrever e que ela pegara para ler, como costumava fazer. Ela sabe que aquilo é importante para Harry. Então o enfia na bolsa e foge de casa.

Gahalowood considera minha teoria por um instante.

— Então, para você — disse ele —, o assassino enterra a bolsa com o original dentro para se livrar das provas.

— Exato.

— Mas isso não explica por que há essa mensagem de amor escrita diretamente no original.

— É uma boa questão — admiti. — Talvez isso prove que o assassino de Nola a amava. Será que deveríamos considerar isso como a pista de um crime passional? Um acesso de loucura que, uma vez aplacado, leva o assassino a escrever essas palavras para não deixar o túmulo anônimo? Alguém que amava Nola e não tolerou seu relacionamento com Harry? Alguém que sabia de sua fuga e que, incapaz de dissuadi-la, preferiu matá-la para não perdê-la? É uma hipótese plausível, não acha?

— É plausível, escritor. Mas, como você disse, é apenas uma hipótese e agora temos que verificá-la. Assim como todas as outras. Bem-vindo ao difícil e meticuloso trabalho da polícia.

— O que sugere, sargento?

— Os exames grafológicos de Quebert estão prontos, mas precisamos esperar um pouco até o laudo sair. Falta esclarecer um ponto: por que enterrar Nola em Goose Cove? Por que se dar o trabalho de transportar um corpo para enterrá-lo a apenas três quilômetros de distância?

— Sem cadáver, não há assassinato — sugeri.

— Pensei o mesmo. O assassino talvez tenha se sentido acuado pela polícia. Foi obrigado a se contentar com um local próximo...

Passamos ao quadro branco, onde eu acabara de escrever minha lista de nomes:

Harry QUEBERT		*Tamara QUINN*
Nancy HATTAWAY	**NOLA**	*David e Louisa KELLERGAN*
Elijah STERN		*Luther CALEB*

— Todas essas pessoas têm um elo possível com Nola ou com o que aconteceu — analisei. — Essa poderia ser inclusive uma lista de potenciais culpados.

— É acima de tudo uma lista que confunde nossa cabeça — julgou Gahalowood.

Ignorei suas críticas e tentei embasar minha lista.

— Nancy tinha apenas quinze anos em 1975 e nenhum motivo. Acho que podemos descartá-la. Tamara Quinn, por sua vez, repete a quem quiser ouvir que sabia de Harry e Nola... pode até ser que ela seja a autora dos bilhetes anônimos que Harry recebia.

— Mulheres — interrompeu Gahalowood —, tenho cá minhas dúvidas. É preciso muita força para rachar um crânio daquela forma. Estou mais inclinado por um homem. Ainda mais que Deborah Cooper identificou claramente o perseguidor de Nola como um homem.

— E os Kellergan? A mãe espancava a filha...

— Espancar a filha não é nada glorioso, mas está longe da agressão selvagem sofrida por Nola.

— Li na internet que nos casos de crianças desaparecidas o culpado é quase sempre alguém do círculo familiar.

Gahalowood ergueu o olhar para o teto.

— Li na internet que você era um grande escritor. Para você ver como só tem mentira ali.

— Não podemos nos esquecer de Elijah Stern. Acho que deveríamos interrogá-lo logo. Nancy Hattaway disse que ele mandava o motorista, Luther Caleb, buscar Nola para levá-la à sua casa em Concord.

— Calma, escritor. Elijah Stern é um homem influente, oriundo de uma família ilustre. É poderosíssimo. O tipo de gente com quem o promotor não vai querer criar discórdia se não tiver provas categóricas em que se basear. O que tem contra ele, afora sua testemunha, que era uma garotinha na época dos acontecimentos? Hoje, o depoimento dela não vale mais nada. Precisamos de elementos sólidos, de provas. Dissequei os relatórios da polícia de Aurora e vi que nele não há menção a Harry, nem a Stern ou a esse Luther Caleb.

— Mas Nancy Hattaway me pareceu ser uma pessoa confiável...

— Não estou dizendo que ela não seja, só estou desconfiando de lembranças que ressurgem trinta anos depois dos fatos, escritor. Vou procurar me informar sobre essa história, mas preciso de provas para levar a sério a pista Stern. Não vou arriscar meu pescoço interrogando um sujeito que joga golfe com o governador sem ter um mínimo de provas para acusá-lo.

— A isso se soma o fato de que os Kellergan se mudaram do Alabama para Aurora por uma razão bem precisa, mas que todo mundo desconhece. O pai disse que estavam em busca de novos ares, mas Nancy Hattaway sugeriu que sua amiga fez alusão a um incidente ocorrido quando Nola e a família moravam em Jackson.

— Hum. Precisamos apurar tudo isso, escritor.

Decidi que enquanto não dispusesse de pistas mais sólidas não iria contar nada a Harry sobre Elijah Stern. Em contrapartida, coloquei Roth a par, pois me parecia que esse elemento poderia acabar sendo primordial para a defesa de Harry.

— Nola Kellergan teve um relacionamento com Elijah Stern? — Ele quase engasgou ao telefone.

— Estou dizendo. Soube por fonte segura.

— Bom trabalho, Marcus. Faremos Stern comparecer ao tribunal, vamos destruí-lo, reverteremos a situação. Imagine só a cara dos jurados quando Stern, depois de prestar juramento perante a Bíblia Sagrada, revelar os detalhes picantes de suas sacanagens com a pequena Kellergan.

— Não diga nada a Harry, por favor. Não enquanto eu não descobrir mais sobre Stern.

Na tarde desse mesmo dia fui ao presídio, onde Harry corroborou as declarações de Nancy Hattaway.

— Nancy Hattaway me contou das surras que Nola levava — comecei.
— Ah, Marcus, essas surras, que história terrível...
— Ela também comentou comigo que, no início do verão, Nola parecia muito triste e melancólica.

Harry balançou a cabeça, abatido.

— Quando comecei a manter certa distância de Nola, deixei-a muito infeliz e isso resultou em catástrofes terríveis. No final de semana do feriado nacional, depois que fui a Concord com Jenny, eu estava completamente atarantado pelo que sentia por Nola. Precisava com toda a certeza me afastar dela. Então, no sábado, 5 de julho, decidi não ir ao Clark's.

E, enquanto eu gravava a voz de Harry narrando o desastroso final de semana de 5 e 6 de julho de 1975, entendi que *As origens do mal* retraçava com precisão seu relacionamento com Nola, misturando ficção e trechos de correspondência reais. Harry, portanto, nunca escondera nada a esse respeito: desde sempre, confessara sua história de amor impossível ao país inteiro. Acabei, aliás, interrompendo-o, para dizer:

— Mas, Harry, tudo isso está no livro!
— Tudo, Marcus, tudo. Mas ninguém nunca tentou entender. Todo mundo fez grandes análises do texto, falando em alegorias, símbolos e figuras de estilo, cujo alcance sequer domino. Mas tudo o que fiz foi escrever um livro sobre Nola e eu.

Sábado, 5 de julho de 1975

Eram quatro e meia da manhã. As ruas da cidade estavam desertas, apenas a cadência de seus passos reverberava. Não era capaz de tirá-la da cabeça. Desde que resolvera parar de vê-la, não conseguira mais dormir. Acordava espontaneamente antes do amanhecer e a partir de então não pregava mais o olho. Depois vestia seu moletom e saía para correr. Corria na praia, perseguia as gaivotas, imitava o voo delas, seguindo depressa até Aurora. Era um trajeto de cerca de oito quilômetros desde Goose Cove, que ele transpunha como uma flecha. No início, após atravessar a cidade de ponta a ponta, fingia pegar a estrada para Massachusetts, como se estivesse fugindo, antes de parar em Grand Beach, onde contemplava o nascer do sol. Naquela manhã, porém, quando chegou ao bairro de Terrace Avenue, parou para recobrar o fôlego e ficou caminhando por um tempo entre as fileiras de casas, suando em bicas, as têmporas latejando.

Passou em frente à casa dos Quinn. A noite da véspera, com Jenny, fora decerto a mais tediosa que já vivera. Jenny era uma ótima garota, mas não o fazia rir nem sonhar. A única que o fazia sonhar era Nola. Andou mais um pouco e seguiu pela rua até chegar diante da casa proibida: a dos Kellergan, perto de onde, na véspera, deixara Nola aos prantos. Tentara demonstrar frieza para que ela entendesse, mas ela não aceitou. Nola replicara: "Por que está fazendo isso comigo, Harry? Por que é tão malvado?" Ele pensara nela a noite inteira. Em Concord, durante o jantar, saíra da mesa em determinado momento para ligar de uma cabine. Pedira à telefonista uma ligação para os Kellergan, em Aurora, New Hampshire, e, assim que começara a chamar, ele desligara. Quando voltou à mesa, Jenny perguntou se ele estava se sentindo bem.

Imóvel na calçada, ele ficou examinando as janelas. Tentava adivinhar em qual quarto ela dormia. N-O-L-A. Nola querida. Ele passou um bom tempo assim. Subitamente, pareceu ouvir um barulho; querendo se afastar, tropeçou em latas de lixo de ferro, derrubando-as num grande estrépito. Acenderam uma luz na casa, o que o fez bater em retirada. Em seguida, retornou a Goose Cove e foi para o escritório tentar escrever. Já era início de julho e ele ainda não tinha começado seu grande romance. O que seria dele? O que aconteceria se não conseguisse escrever? Voltaria à sua vida de infortúnio. Jamais seria um escritor. Jamais seria coisa alguma. Pela primeira vez, pensou em se matar. Por volta das sete da manhã, dormiu em cima da mesa, a cabeça pousada nos rascunhos rasgados e cobertos de rasuras.

Ao meio-dia e meia, no banheiro dos funcionários do Clark's, Nola molhava o rosto, na esperança de disfarçar os olhos vermelhos. Chorara a manhã inteira. Era sábado e Harry não viera. Ele não queria mais vê-la. Os sábados no Clark's eram seus encontros. E aquela era a primeira vez que ele lhe dava um bolo. Ao acordar, porém, ela ainda estava cheia de esperanças, pensando que ele viria lhe pedir desculpas por ter sido tão cruel e, evidentemente, ela o perdoaria. A ideia de vê-lo mais uma vez a deixara de excelente humor, na hora de se arrumar passara inclusive um pouco de blush nas bochechas, para agradá-lo. Contudo, à mesa do café da manhã, sua mãe admoestara-a severamente:

— Nola, quero saber o que está escondendo de mim.

— Não estou escondendo nada, mamãe.

— Não minta para sua mãe! Acha que não reparo? Acha que sou uma imbecil?

— Ah, não, mamãe! Nunca pensarei nada parecido!

— Acha que não noto que você vive na rua, que anda bem-humorada, que está passando maquiagem?

— Não faço nada de errado, mamãe. Juro.

— Acha que não sei que foi a Concord com aquela desmiolada da Nancy Hattaway? Você é uma garota má, Nola! Você me deixa com vergonha!

O reverendo Kellergan saíra da cozinha para ir se trancar na garagem. Sempre fazia isso durante as discussões, não queria saber de nada. E ligara a vitrola para não ouvir a surra.

— Mamãe, juro que não faço nada de errado — repetira Nola.

Louisa Kellergan examinou a filha com um misto de asco e desprezo. E então tripudiou:

— Nada de errado? Você sabe por que saímos do Alabama... Sabe por quê, não é? Quer que eu refresque sua memória? Venha aqui!

A mãe a agarrara pelo braço e a arrastara até o quarto. Fez com que se despisse à sua frente e observou-a tremer de medo só com as roupas de baixo.

— Por que está usando sutiã? — perguntou Louisa Kellergan.

— Porque tenho seios, mamãe.

— Não deveria ter seios! É muito jovem! Tire o sutiã e venha cá!

Nola despira-se e aproximara-se da mãe, que pegara uma régua de ferro na mesa da filha. Primeiro a olhara de cima a baixo, em seguida, erguendo a régua no ar, golpeara-lhe os mamilos. Batera com muita força, várias vezes, e, quando a filha se encolhia de dor, ela ordenava que ficasse quieta, ou apanharia mais. E, enquanto espancava a filha, Louisa repetia:

— Não deve mentir para sua mãe. Não deve ser uma garota má, está entendendo? Pare de achar que sou uma imbecil!

Da garagem, ouvia-se o *jazz* estridulando nas alturas.

Nola só conseguira reunir forças para cumprir suas obrigações no Clark's porque sabia que encontraria Harry lá. Só ele lhe dava força para viver e ela queria viver para ele. Mas ele não viera. Destroçada pelo sofrimento, passara a manhã chorando, escondida no banheiro. Olhava-se no espelho, levantando a blusa para examinar os seios machucados. Estava coberta de marcas roxas. Repetia para si mesma que a mãe tinha razão: ela era má e feia, e era por isso que Harry não a queria mais.

De repente bateram à porta. Era Jenny.

— Nola, o que deu em você? O restaurante está lotado! Vá atender às mesas!

Nola abriu a porta, em pânico. Será que algum funcionário tinha chamado Jenny, queixando-se de que ela passara a manhã no banheiro? Mas Jenny viera ao Clark's por acaso. Ou melhor, na esperança de encontrar Harry. Ao chegar, constatara que o atendimento estava tendo problemas.

— Você estava chorando? — perguntou Jenny, ao perceber o semblante infeliz de Nola.

— Eu... eu não estou me sentindo bem.

— Jogue água no rosto e venha falar comigo no salão. Vou lhe dar uma mãozinha. A cozinha está uma loucura.

Após a hora do almoço, quando a tranquilidade voltou, Jenny serviu uma limonada para Nola a fim de reconfortá-la.

— Beba isto — disse ela gentilmente. — Vai se sentir melhor.

— Obrigada. Vai contar à sua mãe que não trabalhei direito hoje?

— Não se preocupe, não direi nada. Qualquer um pode ter um momento difícil. O que aconteceu com você?

— Estou sofrendo por amor.

Jenny sorriu.

— Mas você ainda é tão jovem! Um dia encontrará a pessoa certa.

— Não tenho tanta certeza...

— Vamos, vamos. Sorria para a vida! Você vai ver, tudo acontece na hora certa. Aliás, não faz muito tempo que eu também estava passando por isso. Eu me sentia sozinha e infeliz. E então Harry chegou à cidade...

— Harry? Harry Quebert?

— Sim! Ele é maravilhoso! Mas, olhe... Ainda não é oficial e eu não deveria lhe contar, mas, no fundo, somos um pouco amigas, não é? Fico tão feliz de poder contar a alguém: Harry me ama. Ele me ama! Escreve palavras de amor para mim. Ontem à noite ele me levou a Concord para a festa do quatro de julho. Foi tão romântico!

— Ontem à noite? Ele não estava com o editor dele?

— Estava comigo, estou falando! Assistimos à queima de fogos no rio. Foi tão lindo!

— Então Harry e você... Vocês... vocês estão juntos?

— Estamos! Ah, Nola, não está feliz por mim? Mas, por favor, não conte a ninguém. Não quero que todo mundo acabe sabendo. Sabe como são as pessoas; ficam com inveja na mesma hora.

Nola sentiu seu coração encolher e foi tomada por um mal-estar tão grande e súbito que teve vontade de morrer, pois Harry amava outra. Amava aquela Jenny Quinn. Estava tudo acabado, ele não queria mais saber dela. Tinha sido, inclusive, substituída. Em sua cabeça, tudo rodava.

Às seis da tarde, depois de encerrar o expediente, ela deu uma rápida passada em casa, depois foi para Goose Cove. Não viu o carro de Harry. Onde será que ele estava? Com Jenny? Esse pensamento só a deixou mais atormentada ainda; procurou conter as lágrimas. Subiu os poucos degraus até ficar debaixo da marquise, tirou do bolso o envelope destinado a ele e o enfiou pelo vão da porta. Dentro, havia duas fotos, tiradas em Rockland. Uma delas mostrava uma nuvem de gaivotas à beira d'água. A segunda era um retrato dos dois em um piquenique. Havia também um bilhete, algumas linhas escritas em seu papel preferido:

Harry querido,
   Sei que não me ama. Quanto a mim, sempre o amarei.
   Estou lhe enviando uma foto das gaivotas que você desenha tão bem e uma de nós dois para que nunca se esqueça.
   Sei que não quer mais me ver. Mas pelo menos me escreva. Apenas uma vez. Apenas algumas palavras para que eu tenha uma recordação sua.
   Jamais o esquecerei. Você é a pessoa mais extraordinária que conheci.

   Eu o amarei para sempre.

E então saiu apressada. Desceu até a praia, tirou as sandálias e correu para a água, como correra no dia em que o havia conhecido.

TRECHOS DE *AS ORIGENS DO MAL*, DE HARRY L. QUEBERT

As cartas haviam começado com um bilhete que ela deixara na porta da casa dele. Uma carta de amor para lhe dizer tudo que sentia.

> *Meu querido,*
> *Sei que não me ama. Quanto a mim, sempre o amarei.*
> *Estou lhe enviando uma foto das gaivotas que você desenha tão bem e uma de nós dois para que nunca se esqueça.*
> *Sei que não quer mais me ver. Mas pelo menos me escreva. Apenas uma vez. Apenas algumas palavras para que eu tenha uma recordação sua.*
> *Jamais o esquecerei. Você é a pessoa mais extraordinária que conheci.*
> *Eu o amarei para sempre.*

Ele respondera alguns dias depois, quando reunira coragem para lhe escrever. Escrever, isso não era nada. Mas escrever para ela era uma epopeia.

> *Minha querida,*
> *Como pode dizer que não a amo? Aqui vão palavras de amor, palavras eternas que vêm do lugar mais fundo do meu coração. Palavras para dizer que penso em você todas as manhãs quando me levanto, e todas as noites quando me deito. Seu rosto está gravado em mim e, quando fecho os olhos, você está bem aqui.*
> *Ainda hoje estive em frente a sua casa. Devo lhe confessar: faço isso com certa frequência. Observei sua janela, estava tudo apagado. Imaginei-a dormindo como um anjo. Mais tarde, eu a vi e a admirei em seu belo vestido. Um vestido florido que lhe caía muito bem. Parecia um pouco triste. O que a está deixando triste? Diga-me e ficarei triste com você.*
> *PS: Mande suas cartas pelo correio, é mais seguro.*
> *Eu amo muito você. Todos os dias e todas as noites.*

Meu querido,

Estou respondendo imediatamente após ler sua carta. Para falar a verdade, eu a li dez vezes, talvez cem! Você escreve tão bem! Cada palavra sua é uma maravilha. Você tem um grande talento.

Por que não quer me encontrar? Por que insiste em se esconder? Por que não vem falar comigo? Por que vir à minha janela, se não é para estar junto a mim?

Apareça, eu suplico. Estou triste desde que parou de falar comigo.

Escreva depressa. Espero impacientemente por suas cartas.

Sabiam que de agora em diante escrever equivaleria a amar, pois não tinham o direito de ficar juntos. Beijariam o papel como ansiavam por se beijar, esperariam o carteiro como se esperassem um ao outro na plataforma de uma estação de trem.

Às vezes, no maior sigilo, ele se escondia na esquina e aguardava a chegada do carteiro. Observava-a saindo de casa precipitadamente e se jogando na caixa de correio para pegar a preciosa carta. Só vivia para aquelas palavras de amor. Era uma cena maravilhosa e trágica ao mesmo tempo: o amor era o maior tesouro dos dois, mas ambos estavam privados dele.

Minha doce querida,

Não posso estar a seu lado porque isso nos causaria muito mal. Não fazemos parte do mesmo mundo, as pessoas não entenderiam.

Como sofro por ser plebeu! Por que precisamos viver segundo os costumes dos outros? Por que não podemos simplesmente nos amar apesar de todas as nossas diferenças? Esse é o mundo de hoje: um mundo em que duas pessoas que se amam não podem ficar de mãos dadas. Esse é o mundo de hoje: cheio de códigos e cheio de regras, mas são regras estúpidas que deixam o coração das pessoas aprisionados e turvos. Quanto a nós, nossos corações são puros, não podem ser aprisionados.

Eu a amo de um amor infinito e eterno. Desde o primeiro dia.

Meu amor,

Obrigada pela última carta. Nunca deixe de escrever, é tão lindo.

Minha mãe está se perguntando quem me escreve tanto. Quer saber por que toda hora vou fuçar a caixa de correio. Para tranquilizá-la, digo que é uma amiga que conheci na colônia de férias no último verão. Não gosto de mentir, mas é mais simples assim. Não podemos falar nada, sei que tem razão: as pessoas lhe fariam mal. Embora para mim seja muito difícil ter que mandar cartas pelo correio, quando estamos tão próximos.

21

Da dificuldade do amor

— Marcus, sabe qual é o único jeito de medir o quanto você ama uma pessoa?
— Não.
— Perdendo-a.

Na estrada de Montburry há um pequeno lago conhecido em toda a região, o qual, nos belos dias de verão, fica cheio de famílias e colônias de férias para crianças. O local é invadido desde cedo e, assim, suas margens ficam cobertas com toalhas de praia e guarda-sóis, debaixo dos quais os pais se espreguiçam enquanto seus filhos se esbaldam ruidosamente numa água verde e morna, cheia de espuma nos locais em que as sobras dos piqueniques, carregadas pela correnteza, se aglomeram. Depois que uma criança pisou numa seringa usada na beira da água — o que acontecera dois anos antes —, a prefeitura de Montburry procurou urbanizar as imediações do lago. Colocaram mesas de piquenique e churrasqueiras para evitar a proliferação de fogueiras aleatórias, que davam ao gramado ares de paisagem lunar, a quantidade de latas de lixo aumentou consideravelmente, banheiros químicos foram instalados, o estacionamento, que confina com a margem do lago, acabara de ser ampliado e cimentado e, de junho a agosto, uma equipe de manutenção ia todos os dias limpar as margens e remover lixos, preservativos e cocô de cachorro.

No dia em que fui ao lago por causa das demandas do livro, algumas crianças haviam capturado uma rã — provavelmente o último ser vivo naquela água — e, puxando ao mesmo tempo suas duas patas traseiras, pareciam querer amputá-las.

Erne Pinkas dizia que esse lago era uma boa ilustração da decadência humana que assola tanto os Estados Unidos como o restante do mundo. Trinta e três anos antes, o local era muito pouco frequentado. O acesso era difícil por ser preciso deixar o carro no acostamento da estrada, atravessar uma parte da floresta, depois caminhar cerca de um quilômetro em meio a um capim alto e roseiras silvestres. O esforço, contudo, valia a pena, pois o lago era magnífico, coberto de ninfeias cor-de-rosa e circundado por imensos salgueiros chorões. Através da água transparente era possível observar o rastro dos cardumes de percas douradas pescadas por garças cinza que se escondiam nos juncos. Em uma de suas extremidades, havia inclusive uma pequena praia de areia cinzenta.

Tinha sido às margens daquele lago que Harry viera se esconder de Nola. Era lá que estava no sábado, 5 de julho, quando ela deixou a primeira carta na porta de sua casa.

Sábado, 5 de julho de 1975

A manhã estava chegando ao fim quando ele alcançou as imediações do lago. Erne Pinkas já estava lá, perambulando pela margem.

— Então você veio mesmo — divertiu-se Pinkas, ao vê-lo. — Que milagre encontrá-lo em um lugar que não seja o Clark's.

Harry sorriu.

— Você me falou tanto deste lago que eu não podia deixar de vir.

— É lindo, não acha?

— Magnífico.

— Isso é a Nova Inglaterra, Harry. É um paraíso protegido e é isso que me agrada. Em todo o resto do país, eles constroem e cimentam freneticamente. Mas aqui é diferente e posso lhe garantir que, daqui a trinta anos, este lugar continuará intacto.

Após darem um mergulho para se refrescar, foram se secar ao sol e conversaram sobre literatura.

— Falando em livros — perguntou Pinkas —, como vai o seu?

— Argh — limitou-se a responder Harry.

— Não faça essa cara, tenho certeza de que é ótimo.

— Mas eu não, estou achando muito ruim.

— Se me deixar ler, darei uma opinião objetiva, juro. Do que não está gostando?

— De tudo. Estou sem inspiração. Não sei como começar. Acho que nem sei do que estou falando.

— A história gira em torno de quê?

— É uma história de amor.

— Ah, o amor… — suspirou Pinkas. — Está apaixonado?

— Estou.

— É um bom começo. Cá entre nós, Harry, não sente saudade da cidade grande?

— Não. Estou bem aqui. Eu precisava de sossego.

— Mas o que faz em Nova York, exatamente?

— Eu… eu sou escritor.

Pinkas hesitou antes de replicar.

— Harry… Não me leve a mal, mas conversei com um amigo que mora em Nova York…

— E?

— E ele me disse que nunca ouviu falar de você.

— Nem todo mundo me conhece… Sabe quantas pessoas moram em Nova York?

Pinkas sorriu para mostrar que não tinha más intenções.

— Acho que ninguém o conhece, Harry. Entrei em contato com a editora que publicou seu livro… Queria encomendar mais alguns… Não conhecia essa editora, mas achava que eu é que era ignorante… Até descobrir que na verdade é uma gráfica no Brooklyn… Liguei para eles, Harry. Você pagou para uma gráfica imprimir seu livro…

Harry baixou a cabeça, muito envergonhado.

— Então você sabe de tudo — murmurou.

— Tudo o quê?

— Que sou um impostor.

Pinkas pousou uma mão amiga em seu ombro.

— Impostor? Ora! Não diga besteira! Li seu livro e adorei! Era justamente por isso que queria encomendar mais. É um livro magnífico, Harry! Por que precisaria ser um escritor famoso para ser um bom escritor? Você tem um talento enorme e tenho certeza de que em breve será muito conhecido. Quem sabe... talvez esse livro que você está escrevendo se torne uma obra-prima.

— E se eu não conseguir?

— Vai conseguir. Sei disso.

— Obrigado, Erne.

— Não me agradeça, é a pura verdade. E não se preocupe, não direi nada a ninguém. Tudo isso ficará entre nós.

Domingo, 6 de julho de 1975

Às três da tarde em ponto, Tamara Quinn posicionou seu marido de terno na porta de casa com uma taça de champanhe na mão e um charuto na boca.

— O importante é não se mexer — intimou-o.

— Mas a camisa está pinicando, amorzinho.

— Fique quieto, Bobbo! Essa camisa custou caríssimo, e o que é caro não pinica.

Amorzinho comprara camisas novas numa loja da moda em Concord.

— Por que não posso vestir outra camisa? — perguntou Bobbo.

— Já falei que não quero que se apresente com seus farrapos rotos quando um grande escritor vem à nossa casa!

— Mas o gosto do charuto não é bom...

— É do outro lado, seu pateta! Você colocou a ponta errada na boca. Não está vendo que a anilha marca a embocadura?

— Achei que era uma tampa.

— Você não entende nada de chiqueza?

— *Chiqueza*?

— São as coisas chiques.

— Eu não sabia que se dizia *chiqueza*.

— É porque você não sabe nada, meu Bobbo tolinho. Harry deve chegar em quinze minutos, portanto trate de se mostrar digno. E tente impressioná-lo.

— E como faço isso?

— Fume seu charuto com um ar pensativo. Como um grande empresário. E, ao falar, faça uma cara de superior.

— E como faço cara de superior?

— Excelente pergunta. Como você é tolo e não sabe nada, deve se mostrar evasivo. A melhor coisa é responder às perguntas de forma evasiva. Se ele perguntar: "O senhor é contra ou a favor da guerra do Vietnã?", você responde: "Ora, o senhor, que está fazendo a pergunta, é que deve ter uma opinião bastante precisa sobre isso." E então, paf! Você serve champanhe! Isso se chama "diversionismo".

— Está bem, amorzinho.

— E não me decepcione.

— Está bem, amorzinho.

Tamara voltou para dentro de casa e Robert sentou-se numa poltrona de vime, humilhado. Detestava aquele Harry Quebert, considerado o rei dos escritores, mas que era, acima de tudo e visivelmente, o rei das frescuras. E detestava ver a mulher esmerando-se nessas danças do acasalamento para ele. Só aceitava tudo aquilo porque ela prometera que ele poderia ser um garanhão aquela noite e, de lambuja, dormir no quarto dela — o casal Quinn dormia em quartos separados. Em geral, uma vez a cada três ou quatro meses, ela aceitava fazer sexo, a maior parte das vezes após longas súplicas, mas fazia tempo que ele não desfrutava do direito de ficar e dormir ao lado dela.

Na casa, no andar de cima, Jenny estava se arrumando. Escolhera um vestido de festa, com saia ampla e ombreiras bufantes, feito de pele sintética. Não poupara batom nos lábios nem anéis extras nos dedos. Tamara deu uma ajeitadinha no vestido da filha e sorriu para ela.

— Está deslumbrante, querida. Quebert vai ficar de queixo caído ao se deparar com você!

— Obrigada, mamãe. Não está exagerado?

— Exagerado? Não, está perfeito.

— Mas só vamos ao cinema!

— E depois? E se forem jantar num lugar chique depois? Já pensou nisso?

— Não há nenhum restaurante chique em Aurora.

— Mas talvez Harry tenha feito uma reserva para sua noiva num restaurante sofisticadíssimo de Concord.

— Mamãe, ainda não estamos noivos.

— Ah, querida, não vai demorar, tenho certeza. Já se beijaram?

— Ainda não.

— De toda forma, se ele avançar o sinal, pelo amor de Deus, deixe-o à vontade!

— Sim, mamãe.

— E que ideia maravilhosa ele teve de convidá-la para ir ao cinema!

— Na verdade, fui eu quem sugeri. Reuni toda a coragem que tinha, liguei para ele e disse: "Harry querido, você está trabalhando demais! Vamos ao cinema hoje à tarde."

— E ele concordou...

— Imediatamente! Sem hesitar um segundo!

— Está vendo, é como se a ideia fosse dele.

— Sempre me arrependo de atrapalhá-lo enquanto ele está escrevendo... Porque ele escreve sobre mim. Sei disso, li uma parte. Ele dizia que vinha ao Clark's só para me ver.

— Ah, querida! Que empolgante!

Tamara pegou uma base e passou no rosto da filha, sempre divagando. Ele escrevia um livro para ela e em breve todo mundo estaria falando do Clark's e de Jenny em Nova York. Sem dúvida fariam um filme também. Que perspectiva maravilhosa! Aquele Quebert era a resposta a todas as suas preces: por terem se comportado bem como bons cristãos que eram, a recompensa chegara. Raciocinava a mil por hora que precisava organizar com urgência um *garden-party* no domingo seguinte para oficializar a coisa. O prazo era curto, mas o tempo corria e no sábado já seria o baile de verão e toda a cidade, hipnotizada e com inveja, veria sua Jenny no braço do grande escritor. Portanto, suas amigas precisavam ver sua filha e Harry juntos antes do evento, para que o rumor percorresse toda Aurora e, no baile, eles fossem a atração da noite. Ah, que felicidade! Preocupara-se tanto com a filha, que poderia ter acabado nos braços de um caminhoneiro de passagem. Pior: de um socialista. Pior: de um negro! Tremeu só de pensar em sua Jenny com um negro pavoroso. Ficou subitamente angustiada porque muitos grandes escritores eram judeus. E se Quebert fosse judeu? Que horror! Talvez até um judeu socialista! Lamentou que os judeus pudessem ter a pele branca, pois isso tornava-os invisíveis. Os negros, pelo menos, tinham a honestidade de ser negros para poderem ser claramente identificados. Mas os judeus se diluíam. Sentiu cólicas e seu estômago deu um nó. Desde o caso Rosenberg, morria de medo dos judeus. Bem ou mal, eles é que tinham fornecido a bomba atômica aos soviéticos. Como poderia descobrir se Quebert era judeu? De repente teve uma ideia. Consultou seu relógio e viu que tinha o tempo exato para ir à mercearia e voltar antes que ele chegasse. E foi o que fez.

* * *

Às três e vinte, um Chevrolet Monte Carlo preto estacionou em frente à casa dos Quinn. Robert Quinn admirou-se ao ver Harry saindo do carro, pois aquele era um modelo de automóvel que ele apreciava especialmente. Também observou que o Grande Escritor estava em trajes bastante informais. Apesar de tudo, o cumprimentou de forma bastante cerimoniosa e sugeriu na mesma hora que bebessem alguma coisa cheia de *chiqueza*, como lhe ensinara sua mulher.

— Champanhe? — gritou ele.

— Hum, para dizer a verdade, não estou muito a fim de champanhe — respondeu Harry. — Talvez só uma cervejinha, se tiver...

— Mas é claro! — entusiasmou-se Robert, num rompante de intimidade.

De cerveja, ele entendia. Tinha inclusive um livro sobre todas as cervejas fabricadas nos Estados Unidos. Correu para pegar duas garrafas geladas na geladeira e, ao passar, anunciou ao andar de cima que o Não Tão Grande Assim Harry Quebert chegara. Sentados debaixo da marquise, com as mangas das camisas arregaçadas, os dois homens bateram as garrafas num brinde e conversaram sobre carros.

— Por que o Monte Carlo? — perguntou Robert. — Quer dizer, considerando sua situação, poderia escolher qualquer modelo, e preferiu o Monte Carlo...

— É um modelo esportivo e prático ao mesmo tempo. E, além disso, gosto do design.

— Eu também! Quase comprei um ano passado!

— Deveria ter comprado.

— Minha mulher não queria.

— Tinha que comprar o carro primeiro e perguntar a opinião dela depois.

Robert caiu na risada; aquele Quebert era na verdade uma pessoa muito simples, afável e, acima de tudo, um homem muito simpático. Nesse instante, Tamara surgiu, trazendo nas mãos o que fora buscar na mercearia: uma travessa abarrotada de pedaços de bacon e embutidos. Ela bradou:

— Olá, Sr. Quebert! Bem-vindo! Aceita frios?

Harry a cumprimentou e serviu-se de presunto. Ao ver seu convidado comendo carne de porco, Tamara sentiu uma doce sensação de alívio invadi-la. Era o homem perfeito, pois não era negro nem judeu.

Recobrando-se, percebeu que Robert estava sem gravata e que os dois homens tomavam cerveja no gargalo.

— Mas o que estão fazendo? Não estão bebendo champanhe? E você, Robert, que desmazelo é esse?

— Estou com calor! — queixou-se Bobbo.

— É que prefiro cerveja — explicou Harry.

Nesse instante, numa elegância um pouco exagerada, mas magnífica em seu vestido de festa, Jenny apareceu.

Enquanto isso, no número 245 da Terrace Avenue, o reverendo Kellergan encontrava a filha aos prantos no quarto.

— O que aconteceu, minha filha?

— Ah, papai, estou tão triste...

— Por quê?

— Por causa da mamãe...

— Não diga isso...

Nola estava sentada no chão, os olhos cheios d'água. O reverendo sentiu pena dela.

— E se fôssemos ao cinema? — sugeriu ele, para consolá-la. — Eu, você e um enorme saco de pipoca! A sessão é às quatro, ainda dá tempo.

— Minha Jenny é uma menina muito especial — comentou Tamara, enquanto Robert, aproveitando que a mulher não estava olhando para ele, empanzinava-se de embutidos. — Imagine só que aos dez anos já era a rainha de todos os concursos de beleza regionais. Lembra-se, Jenny querida?

— Sim, mamãe — suspirou Jenny, constrangida.

— Que tal olharmos os antigos álbuns de fotos? — sugeriu Robert, de boca cheia, encenando a peça de teatro que a mulher lhe ensinara.

— Ah, sim! — entusiasmou-se Tamara. — Os álbuns de fotos!

Correu para pegar uma pilha de álbuns que retraçavam os vinte e quatro primeiros anos da vida de Jenny. E, ao virar as páginas, exclamava:

— Mas quem é essa garota linda?

E ela e Robert respondiam em coro:

— É Jenny!

Depois das fotos, Tamara mandou o marido encher as taças de champanhe e resolveu falar do *garden-party* que pretendia oferecer no domingo seguinte.

— Se estiver livre, apareça para almoçar no próximo domingo, Sr. Quebert.

— Será um prazer — respondeu ele.

— Não se preocupe, não será nada muito complicado. Quer dizer, sei que se mudou para cá para ficar longe da vida social agitada de Nova York. Será um simples almoço campestre com pessoas elegantes.

Às dez para as quatro, Nola e seu pai entravam no cinema, enquanto o Chevrolet Monte Carlo preto estacionava ali em frente.

— Vá guardar nossos lugares — sugeriu David Kellergan à filha —, vou comprar pipoca.

Nola entrou na sala no momento em que Harry e Jenny chegavam ao cinema.

— Vá pegar nossos lugares — sugeriu Jenny a Harry. — Vou dar uma passadinha no toalete.

Harry entrou e, na confusão dos espectadores, deu de cara com Nola.

Assim que ele a viu, sentiu o coração explodir. Ele sentia muita saudade dela.

Assim que ela o viu, sentiu o coração explodir. Ela devia interpelá-lo: se ele estivesse com Jenny, tinha que lhe dizer. Ela precisava ouvir de sua boca.

— Harry — começou ela —, eu...

— Nola...

Nesse instante, Jenny surgiu do meio dos espectadores. Quando Nola a viu, compreendeu que ela viera com Harry e saiu correndo da sala de cinema.

— Está tudo bem, Harry? — perguntou Jenny, que não tivera tempo de ver Nola. — Está com uma cara estranha.

— Sim... Eu... eu já volto. Guarde nossos lugares. Vou comprar pipoca.

— Isso! Pipoca! Peça para capricharem na manteiga.

Harry transpôs a porta vaivém da sala. Viu Nola atravessar o saguão principal e ir em direção à galeria do andar de cima, fechada ao público. Para alcançá-la, subiu os degraus da escada de quatro em quatro.

Não havia ninguém lá em cima; ele a alcançou, agarrou sua mão e a imprensou contra a parede.

— Me solte — disse ela —, me solte ou vou gritar!

— Nola! Nola, não brigue comigo.

— Por que está me evitando? Por que não vai mais ao Clark's?

— Sinto muito...

— Você não me acha bonita, é isso? Por que não me contou que estava noivo de Jenny Quinn?

— O quê? Não estou noivo de ninguém. Quem disse isso?

Ela abriu um imenso sorriso de alívio.

— Jenny e você não estão juntos.

— Não! Estou lhe dizendo que não.

— Então não me acha feia?

— Feia? Ora, Nola, você é linda.

— Sério? Estou tão triste... Achei que não quisesse mais saber de mim. Tive até vontade de me jogar pela janela.

— Não fale uma coisa dessas.

— Então diga mais uma vez que sou bonita...

— Você é linda. Sinto muito tê-la feito sofrer.

Ela sorriu novamente. Toda aquela história não passava de um mal-entendido! Ele a amava! Eles se amavam! Então Nola murmurou:

— Não vamos mais falar disso. Agora me abrace... Acho você tão brilhante, tão bonito, tão elegante.

— Não posso, Nola...

— Por quê? Se me achasse realmente bonita, não me rejeitaria!

— Eu a acho muito bonita. Mas você é uma criança.

— Não sou criança!

— Nola... Você e eu é impossível.

— Por que é tão cruel comigo? Não quero mais falar com você!

— Nola, eu...

— Agora me deixe. Deixe-me em paz e não fale mais comigo. Não fale mais ou espalharei que você é um pervertido. Vá encontrar seu amorzinho! Foi ela que me contou que vocês estavam juntos. Sei de tudo! Sei de tudo e detesto você, Harry! Vá! Vá!

Desvencilhou-se dele, desceu a escada correndo e debandou do cinema. Harry, desconcertado, retornou à sala de projeção. Ao empurrar a porta, esbarrou no velho Kellergan.

— Olá, Harry.

— Reverendo!

— Estou procurando minha filha, por acaso a viu? Pedi para ela guardar nossos lugares, mas parece que ela sumiu.

— Eu... eu acho que ela acabou de ir embora.

— Ir embora? Como assim? Mas o filme vai começar...

* * *

Depois do filme, foram comer uma pizza em Montburry. No caminho de volta a Aurora, Jenny exultava pela noite maravilhosa. Queria passar todas as noites e a sua vida com aquele homem.

— Harry, não me leve para casa agora — suplicou ela. — Foi tudo tão perfeito... Que tal dar uma esticada? Poderíamos ir até a praia.

— A praia? Por que a praia? — perguntou ele.

— Porque é tão romântico! Estacione perto de Grand Beach porque lá nunca tem ninguém. Poderíamos namorar como dois estudantes, deitados no capô do carro. Contemplar as estrelas e aproveitar a noite. Se quiser...

Ele fez menção de recusar, mas ela insistiu. Ele então sugeriu a floresta em vez da praia; a praia era exclusiva de Nola. Estacionou nas proximidades de Side Creek Lane e, assim que desligou o motor, Jenny atirou-se em cima dele para beijá-lo sofregamente. Segurou a cabeça dele e o sufocou com a língua sem pedir licença. As mãos dela apalpavam-lhe o corpo inteiro enquanto ela soltava gemidos detestáveis. No exíguo espaço do carro, ela montou em cima dele, que sentiu seus mamilos rijos esmagando-lhe o peito. Era uma mulher deslumbrante, seria uma esposa perfeita, e ela não pedia mais nada. Ele teria se casado com ela no dia seguinte sem hesitar, pois uma mulher como Jenny era o sonho de muitos homens. Mas em seu coração já havia quatro letras que ocupavam todo o espaço: N-O-L-A.

— Harry — disse Jenny. — Você é o homem por quem eu sempre esperei.

— Obrigado.

— Está feliz comigo?

Ele não respondeu e se limitou a empurrá-la com delicadeza.

— Temos que voltar, Jenny. Não tinha percebido que estava tão tarde.

Arrancou com o carro e seguiu para Aurora.

Quando Harry a deixou na frente de casa, não notou que ela estava chorando. Por que ele não correspondera? Será que não a amava? Por que ela estava se sentindo tão sozinha? No entanto, não pedia muita coisa, tudo com que sonhava era um homem gentil, que a amasse e a protegesse, que a presenteasse com flores de vez em quando e a levasse para jantar. Nem que fosse um cachorro-quente, se não tivesse muitos recursos. Só pelo prazer de saírem juntos. No fundo, de que importava Hollywood se encontrasse alguém para amar e ser amada? Da calçada, observou o Chevrolet preto afastar-se na noite e rebentou em soluços. Escondeu o rosto com as mãos para que os pais não a ouvissem; principalmente a mãe, a quem não queria ter de dar satisfação. Esperaria as luzes no andar de cima se apagarem para entrar em casa. De repente, ouviu um barulho de motor e levantou a cabeça, na esperança de que fosse Harry voltando para abraçá-la e consolá-la. Mas era uma viatura policial que acabava de parar em frente à casa. Ela reconheceu Travis Dawn, a quem o acaso da patrulha fizera passar diante da casa dos Quinn.

— Jenny? Está tudo bem? — perguntou ele, pela janela aberta do carro.

Ela deu de ombros. Ele desligou o motor e abriu a porta. Antes de sair do veículo, desdobrou com cuidado um pedaço de papel guardado no bolso e releu rapidamente as palavras:

Eu: *Oi, Jenny, como vai?*
Ela: *Oi, Travis! O que há de novo?*
Eu: *Estava passando aqui por acaso.* ~~Você está linda. Está ótima.~~ *Você parece ótima. Eu estava pensando se já teria um cavalheiro para acompanhá-la no baile de verão. Pensei em convidá-la.*
— IMPROVISAR —
Sugerir um passeio e/ou um milk-shake.

Ele se juntou a Jenny na varanda e sentou-se a seu lado.

— O que aconteceu? — Ele estava preocupado.

— Nada — respondeu Jenny, enxugando os olhos.

— Nada uma ova. Você está chorando.

— Uma pessoa me magoou.

— O quê? Quem? Me diga quem! Pode me contar tudo... Vou acertar as contas com ele, vai ver só!

Ela abriu um sorriso triste e descansou a cabeça em seu ombro.

— Não importa. Mas obrigada, Travis, você é um cara bacana. Fico feliz que esteja aqui.

Ele ousou passar um braço reconfortante ao redor de seus ombros.

— Sabe — continuou Jenny —, recebi uma carta de Emily Cunninghan, aquela nossa colega do colégio. Ela está morando em Nova York. Arranjou um bom emprego e está grávida do primeiro filho. Às vezes me dou conta de que todo mundo foi embora daqui. Todo mundo menos eu. E você. No fundo, por que ficamos em Aurora, Travis?

— Não sei. Isso depende...

— Mas você, por exemplo, por que ficou?

— Eu queria ficar perto de alguém de quem gosto muito.

— De quem? Eu conheço?

— Pois bem, justamente. Sabe, Jenny, eu queria... Eu queria lhe perguntar... Enfim, se você... A propósito...

Apertou o papel dentro do bolso e tentou manter a calma para convidá-la a ir com ele ao baile. Não era nada de outro mundo. Nesse instante, contudo, a porta da casa se abriu estrepitosamente. Era Tamara, de roupão de banho e bobes no cabelo.

— Jenny, querida? Mas o que está fazendo do lado de fora? Bem que achei que estava ouvindo vozes... Ora, mas é o adorável Travis. Como vai, meu rapaz?

— Boa noite, Sra. Quinn.

— Jenny, você chegou bem na hora. Quer entrar para me ajudar, por favor? Preciso tirar esses trecos da cabeça e seu pai é completamente incapaz. Parece que o Senhor colocou pés no lugar das mãos dele.

Jenny se levantou e cumprimentou Travis com um aceno de mão, desaparecendo dentro de casa. Ele continuou sentado sozinho na varanda por mais bastante tempo.

À meia-noite desse mesmo dia, Nola esgueirou-se pela janela de seu quarto e saiu de casa para ir encontrar Harry. Precisava descobrir por que ele não queria mais saber dela. Por que não se dera o trabalho de responder à sua carta? Por que não lhe escrevia? Precisou de uma boa meia hora de caminhada para chegar a Goose Cove. Viu luz na varanda. Harry estava diante de sua grande mesa de madeira, contemplando o oceano. Ele levou um susto quando ela o chamou pelo nome.

— Puxa, Nola! Você me deixou com medo!

— Quer dizer que é isso que lhe inspiro? Medo?

— Sabe que não é verdade... O que está fazendo aqui?

Ela começou a chorar.

— Não faço ideia... Eu o amo tanto. Nunca senti isso...

— Você fugiu de casa?

— Fugi. Eu amo você, Harry. Está me ouvindo? Amo você como nunca amei e nunca mais amarei.

— Não diga isso, Nola...

— Por quê?

Ele sentiu uma pontada na barriga. À sua frente, a folha de papel que escondera era o primeiro capítulo de seu romance. Finalmente conseguira começar. Era um livro sobre ela. Estava escrevendo um livro para ela. Gostava tanto de Nola que estava escrevendo um livro para ela. No entanto, não ousou lhe contar isso. Morria de medo do que poderia acontecer se a amasse.

— Não posso amar você — disse ele, num tom falsamente displicente.

Ela deixou as lágrimas transbordarem dos olhos.

— Está mentindo! Você é um patife e está mentindo! Então por que Rockland? Por que tudo aquilo?

Ele se obrigou a ser cruel.

— Isso foi um erro.

— Não! Não! Eu achava que você e eu éramos especiais! É por causa de Jenny? Você a ama, não é? O que ela tem que eu não tenho, hein?

E Harry, incapaz de dizer o que quer que fosse, olhou para Nola, que, aos prantos, fugiu correndo como uma louca pela noite.

— Foi uma noite atroz — contava Harry no locutório do presídio estadual. — Nola e eu tínhamos uma ligação muito forte. Muito forte, sabe? Era algo completamente insano! O tipo de amor que só temos uma vez na vida! Ainda a vejo ir embora, correndo, naquela noite, pela praia. E eu me perguntando o que devia fazer: correr atrás dela ou continuar enfurnado em casa? Ter coragem de sair da cidade? Passei os dias seguintes no lago de Montburry, só para não estar em Goose Cove na eventualidade de ela vir me procurar. Quanto a meu livro, razão de minha vinda para Aurora, pelo qual eu sacrificara minhas economias, não avançava. Não mais. Embora tivesse escrito as primeiras páginas, estava novamente bloqueado. Era um livro sobre Nola, mas como podia escrever sem ela? Como escrever uma história de amor condenada ao fracasso? Eu despendia horas a fio diante de minhas folhas, horas para encontrar míseras palavras, três linhas. Três linhas ruins, banalidades insípidas. Naquele estágio de aflição, quando você passa a odiar tudo que é livro e tudo que é texto porque todos os outros são melhores que o seu, a ponto de até o cardápio de um restaurante parecer ter sido redigido com um talento descomunal, *T-bone steak: 8 dólares*, magistral, como não pensei nisso?! Era um horror absoluto, Marcus, pois eu estava infeliz, e, por culpa minha, Nola também estava infeliz. Eu a evitei o máximo que pude durante a semana. Em vão, ela voltou diversas vezes a Goose Cove, à noite. Aparecia com flores silvestres que colhera para mim. Batia na porta e suplicava: "Harry, Harry querido, preciso de você. Deixe-

-me entrar, por favor. Deixe-me pelo menos falar com você." E eu me fingia de morto. Ouvia-a desabar na porta e continuar a bater, soluçando. E eu do outro lado, sem me mexer. À espreita. Às vezes ela ficava assim por mais de uma hora. Em seguida, eu a escutava deixar as flores junto à porta e ir embora. Então precipitava-me para a janela da cozinha e a observava regressando pelo caminho de cascalho. Eu tinha vontade de arrancar o coração do peito, de tanto amor que sentia. Mas ela tinha quinze anos. A garota que me enlouquecia de amor tinha quinze anos! Em seguida, eu ia pegar as flores e, como havia feito com todos os outros buquês que ela trouxera, colocava-as num vaso, na sala. E ficava contemplando aquelas flores horas a fio. Sentia-me muito só e muito triste. E depois, no domingo seguinte, 13 de julho de 1975, aconteceu aquele terrível incidente.

Domingo, 13 de julho de 1975

Uma multidão compacta aglomerava-se diante do número 245 da Terrace Avenue. A notícia já correra a cidade. Partira do chefe Pratt, ou melhor, de sua mulher, Amy, depois que o marido fora chamado com urgência à casa dos Kellergan. Amy Pratt avisara imediatamente à vizinha, que telefonara para uma amiga, que ligara para a irmã, cujos filhos, montados em suas bicicletas, foram bater às portas das casas dos colegas, pois acontecera algo gravíssimo. Na frente da casa dos Kellergan havia duas viaturas policiais e uma ambulância. O guarda Travis Dawn continha os curiosos na calçada. Na garagem, a música continuava nas alturas.

Foi Erne Pinkas que, às dez da manhã, avisou a Harry. Bateu à sua porta e percebeu que o acordara, encontrando-o de roupão de banho e cabelo desalinhado.

— Vim porque achei que ninguém iria lhe avisar — disse ele.
— Avisar o quê?
— De Nola.
— O que tem Nola?
— Ela quis acabar com tudo. Tentou se suicidar.

20

O dia do garden-party

— Harry, há uma ordem em tudo isso que está me contando?
— Claro que sim...
— Qual?
— Pois bem, agora que fez a pergunta... Talvez realmente não haja.
— Harry! Isso é importante! Não vou conseguir se não me ajudar!
— Ora, pouco importa a minha ordem. É a sua que conta no final. Então, em que número estamos agora? No 19?
— No 20.
— Então, 20: a vitória está dentro de você, Marcus. Basta deixá-la sair.

Roy Barnaski me ligou na manhã do sábado, 28 de junho.
— Caro Goldman — disse ele —, sabe que dia é segunda-feira?
— Dia 30 de junho.
— Dia 30 de junho. Olhe só isso! É impressionante como o tempo voa. *Il tempo è passato*, Goldman. E o que tem no 30 de junho?
— É o dia nacional do *ice cream soda* — respondi. — Acabo de ler um artigo sobre isso.
— Dia 30 de junho é o dia em que se encerra nosso prazo, Goldman! É isso que acontecerá nesse dia. Acabei de falar com Douglas Claren, seu agente. E ele está arrancando os cabelos. Disse que não lhe telefona mais porque você ficou incontrolável. "Goldman é um cavalo sem rédeas", foi o que ele me disse. Estamos tentando lhe estender uma mão amiga, encon-

trar uma solução, mas você, você prefere galopar sem objetivo algum e dar de cara no muro.

— Uma mão amiga? Vocês querem é que eu forje alguma história erótica envolvendo Nola Kellergan.

— Lá vem você com sua grandiloquência, Marcus. Quero entreter o público. Estimulá-lo a comprar livros. As pessoas estão comprando cada vez menos livros, exceto quando encontram neles histórias hediondas que os remetem aos próprios e infames impulsos.

— Não farei um lixo de livro só para salvar minha carreira.

— Como preferir. Pois então fique sabendo o que acontecerá no dia 30 de junho: Marisa, minha secretária, que você conhece bem, virá até meu escritório para a reunião das dez e meia. Todas as segundas-feiras, às dez e meia, conferimos quais são os prazos prestes a se esgotar. Ela me dirá: "Marcus Goldman tinha até hoje para entregar o original. Mas não recebemos nada." Aquiescerei com um ar grave e é provável que deixe o dia transcorrer, adiando meu horrível dever e, depois, por volta das cinco e meia da tarde, intimamente destroçado, ligarei para Richardson, supervisor do departamento jurídico, para inteirá-lo da situação. Direi para ele entrar imediatamente com um processo por desrespeito a cláusulas contratuais, reclamando dos prejuízos e exigindo uma indenização de dez milhões de dólares.

— Dez milhões de dólares? Você é ridículo, Barnaski.

— Tem razão. Quinze milhões!

— Você é um babaca, Barnaski.

— Pois bem, justamente, é aí que você se engana, Goldman, pois o babaca é você! Quer brincar no pátio dos grandes, mas não sabe respeitar as regras. Quer jogar na liga profissional, mas se recusa a participar das eliminatórias, e não é assim que a coisa funciona. E sabe do que mais? Com o dinheiro do seu processo, pagarei regiamente a um jovem escritor bastante ambicioso para contar a história de Marcus Goldman, ou como um tipo promissor porém cioso de seus bons sentimentos sabotou sua carreira e seu futuro. Ele irá entrevistá-lo em seu sórdido barraco na Flórida, onde você viverá recluso e entornando uísque desde as dez horas da manhã para se impedir de remoer o passado. Até mais, Goldman. Nos vemos diante do juiz.

Ele desligou.

Pouco depois desse edificante telefonema, acabei indo ao Clark's para almoçar. Lá esbarrei casualmente com os Quinn versão 2008. Tamara estava no balcão, reclamando da filha porque ela não fazia isso ou aquilo direito. Robert, por sua vez, estava retraído num canto, sentado num banquinho, comendo ovos mexidos e lendo o caderno de esportes do *Concord Herald*. Eu me sentei ao lado de Tamara, abri o jornal numa página qualquer e fingi estar absorto para melhor escutá-la praguejar e reclamar que a cozinha estava uma sujeira só, o atendimento não era eficiente o bastante, o café estava frio, as garrafas de xarope de bordo estavam grudentas, os açucareiros estavam vazios, as mesas estavam engorduradas, o calor lá dentro era demais, as torradas não estavam boas e ela não pagaria um centavo pelo seu prato, que dois dólares por um café era um roubo, que nunca teria deixado aquele restaurante para Jenny se soubesse que a filha o transformaria numa espelunca de segunda categoria, ela que alimentara tantas ambições quanto àquele estabelecimento. Aliás, na sua época, as pessoas vinham de todo o estado para comer seus hambúrgueres, que afirmavam ser os melhores da região. Percebendo que eu ouvia, olhou para mim com ar de desdém e me interpelou:

— Ei, você aí, mocinho. Por que está escutando nossa conversa?

Fiz uma cara hipócrita de santo e me virei para ela.

— Eu? Mas não estou escutando nada, dona.

— Claro que está, por isso me respondeu! De onde é?

— De Nova York, senhora.

Ela ficou mais mansa no mesmo instante, como se a palavra Nova York tivesse o poder de apaziguá-la, e perguntou com uma voz doce:

— E o que um jovem nova-iorquino tão bem-apessoado está fazendo em Aurora?

— Estou escrevendo um livro.

Ela franziu bruscamente o cenho e começou a gaguejar:

— Um livro? O senhor é escritor? Detesto escritores! É uma raça de inúteis, que não servem para nada, além de serem mentirosos. Vocês vivem de quê? De subsídios do Estado? É minha filha que toca esse restaurante e vou logo avisando que ela não aceita fiado! Então, se não puder pagar é melhor cair fora. Suma daqui antes que eu chame a polícia. O chefe de polícia é meu genro.

Jenny, atrás do balcão, parecia envergonhada.

— Mãe, esse é Marcus Goldman. É um escritor conhecido.

A Sra. Quinn engasgou com o café.

— Minha nossa, o senhor é aquele grande filho da puta que vivia na aba de Quebert?

— Sim, senhora.

— Até que cresceu com o tempo… E não ficou tão mal. Quer saber o que acho de Quebert?

— Não, obrigado, senhora.

— Mas vou dizer assim mesmo: acho que ele é um tremendo filho da puta e que merece acabar na cadeira elétrica!

— Mãe! — protestou Jenny.

— É verdade!

— Chega, mãe!

— Cale a boca, minha filha. Sou eu que estou conversando. Pode anotar, senhor escritor de araque. Se tiver um mínimo de honestidade, escreva a verdade sobre Harry Quebert: trata-se do pior dos canalhas, de um perverso, de um pústula e de um assassino. Ele matou a pequena Nola, a velha Cooper e, de certa maneira, também matou minha Jenny.

Jenny foi se refugiar na cozinha. Acho que estava chorando. Sentada em sua cadeira de bar, em postura rija, os olhos brilhando de raiva e o dedo erguido no ar, Tamara Quinn me explicou a razão de seu furor e como Harry Quebert desonrara seu nome. O episódio descrito por ela ocorrera no domingo, 13 de julho de 1975, dia que deveria ter sido memorável para a família Quinn, pois naquele dia eles ofereciam, no gramado recém-aparado e a partir do meio-dia (como indicava o convite enviado a apenas uma dezena de convidados), um *garden-party*.

13 de julho de 1975

Era um grande acontecimento e Tamara Quinn sonhara alto: toldo armado no jardim, prataria e toalha branca na mesa, almoço servido no estilo bufê e encomendado num restaurante de Concord, composto de iscas de peixe, frios, travessas de frutos do mar e salada russa. Um garçom com boas referências fora contratado para servir bebidas geladas e vinho italiano. Tudo tinha de estar perfeito. Aquele almoço seria um evento social de primeira linha, pois Jenny preparava-se para apresentar oficialmente seu novo namorado a alguns membros eminentes da alta sociedade de Aurora.

Faltavam dez para o meio-dia. Tamara contemplava com orgulho a decoração do jardim: tudo nos conformes. Esperaria até o último minuto para colocar os pratos na mesa, por causa do calor. Ah, como todo mundo se deliciaria com as vieiras, os mariscos e as caudas de lagosta, enquanto escutavam a brilhante conversa de Harry Quebert, de braço dado com sua magnífica Jenny. Beirava o suntuoso, e Tamara estremeceu de prazer imaginando a cena. Após admirar novamente seus preparativos, vistoriou pela última vez a disposição da mesa, que ela anotara num papel e se esforçava para decorar. Tudo estava perfeito. Só faltavam os convidados.

Tamara convidara quatro amigas e seus respectivos maridos. Refletira por um longo tempo sobre o número de convidados. Era uma escolha difícil, pois um número muito restrito de convidados poderia passar a ideia de que aquele era um *garden-party* mixuruca, enquanto uma grande quantidade de pessoas daria um aspecto de quermesse a seu sofisticado almoço campestre. Por fim, decidira peneirar entre aqueles que alimentariam a cidade com os boatos mais estapafúrdios, graças a quem todos logo estariam dizendo que Tamara Quinn promovia eventos chiques e muito seletivos, visto que seu futuro genro era a estrela das letras americanas. Convidara, portanto, Amy Pratt, porque era a promotora do baile de verão, Belle Carlton, que se julgava a sacerdotisa do bom gosto, pois o marido trocava de carro todo ano, Cindy Tirsten, que liderava vários clubes femininos, e Donna Mitchell, uma peste tagarela que se gabava o tempo todo do sucesso dos filhos. Tamara estava se preparando para deixá-las deslumbradas. Após receberem o convite, aliás, todas lhe haviam telefonado para saber o motivo da festa. Mas Tamara soube prolongar o suspense, mostrando-se habilmente evasiva: "Tenho uma grande notícia para anunciar." Ansiava pela expressão daquelas mulheres quando vissem sua Jenny e o grande Quebert juntos, pelo resto da vida. Logo a família Quinn seria objeto de todas as conversas e todas as invejas.

Tamara, assoberbada com o almoço, foi uma das poucas moradoras da cidade que não correu para a casa dos Kellergan. No início da manhã, como todo mundo, ficara sabendo da notícia, o que a fez temer por seu *garden-party*: Nola tentara se matar. Mas, graças a Deus, a pequena malograra lamentavelmente e ela sentia que estava com sorte em dobro, pois, em primeiro lugar, se Nola tivesse morrido, seria obrigada a cancelar a festa, visto que não seria correto comemorar o que quer que fosse em tais circunstâncias. Depois, era uma bênção ser domingo e não sábado, porque, se Nola tivesse tentado se matar num sábado, teria de arranjar alguém para substituí-la no Clark's, o que seria complicado. Nola era definitivamente uma boa garota, não só por ter feito tudo aquilo numa manhã de domingo, como também por ter fracassado.

Satisfeita com a configuração externa, Tamara entrou para controlar o que acontecia na parte de dentro da casa. Encontrou Jenny a postos, na entrada, pronta para receber os convidados. Ainda assim, teve de repreender com vigor seu Bobbo, que, embora já estivesse de camisa e gravata, continuava sem as calças, uma vez que, aos domingos, ele desfrutava do direito de ler o jornal usando cueca samba-canção na varanda e gostava quando as correntes de ar vinham dançar dentro de sua cueca, refrescando o interior, sobretudo as partes cabeludas, o que ele considerava deveras aprazível.

— Acabou essa história de ficar desfilando seminu pela casa! — vociferou sua mulher. — Posso com isso? Quando o grande Harry Quebert for nosso genro, também vai ficar se exibindo de cueca?

— Sabe — respondeu Bobbo —, acho que ele não é como a gente pensa que é. No fundo, é um rapaz bem simples. Gosta de motores de automóvel, de cerveja bem gelada e acho que não se ofenderia ao me ver em trajes de domingo. Aliás, pedirei a ele...

— Não pedirá absolutamente nada! Você está proibido de pronunciar uma única asneira que seja durante a refeição! Aliás, é tudo muito simples: não quero ouvir sua voz. Ah, meu pobre Bobbo, se pudesse eu costuraria seus lábios para você não falar, pois todas as vezes que abre a boca é para soltar uma imbecilidade. Todos os domingos, de agora em diante, deve usar calça comprida e camisa social. Ponto final. Está fora de cogitação ficar circulando de cueca pela casa. Agora somos pessoas muito importantes.

Enquanto falava, ela viu o marido rabiscar algumas linhas num cartão à sua frente, na mesa de centro da sala.

— O que é isso? — rosnou ela.
— Não é nada.
— Mostre para mim!
— Não — rebelou-se Bobbo, pegando o cartão.
— Quero ver, Bobbo!
— É uma correspondência pessoal.
— Ah, o *senhor* escreve correspondências pessoais agora? Mostre para mim, já disse! De toda forma, quem manda nesta casa sou eu, não é mesmo?

Arrancou o cartão das mãos do marido, que ele tentou dissimular debaixo do jornal. A imagem era de um filhotinho de cachorro. Ela leu em voz alta, num tom irônico:

Queridíssima Nola,

*Desejamos-lhe uma ótima recuperação
e esperamos encontrá-la em breve no Clark's.
Aqui vão uns bombons para adoçar sua vida.*

*Saudações,
Família Quinn*

— Que baboseira é essa? — exclamou Tamara.
— Um cartão para Nola. Vou comprar alguns bombons para mandar junto. Não acha que ela vai gostar?
— Você é ridículo, Bobbo! Esse cartão com o cachorrinho é ridículo, o que escreveu é ridículo! *Esperamos encontrá-la em breve no Clark's*? Ela acaba de se destruir e você está realmente achando que ela tem vontade de voltar a servir café? E os bombons? O que quer que ela faça com bombons?
— Quero que ela coma os bombons e acho que vai gostar. Está vendo, você boicota tudo. É por isso que eu não queria lhe mostrar.
— Ah, pare de choramingar, Bobbo — irritou-se Tamara, rasgando o cartão em quatro pedaços. — Enviarei flores, flores chiques de uma boa loja de Montburry, nada de bombons do supermercado. E eu mesma escreverei o bilhete, num cartão branco. Escreverei, numa letra decente: *Rápida convalescença. Da parte da família Quinn e de Harry Quebert.* Vista as calças agora, meus convidados não vão demorar a chegar.

Donna Mitchell e o marido tocaram a campainha pontualmente ao meio-dia, logo seguidos por Amy e o chefe Pratt. Tamara ordenou ao garçom que trouxesse os drinques de boas-vindas, que eles beberam no jardim. O chefe Pratt contou então que uma ligação o arrancara da cama.
— A pequena Kellergan tentou ingerir um coquetel de comprimidos. Acho que engoliu tudo misturado e, no meio, tinha alguns soníferos. Mas não foi nada muito grave. Ela foi levada para o hospital de Montburry para uma lavagem estomacal. Foi o reverendo que a encontrou, no banheiro. Ele garante que ela estava febril e que se equivocou nos remédios. Mas o que penso disso... O importante é que a garota fique bem.
— Sorte ter acontecido de manhã e não ao meio-dia — disse Tamara. — Seria uma pena se não pudessem vir.

— Falando nisso, o que tem de tão importante para anunciar? — perguntou Donna, que não se aguentava mais.

Tamara abriu um largo sorriso e respondeu que preferia esperar que todos os convidados estivessem presentes para fazer seu comunicado. Os Tirsten chegaram pouco depois, e o casal Carlton, ao meio-dia e vinte, justificando o atraso por um problema no volante do carro novo. Agora já estavam todos lá. Quer dizer, menos Harry Quebert. Tamara sugeriu um segundo drinque de boas-vindas.

— Quem estamos esperando? — perguntou Donna.

— Vocês verão — respondeu Tamara.

Jenny sorriu; seria um dia magnífico.

Ao meio-dia e quarenta, Harry ainda não havia chegado. Foi servido um terceiro drinque de boas-vindas. Depois um quarto, ao meio-dia e cinquenta e oito.

— Outro drinque de boas-vindas? — reclamou Amy Pratt.

— É porque vocês são muito bem-vindos! — declarou Tamara, que começava a se preocupar seriamente com o atraso do ilustre convidado.

O sol estava castigando. Todos se sentiam um pouco tontos. *Estou com fome*, Bobbo acabou dizendo, e recebeu um magistral tapa na nuca. Afinal, já era uma e quinze e ainda nada de Harry. Tamara sentiu um embrulho no estômago.

— Ficamos ali com cara de tacho — lamentava-se Tamara, no balcão do Clark's. — Embromando, embromando! E fazia um calor de matar. Todo mundo suava em bicas...

— A pior sede da minha vida — gritou Robert, tentando entrar na conversa.

— Cale a boca! Sou eu a entrevistada, até onde eu sei. Os grandes escritores, como o Sr. Goldman, não se interessam por asnos do seu tipo.

Atirou um garfo em sua direção, voltou-se para mim e concluiu:

— Resumindo, esperamos até uma e meia da tarde.

Tamara torcera para que ele tivesse tido um problema com o carro ou, até mesmo, um acidente. Qualquer coisa, contanto que ele não estivesse lhe dando bolo. A pretexto de ir se encarregar de alguma tarefa na cozinha, saíra diversas vezes para telefonar para a casa de Goose Cove, mas ninguém atendera. Ouvira o boletim no rádio, mas não deram nenhuma notícia de acidente, nenhum escritor célebre morrera em New Hampshire aquele dia. Em duas ocasiões, ouviu um barulho de carro em frente à casa e em ambas seu coração deu um pulo: era ele! Mas não, eram os imbecis dos vizinhos.

Os convidados não aguentavam mais e, prostrados pelo calor, haviam finalmente se acomodado debaixo do toldo para se refrescarem um pouco. Sentados em seus lugares, entediavam-se num silêncio fúnebre.

— Espero que seja uma notícia bombástica — Donna acabou dizendo.

— Se eu tomar outro drinque desses, acho que vomito — declarou Amy.

Por fim, Tamara pediu ao garçom que trouxesse os pratos para o bufê e sugeriu que se servissem.

Às duas da tarde, o almoço já se aproximava do fim e continuavam sem notícias de Harry. Jenny, nauseada, não conseguia comer nada. Tamara, por sua vez, tremia de raiva, pois após duas horas de atraso ele não viria mais. Como aquele miserável pudera fazê-los de bobos? Que tipo de cavalheiro se comportava daquela forma? E, como se não bastasse, Donna começou a perguntar com insistência qual era afinal aquela novidade tão importante que ela tinha para contar. Tamara continuou muda. O desastrado Bobbo, querendo salvar a situação e a honra da mulher, levantou-se da cadeira, solene, ergueu o copo e declarou orgulhosamente para os convidados:

— Queridos amigos, queríamos comunicar-lhes que compramos uma televisão nova.

Houve um longo silêncio de incompreensão. Tamara, que não tolerava a ideia de ser ridicularizada, levantou-se e confidenciou:

— Robert está com câncer. Vai morrer.

Isso fez todos os convidados se emocionarem imediatamente, inclusive o próprio Bobbo, que não sabia estar doente e se indagava quando o médico havia telefonado e por que a mulher não lhe dissera nada. E, de repente, Robert começou a chorar, porque sentiria falta da vida. Sua família, sua filha, sua cidadezinha: sentiria falta de tudo isso. E todos o abraçaram, prometendo visitá-lo no hospital até seu último suspiro e dizendo que jamais o esqueceriam.

Se Harry não fora ao *garden-party* organizado por Tamara Quinn é porque estava à cabeceira de Nola. Tão logo Pinkas lhe deu a notícia, ele fora para o hospital de Montburry, onde Nola dera entrada. Sem saber como agir, ficara horas no estacionamento, ao volante do carro. Sentia-se culpado, pois, se ela quisera morrer, a culpa era dele. Esse pensamento lhe dava vontade de se matar também. Deixara-se levar pelas emoções e estava percebendo a amplitude dos sentimentos que nutria por ela. E amaldiçoava o amor. Quando ela estava presente, a seu lado, convencia-se de que não existiam sentimentos profundos entre eles e que precisava afastá-la de sua vida. Porém, agora que correra o risco de perdê-la, não se imaginava mais vivendo sem ela. Nola, Nola querida. N-O-L-A. Ele a amava mais que tudo.

Eram cinco da tarde quando finalmente ousou entrar no hospital. Rezou para não esbarrar com ninguém, contudo, no saguão principal, deu de cara com David Kellergan, que estava com os olhos vermelhos de tanto chorar.

— Reverendo... Soube de Nola. Sinto imensamente.

— Obrigado por vir demonstrar sua compreensão, Harry. Com certeza ouvirá dizer que Nola tentou se suicidar, mas isso é uma mentira deslavada. Ela estava com dor de cabeça e se enganou na hora de tomar remédio. Ela é muito distraída, como todas as crianças.

— Naturalmente — respondeu Harry. — Esses remédios sórdidos... Qual é o quarto de Nola? Queria passar para dar um oi.

— É muita gentileza sua, mas, pense bem, melhor evitar as visitas por enquanto. Ela não deve se cansar, entende?

Em todo caso, o reverendo Kellergan tinha um livrinho que as visitas podiam assinar. Após escrever *Pronto restabelecimento. H. L. Quebert*, Harry fez menção de ir embora e se escondeu em seu Chevrolet. Ainda esperou mais uma hora e, quando viu o reverendo Kellergan atravessar o estacionamento para pegar o carro, retornou discretamente ao pavilhão central do hospital e perguntou pelo quarto de Nola. Quarto 26, segundo andar. Bateu à porta, o coração acelerado. Não houve resposta. Abriu a porta devagar e encontrou Nola sozinha, sentada na beirada da cama. Ela virou a cabeça e o viu; a princípio seus olhos iluminaram-se, entristecendo em seguida.

— Me deixe, Harry... Me deixe ou chamo as enfermeiras.

— Nola, não posso deixá-la...

— Você foi muito cruel, Harry. Não quero mais vê-lo. Você me faz sofrer. Por sua causa, eu quis morrer.

— Me perdoe, Nola...

— Só o perdoarei se me quiser. Caso contrário, me deixe em paz.

Nola o fitou nos olhos; parecia triste e culpado e ela não conseguiu não sorrir para ele.

— Ah, Harry querido, não faça essa cara de cachorro abandonado. Promete nunca mais ser cruel?

— Prometo.

— Peça perdão por todos os dias que você me deixou plantada em frente à sua casa sem abrir a porta.

— Peço perdão, Nola.

— Peça perdão de uma maneira melhor. Fique de joelhos. Peça perdão de joelhos.

Ele se ajoelhou sem nem pensar, e descansou a cabeça em seus joelhos nus. Ela se debruçou e acariciou o rosto dele.

— Levante-se, Harry. E venha aqui, meu querido. Eu te amo. Amo você desde o dia em que o vi. Quero ser sua mulher para sempre.

Enquanto no pequeno cômodo do hospital Harry e Nola se reencontravam, em Aurora, onde o *garden-party* terminara poucas horas antes, Jenny, trancada no quarto, chorava sua vergonha e sua mágoa. Robert bem que fora até lá para tentar reconfortá-la, mas ela se recusara a abrir a porta. Tamara, por sua vez, arrebatada por uma ira sem tamanho, acabara de sair para ir à casa de Harry tirar satisfação. Por muito pouco perdeu a visita que tocou a campainha de sua casa menos de dez minutos depois que ela saiu. Foi Robert que abriu a porta e deparou-se com Travis Dawn, de olhos fechados, em uniforme de gala, estendendo-lhe uma braçada de rosas e declamando de uma tacada só:

— Jenny, quer-ir-comigo-ao-baile-de-verão-por-favor-obrigado?

Robert caiu na gargalhada.

— Olá, Travis, suponho que queria falar com Jenny...

Travis arregalou os olhos e abafou um grito.

— Sr. Quinn? Eu... eu sinto muito. Sou tão desajeitado! Era só porque eu queria... Enfim, o senhor permite que eu leve sua filha ao baile de verão? Se ela concordar, é claro. Quer dizer, pode ser que ela já tenha companhia. Ela está saindo com alguém, é isso, não é? Eu tinha certeza! Sou o maior imbecil.

Robert deu um tapinha amistoso no ombro de Travis.

— Ora, meu rapaz, você veio bem a calhar. Entre.

Ele conduziu o jovem oficial até a cozinha e pegou uma cerveja na geladeira.

— Obrigado — disse Travis, deixando as flores no balcão.

— Não, isso é para mim. Você precisa de algo mais forte.

Robert pegou uma garrafa de uísque e serviu uma dose dupla em um copo com gelo.

— Beba isso de um trago só, faça o favor.

Travis obedeceu. Robert prosseguiu:

— Meu rapaz, você parece muito nervoso. Precisa relaxar. Meninas não gostam de garotos nervosos. Acredite em mim, sei um pouco sobre isso.

— Mas não sou tímido, só que quando vejo Jenny, fico travado. Não sei o que é...

— É o amor, rapaz.

— O senhor acha?

— Tenho certeza.

— É verdade que a sua filha é formidável, Sr. Quinn. Tão meiga, tão inteligente e tão bonita! Não sei ao certo se devo lhe dizer isso, mas às vezes passo em frente ao Clark's só para vê-la através do vidro. Olho para ela... Olho para ela e sinto meu coração explodir no peito, como se eu fosse ficar sufocado dentro do uniforme. Então, o amor é isso?

— Claro que é.

— E, veja só, nessas horas quero sair do carro, entrar no Clark's e perguntar como ela está, se por acaso não gostaria de ir ao cinema depois do expediente. Mas nunca ouso entrar. O amor é assim?

— Não, isso é estupidez. É assim que perdemos as garotas que amamos. Não deve ser tímido, mocinho. Você é jovem, bonito, tem todas as qualidades.

— O que devo fazer então, Sr. Quinn?

Robert serviu-lhe outro uísque.

— Eu poderia mandar Jenny descer, mas ela teve uma tarde difícil. Se quer um conselho, engula isso, volte para casa, tire o uniforme e vista uma camisa simples. Depois, ligue para cá e convide Jenny para jantar fora. Fale que está com vontade de comer um hambúrguer em Montburry. Lá tem um restaurante que ela adora, vou lhe dar o endereço. Verá que você veio muito bem a calhar. E, à noite, quando perceber que o clima desanuviou, convide-a para um passeio. Sente-se num banco e conte as estrelas. Mostre-lhe as constelações...

— As constelações? — interrompeu Travis, desesperado. — Mas não conheço nenhuma!

— Limite-se a apontar para a Ursa Maior.

— A Ursa Maior? Não sei identificar a Ursa Maior! Cacete, estou fodido!

— Ora, aponte para algum ponto luminoso no céu e dê-lhe um nome qualquer. As mulheres sempre acham romântico um cara que entende de astronomia. Só tente não confundir uma estrela cadente com um avião. Depois disso, pergunte se ela aceita ser sua dama no baile de verão.

— Acha que ela vai aceitar?

— Tenho certeza disso.

— Obrigado, Sr. Quinn! Muito obrigado!

Após despachar Travis para casa, Robert tentou fazer Jenny sair do quarto. Os dois foram tomar sorvete na cozinha.

— E agora, com quem eu vou ao baile, papai? — perguntou Jenny, infeliz. — Vou ficar sozinha e todos zombarão de mim.

— Não diga besteira. Tenho certeza de que há um monte de rapazes sonhando em acompanhá-la.

Jenny engoliu uma colherada enorme de sorvete.

— Eu gostaria muito de saber quem! — gemeu ela, de boca cheia. — Porque eu não conheço nenhum!

Nesse instante, o telefone tocou. Robert deixou a filha atender e ouviu-a dizer: "Ah, oi, Travis", "Sim?", "Claro, com prazer", "Daqui a meia hora está perfeito. Até já". Desligou e correu para contar ao pai que seu amigo Travis acabara de ligar convidando-a para ir jantar em Montburry. Robert tentou parecer surpreso:

— Está vendo? — disse ele. — Não falei que você não iria sozinha ao baile?

Nesse mesmo momento, em Goose Cove, Tamara rondava a casa deserta. Batera insistentemente na porta, mas não teve resposta. Se Harry estava se escondendo, iria encontrá-lo. Mas não havia ninguém lá, e ela decidiu fazer uma pequena investigação. Começou pela sala, passou para os quartos e por fim para o escritório de Harry. Procurou entre os papéis espalhados em sua mesa de trabalho, até encontrar o que ele escrevera pouco tempo antes:

Minha Nola, Nola querida, Nola amada. O que você fez? Por que quis morrer? Foi por minha causa? Eu te amo, amo mais que tudo. Não me abandone. Se você morrer, eu morro. Tudo que importa na minha vida, Nola, é você. Quatro letras: N-O-L-A.

E Tamara, perplexa, enfiou a folha de papel no bolso, totalmente decidida a destruir Harry Quebert.

19

O caso Harry Quebert

— Escritores que viram as noites escrevendo, são viciados em cafeína e fumam cigarros enrolados a mão são um mito, Marcus. Você deve ser disciplinado como nos treinos de boxe. Há horários que deve respeitar, exercícios que deve repetir, por isso, mantenha o ritmo, seja tenaz e imponha uma ordem impecável a seus compromissos. Essas são as três cabeças do Cérbero que o protegerá do pior inimigo dos escritores.
— Quem é esse inimigo?
— O prazo. Sabe o que significa um prazo?
— Não.
— Significa que seu cérebro, que foge à normalidade por essência, deve produzir num intervalo de tempo delimitado por outra pessoa. Como se você fosse um fornecedor e seu patrão exigisse que você estivesse em tal lugar em tal hora. Você tem que se virar e pouco importa se surgirem complicações ou se você estiver nas últimas. Não pode atrasar, caso contrário estará fodido. É exatamente a mesma coisa com os prazos impostos pelo editor. Seu editor é ao mesmo tempo sua mulher e seu patrão, e sem ele você não é nada, mas não pode evitar odiá-lo. O mais importante é respeitar os prazos, Marcus. Contudo, se não puder proporcionar-se esse luxo, brinque com ele. É muito mais divertido.

Foi a própria Tamara Quinn que me contou ter roubado aquele papel na casa de Harry. Ela fez essa confidência no dia seguinte à nossa conversa no

Clark's. Intrigado com aquela história, tomei a liberdade de ir à sua casa para que ela me contasse mais coisas. Tamara me recebeu na sala, animadíssima pelo interesse que eu lhe concedia. Citando o depoimento que ela dera à polícia duas semanas antes, perguntei-lhe como ficara sabendo da relação entre Harry e Nola. Foi então que ela me relatou sua visita a Goose Cove, no domingo à noite após o *garden-party*.

— O que encontrei escrito no papel na mesa dele me deu vontade de vomitar — disse ela. — Coisas horrorosas sobre a pequena Nola!

Pela maneira como falava, percebi que ela nunca cogitara a hipótese de Harry e Nola terem um caso de amor.

— Em momento algum lhe ocorreu que eles pudessem estar apaixonados? — perguntei.

— Apaixonados? Ora, não diga besteira. Quebert era claramente um pervertido e ponto final. Não posso imaginar nem por um segundo que Nola tenha correspondido a seu assédio. Deus sabe o que ele a fez sofrer... Pobre criança.

— E depois? O que fez com o papel?

— Levei-o comigo.

— Para quê?

— Para prejudicar Quebert. Queria que ele acabasse na prisão.

— E comentou com alguém sobre esse papel?

— É claro que sim!

— Com quem?

— Com o chefe Pratt. Poucos dias após minha descoberta.

— Só com ele?

— Falei mais amplamente na época que Nola desapareceu. Quebert era uma pista que a polícia não devia descartar.

— Então, se entendi direito, quando a senhora descobre que Harry tem uma queda por Nola não revela a ninguém, só quando a garota em questão desaparece, cerca de dois meses mais tarde.

— Isso mesmo.

— Sra. Quinn — declarei —, embora a conheça pouco, não consigo entender como a senhora não usou a descoberta que fez logo no início para prejudicar Harry, que, afinal de contas, a ridicularizou ao não comparecer ao *garden-party*... quer dizer, com todo o respeito, a senhora é do tipo que sairia colando esse papel nos muros da cidade ou espalhando-o pelas caixas de correio dos vizinhos.

Ela baixou o olhar.

— Então não está entendendo? Eu estava morta de vergonha! Morta! Harry Quebert, o grande escritor de Nova York, trocara minha filha por uma garotinha de quinze anos. Minha filha! Como acha que eu me sentia? Totalmente humilhada. Humilhadíssima! Eu havia espalhado o boato de que Harry e Jenny estavam juntos, então imagine a cara das pessoas... E, além disso, Jenny estava muito apaixonada. Morreria se descobrisse. Então decidi guardar isso para mim. Você precisava ver minha Jenny na noite do baile de verão, na semana seguinte. Parecia muito triste, mesmo nos braços de Travis.

— E o chefe Pratt? O que ele falou ao ficar sabendo?

— Disse que ia investigar. Voltei a insistir quando a menina desapareceu e ele afirmou que aquilo poderia mesmo ser uma pista. O problema é que, nesse ínterim, o papel desapareceu.

— Como assim, *desapareceu*?

— Eu o guardava no cofre do Clark's. Era a única pessoa a ter acesso a ele. Então, um dia, no comecinho de agosto de 1975, esse papel desapareceu misteriosamente. Sem isso, não havia mais prova contra Harry.

— Quem pode tê-lo roubado?

— Não faço a mínima ideia! Isso ainda é um grande mistério. Era um cofre enorme, de aço, sendo que só eu tinha a chave. Lá dentro, ficava toda a contabilidade do Clark's, o dinheiro dos salários e um trocado para pequenas compras. Certa manhã, me dei conta de que o papel não estava mais lá. Não havia sinal de roubo. Estava tudo ali, exceto aquele pedacinho de papel. Não tenho a menor ideia do que possa ter acontecido.

Anotei o que ela me dizia. Tudo aquilo ia ficando cada vez mais interessante. Fiz mais uma pergunta:

— Cá entre nós, Sra. Quinn, quando descobriu os sentimentos de Harry por Nola, o que sentiu?

— Raiva e asco.

— Não teria tentado se vingar mandando bilhetes anônimos para Harry?

— Bilhetes anônimos? Tenho cara de quem faz esse tipo de sem-vergonhice?

Não insisti e continuei com as perguntas:

— A senhora acha que Nola pode ter se relacionado com outros homens em Aurora?

Ela quase engasgou com o chá gelado.

— Mas o senhor não entendeu nada! Nadinha! Ela era uma menina graciosa, doce, sempre solícita, trabalhadora, inteligente. O que está imaginando com essas histórias indecentes?

— Foi só uma pergunta inocente. Conhece um tal de Elijah Stern?

— Claro — respondeu ela, como se fosse absolutamente óbvio, antes de acrescentar: — Era o proprietário antes de Harry.

— Proprietário de quê? — perguntei.

— Da casa de Goose Cove, ora! Ela pertencia a Elijah Stern, que antes costumava aparecer com certa regularidade por lá. A casa era propriedade de sua família, acho. Houve uma época em que o víamos muito em Aurora. Mas quando ele assumiu os negócios do pai, em Concord, não teve mais tempo de vir aqui, então colocou Goose Cove para alugar, antes de finalmente vendê-la para Harry.

Fiquei embasbacado.

— Goose Cove pertencia a Elijah Stern?

— Pertencia. O que houve, nova-iorquino? Ficou pálido...

Em Nova York, na segunda-feira, 30 de junho de 2008, às dez e meia da manhã, no quinquagésimo primeiro andar do arranha-céu da Schmid & Hanson, na Lafayette Street, Roy Barnaski deu início à reunião semanal com Marisa, sua secretária.

— Marcus Goldman tinha até o dia de hoje para entregar o original — lembrou Marisa.

— Creio que não recebemos nada...

— Nada, Sr. Barnaski.

— Eu já desconfiava, falei com ele no sábado. É teimoso feito uma mula, o desgraçado.

— O que devo fazer?

— Informe Richardson sobre a situação. Fale para ele entrar com um processo.

Nesse instante, a assistente de Marisa permitiu-se interromper a reunião batendo à porta da sala. Tinha um papel nas mãos.

— Sei que está em reunião, Sr. Barnaski — desculpou-se ela —, mas acaba de chegar um e-mail que julgo ser muito importante.

— De quem é? — perguntou Barnaski, irritado.
— Marcus Goldman.
— Goldman? Me mostre imediatamente!

De: m.goldman@nobooks.com
Data: segunda-feira, 30 de junho de 2008 — 10:24

Caro Roy,
Não é um lixo de livro qualquer, que se aproveita do tumulto generalizado para encontrar público.
Não é um livro tal como você exige.
Não é um livro para salvar minha pele.
É um livro porque sou escritor. É um livro que conta alguma coisa.
É um livro que narra a história de alguém a quem devo tudo.
Faça a gentileza de examinar as primeiras laudas em anexo.
Se gostar, me ligue.
Se não gostar, ligue diretamente para Richardson e nos vemos no tribunal.
Boa reunião com Marisa, transmita-lhe minhas saudações.
Marcus Goldman

— Imprimiu o documento em anexo?
— Não, Sr. Barnaski.
— Vá imprimi-lo, agora!
— Sim, Sr. Barnaski.

O CASO HARRY QUEBERT (título provisório)
Por Marcus Goldman
Na primavera de 2008, aproximadamente um ano após eu me tornar a nova estrela da literatura americana, ocorreu um incidente que resolvi enterrar nas profundezas da memória: descobri que Harry Quebert, que foi meu professor na faculdade, de sessenta e sete anos, um dos escritores mais respeitados do país, teve um relacionamento com uma garota de quinze anos, quando ele próprio tinha trinta e quatro. Isso aconteceu no verão de 1975.

Descobri isso em meados de março, quando passava uma temporada em sua casa em Aurora, New Hampshire. Examinando sua estante, deparei com uma carta e algumas fotos. Mas nem de longe podia desconfiar que vivia o prelúdio do que viria a ser um dos maiores escândalos daquele ano.

[...]

Recebi a pista Elijah Stern de uma ex-colega de turma de Nola, Nancy Hattaway, ainda residente em Aurora. Na época, Nola teria revelado para a amiga que estava se relacionando com um homem de negócios de Concord chamado Elijah Stern. Este mandava seu motorista, Luther Caleb, a Aurora para buscá-la e levá-la à casa dele.

Não tenho informações sobre Luther Caleb. Quanto a Stern, o sargento Gahalowood se recusa a interrogá-lo por enquanto. Ele acha que nesse estágio nada justifica envolvê-lo no inquérito. Resolvi então lhe fazer uma visita por conta própria. Descobri na internet que ele estudou em Harvard e continua participando das associações de ex-alunos. Parece ser um aficionado das artes e, aparentemente, é um reconhecido mecenas. Dá para ver que é um homem de bem sob todos os aspectos. Coincidência particularmente perturbadora: a casa de Goose Cove, onde Harry mora, antes pertencia a Elijah.

Esses parágrafos foram os primeiros que escrevi sobre Elijah Stern. Eu tinha acabado de terminá-los quando os acrescentei ao documento enviado a Roy Barnaski naquela manhã de 30 de junho de 2008. Em seguida, fui direto para Concord, determinado a encontrar o tal Stern e entender o que o ligava a Nola. Já fazia meia hora que eu estava na estrada quando o celular tocou.

— Alô?

— Marcus? É Roy Barnaski.

— Roy! Puxa. Recebeu meu e-mail?

— Seu livro é sensacional, Goldman! Vamos publicá-lo!

— Sério?

— Seriíssimo! Adorei! Adorei, porra! Estamos loucos para saber o fim.

— Até eu gostaria de saber o fim dessa história.

— Escute, Goldman, você escreve esse livro e anulamos o contrato anterior.

— Faço esse livro, mas do meu jeito. Não quero ouvir suas sugestões sórdidas. Não quero saber de suas ideias e não quero qualquer censura.

— Faça como for melhor para você, Goldman. Tenho apenas uma condição: que o livro saia no outono. Depois que Obama se tornou o candidato democrata, na terça-feira, sua autobiografia está vendendo que nem pão quente. Isso significa que temos de publicar um livro sobre esse caso no menor prazo possível, antes de sermos afogados pela loucura da eleição presidencial. Preciso do original no fim de agosto.

— Fim de agosto! Isso me dá apenas dois meses.

— Exatamente.

— É muito pouco.

— Dê um jeito. Quero transformá-lo na sensação do outono. Quebert está sabendo?

— Não. Ainda não.

— Avise-o, conselho de amigo. E mantenha-me a par do andamento.

Eu me preparava para desligar quando ele disse:

— Goldman, espere!

— O que foi?

— O que o fez mudar de ideia?

— Recebi ameaças. Mais de uma. Alguém parece muito preocupado com o que eu posso acabar descobrindo. Ruminei então que a verdade talvez merecesse um livro. Por Harry, por Nola. Faz parte da profissão de escritor, não acha?

Barnaski não estava mais me escutando. Detivera-se na parte das ameaças.

— Ameaças? Mas isso é maravilhoso! Faremos uma propaganda infernal. E, supondo que se torne vítima de uma tentativa de assassinato, pode acrescentar tranquilamente um zero à cifra das vendas. E, caso acabe sendo morto, dois!

— Isso se eu morrer depois de terminar o livro.

— Isso é por sua conta. Onde você está? A ligação não está muito boa.

— Estou na estrada. A caminho da casa de Elijah Stern.

— Então acha mesmo que ele está envolvido nessa história?

— É o que pretendo descobrir em breve.

— Você é completamente maluco, Goldman. É por isso que gosto de você.

Elijah Stern morava num solar nas montanhas de Concord. O portão da propriedade estava aberto e entrei com o carro. Uma alameda pavimentada dava acesso a um palacete de pedra flanqueado por arbustos de flores espetaculares, diante do qual, num espaço ornado por uma fonte em forma de leão de bronze, um motorista uniformizado espanava o assento de um sedã luxuoso.

Estacionei no largo, cumprimentei o motorista de longe, como se o conhecesse, e, cheio de desenvoltura, fui tocar a campainha da porta principal. Uma empregada da casa a abriu. Dei meu nome e pedi para ver o Sr. Stern.

— Tem hora marcada?
— Não.
— Então não será possível. O Sr. Stern não recebe ninguém sem hora marcada. Quem o autorizou a chegar até aqui?
— O portão estava aberto. Como posso agendar um encontro com seu patrão?
— É o Sr. Stern quem agenda os encontros.
— Deixe-me vê-lo só por alguns minutos. Não vai demorar.
— Impossível.
— Diga-lhe que venho da parte de Nola Kellergan. Acredito que esse nome lhe dirá alguma coisa.

A empregada me fez esperar do lado de fora, mas logo estava de volta.

— O Sr. Stern irá recebê-lo — disse ela. — O senhor deve ser realmente importante.

Ela então me acompanhou pelo primeiro andar até um gabinete revestido de madeira e tapeçarias, onde, sentado numa poltrona, um homem muito elegante me encarava com um olhar severo. Era Elijah Stern.

— Meu nome é Marcus Goldman — apresentei-me. — Obrigado por me receber.
— Goldman, o escritor?
— Sim.
— A que devo essa visita inesperada?
— Estou investigando o caso Kellergan.
— Eu ignorava a existência de um caso Kellergan.
— Digamos que há mistérios não elucidados.
— Isso não é trabalho da polícia?
— Sou amigo de Harry Quebert.
— E em que isso me diz respeito?
— Ouvi dizer que o senhor morou em Aurora. Que a casa de Goose Cove, na qual Harry Quebert mora hoje, já foi propriedade sua. Queria certificar-me de que isso procede.

Ele fez um sinal para que eu me sentasse.

— Suas informações estão corretas — respondeu ele. — Vendi a casa para ele em 1976, logo depois de seu grande sucesso.

— Quer dizer então que conhecia Harry Quebert?

— Muito pouco. Encontrei-o algumas vezes na época em que ele se mudou para Aurora. Nunca mantivemos contato.

— Posso perguntar quais são seus vínculos com Aurora?

Ele me fitou com um ar pouco à vontade.

— Isso é um interrogatório, Sr. Goldman?

— Longe disso. Estava apenas curioso para saber por que alguém como o senhor teria uma casa num lugarejo como Aurora.

— Alguém como eu? O senhor quer dizer alguém muito rico?

— Isso mesmo. Comparada às outras cidades da costa, Aurora não é particularmente empolgante.

— Foi meu pai que construiu aquela casa. Ele queria um lugar à beira-mar, mas que também fosse próximo de Concord. Sem falar que Aurora é uma cidade bonita. Além de estar a meio caminho entre Concord e Boston. Passei belos verões lá, meu rapaz.

— Por que a vendeu?

— Quando meu pai morreu, herdei um patrimônio considerável. Não tinha mais tempo para desfrutar da casa de Goose Cove, então a abandonei. Tentei alugá-la durante quase dez anos. Mas eram raros os locatários. A casa ficava vazia praticamente o tempo todo. Portanto, quando Harry Quebert propôs comprá-la, aceitei na mesma hora. Eu a vendi por um bom preço. Aliás, não fiz isso pelo dinheiro, na verdade estava feliz porque a casa seria mantida. De maneira geral, sempre gostei muito de Aurora. Na época em que eu fazia negócios em Boston, parava com certa frequência por lá. A propósito, financiei por muito tempo o baile de verão. E o Clark's fazia os melhores hambúrgueres da região. Pelo menos na época.

— E Nola Kellergan? O senhor a conheceu?

— Vagamente. Digamos que, na época em que a garota desapareceu, todo mundo no estado ouviu falar dela. Uma história cruel, e agora seu corpo ainda é encontrado em Goose Cove... E aquele livro escrito para ela por Quebert... É bem sórdido. Se me arrependo de ter vendido Goose Cove a ele? Sim, é claro. Mas como eu poderia saber?

— Mas, tecnicamente, o senhor ainda era proprietário de Goose Cove quando Nola desapareceu...

— O que está tentando insinuar? Que eu estaria envolvido no assassinato dela? Sabe, faz dez dias que me pergunto se Harry Quebert não comprou aquela casa só para garantir que ninguém descobriria o corpo enterrado no jardim.

Stern afirmava ter conhecido Nola vagamente. Será que eu deveria revelar que havia uma testemunha que afirmara que eles tiveram um caso? Decidi guardar essa carta na manga, por enquanto; contudo, como queria alfinetá-lo, mencionei o nome de Caleb.

— E Luther Caleb? — perguntei.

— Que é que tem *Luther Caleb*?

— Conhece um homem chamado Luther Caleb?

— Se está me fazendo esta pergunta, é porque deve saber que ele foi meu motorista por muitos anos. Que jogo é esse, Sr. Goldman?

— Uma testemunha teria visto Nola entrar no carro dele diversas vezes no verão anterior ao desaparecimento dela.

Ele apontou um dedo ameaçador para mim.

— Não queira despertar os mortos, Sr. Goldman. Luther era um homem honrado, corajoso, direito. Não vou tolerar que apareçam para sujar seu nome quando ele não está mais aqui para se defender.

— Ele morreu?

— Já faz tempo. Certamente lhe dirão que ele ia muito a Aurora, o que é verdade, pois ele cuidava da casa na época em que eu a alugava. Era encarregado da manutenção. Ele foi um sujeito generoso e não permito que venha aqui insultar sua memória. Alguns infelizes de Aurora também dirão que ele era estranho, e é verdade, ele era diferente dos mortais comuns. Sob todos os aspectos. Não tinha boa aparência: seu rosto era terrivelmente desfigurado, seu maxilar, desconjuntado, o que tornava sua fala incompreensível. Mas tinha um bom coração e uma grande sensibilidade.

— E não acha que ele podia estar envolvido no desaparecimento de Nola?

— Não. E sou categórico. Para mim, o culpado é Harry Quebert. Parece que ele está preso agora...

— Não estou convencido de sua culpa. Por isso estou aqui.

— Faça-me o favor, Sr. Goldman! A garota foi encontrada no jardim da casa dele e, ao lado do corpo, havia o original de um livro de Harry. Um livro que ele escreveu para ela... Precisa de mais?

— Escrever não é matar, Sr. Stern.

— Sua investigação deve estar indo muito mal para que tenha vindo aqui revirar o meu passado e o de um homem honesto como Luther. Nossa conversa chegou ao fim, Sr. Goldman.

Ele chamou a empregada para me acompanhar até a saída.

Deixei o escritório de Stern com a desagradável impressão de que a entrevista não servira para nada. Lamentava não ter sido capaz de confrontá-lo com as acusações de Nancy Hattaway, mas não tinha provas suficientes para poder acusá-lo. Gahalowood me advertira: só o depoimento daquela testemunha não bastaria, era a palavra dela contra a de Stern. Eu precisava de uma prova concreta. E então me ocorreu que eu talvez devesse visitar um pouco aquela casa.

Ao chegar ao imenso hall de entrada, perguntei à empregada se podia ir ao banheiro antes de sair. Ela me guiou até o banheiro das visitas, naquele mesmo andar, e indicou, de forma educada e discreta, que me esperaria na porta de entrada. Assim que ela saiu, corri para o corredor pretendendo explorar a parte da casa em que estava. Não sabia o que procurava, mas sabia que devia agir rápido. Era minha única chance de descobrir algo que ligasse Stern a Nola. Com o coração acelerado, abri algumas portas ao acaso, torcendo para que os cômodos não estivessem ocupados. Estavam todos vazios: era apenas uma série de salas suntuosamente decoradas. Pelas sacadas envidraçadas era possível ver o jardim magnífico. À espreita de qualquer barulho, continuei minha busca. Outra porta dava num pequeno gabinete. Entrei rapidamente e abri os armários: havia pastas, pilhas de documentos. Os que olhei não me despertaram qualquer interesse. Eu procurava alguma coisa: mas o quê? O que, naquela casa, trinta anos depois, poderia surgir de repente a minha frente e me ajudar? O tempo estava se esgotando: a empregada não demoraria a vir me buscar no banheiro se eu não voltasse depressa. Acabei saindo num segundo corredor, o qual atravessei. Dava acesso a uma única porta, que me atrevi a abrir. Saí numa varanda ampla, cercada por uma selva de plantas trepadeiras que a protegia dos olhares indiscretos. Ali havia cavaletes, algumas telas inacabadas, pincéis espalhados em uma bancada. Era um ateliê de pintura. Havia diversos quadros pendurados na parede, todos muito bem executados. Um deles atraiu meu olhar: reconheci imediatamente a ponte suspensa situada um pouco antes de Aurora, à beira-mar. Foi quando me dei conta de que todas as telas tinham Aurora como cenário. Viam-se Grand Beach, a rua principal, até mesmo o Clark's. As telas impressionavam pela autenticidade.

Eram todas assinadas *L.C.*, e as datas não passavam de 1975. Um dos quadros, maior que os demais e pendurado num canto, me deixou intrigado; havia uma poltrona em frente a ele e era o único que dispunha de iluminação. Era o retrato de uma adolescente. Via-se apenas até o início de seus seios, mas percebia-se que estava nua. Cheguei mais perto; aquele rosto não me era totalmente estranho. Fiquei observando por mais um instante antes de compreender de maneira brusca e ficar estupefato: era um retrato de Nola. Era ela, não havia sombra de dúvida. Tirei algumas fotos com o celular e deixei o aposento às pressas. A empregada, na porta da entrada, já batia o pé. Cumprimentei-a de forma educada e fui embora sem pronunciar uma palavra, tremendo e suando.

Meia hora após minha descoberta, apareci de surpresa no gabinete de Gahalowood, no quartel-general da polícia estadual. Ele não escondeu a fúria por eu ter ido visitar Stern sem consultá-lo antes.

— Você é incorrigível, escritor! Incorrigível!

— Foi só uma visitinha — expliquei. — Toquei a campainha, pedi para falar com Stern e ele me recebeu. Não vejo mal algum nisso.

— Eu tinha dito para esperar.

— Mas esperar o quê, sargento? Sua santa bênção? Que as provas caíssem do céu? Você resmungou dizendo que não queria se indispor com ele, então eu agi. Você resmunga, eu ajo! E olhe o que descobri na casa dele!

Mostrei-lhe as fotos no celular.

— Um quadro? — indagou Gahalowood, desdenhoso.

— Olhe bem.

— Minha nossa... Parece...

— Nola! Há um retrato de Nola Kellergan na casa de Elijah Stern.

Enviei por e-mail as fotos para Gahalowood, que as imprimiu em tamanho maior.

— É ela, sim, é Nola — constatou ele, comparando com fotografias da época que integravam o inquérito.

A qualidade da imagem não era boa, mas não havia dúvida alguma.

— Portanto, existe uma ligação entre Stern e Nola — falei. — Nancy Hattaway afirma que Nola tinha um caso com Stern e não é que eu encontro um retrato de Nola no ateliê dele? E não é só isso: até 1976, a casa de Harry pertencia a Elijah Stern. Tecnicamente, quando Nola desapareceu, Stern era o proprietário de Goose Cove. Coincidências fascinantes, não acha? Resumindo, peça um mandado judicial e chame a cavalaria: faremos uma busca na casa de Stern e o mandaremos direto para o xilindró.

— Um mandado de busca? Meu pobre amigo, você está completamente louco! E com base em quê? Em suas fotos? Elas são ilegais! Essas provas não têm validade alguma: você revistou uma casa sem autorização. Estou encurralado. Precisamos de outra coisa para atacar Stern, e, daqui até lá, com certeza ele terá se livrado do quadro.

— Com a ressalva de que ele não sabe que vi o quadro. Quando mencionei Luther Caleb ele ficou nervoso. Quanto a Nola, afirmou conhecê-la muito vagamente, mas tem um retrato dela seminua. Não sei quem pintou aquele quadro, mas há outros no ateliê assinados por *L.C.* Luther Caleb, talvez?

— Essa história está se desenrolando de uma forma que não me agrada, escritor. Se eu for para cima de Stern e estiver enganado, ficarei em péssimos lençóis.

— Sei disso, sargento.

— Comente sobre Stern com Harry. Tente saber mais. Vou devassar a vida desse Luther Caleb. Precisamos de provas concretas.

No carro, entre o quartel-general da polícia e o presídio, eu soube pelo rádio que os livros de Harry haviam sido retirados dos currículos escolares de praticamente todos os estados do país. Era o fundo do poço: em menos de duas semanas, Harry perdera tudo. De agora em diante era um autor proibido, um professor repugnante, um sujeito odiado por toda uma nação. Independentemente do desfecho do processo e do julgamento, seu nome estaria sujo para sempre; nunca mais voltariam a falar de sua obra sem aludir à imensa controvérsia daquele verão que ele passara com Nola e, para evitar escândalos, os eventos culturais não se atreveriam mais a associar Harry Quebert à sua programação. Era a cadeira elétrica intelectual. O pior era que Harry tinha plena consciência da situação. Quando cheguei ao locutório, a primeira frase que ele me dirigiu foi:

— E se eles me matarem?

— Ninguém irá matá-lo, Harry.

— E já não estou morto?

— Não. Você não está morto! Você é o grande Harry Quebert! Lembra-se da importância de saber cair? O importante não é a queda, pois ela é inevitável, o importante é reerguer-se. E vamos nos reerguer.

— Você é um bom sujeito, Marcus. Mas os antolhos da amizade o impedem de enxergar a verdade. No fundo, a questão não é tanto saber se matei Nola, ou Deborah Cooper, ou mesmo o presidente Kennedy. O problema é que tive um relacionamento com aquela menina e este é um ato imperdoável. E o livro? No que estava pensando quando resolvi escrever aquele livro?

Repeti:

— Vamos nos reerguer, você verá. Lembra-se do nocaute que levei em Lowell, naquele hangar que era uma academia de boxe clandestina? Nunca me reergui tão bem na vida.

Ele se forçou a sorrir e perguntou:

— E você? Recebeu novas ameaças?

— Digamos que sempre que volto para Goose Cove me pergunto o que me espera por lá.

— Descubra quem faz isso, Marcus. Descubra e acabe com ele. Não suporto a ideia de alguém o ameaçando.

— Não se preocupe.

— E sua investigação?

— Está avançando... Harry, comecei a escrever um livro.

— Isso é ótimo!

— É um livro sobre você. Nele, falo de nós, de Burrows. E narro sua história com Nola. É um livro de amor. Acredito em sua história de amor.

— É uma bela homenagem.

— Então você me dá sua bênção?

— Mas é claro, Marcus. Sabe, acho que você foi um de meus amigos mais próximos. E é um excelente escritor. Eu me sinto envaidecido por ser tema do seu próximo livro.

— Por que empregou o verbo no passado? Por que diz que *fui* um de seus amigos mais próximos? Ainda somos amigos, não?

Seu olhar entristeceu.

— Falei por falar.

Agarrei seus ombros.

— Seremos sempre amigos, Harry! Não vou permitir que você caia. Esse livro é prova da minha amizade incontestável.

— Obrigado, Marcus. Estou tocado. Mas a amizade não deve ser o motivo desse livro.

— Como assim?

— Lembra-se da conversa que tivemos no dia da sua formatura em Burrows?

— Sim, fizemos um longo passeio juntos pelo campus. Fomos até a academia de boxe. Você perguntou o que eu pretendia fazer dali em diante e respondi que iria escrever um livro. E então me perguntou por que eu escrevia. Disse que o fazia porque gostava de escrever e você respondeu...

— Sim, o que foi que respondi?

— Que a vida não fazia muito sentido. E que escrever dava sentido à vida.

— É isso, Marcus. E esse foi o erro que você cometeu alguns meses atrás, quando Barnaski exigiu um novo original. Você começou a escrever porque estava sendo obrigado a escrever um livro e não para dar sentido à sua vida. Fazer só por fazer nunca fez sentido: não havia, portanto, nada de assustador no fato de você se sentir incapaz de escrever uma linha sequer. O dom da escrita é um dom não porque você escreve de modo correto, mas porque com ele você pode dar sentido à sua vida. Todos os dias, nasce gente e morre gente. Todos os dias, rebanhos de trabalhadores anônimos vão e vêm nos grandes edifícios cinzentos. E depois vêm os escritores. Os escritores vivem a vida mais intensamente que os outros, penso eu. Não escreva em nome da nossa amizade, Marcus. Escreva porque é o único jeito de fazer dessa minúscula coisa insignificante que chamamos de *vida* uma experiência válida e gratificante.

Fitei-o por bastante tempo. Tinha a impressão de estar assistindo à última lição do Mestre. Era uma sensação insuportável. Ele acabou por dizer:

— Ela adorava ópera, Marcus. Coloque isso no livro. Sua preferida era *Madame Butterfly*. Dizia que as óperas mais bonitas eram as que tinham histórias tristes de amor.

— Quem? Nola?

— É. Aquela mocinha de quinze anos amava ópera. Depois que tentou suicídio, ela foi passar uns dez dias em Charlotte's Hill, uma casa de repouso. O que hoje chamaríamos de clínica psiquiátrica. Fui visitá-la escondido. Levei discos de ópera, que botávamos para tocar numa pequena vitrola portátil. Ela ficava comovida a ponto de brotarem lágrimas e dizia que, se não conseguisse ser atriz em Hollywood, seria cantora na Broadway. E eu respondia que ela seria a maior cantora da história dos

Estados Unidos. Sabe, Marcus, acho que Nola Kellergan poderia ter deixado sua marca neste país...

— Acha que os pais podem tê-la atacado? — perguntei.

— Não, isso me parece pouco provável. E há o original, e ainda aquele bilhete... De toda forma, não consigo imaginar David Kellergan como assassino da filha.

— Mas e as agressões que ela sofria...

— Essas agressões... Era uma história esquisita...

— E o Alabama? Nola comentou sobre o Alabama?

— Alabama? Os Kellergan vieram do Alabama, é verdade.

— Não, há outra coisa, Harry. Acho que aconteceu algum incidente no Alabama, algo que tem ligação com a mudança deles de lá. Mas não sei o quê... Nem sei quem poderia me contar.

— Pobre Marcus, tenho a impressão de que quanto mais você mergulha nesse caso, mais enigmas encontra...

— É mera impressão, Harry. A propósito, descobri que Tamara Quinn sabia sobre você e Nola. Ela me contou. No dia que Nola tentou suicídio, ela foi a Goose Cove, furiosa porque você a deixou a ver navios num *garden-party* que ela organizara em casa. Como você não estava, ela vasculhou seu escritório. Acabou encontrando um papel no qual você havia escrito sobre Nola.

— Agora que está falando, lembro que senti falta de um dos papéis. Procurei minuciosamente, em vão. Achei que tinha perdido, o que me surpreendeu muito na época, pois sempre fui muito organizado. O que ela fez com ele?

— Ela diz que o perdeu...

— Os bilhetes anônimos, era ela?

— Duvido. Nunca lhe passou pela cabeça que pudesse haver qualquer coisa entre Nola e você. Tamara pensava que você apenas fantasiava sobre Nola. Aliás, por acaso o chefe Pratt o interrogou durante o inquérito sobre o desaparecimento de Nola?

— O chefe Pratt? Não, nunca.

Isso era estranho. Por que o chefe Pratt nunca interrogara Harry durante sua investigação, quando Tamara afirmava ter contado a ele o que sabia? Sem mencionar Nola ou o quadro, me atrevi então a evocar o nome de Stern.

— Stern? — repetiu Harry. — Sim, eu o conheço. Era o proprietário da casa de Goose Cove. Comprei-a dele depois do sucesso de *As origens do mal*.

— Você o conhecia bem?

— Bem, não. Encontrei-o uma ou duas vezes durante aquele verão de 1975. A primeira foi no baile de verão. Nos sentamos na mesma mesa. Era um sujeito simpático. Voltei a encontrá-lo uma vez ou outra. Era generoso, acreditava em mim. Fez muito pela cultura, é um homem extremamente bondoso.

— Quando o viu pela última vez?

— Pela última vez? Deve ter sido para a venda da casa. Lá pelo final de 1976. Mas por que estamos falando dele?

— Por nada. Outra coisa, Harry, o baile de verão a que se refere era o mesmo ao qual Tamara Quinn esperava que você levasse Jenny?

— Exatamente. Acabei indo ao baile. Que noite... Imagine só, ainda ganhei o primeiro prêmio da rifa: uma semana de férias em Martha's Vineyard.

— E fez uso do prêmio?

— Claro!

Naquela noite, ao retornar a Goose Cove, vi que tinha recebido um e-mail de Roy Barnaski, no qual ele fazia uma oferta irrecusável para qualquer escritor.

De: r.barnaski@schmidandhanson.com
Data: segunda-feira, 30 de junho de 2008 — 19:54

Caro Marcus,
Gosto do seu livro. Dando sequência a nossa conversa ao telefone de hoje de manhã, encontrará, em anexo, uma minuta de contrato que, penso eu, não recusará.

Envie para mim as próximas páginas o mais rápido possível. Como lhe disse, pretendo publicá-lo no outono. Acredito que será um grande sucesso. Aliás, tenho certeza disso. A Warner Bros. já mostrou interesse em levá-lo para o cinema. Com direitos de adaptação cinematográfica a serem negociados por você, naturalmente.

O documento em anexo era uma minuta de contrato na qual constava um adiantamento de um milhão de dólares.

Naquela noite, demorei a pegar no sono, invadido por todo tipo de pensamentos. Às dez e meia, recebi uma ligação de minha mãe. Havia um burburinho ao fundo e ela sussurrava.

— Mãe?
— Markie! Markie, não sabe com quem estou.
— Com papai?
— Sim. Mas não só ele! Imagine que seu pai e eu resolvemos passar a noite em Nova York e viemos jantar naquele restaurante italiano, perto de Columbus Circle. E quem encontramos logo na entrada? Denise! Sua secretária!
— Que coisa!
— Não banque o inocente! Acha que não sei o que você fez? Ela me contou tudo! Tudinho!
— Contou o quê?
— Que você a botou na rua!
— Não a botei na rua, mãe. Arranjei um ótimo emprego para ela na Schmid & Hanson. Não tinha mais nada a lhe oferecer, nem livro, nem projeto, nem nada! Eu precisava pensar um pouco no futuro dela, não acha? Arranjei um emprego maravilhoso para ela no departamento de marketing.
— Ah, Markie, nós nos abraçamos e ela diz que sente saudades de você.
— Tenha piedade, mãe.

Ela sussurrou ainda mais baixo. Eu mal conseguia ouvi-la.

— Tive uma ideia, Markie.
— O quê?
— Sabe o grande Soljenítsin?
— O escritor russo? Sei. O que tem ele?
— Assisti a um documentário sobre ele ontem à noite. Foi uma coincidência divina ter visto esse programa! Pois veja só: ele se casou com a secretária. A secretária! E com quem esbarro hoje? Com a sua secretária! É um sinal, Markie! Ela não é feia e, acima de tudo, transpira estrogênio! Eu sei, as mulheres sentem essas coisas. Ela é fértil, doce e lhe dará um filho a cada nove meses! Posso ensiná-la a criar os filhos e assim todos eles serão como eu quero! Não é maravilhoso?
— Isso está fora de cogitação. Ela não faz o meu tipo, é muito velha para mim e, de qualquer jeito, já tem namorado. Além disso, não se deve casar com a secretária.

— Ora, se o grande Soljenítsin fez isso, então é porque pode! Ela está acompanhada, é verdade, mas o sujeito é um pé-rapado. Cheira a água-de-colônia de supermercado. Você é um grande escritor, Markie. Você é *O Formidável*!

— *O Formidável* foi derrotado por Marcus Goldman, mãe. E foi nesse momento que pude começar a viver.

— O que quer dizer com isso?

— Nada, mãe. Mas, por favor, não atrapalhe o jantar de Denise.

Uma hora mais tarde, uma patrulha da polícia passou para checar se estava tudo bem. Eram dois jovens oficiais da minha idade, muito simpáticos. Ofereci café a eles e fui informado de que fariam plantão em frente à casa. A noite estava amena e, pela janela aberta, ouvi-os conversar e gracejar, sentados no capô da viatura, fumando. Ao escutá-los, de repente me senti solitário e distante do mundo. Tinham acabado de me oferecer uma soma colossal de dinheiro pela publicação de um livro que me recolocaria infalivelmente em destaque, eu levava uma vida que era o sonho de milhões de americanos, e, ainda assim, alguma coisa me faltava: uma vida de verdade. Eu passara a primeira parte de minha existência saciando minhas ambições, comecei a segunda tentando manter essas ambições despertas e pensar nelas com calma, e estava simplesmente me perguntando em que momento decidiria viver. Ao entrar em minha página do Facebook, dei uma olhada na lista dos milhares de amigos virtuais, mas não havia um que eu pudesse chamar para tomar um chope. Eu estava em busca de um grupo de bons companheiros com quem pudesse acompanhar o campeonato de hóquei e sair para acampar no final de semana; queria uma namorada bonita e meiga, que me fizesse rir e sonhar um pouco. Não queria mais ficar sozinho.

No escritório de Harry, examinei detidamente as fotos do quadro, das quais Gahalowood me fornecera uma ampliação. Quem era o pintor? Caleb? Stern? Em todo caso, era um belíssimo quadro. Liguei meu MiniDisc e escutei a conversa que eu tivera com Harry.

— *Obrigado, Marcus. Estou tocado. Mas a amizade não deve ser o motivo desse livro.*

— *Como assim?*

— *Lembra-se da conversa que tivemos no dia de sua formatura em Burrows?*

— Sim, fizemos um longo passeio juntos pelo campus. Fomos até a academia de boxe. Você perguntou o que eu pretendia fazer dali em diante e respondi que iria escrever um livro. E então me perguntou por que eu escrevia. Disse que o fazia porque gostava de escrever e você respondeu...

— Sim, o que foi que respondi?

— Que a vida não fazia muito sentido. E que escrever dava sentido à vida.

Seguindo o conselho de Harry, voltei ao computador para continuar a escrever.

Goose Cove, meia-noite. Pela janela aberta, a brisa marinha invade o escritório. Há um cheiro agradável de férias. A lua brilhante ilumina a noite lá fora.

A investigação está progredindo. Quer dizer, o sargento Gahalowood e eu estamos descobrindo gradativamente a amplitude do caso. Acho que essa história vai bem mais longe que um caso de amor proibido ou um crime sórdido, em que, em certa noite de verão, uma garotinha em fuga foi vítima de um malandro qualquer. Ainda há muitas questões em aberto:

- Em 1969, os Kellergan deixam Jackson, no Alabama, apesar de David, o pai, liderar uma paróquia em expansão. Por quê?
- No verão de 1975, Nola tem um relacionamento amoroso com Harry Quebert, no qual ele irá se inspirar para escrever *As origens do mal*. Mas Nola também se relaciona com Elijah Stern, que a faz ser pintada nua. Quem é ela na realidade? Uma espécie de musa?
- Qual é o papel de Luther Caleb, que Nancy Hattaway me contou que vinha buscar Nola em Aurora para levá-la a Concord?
- Quem, além de Tamara Quinn, sabia sobre Nola e Harry? Quem enviou os bilhetes anônimos a Harry?
- Por que o chefe Pratt, que coordenava o inquérito sobre o desaparecimento, não interrogou Harry após as revelações de Tamara Quinn? Será que interrogou Stern?
- Quem afinal matou Deborah Cooper e Nola Kellergan?
- E quem é essa sombra intangível que não poupa esforços para impedir que eu conte essa história?

TRECHOS DE *AS ORIGENS DO MAL*, DE HARRY L. QUEBERT

O drama acontecera num domingo. Ela sentia-se infeliz e tentara morrer.

Seu coração não tinha forças para continuar batendo se não pudesse mais bater por ele. Ela precisava dele para viver. E, depois que ele compreendera isso, ia todos os dias ao hospital espiá-la escondido. Como uma pessoa tão bela pudera querer se matar? Ele se detestava. Era como se ele a houvesse machucado.

Todos os dias, sentava-se secretamente num banco do grande parque público que cercava a clínica para esperar o momento em que ela sairia para o banho de sol. Ele a observava viver. Viver era muito importante. Então, aproveitando que ela estava fora do quarto, deixava uma carta debaixo de seu travesseiro.

> *Minha doce querida,*
> *Você não deve morrer nunca. Você é um anjo. E anjos não morrem.*
> *Veja como nunca estou longe de você. Seque as lágrimas, eu suplico. Não suporto saber que está triste.*
> *Um beijo para amenizar seu sofrimento.*

Querido amor,
Que surpresa encontrar suas palavras quando fui me deitar! Escrevo-lhe às escondidas, pois à noite não podemos ficar acordados após o toque de recolher e as enfermeiras são inflexíveis. Mas não pude resistir e, assim que li suas linhas, resolvi responder. Só para dizer que o amo.
Sonho em dançar com você. Tenho certeza de que você dança como poucos. Gostaria de lhe pedir que me levasse ao baile de verão, mas sei que não vai querer. Dirá que, se nos virem juntos, estaremos perdidos. De toda forma, acho que ainda não terei saído daqui. Mas, para que viver, se não posso amar? Foi o que me perguntei quando fiz o que fiz. Serei eternamente sua.

* * *

Meu anjo maravilhoso,
   Um dia dançaremos. Prometo. Logo chegará o dia em que o amor vencerá e poderemos nos amar à luz do dia. E dançaremos, dançaremos pelas praias. Na praia, como no primeiro dia. Você fica tão bonita na praia...
   Fique boa depressa! Um dia dançaremos pelas praias.

Querido amor,
   Dançar pelas praias. Não sonho com outra coisa.
   Prometa que um dia me levará para dançar pelas praias, só eu e você...

18

Martha's Vineyard
(Massachusetts, final de julho de 1975)

— Em nossa sociedade, Marcus, os homens que admiramos são aqueles que constroem pontes, arranha-céus e impérios. Porém, na verdade, os que dão mais orgulho e são mais admiráveis são aqueles capazes de construir o amor. Pois não há empreitada maior nem mais difícil que essa.

Ela dançava na praia. Brincava com as ondas e corria na areia, o cabelo ao vento; ela ria, estava radiante por estar viva. Da varanda do hotel, Harry a contemplou por um instante, depois voltou a se concentrar nos papéis que cobriam a mesa. Escrevia rápido e bem. Desde que tinham chegado ali, ele já escrevera dezenas de páginas, e, assim, avançava num ritmo frenético. Graças a ela. Nola, Nola querida, sua vida, sua inspiração. N-O-L-A. Finalmente, estava escrevendo seu grande romance. Uma história de amor.

— Harry — gritou ela —, descanse um pouco! Venha dar um mergulho!

Ele se autorizou a interromper o trabalho, subiu para o quarto, guardou o que escrevera em sua pasta e vestiu o calção de banho. Juntou-se a ela na praia e caminharam à beira-mar, afastando-se do hotel, da varanda, dos outros hóspedes e dos banhistas. Atravessaram uma barreira de pedras e chegaram a uma enseada isolada. Ali, podiam se amar.

— Harry querido, me abrace — ordenou ela, quando viram que estavam protegidos dos olhares.

Ele assim o fez e ela se agarrou em seu pescoço musculoso. Em seguida, mergulharam e chapinharam alegremente, antes de irem se secar ao sol, estendidos sobre as grandes toalhas brancas do hotel. Ela descansou a cabeça no peito dele.

— Eu te amo, Harry... Amo como nunca amei antes.

Sorriram um para o outro.

— Estas estão sendo as melhores férias da minha vida — disse Harry.

O rosto de Nola se iluminou.

— Vamos tirar fotos! Vamos tirar fotos, assim nunca esqueceremos! Trouxe a câmera?

Ele pegou a câmera na bolsa e lhe entregou. Ela grudou nele e segurou a máquina com o braço esticado, direcionando a lente para eles, e bateu uma foto. No momento antes de apertar o disparador, ela girou a cabeça e deu um beijo demorado na bochecha dele. Os dois começaram a rir.

— Acho que a foto vai ficar ótima — disse ela. — E o principal é guardá-la para sempre.

— Para sempre. Essa fotografia nunca ficará longe de mim.

Estavam ali fazia quatro dias.

Duas semanas antes

Foi no sábado, 19 de julho, dia do tradicional baile de verão. Pelo terceiro ano consecutivo, o baile não acontecera em Aurora, e sim no Country Club de Montburry, único lugar digno de receber aquele evento, segundo Amy Pratt, que, desde que assumira as rédeas, fizera de tudo para transformá-lo numa noite de alto nível. Baniu o ginásio do colégio de Aurora, proibiu os bufês, dando preferência aos jantares com lugar marcado, decretou o uso obrigatório da gravata para os homens e, para não deixar o ânimo arrefecer, inseriu uma rifa entre o fim do jantar e a abertura da pista de dança.

Durante o mês que antecedeu o grande evento, portanto, era comum ver Amy Pratt circulando pela cidade para vender a preço de ouro seus bilhetes de rifa, que ninguém se negava a comprar, temendo não conseguir um bom lugar na noite do baile. De acordo com alguns, os lucros — vultosos — das vendas iam diretamente para o seu bolso, mas ninguém ousava comentar o assunto abertamente, pois era essencial estar em bons termos com ela. Corria à boca miúda que, em determinado ano, ela se esquecera de propósito de reservar um lugar na mesa para uma mulher com quem se desentendera. Na hora do jantar, a infeliz ficou com cara de tacho no meio do salão.

A princípio, Harry decidira não ir ao baile. Apesar de ter comprado seu ingresso algumas semanas antes, perdera toda a vontade: Nola continuava na clínica e ele se sentia infeliz. Queria ficar sozinho. Contudo, naquela mesma manhã, Amy Pratt viera bater à sua porta, pois não o via mais na cidade, nem mesmo no Clark's. Queria certificar-se de que ele não lhe daria bolo, de que iria ao baile; ela já espalhara para todo mundo que ele iria. Pela primeira vez, uma grande celebridade nova-iorquina prestigiaria sua festa e, quem sabe, no ano seguinte, Harry não voltava com a nata do show business? Então, em poucos anos, Hollywood inteira e toda a Broadway viriam a New Hampshire para prestigiar o que teria se transformado num dos mais concorridos eventos sociais da Costa Leste.

— Você virá esta noite, Harry? Hein, estará lá? — gemera ela, contorcendo-se diante de sua porta.

Suplicara, e ele acabara prometendo ir, afinal não sabia dizer não, e ela inclusive pôde se aproveitar disso para lhe empurrar bilhetes da rifa por cinquenta dólares.

Mais tarde, no mesmo dia, foi visitar Nola na clínica. No caminho, numa loja de Montburry, comprara mais discos de ópera. Não conseguira resistir, pois sabia que música a deixava muito feliz. Por outro lado, estava gastando muito e não podia mais se permitir coisas assim. Nem ousava imaginar a situação de sua conta bancária; não queria nem ver o saldo. Suas economias estavam evaporando e, naquele ritmo, em breve não teria mais como pagar a casa.

Na clínica, passearam pelo parque e, no refúgio de um pequeno bosque, Nola o abraçara.

— Harry, quero ir embora...

— Os médicos falaram que você poderá sair em poucos dias.

— Você não entendeu: quero sair de Aurora. Com você. Nunca seremos felizes aqui.

Ele respondera:

— Um dia.

— O quê, *um dia*?

— Um dia iremos embora.

O rosto dela se iluminou.

— Sério? Sério mesmo, Harry? Você vai me levar para longe?

— Para muito longe. E seremos felizes.
— Sim! Muito felizes!

Puxou-o para mais perto de si. Todas as vezes que ela o tocava, ele sentia um doce arrepio percorrer seu corpo.

— Hoje à noite é o baile — lembrou ela.
— É.
— Você vai?
— Não faço ideia. Prometi a Amy Pratt que iria, mas estou desanimado.
— Ah, vá, por favor! Eu queria tanto ir. Sempre sonhei que um dia alguém me levaria a esse baile. Mas nunca poderei ir... Mamãe não quer.
— O que eu vou fazer sozinho nesse baile?
— Não estará sozinho, Harry. Estarei lá, em seu coração. Dançaremos juntos! Aconteça o que acontecer, estarei sempre em seu coração!

Ao ouvir essas palavras, ele ficou bravo.

— Como assim, *aconteça o que acontecer*? O que significa isso, hein?
— Nada, Harry, Harry querido, não fique bravo. Eu só queria dizer que o amarei para sempre.

Em nome do amor de Nola, ele foi ao baile, de má vontade e sozinho. Nem bem chegou, arrependeu-se daquela decisão. Para dar-se compostura, sentou-se no bar e tomou alguns martínis, enquanto observava os convidados, que chegavam aos poucos. O salão foi ficando cheio, o burburinho das conversas aumentava. Ele estava convencido de que os olhares se dirigiam para ele, como se todos soubessem que ele amava uma garota de quinze anos. Sentindo-se tonto, foi ao banheiro, passou água no rosto e depois trancou-se numa cabine, sentando-se no vaso sanitário para recobrar-se. Respirou fundo: precisava manter a calma. Ninguém ali tinha como saber sobre Nola e ele. Tinham sido sempre muito prudentes e discretos. Não havia razão alguma para se preocupar. O importante era agir com naturalidade. Por fim, conseguiu ficar mais calmo e sentiu o estômago desembrulhar. Abriu então a porta da cabine e foi nesse instante que descobriu as seguintes palavras escritas com batom no espelho da pia:

COMEDOR DE MENININHAS

Entrou em pânico. Quem estava ali? Chamou, observou à volta e abriu as portas de todas as cabines, mas não havia ninguém. O banheiro estava deserto. Pegou às pressas um pano, encharcou-o de água e apagou as palavras, que viraram um grande e gorduroso borrão vermelho no espelho. Em seguida, saiu do banheiro, temendo ser surpreendido. Nauseado e atônito, com a testa toda suada e as têmporas latejando, juntou-se à festa como se nada tivesse acontecido. Quem sabia sobre Nola e ele?

No salão, o jantar fora anunciado e os convidados se dirigiam para as mesas. Ele tinha a sensação de estar enlouquecendo. Uma mão agarrou-o pelo ombro. Levou um susto. Era Amy Pratt. Ele suava em bicas.

— Está tudo bem, Harry? — perguntou ela.

— Sim... Sim... Só estou com um pouco de calor.

— Você está na mesa de honra. Venha, é logo ali.

Ela o levou até uma grande mesa cheia de flores, na qual já havia um homem de cerca de quarenta anos parecendo terrivelmente entediado.

— Harry Quebert — declarou Amy Pratt, num tom cerimonioso —, deixe-me apresentá-lo a Elijah Stern, que, generosamente, patrocina este baile. É graças a ele que os ingressos são tão baratos. Além disso, ele é o proprietário da casa onde está morando em Goose Cove.

Elijah Stern estendeu a mão, sorrindo, e Harry deu uma risada.

— Então é meu proprietário, Sr. Stern?

— Pode me chamar de Elijah. É um prazer conhecê-lo.

Após o prato principal, os dois homens saíram para fumar e dar uma volta no gramado do Country Club.

— A casa é de seu agrado? — perguntou Stern.

— Muito. É magnífica.

Acendendo a ponta do cigarro, Elijah Stern, nostálgico, contou que Goose Cove havia sido a casa de veraneio de sua família durante anos. Seu pai a construíra porque sua mãe tinha crises terríveis de enxaqueca e, segundo o médico, a brisa do mar lhe faria bem.

— Quando meu pai viu aquele terreno de frente para o mar, apaixonou-se de cara. Comprou sem pestanejar para construir uma casa ali. Foi ele quem desenhou a planta. Eu adorava aquele lugar. Vivemos muitos verões maravilhosos lá. Depois, o tempo passou, meu pai morreu, minha mãe se mudou para a Califórnia e mais ninguém morou em Goose Cove. Gosto daquela casa, inclusive a reformei há alguns anos. Mas nunca me casei, não tenho filhos nem tempo de aproveitar a casa, que, de toda forma, é muito grande para mim. Entreguei-a então a uma imobiliária para que fosse alugada. A ideia de que ficasse inabitada e relegada ao abandono era insuportável para mim. Fico feliz que o locatário seja alguém como você.

Stern contou como foi sua infância em Aurora, seus primeiros bailes e primeiros amores, e disse que, desde então, voltava ali uma vez por ano, justamente para o baile, para evocar aqueles anos.

Acenderam mais um cigarro e sentaram-se por um instante num banco de pedra.

— Então, Harry, em que está trabalhando atualmente?

— Num romance... Enfim, estou tentando. Sabe, todos aqui pensam que sou um grande escritor, mas isso é uma espécie de mal-entendido.

Harry sabia que Stern não era do tipo que se deixava iludir. E ele limitou-se a responder:

— As pessoas aqui são muito impressionáveis. Basta ver o aspecto deplorável deste baile. Então é uma história de amor?

— É.

— Em que pé está?

— Bem no início. Para falar a verdade, não estou conseguindo escrever.

— Que coisa desagradável para um escritor. Anda preocupado?

— Pode ser que seja isso.

— Está apaixonado?

— Por que pergunta?

— Por curiosidade. Estava só imaginando se é necessário estar apaixonado para escrever uma história de amor. Em todo caso, tenho grande fascínio pelos escritores. Talvez porque eu mesmo quisesse ser um. Ou um artista, de maneira geral. Tenho um amor incondicional pela pintura. Infelizmente, não tenho dom algum para as artes. Qual é o título do livro?

— Não sei ainda.

— E que tipo de história de amor é?

— A história de um amor proibido.

— Parece mesmo muito interessante — entusiasmou-se Stern. — Espero reencontrá-lo em outra oportunidade.

Às nove e meia, após a sobremesa, Amy Pratt anunciou o sorteio dos números da rifa, cuja narração, como todos os anos, cabia a seu marido. O chefe Pratt, posicionando com certo exagero o microfone na boca, debulhou as bolinhas. Os prêmios, em grande parte doados pelo comércio local, eram na maior parte quinquilharias, exceto o primeiro deles, cujo sorteio causou grande rebuliço, pois tratava-se de uma semana num resort em Martha's Vineyard, com todas as despesas pagas, para duas pessoas.

— Atenção, por favor — bradou o chefe. — O ganhador do primeiro prêmio é... Atenção... Bilhete 1385!

Houve um breve instante de silêncio. Em seguida, Harry, percebendo que aquele era um de seus bilhetes, levantou-se de repente, absolutamente perplexo. Irrompeu no mesmo instante, à sua direita, uma chuva de aplausos e diversos convidados o cercaram para parabenizá-lo. Até que a festa acabasse, todos só tiveram olhos para Harry: ele era o centro do mundo. O próprio, contudo, não tinha olhos para ninguém, pois o centro do seu mundo dormia no quarto de uma clínica, a vinte e cinco quilômetros dali.

Quando Harry estava indo embora do baile, por volta das duas da manhã, cruzou com Elijah Stern no saguão, que também estava de saída.

— Primeiro prêmio da rifa. — Stern sorriu. — Podemos dizer que você é um predestinado.

— Pois é... E pensar que, por um triz, quase não comprei a rifa.

— Quer uma carona para casa? — perguntou Stern.

— Obrigado, Elijah, mas estou de carro.

Caminharam juntos até o estacionamento. Um sedã preto, diante do qual um homem fumava, esperava Stern. Ele apontou para o carro e disse:

— Harry, gostaria de lhe apresentar meu homem de confiança. É realmente uma pessoa formidável. Aliás, se não achar inconveniente, vou mandá-lo a Goose Cove para cuidar das roseiras. Daqui a pouco é hora de podá-las e ele é um jardineiro muito talentoso, ao contrário dos incompetentes enviados pela imobiliária, que mataram todas as minhas plantas no verão passado.

— Mas é claro. A casa é sua, Elijah.

Conforme foi se aproximando do homem, Harry notou seu aspecto aterrador: o corpo era compacto e musculoso, e o rosto, cheio de cicatrizes e deformado. Cumprimentaram-se com um aperto de mão.

— Sou Harry Quebert — disse Harry.

— Poa noide, zenhor Quebert — respondeu o homem, que se exprimia penosamente e com uma dicção irregular. — Eu be chamo Luther Caleb.

* * *

No dia seguinte ao baile, Aurora despertou alvoroçada: com quem Harry Quebert iria para Martha's Vineyard? Ninguém nunca o vira com uma mulher por ali. Será que tinha uma namorada em Nova York? Talvez uma estrela do cinema. Ou será que levaria uma moça de Aurora? Será que tinha conquistado alguém, mesmo sendo tão discreto? As revistas de fofoca iriam comentar o fato?

O único que não estava preocupado com aquela viagem era o próprio Harry. Passou a manhã de segunda-feira, 21 de julho, em casa, morrendo de preocupação: quem sabia sobre Nola e ele? Quem o seguira até o banheiro? Quem tivera a audácia de enxovalhar o espelho com aquelas palavras infames? Com batom vermelho — mais provável que fosse uma mulher. Mas quem? Para ocupar a cabeça, sentou-se diante da mesa e resolveu organizar seus papéis: foi então que se deu conta de que um deles estava faltando. Um texto sobre Nola, escrito no dia de sua tentativa de suicídio. Lembrava-se muito bem dele, deixara-o ali. Em todo caso, fazia uma semana que deixava uma enxurrada de rascunhos acumular em sua mesa, mas sempre os numerava, segundo um código cronológico bem preciso, para poder ordená-los em seguida. Agora que colocara tudo em ordem, constatava que faltava um. Era um papel importante, lembrava-se perfeitamente. Recomeçou a arrumação umas duas vezes e esvaziou sua pasta: o papel não estava lá. Isso era impossível. Sempre tomara o cuidado de verificar sua mesa quando deixava o Clark's para ter certeza de que não tinha esquecido nada. Em Goose Cove, costumava trabalhar só no escritório e, quando porventura ia para a varanda, colocava em seguida o que escrevera sobre a mesa. Não podia ter perdido aquele papel, então onde estava? Depois de vasculhar a casa em vão, começou a se perguntar se alguém estivera ali procurando provas comprometedoras. Seria a mesma pessoa que escrevera aquelas palavras no espelho do banheiro na noite do baile? Sentiu uma náusea tão forte ao evocar esse pensamento que teve ânsias de vômito.

Nesse mesmo dia, Nola deixou a clínica de Charlotte's Hill. Assim que voltou a Aurora, sua primeira preocupação foi ir atrás de Harry. Foi para Goose Cove no final da tarde. Ele estava na praia, com sua latinha branca. Assim que o viu, ela se atirou em seus braços; ele a ergueu e a girou no ar.

— Ah, Harry, Harry querido! Senti tanta falta de estar aqui com você!

Ele a abraçou o mais forte que pôde.

— Nola! Nola querida...

— Como você está, Harry? Nancy me contou que você ganhou o primeiro prêmio da rifa!

— Exatamente! Você já parou para pensar?

— Férias para duas pessoas em Martha's Vineyard! E para quando é?

— As datas estão em aberto. Só preciso ligar para o hotel e fazer a reserva.

— Vai me levar com você? Ah, Harry, me leve com você, para onde poderemos ser felizes sem ter que nos esconder!

Ele não respondeu e os dois deram alguns passos pela praia. Observaram as ondas terminarem seu percurso na areia.

— De onde vêm as ondas? — perguntou Nola.

— De longe — respondeu Harry. — Vêm de longe para ver as praias dos Estados Unidos e morrer.

Ele contemplou Nola e agarrou subitamente seu rosto num impulso furioso.

— Porra, Nola! Que história é essa de querer morrer?

— Não é que eu queira morrer — respondeu Nola. — É que viver ficou impossível.

— Você se lembra daquele dia, na praia, depois da apresentação, quando falou para eu não me preocupar porque você estava ali? Como cuidará de mim se acabar se matando?

— Sei disso, Harry. Me desculpe, por favor, me desculpe.

E naquela praia, onde haviam se conhecido e se apaixonado à primeira vista, ela ficou de joelhos para que ele a perdoasse. Insistiu:

— Leve-me com você, Harry. Leve-me com você para Martha's Vineyard. Leve-me e vamos nos amar para sempre.

Ele prometeu, na euforia do momento. Porém, um pouco mais tarde, quando ela voltou para casa e Harry a viu se afastar pela alameda de Goose Cove, ele refletiu e concluiu que não poderia levá-la. Era impossível. Alguém já sabia sobre eles; se saíssem da cidade juntos, todo mundo ficaria sabendo. Seria prisão na certa. Estava fora de cogitação levá-la e, caso ela voltasse a pedir, adiaria a viagem proibida. Adiaria até a eternidade.

No dia seguinte, retornou ao Clark's pela primeira vez em muito tempo. Como de costume, Jenny estava atendendo. Assim que viu Harry entrar, seus olhos se iluminaram: ele voltara. Seria por causa do baile? Sentira ciúmes por vê-la com Travis? Será que ele pretendia levá-la para Martha's Vineyard? Se ele fosse sem ela, era porque não a amava. Essa pergunta a atormentava de tal forma que ela a formulou antes mesmo de ele pedir alguma coisa.

— Quem vai levar para Martha's Vineyard, Harry?

— Não faço ideia — respondeu ele. — Talvez ninguém. Talvez aproveite para adiantar meu livro.

Ela fez um bico.

— Uma viagem tão boa como essa, sozinho? Que desperdício.

Secretamente, esperou que ele respondesse: "Tem razão, Jenny, meu amor, vamos juntos para podermos nos beijar ao pôr do sol." Mas tudo o que ele disse foi:

— Um café, por favor.

E Jenny, a serva, obedeceu. Nesse momento, Tamara Quinn saiu de seu escritório no fundo do salão, onde fazia a contabilidade. Vendo Harry sentado à sua mesa de sempre, precipitou-se na direção dele e, sem sequer cumprimentá-lo e num tom cheio de raiva e amargura, declarou:

— Estou repassando a contabilidade. Seu crédito se esgotou, Sr. Quebert.

— Compreendo — aquiesceu Harry, querendo evitar um escândalo. — Sinto muito por seu convite do último domingo... Eu...

— Suas desculpas não me interessam. Recebi suas flores, que foram parar na lixeira. Peço que até o fim da semana acerte suas contas.

— Entendo perfeitamente. É só me dar a conta que a pagarei na mesma hora.

Ela trouxe a nota discriminada e ele quase engasgou ao tomar conhecimento dela: o total dava mais de quinhentos dólares. Havia gasto sem se dar conta. Quinhentos dólares em comida e bebida, quinhentos dólares jogados pela janela, só para estar com Nola. A essa nota acrescentou-se, na manhã seguinte, uma carta da imobiliária. Já pagara metade de sua estadia em Goose Cove, ou seja, até o fim de julho. A carta avisava que ainda devia mil dólares, caso desejasse ficar na casa até setembro, e que, conforme fora estipulado, aquela soma seria debitada diretamente de sua conta. Mas ele não tinha aqueles mil dólares. Estava praticamente sem dinheiro algum. A fatura do Clark's o deixara quebrado. Não tinha mais com o que pagar o aluguel de uma casa daquelas. Não podia mais ficar. O que devia fazer? Ligar para Elijah Stern e explicar a situação? Mas para quê? Não escrevera o grande romance que esperava, não passava de um impostor.

Após uma pausa para reflexão, ligou para o hotel de Martha's Vineyard. Eis o que faria: desistiria da casa. Acabaria de vez com aquela farsa. Iria passar uma semana com Nola para viverem seu amor pela última vez e depois desapareceria. A recepção do hotel informou que havia um quarto disponível para a semana de 28 de julho a 3 de agosto. Era o que convinha fazer: amar Nola por uma última vez e depois abandonar aquela cidade para sempre.

Feita a reserva, ligou para a imobiliária. Explicou que havia recebido a carta, mas que, por razões que fugiam a seu controle, não tinha mais recursos para arcar com Goose Cove. Pediu então o cancelamento do contrato a partir de 1º de agosto e conseguiu convencer o funcionário, alegando razões práticas, a permitir que ele tivesse até 4 de agosto, uma segunda-feira, para deixar a casa, data em que, a caminho de Nova York, iria pessoalmente entregar as chaves na filial de Boston. Ao telefone, sua voz embargara, pois assim terminava a aventura do suposto grande escritor Harry Quebert, incapaz de escrever três linhas da imensa obra-prima que ambicionava. Prestes a desmoronar, desligou com as palavras:

— Perfeito, cavalheiro. Deixarei então as chaves de Goose Cove em seu escritório na segunda-feira, 4 de agosto, quando estiver voltando para Nova York.

Em seguida, ao colocar o aparelho no gancho, sobressaltou-se ao ouvir uma voz angustiada atrás dele:

— Está indo embora, Harry?

Era Nola. Entrara na casa sem se anunciar e ouvira a conversa. Tinha lágrimas nos olhos. Repetiu a pergunta:

— Está indo embora, Harry? O que está havendo?

— Nola... Estou com problemas.

Ela correu para ele.

— Problemas? Mas que problemas? Não pode ir embora! Harry, não pode ir embora! Se for, vou morrer!

— Não! Nunca diga isso!

Ela caiu de joelhos.

— Não vá, Harry! Pelo amor de Deus! Não sou nada sem você!

Ele deixou-se cair no chão, a seu lado.

— Nola... Preciso lhe contar... Menti desde o início. Não sou um escritor famoso... Eu menti! Menti sobre tudo! Sobre mim, sobre a minha carreira! Não tenho mais dinheiro! Mais nada! Não tenho recursos para continuar nesta casa. Não posso mais ficar em Aurora.

— Encontraremos uma solução! Não tenho qualquer dúvida de que será um escritor muito famoso. Ganhará muito dinheiro! Seu primeiro livro foi espetacular e esse que está escrevendo agora com tanto empenho fará enorme sucesso, tenho certeza! Nunca erro!

— Esse livro, Nola, não passa de um monte de horrores. É só um monte de palavras horríveis.

— Que tipo de palavras horríveis?

— Palavras a seu respeito que eu não deveria escrever. Mas isso é consequência do que eu sinto.

— E o que sente, Harry?

— Amor! Muito amor!

— Então transforme essas palavras em belas palavras! Mãos à obra! Escreva belas palavras!

Ela o pegou pela mão e o levou para a varanda. Trouxe seus papéis, seus cadernos, suas canetas. Preparou café, colocou um disco de ópera e abriu as janelas da sala para que ele ouvisse bem. Sabia que a música o ajudava a se concentrar. Com suavidade, ele se recobrou e recomeçou tudo; pôs-se a escrever uma história de amor, como se Nola e ele fosse algo possível. Escreveu por duas horas a fio, as palavras vinham por si só, as frases desenhavam-se com perfeição, naturalmente, brotando de sua caneta, que dançava no papel. Pela primeira vez desde que chegara ali, teve a impressão de que seu romance realmente estava nascendo.

Quando ergueu os olhos do papel, observou que Nola, sentada numa poltrona de vime, retraída para não atrapalhar, adormecera. O sol estava soberbo, fazia muito calor. E naquele instante, com seu romance, com Nola, com aquela casa à beira-mar, a vida pareceu-lhe maravilhosa. Pensou inclusive que deixar Aurora não seria algo tão terrível: terminaria seu romance em Nova York, se tornaria um grande escritor e esperaria Nola. No fundo, ir embora não significava perdê-la. O contrário, talvez. Quando terminasse o colégio, ela poderia ingressar numa universidade de Nova York. E ficariam juntos. Até lá, se escreveriam, se encontrariam nas férias. Os anos passariam e em pouco tempo aquele amor não seria mais um amor proibido. Acordou Nola delicadamente. Ela sorriu e se espreguiçou.

— Escreveu muito?

— Bastante.

— Maravilha! Posso ler?

— Em breve. Prometo.

Uma revoada de gaivotas sobrevoou a água.

— Ponha gaivotas! Ponha gaivotas em seu romance!

— Em todas as páginas, Nola. E que tal sairmos alguns dias para fazer a tal viagem a Martha's Vineyard? Há um quarto livre para semana que vem.

Ela ficou exultante.

— Sim! Vamos! Vamos juntos.

— Mas o que dirá a seus pais?

— Não se preocupe, Harry querido. Eu cuido dos meus pais. Preocupe-se em escrever sua obra-prima e em me amar. Então, vai ficar aqui?

— Não, Nola. Tenho que sair no final do mês porque não posso mais pagar por esta casa.

— No final do mês? Mas isso é agora.

— Eu sei.

Seus olhos encheram-se de lágrimas.

— Não vá, Harry!

— Nova York não é longe. Você irá me visitar. Escreveremos. Telefonaremos. E por que não vai para a universidade de lá? Você me disse que sonhava em conhecer Nova York.

— Universidade? Mas isso é daqui a três anos! Três anos sem você, não aguento, Harry! Não vou suportar!

— Não se preocupe, o tempo passa depressa. Quando a gente ama, o tempo voa.

— Não me deixe, Harry. Não quero que Martha's Vineyard seja nossa viagem de despedida.

— Nola, não tenho mais dinheiro. Não posso mais ficar aqui.

— Não, Harry, por favor. Daremos um jeito. Você me ama?

— Amo.

— Ora, se nos amamos, encontraremos uma solução. As pessoas que se amam sempre encontram uma solução para que possam continuar se amando. Prometa pelo menos pensar sobre isso.

— Prometo.

Partiram uma semana depois, ao amanhecer da segunda-feira, 28 de julho de 1975, sem comentarem uma única vez sobre aquela viagem, que se tornara inevitável para Harry. Ele se odiava por ter se curvado a suas ambições e seus sonhos de grandeza: como pudera ter a ingenuidade de querer escrever um grande romance durante um verão?

Haviam se encontrado às quatro da manhã no estacionamento da marina. Aurora dormia. Ainda estava escuro. Não demoraram a chegar a

Boston. Lá, tomaram café da manhã. Seguiram então num estirão até Falmouth, onde pegaram a barca. Chegaram à ilha de Martha's Vineyard no finalzinho do dia. Desde então, viviam um sonho naquele magnífico hotel à beira-mar. Mergulharam, passearam, jantaram a sós no amplo salão do hotel, sem que ninguém olhasse para eles ou fizesse perguntas. Em Martha's Vineyard podiam viver.

Já fazia quatro dias que estavam lá. Deitados na areia quente, ao abrigo do mundo, só pensavam em si mesmos e na alegria de estarem juntos. Ela brincava com a máquina fotográfica e ele pensava em seu livro.

Ela dissera a Harry que seus pais acreditavam que ela estava na casa de uma amiga, mas tinha mentido. Havia fugido de casa, sem avisar a ninguém: teria sido muito mais complicado justificar uma semana de ausência. Portanto, partira sem dar maiores explicações. Saíra pela janela do quarto de madrugada. E, enquanto ela e Harry espreguiçavam-se na praia, o reverendo Kellergan, em Aurora, descabelava-se. Na manhã de segunda-feira, encontrara o quarto vazio. Não avisara a polícia. Primeiro uma tentativa de suicídio, depois uma fuga. Se avisasse a polícia, todo mundo ficaria sabendo. Dera-se sete dias para encontrá-la. Sete dias, assim como o Senhor fez o mundo. De manhã à noite percorria a região de carro, à procura da filha. Temia pelo pior. Após sete dias, avisaria às autoridades.

Harry não desconfiava de nada. Estava cego de amor. Assim, na manhã do dia que foram para Martha's Vineyard, quando Nola encontrara com ele no estacionamento da marina, não percebera a silhueta que os espionava, escondida na penumbra.

Voltaram para Aurora na tarde do domingo, 3 de agosto de 1975. Quando atravessaram a fronteira entre Massachusetts e New Hampshire, Nola caiu no choro. Disse a Harry que não poderia viver sem ele, que ele não tinha o direito de ir embora, que amor como o deles só se encontrava uma vez na vida e não sei mais o quê. E suplicava:

— Não me abandone, Harry. Não me deixe aqui. — Argumentava que ele adiantara de tal forma o livro nos últimos dias que não podia correr o risco de perder a inspiração. E implorava: — Cuidarei de você e você só precisará se concentrar em escrever. Está escrevendo um romance magnífico, não pode estragar tudo.

E ela tinha razão: ela era sua musa, sua inspiração, graças a ela subitamente era capaz de escrever tão bem, tão depressa. Mas era tarde demais. Não tinha mais dinheiro para pagar a casa. Precisava ir.

Deixou Nola a alguns quarteirões da casa dela e se beijaram pela última vez. Suas faces estavam cobertas de lágrimas, ela se agarrava a ele na tentativa de detê-lo.

— Diga que ainda vai estar aqui amanhã de manhã!

— Nola, eu...

— Levarei brioches fresquinhos, farei café. Farei tudo. Serei sua mulher e você será um grande escritor. Diga que vai estar aqui...

— Estarei aqui.

Seus olhos brilharam.

— Sério?

— Estarei aqui. Prometo.

— Prometer não basta, Harry. Jure, jure em nome do nosso amor que não me abandonará.

— Juro, Nola.

Ele mentira, pois era difícil demais. Assim que ela desapareceu na esquina, ele voltou depressa para Goose Cove. Tinha que ser rápido: não queria arriscar que ela voltasse mais tarde e o surpreendesse durante sua fuga. Naquela noite mesma já estaria em Boston. Em casa, juntou suas coisas às pressas; amontoou suas pastas no porta-malas do carro e jogou o restante da bagagem no banco de trás. Em seguida, fechou as janelas e desligou o gás, a água e a eletricidade. Estava fugindo, fugindo do amor.

Quis deixar um recado. Rabiscou algumas linhas: *Nola querida, tive que ir embora. Escreverei. Amo você para sempre*, escritas com pressa, num pedaço de papel que enfiou no vão da porta, mas logo retirou-o, temendo que outra pessoa encontrasse aquelas palavras. Nada de mensagem, era mais seguro. Trancou a porta, entrou no carro e arrancou impetuosamente. Fugiu a toda velocidade. Adeus, Goose Cove, adeus, New Hampshire, adeus, Nola.

Estava acabado para sempre.

17

Tentativa de fuga

— Você deve preparar seus textos como se prepara para uma luta de boxe, Marcus: nos dias que precedem o combate, convém treinar até apenas setenta por cento do seu limite, para que a raiva, que só deve explodir na noite da luta, ferva e esquente dentro de você.

— O que isso quer dizer?

— Que quando tiver uma ideia, em vez de transformá-la imediatamente num de seus contos ilegíveis e publicá-lo na primeira página da revista que você mesmo edita, guarde-a no fundo da alma para permitir-lhe que amadureça. Deve impedi-la de sair, deixe-a crescer dentro de você até sentir que o momento chegou. Este será o número... Em que número estamos?

— Dezoito.

— Não, estamos no dezessete.

— Por que me pergunta, se sabe?

— Para ver se está me acompanhando, Marcus.

— Então dezessete, Harry... Transformar as ideias...

— ...em iluminações.

Na terça-feira, 1º de julho de 2008, Harry, a quem eu escutava avidamente no locutório do presídio estadual de New Hampshire, me contou que, na noite de 3 de agosto de 1975, quando estava quase deixando Aurora e acabava de entrar a toda velocidade na estrada, cruzou com um carro que, ao passar por ele, imediatamente fez meia-volta e começou a persegui-lo.

Domingo à noite, 3 de agosto de 1975

Por um instante, pensou que era uma viatura policial, mas não tinha luzes nem sirene. Um carro estava em seu encalço e buzinava sem que ele entendesse por quê, e subitamente temeu estar sendo vítima de um assalto. Tentou pisar fundo no acelerador, mas seu perseguidor conseguiu ultrapassá-lo e, pondo-se atravessado na estrada, o obrigou a parar no acostamento. Harry pulou para fora do carro, pronto para brigar, mas reconheceu o motorista de Stern, Luther Caleb, que saía do carro.

— Mas você está completamente louco! — berrou Harry.

— Quera me desgulbar, Sr. Quebert. Não gueria amedrondá-lo. É o Sr. Stern, ele quer fê-lo gom urgênfia. Fax fários tias gue esdou à sua brogura.

— E o que o Sr. Stern quer comigo?

Harry tremia, a adrenalina acelerava seu coração.

— Eu não sei nata, senhor — disse Luther. — Mas ele tisse gue era imbordande. Está o esberando na casa tele.

Diante da insistência de Luther, Harry, de má vontade, aceitou segui-lo até Concord. Estava anoitecendo. Dirigiram-se à imensa propriedade de Stern, onde Caleb, sem dizer uma palavra, guiou Harry pelo interior da casa até uma ampla varanda. Elijah Stern, à mesa, tomava uma limonada, vestindo um leve roupão. Assim que viu Harry chegar, levantou-se para ir a seu encontro, visivelmente aliviado por ele estar ali.

— Puxa, meu caro Harry, cheguei a pensar que nunca mais o encontraria! Agradeço por ter vindo até aqui uma hora dessas. Liguei para sua casa, escrevi uma carta para você. Mandei Luther ir lá todos os dias. Não consegui nenhuma notícia sua. Onde foi que se meteu?

— Estava fora da cidade. O que aconteceu de tão importante?

— Sei de tudo! Tudo! E você quis me esconder a verdade?

Harry sentiu-se vulnerável: Stern sabia sobre Nola.

— Do que está falando? — balbuciou ele, para ganhar tempo.

— Da casa de Goose Cove, ora! Por que não falou que estava prestes a devolver a casa por uma questão financeira? Foi a imobiliária de Boston que me avisou. Disseram que você combinou devolver as chaves amanhã, veja a urgência da situação! Precisava falar com você de qualquer jeito! Acho que é mesmo uma grande pena você sair de lá! Não preciso do dinheiro do aluguel da casa e quero apoiar o projeto do seu livro. Quero que fique em Goose Cove o tempo que precisar para terminar seu romance, o que acha? Você admitiu para mim que o lugar o inspirava, então por que ir embora? Já combinei tudo com a imobiliária. Sou muito ligado à arte e à cultura, portanto, se está bem naquela casa, fique mais alguns meses! Terei muito orgulho de haver contribuído para o desenvolvimento de um grande romance. Não recuse, não conheço muitos escritores... Faço realmente questão de ajudá-lo.

Harry deixou escapar um suspiro de alívio e afundou na cadeira. Aceitou na mesma hora a oferta de Elijah Stern. Era uma oportunidade inesperada poder usufruir da casa de Goose Cove por mais alguns meses, poder terminar seu grande romance graças à inspiração de Nola. Se vivesse modestamente, sem ter mais a despesa do aluguel nas costas, conseguiria suprir suas necessidades. Ficou um tempo com Stern, na varanda, conversando sobre literatura, basicamente para ser cortês com seu benfeitor, pois tudo que queria era voltar naquele instante a Aurora para encontrar Nola e lhe contar que dera um jeito. Talvez ela já tivesse até passado em Goose Cove, de surpresa. Será que encontrara a porta fechada? Será que descobrira que ele fugira, que quase a abandonara? Sentiu um aperto no coração e, tão logo julgou de bom-tom despedir-se, voltou a toda velocidade para Goose Cove. Correu para reabrir a casa, as janelas, religar a água, o gás e a eletricidade, recolocar todas as suas coisas no lugar e apagar qualquer vestígio de sua tentativa de fuga. Nola nunca deveria saber. Nola, sua musa. Aquela sem a qual não conseguia criar nada.

— Foi assim — concluiu Harry —, foi assim que pude continuar em Goose Cove e levar meu livro adiante. Nas semanas seguintes, aliás, não fiz outra coisa senão isto: escrever. Escrever feito um louco, escrever febrilmente, escrever a ponto de perder a noção de manhã e noite, de fome e sede. Escrever sem parar, escrever até sentir dor nos olhos, dor nos punhos, dor na cabeça, dor em toda parte. Escrever a ponto de dar vontade de vomitar. Durante três semanas, escrevi dia e noite. E esse tempo todo, Nola ficou cuidando de mim. Vinha me vigiar, me dar comida, me fazer dormir, me levar para dar um passeio quando via que eu não estava aguentando mais. Discreta, invisível e onipresente: graças a ela, tudo era possível. Além de tudo, datilografava o que eu escrevia com a ajuda de uma pequena máquina de escrever Remington portátil. E muitas vezes levava um trecho do original para ler. Sem me pedir. No dia seguinte, comentava suas impressões comigo. Com frequência ficava entusiasmada demais, afirmava que o texto era magnífico, as palavras mais bonitas que já lera, infundindo-me, com seus olhos amorosos, uma confiança excepcional.

— O que falou sobre a casa?

— Disse que a amava mais que tudo, queria ficar a seu lado e conseguira entrar num acordo com meu banco, e, assim, poderia continuar pagando o aluguel. Foi graças a ela que consegui escrever esse livro, Marcus. Eu não ia mais ao Clark's, praticamente não me viam mais na cidade. Ela zelava por mim, cuidava de tudo. Dizia inclusive que eu não podia fazer compras sozinho, pois não sabia o que faltava na casa, e íamos juntos a supermercados afastados, onde podíamos ficar tranquilos. Quando ela percebia que eu deixara de fazer uma refeição ou jantara barras de chocolate, enlouquecia de raiva. Que acessos maravilhosos... Eu queria que aqueles singelos ataques de raiva me acompanhassem para sempre em minha obra e para sempre em minha vida.

— Então você realmente escreveu *As origens do mal* em apenas algumas semanas?

— Escrevi. Eu estava impregnado por uma febre criadora que nunca mais tive. Será que foi desencadeada pelo amor? Sem dúvida alguma. Acho que, quando Nola desapareceu, uma parte do meu talento desapareceu junto. Entende agora por que digo que não deve se preocupar quando sofre por falta de inspiração?

Um guarda nos avisou que o tempo de visita estava quase terminando e sugeriu concluirmos.

— Você dizia que Nola levava o original com ela? — repeti rapidamente para não perder o fio da conversa.

— Levava as partes que ela datilografara. Lia e me dava sua opinião. Marcus, o mês de agosto de 1975 foi o paraíso. Fui muito feliz. Nós fomos muito felizes. Contudo, mesmo assim, a ideia de que alguém sabia sobre nós dois continuava me atormentando. Alguém disposto a achincalhar um espelho com horrores. Alguém que podia nos espionar da mata e ver tudo. Isso me deixava maluco.

— Foi esta a razão que o fez considerar ir embora? O que exatamente os levou a planejar a fuga da noite de 30 de agosto?

— Isso, Marcus, foi consequência de uma história terrível. Está gravando agora?

— Estou.

— Vou lhe contar então um episódio muito grave. Para que entenda. Mas não quero que seja divulgado.

— Pode contar comigo.

— Pois saiba que, durante a semana que passamos em Martha's Vineyard, em vez de fingir que estaria com uma amiga, Nola simplesmente fugira. Fora embora sem dizer nada a ninguém. Quando a reencontrei, no dia seguinte ao nosso retorno, estava completamente abatida. Disse que a mãe a espancara. Seu corpo estava coberto de marcas. Ela chorava. Nesse dia, contou que a mãe costumava castigá-la por coisas pequenas. Que dava uma surra nela com régua de ferro, impondo-lhe também aquele absurdo que fazem em Guantánamo, as simulações de afogamento: enchia uma tina com água, agarrava a filha pelo cabelo e mergulhava sua cabeça. Dizia que era para libertá-la.

— Libertá-la?

— Libertá-la do mal. Uma espécie de batismo, acho. Jesus no Rio Jordão ou algo do gênero. No início, eu não podia acreditar naquilo, mas as provas eram óbvias. Perguntei então: "Mas quem lhe fez isso?" "Minha mãe." "E por que seu pai não reagiu?" "Papai se tranca na garagem e fica escutando música nas alturas. Faz isso quando minha mãe me castiga. Ele não quer ouvir." Nola não aguentava mais, Marcus. Ela não aguentava mais. Eu quis checar essa história, visitar os Kellergan. Aquilo precisava parar. Mas Nola suplicou que eu não fizesse nada, dizendo que teria problemas terríveis, que seus pais certamente a levariam para longe da cidade e nunca mais nos veríamos. Aquela situação, contudo, não podia mais perdurar. Então, no final de agosto, por volta do dia 20, decidimos ir embora. Depressa. E em segredo, é claro. Marcamos a partida para o dia 30 de agosto. Pretendíamos ir até o Canadá, atravessar a fronteira de Vermont. Para a Colômbia Britânica talvez, morar num bangalô de madeira. Levar uma vida boa à beira de um lago. Ninguém nunca saberia.

— Então foi por isso que planejaram fugir juntos?

— Foi.

— Mas por que não quer que eu divulgue isso?

— Ah, Marcus, isso é só o início da história. Pois, em seguida, descobri algo terrível sobre a mãe de Nola...

Nesse instante, fomos interrompidos pelo guarda. A visita terminara.

— Continuamos na próxima vez, Marcus — disse Harry ao se levantar. — Até lá, por favor, guarde isso para você.

— Prometido, Harry. Só me responda: o que teria feito com o livro se tivesse fugido?

— Teria me tornado um escritor em exílio. Ou não seria mais escritor. Naquele momento, isso não importava mais. Só Nola contava. Nola era meu mundo. O resto pouco importava.

Fiquei estupefato. Então era esse o insensato plano arquitetado por Harry trinta anos atrás: fugir para o Canadá com a garota pela qual estava perdidamente apaixonado. Ir embora com Nola e levar uma vida às escondidas à beira de um lago, sem desconfiar de que, na noite planejada para a fuga, Nola desapareceria e seria assassinada, ou que o livro que ele escrevera num tempo recorde e do qual estava prestes a desistir se tornaria um dos maiores best-sellers da segunda metade do século XX.

Durante uma segunda entrevista, Nancy Hattaway forneceu sua versão da semana em Martha's Vineyard. Segundo ela, nos dias que se seguiram ao retorno de Nola da casa de repouso de Charlotte's Hill, as duas amigas foram diariamente à Grand Beach e, em diversas ocasiões, Nola ficara para jantar depois na casa dela. Na segunda-feira seguinte, porém, quando Nancy foi tocar na Terrace Avenue, 245, para chamar Nola para irem à praia, como fizera antes, ouviu como resposta que Nola estava muito doente e teria que ficar de cama.

— A semana inteira — continuou Nancy — foi o mesmo refrão: "Nola está muito doente, não pode nem mesmo receber visita." Até minha mãe que, intrigada, foi lá saber notícias, não conseguiu passar da soleira da porta. Isso me deixou louca, eu sabia que havia alguma coisa errada. E foi então que entendi: Nola tinha desaparecido.

— O que a fez pensar uma coisa dessas? Ela podia estar doente e de cama...

— Foi minha mãe que percebeu esse detalhe na época: não havia mais música. Durante toda a semana, não houve música uma só vez.

Dei uma de advogado do diabo:

— Se ela estava doente — repliquei —, pode ser que não quisessem incomodá-la com a música.

— Era a primeira vez em muito tempo que não havia música. Era completamente inusitado. Então, para ficar com a consciência tranquila, e após ouvir pela enésima vez que Nola estava doente e de cama, esgueirei-me discretamente atrás da casa e fui espiar pela janela do quarto dela. O cômodo estava vazio, a cama não estava desfeita. Nola não estava lá, isso era um fato. E então, domingo à noite, a música voltou. De novo aquela maldita música reverberando da garagem e, no dia seguinte, Nola reapareceu. Seria uma coincidência? Ela foi a minha casa no final do dia e fomos até o largo, na rua principal. Lá, coloquei-a contra a parede. Principalmente por causa das marcas que ela tinha nas costas: obriguei-a a levantar o vestido atrás dos arbustos e constatei que levara uma surra terrível. Insisti em saber o que havia acontecido e ela acabou admitindo que recebera um corretivo porque passara uma semana inteira fora de casa. Tinha viajado com um homem, um homem bem mais velho; sem dúvida alguma, Stern. Falou que tinha sido maravilhoso, que aquilo compensava a surra que levara em casa, ao voltar.

Preferi não revelar para Nancy que Nola passara a semana com Harry em Martha's Vineyard, e não com Elijah Stern. Afinal, ela parecia não ter mais muita coisa para contar sobre o relacionamento entre Nola e Stern.

— Essa história com Stern parecia ser bem sórdida — continuou ela. — Principalmente agora, quando volto a pensar nisso. Luther Caleb vinha buscá-la em Aurora, de carro, num Mustang azul. Sei que a levava para Stern. Tudo era feito às escondidas, é claro, mas uma vez testemunhei a cena. Na época, Nola me suplicara: "Pelo amor de Deus, nunca conte a ninguém sobre isso! Jure, em nome de nossa amizade. Nós duas teríamos problemas." E eu: "Mas, Nola, por que vai à casa desse velho?" Ela respondeu: "Por amor."

— Mas quando foi que isso começou? — perguntei.

— Não sei dizer. Foi durante o verão que fiquei sabendo, não lembro exatamente quando. Muitas coisas aconteceram naquele verão. Aquele relacionamento talvez já tivesse começado há mais tempo, há anos, quem sabe.

— Mas a senhora acabou contando para alguém, não foi? Quando Nola desapareceu.

— É claro! Contei para o chefe Pratt. Disse tudo que sabia, tudo que disse ao senhor. Ele disse para eu não me preocupar, que tiraria tudo a limpo.

— E a senhora estaria disposta a repetir tudo isso perante um tribunal?

— Se for preciso, com certeza.

Eu estava morrendo de vontade de ter mais uma conversa com o reverendo Kellergan na presença de Gahalowood. Liguei para este último para lhe contar a ideia que tive.

— Interrogarmos juntos o velho Kellergan? Imagino que tenha uma ideia na cabeça.

— Sim e não. Gostaria de abordar com ele os novos elementos da investigação: os relacionamentos de sua filha e as surras que ela levava.

— O que você quer? Que eu vá perguntar ao pai se por acaso sua filha era uma vagabunda?

— Vamos, sargento, sabe que estamos trazendo à tona elementos importantes. E em uma semana todas as suas certezas foram varridas. Hoje você consegue me dizer quem realmente era Nola Kellergan?

— Tudo bem, escritor, você me convenceu. Irei a Aurora amanhã. Conhece o Clark's?

— Claro. Por quê?

— Chegue às dez horas. Lá eu explico.

Na manhã seguinte, cheguei ao Clark's antes da hora marcada para poder falar um pouco sobre o passado com Jenny. Mencionei o baile de verão de 1975, o qual ela afirmou ser uma de suas piores lembranças, ela, que se imaginara chegando nos braços de Harry. O pior momento fora o da rifa, quando Harry ganhara o primeiro prêmio. Esperara secretamente ser a feliz eleita, que Harry fosse buscá-la uma manhã e a levasse para uma semana de amor ao sol.

— Tive esperanças — admitiu ela —, eu realmente tive esperanças de que Harry me escolhesse. Fiquei esperando por ele todos os dias. Depois, no final de julho, ele sumiu por uma semana e percebi que provavelmente tinha ido para Martha's Vineyard sem mim. Não sei com quem ele foi...

Para protegê-la um pouco, menti.

— Sozinho — falei. — Ele foi sozinho.

Ela sorriu, como se sentisse alívio. E depois continuou:

— Desde que sei sobre Harry e Nola, desde que sei que ele escreveu um livro para ela, não me sinto mais mulher. Por que ele a escolheu?

— A gente não controla esse tipo de coisa. Nunca desconfiou dele e Nola?

— Harry e Nola? Mas afinal quem poderia imaginar uma coisa dessas?

— Sua mãe, não? Ela afirma que sempre soube. Nunca tocou no assunto com você?

— Ela nunca comentou de um caso entre eles. Mas é verdade, depois do desaparecimento de Nola, ela disse que suspeitava de Harry. Aliás, aos domingos, quando Travis, que estava me cortejando, ia às vezes almoçar lá em casa, minha mãe não parava de repetir: "Tenho certeza de que Harry está ligado ao desaparecimento da menina!" E Travis respondia: "É preciso ter provas, Sra. Quinn, para termos fundamento." E minha mãe voltava a repetir: "Eu tinha uma prova. Uma prova irrefutável. Mas a perdi." Nunca acreditei nisso. Minha mãe sentia uma antipatia mortal por ele, principalmente depois do *garden-party*.

Gahalowood me encontrou no Clark's às dez em ponto.

— Você botou o dedo na ferida, escritor — começou ele, sentando-se a meu lado no balcão.

— E por quê?

— Fiz umas pesquisas sobre esse Luther Caleb. Não foi nada fácil, mas descobri que ele nasceu em 1940, em Portland, no Maine. Não sei o que o trouxe à região, mas, entre 1970 e 1975, foi fichado pelas polícias de Concord, Montburry e Aurora por comportamento inadequado com mulheres. Ele vadiava pelas ruas abordando mulheres. Uma delas inclusive registrou queixa contra ele, uma tal Jenny Quinn, que mais tarde virou Jenny Dawn. É a dona deste estabelecimento. Queixa por assédio, feita em agosto de 1975. Foi por isso que marquei com você aqui.

— Jenny registrou uma queixa contra Luther Caleb?

— Você a conhece?

— Claro.

— Faça-a vir aqui, por favor.

Pedi a um dos garçons para chamar Jenny, que estava na cozinha. Gahalowood se apresentou e pediu que ela falasse de Luther. Ela deu de ombros.

— Francamente, não tenho muito a dizer. Era um rapaz educado. Muito sensível, apesar da aparência. Vinha aqui ao Clark's de vez em quando. Eu lhe servia café e um sanduíche. Nunca o deixei pagar, era um pobre coitado. Me dava um pouco de pena.

— No entanto, a senhora registrou queixa contra ele — replicou Gahalowood.

Ela pareceu perplexa.

— Vejo que está muito bem-informado, sargento. Isso faz muito tempo. Foi Travis quem me incentivou a dar queixa. Na época, ele dizia que Luther era perigoso e convinha mantê-lo afastado.

— Por que perigoso?

— Naquele verão, ele circulava muito por Aurora. Algumas vezes chegou a ser agressivo comigo.

— Por que razão Luther Caleb se mostrou violento?

— Violento é uma palavra muito forte. Vamos dizer agressivo. Insistia para... Enfim, pode ser que eu pareça ridícula...

— Conte tudo para nós, senhora. Talvez seja um detalhe importante.

Fiz um gesto com a cabeça para incentivar Jenny a falar.

— Ele insistia em que eu posasse para ele, para me pintar — disse ele.

— Pintá-la?

— É. Falava que eu era uma mulher bonita, me achava deslumbrante e tudo que ele queria era poder me pintar.

— O que aconteceu com ele?

— Um dia não o vimos mais — respondeu Jenny. — Pelo que dizem, ele morreu num acidente de carro. Melhor perguntar a Travis, ele saberá com mais precisão.

Gahalowood me confirmou que Luther Caleb havia morrido num acidente de carro. Em 26 de setembro de 1975, ou seja, quatro semanas após o desaparecimento de Nola, seu carro foi encontrado no sopé de um penhasco, perto de Sagamore, em Massachusetts, a cerca de trezentos quilômetros de Aurora. Além disso, Luther frequentara uma escola de belas-artes em Portland, e, segundo Gahalowood, agora era possível começar a acreditar seriamente que fora ele quem pintara o retrato de Nola.

— Esse Luther parece ter sido um sujeito estranho — continuou ele, — Será que teria tentado atacar Nola? Ou arrastado a garota para a floresta de Side Creek? Num surto de violência, ele a mata, se livra do corpo e depois foge para Massachusetts. Atormentado pelo remorso, sabendo que estava encurralado, se joga do alto de um penhasco dentro do carro. Ele tem uma irmã em Portland, no Maine. Procurei fazer contato com ela, mas não tive sucesso. Tentarei novamente.

— Por que a polícia não juntou as duas coisas na época?

— Para juntar as coisas seria preciso considerar Caleb um suspeito. Ora, nenhum elemento no inquérito da época apontava para ele.

Perguntei então:

— Poderíamos voltar a interrogar Stern? Oficialmente. Enviar um mandado de busca a sua casa?

Gahalowood fez uma expressão de derrota.

— Ele é muito poderoso. Por ora estamos de mãos atadas. Enquanto não tivermos nada mais sólido, a promotoria não avançará. Precisamos de elementos mais tangíveis. Provas, escritor, precisamos de provas.

— Temos o quadro.

— O quadro é uma prova ilegal. Quantas vezes terei de repetir? Agora me conte o que pretende fazer na casa do velho Kellergan.

— Preciso esclarecer certos pontos. Quanto mais sei sobre ele e a mulher, mais perguntas tenho a fazer.

Mencionei a viagem de Harry e Nola a Martha's Vineyard, as reiteradas surras que levava da mãe, o pai que se escondia na garagem. A meu ver, pairava um denso mistério em torno de Nola: uma menina iluminada e apagada ao mesmo tempo, que, se por um lado irradiava alegria, o que é a opinião de todos, por outro tentara se suicidar. Tomamos café da manhã e depois seguimos para a casa de David Kellergan.

A porta da casa na Terrace Avenue estava aberta, mas ele não estava em casa; nem sinal de música na garagem. Ficamos esperando-o no portão. Ele chegou em meia hora, numa motocicleta estrondeante: a Harley-Davidson que ele levara trinta e três anos para consertar. Pilotava-a sem capacete, tendo, nos ouvidos, fones conectados a um discman. Ele nos cumprimentou aos berros, por causa do volume da música, que acabou desligando depois de ligar a vitrola na garagem, ensurdecendo a casa inteira.

— A polícia já esteve aqui mais de uma vez — explicou ele. — Por causa do volume da música. Todos os vizinhos se queixaram. O chefe Travis Dawn veio pessoalmente tentar me convencer a desistir da minha música. Respondi a ele: "Não posso fazer nada: a música é minha punição." Então ele foi comprar para mim este discman e uma versão em CD do vinil que ouço sem parar. Falou que assim eu poderia estourar meus tímpanos sem congestionar a linha telefônica da polícia com as ligações dos vizinhos.

— E a moto? — perguntei.

— Acabei de consertá-la. Ficou uma beleza, não acha?

Agora que ele sabia o que acontecera à filha, conseguira terminar a moto na qual trabalhava desde a noite do desaparecimento dela.

David Kellergan nos levou para a cozinha e nos serviu chá gelado.

— Quando vai me devolver o corpo da minha filha, sargento? — perguntou a Gahalowood. — Agora preciso enterrá-la.

— Em breve, senhor. Sei que é difícil.

O velho brincou com o copo.

— Ela gostava de chá gelado — comentou ele. — Nas tardes de verão, costumávamos pegar uma garrafa grande e ir beber na praia, assistindo ao sol se pôr no mar e à dança das gaivotas no céu. Ela gostava de gaivotas. Adorava. Sabiam disso?

Aquiesci. Em seguida, disse:

— Sr. Kellergan, há zonas sombrias no inquérito. É por isso que o sargento Gahalowood e eu estamos aqui.

— Zonas sombrias? Posso imaginar... Minha filha foi assassinada e enterrada num jardim. Têm novidades?

— Sr. Kellergan, conhece um homem chamado Elijah Stern? — perguntou Gahalowood.

— Pessoalmente, não. Cruzei com ele algumas vezes em Aurora. Mas isso faz muito tempo. Um sujeito riquíssimo.

— E seu faz-tudo? Um tal de Luther Caleb?

— Luther Caleb... Esse nome não me diz nada. Posso ter esquecido, sabe. O tempo passou e começou a corroer tudo. Por que essas perguntas?

— Tudo leva a crer que Nola tinha uma ligação com esses dois indivíduos.

— Ligação? — repetiu David Kellergan, que não era burro. — O que significa *ligação* em sua linguagem diplomática de policial?

— Achamos que Nola teve um relacionamento com o Sr. Stern. Eu me sinto péssimo expondo isso de maneira tão brutal.

O rosto do velho ficou roxo.

— Nola? O que estão tentando insinuar? Que minha filha era uma puta? Minha filha foi vítima daquele porco do Harry Quebert, pedófilo notório que em breve deve acabar no corredor da morte! Se ocupe dele e não venha aqui difamar os mortos, sargento! Essa conversa está encerrada. Até logo, senhores.

Gahalowood levantou-se docilmente, mas ainda restavam alguns pontos que eu queria tirar a limpo. Então falei:

— Sua mulher batia nela, não é mesmo?

— Como? — balbuciou Kellergan.

— Sua mulher espancava Nola. Isso procede?

— Mas o senhor está completamente louco!

Não permiti que ele continuasse.

— Nola fugiu no final de julho de 1975. Ela fugiu e vocês não comunicaram a ninguém, ou estou enganado? Por quê? Tinham vergonha? Por que não ligaram para a polícia quando ela fugiu de casa no final de julho de 1975?

Ele esboçou uma explicação:

— Ela ia voltar... Prova disso é que uma semana depois ela estava aqui!

— Uma semana! Vocês esperaram uma semana! No entanto, na noite do desaparecimento, vocês ligaram para a polícia apenas uma hora após constatarem que ela tinha sumido. Por quê?

O velho começou a berrar:

— Ora, porque naquela noite, ao sair para procurá-la pelo bairro, ouvi falar que uma menina ensanguentada fora vista em Side Creek Lane e imediatamente associei as coisas! Afinal, o que quer de mim, Goldman? Não tenho mais família, não tenho mais nada! Por que vieram reabrir minhas feridas? Saiam daqui agora! Fora!

Não me deixei impressionar.

— O que aconteceu no Alabama, Sr. Kellergan? Por que vieram para Aurora? E o que aconteceu aqui em 1975? Responda, em nome de Deus! Deve isso à sua filha!

Kellergan se levantou como um louco e se jogou em minha direção. Agarrou meu colarinho com uma força que eu nunca teria suspeitado que ele tivesse.

— Suma da minha casa! — berrou ele, me empurrando.

Eu provavelmente teria caído no chão se Gahalowood não tivesse me segurado e me arrastado para fora.

— Ficou maluco, escritor? — interpelou ele, enquanto voltávamos para o carro. — Ou é apenas um babaca ao extremo? Quer perder todas as nossas testemunhas?

— Admita que nada está claro...

— Não está claro o quê? Chamamos a filha dele de puta e ele se revoltou, bastante normal, não acha? Em compensação, ele quase acabou com você. Fortinho, o velho. Eu nunca ia imaginar.

— Sinto muito, sargento. Não sei o que deu em mim.

— E que história é essa de Alabama? — perguntou ele.

— Repito: os Kellergan se mudaram do Alabama para cá. E estou convencido de que tiveram um bom motivo para terem saído de lá.

— Vou me informar. Se prometer comportar-se direito no futuro.

— Vamos conseguir, hein, sargento? Quero dizer, em breve Harry será inocentado, certo?

Gahalowood olhou fixamente para mim.

— O que me atrapalha, escritor, é você. Pois eu faço meu trabalho. Estou investigando dois assassinatos. Você, no entanto, parece estar acima de tudo obcecado pela necessidade de inocentar Quebert do assassinato de Nola, como se quisesse proclamar ao país inteiro: vejam, ele é inocente, o que recriminam nesse honesto escritor? Mas além disso o que recriminam nele, Goldman, é o fato de ter se enrabichado com uma menina de quinze anos!

— Sei bem disso! Penso nisso o tempo todo, ou acha que não?

— Então por que nunca toca no assunto?

— Vim para cá logo depois do escândalo. Sem refletir. Pensei antes de tudo no meu amigo, no meu velho irmão Harry. Pela ordem natural das coisas, eu teria ficado apenas dois ou três dias, para limpar minha consciência, e depois chisparia de volta para Nova York.

— Então por que continua aqui enchendo meu saco?

— Porque Harry Quebert é o único amigo que tenho. Estou com trinta anos e só tenho a ele. Ele me ensinou tudo, o único ser humano que foi meu irmão nesses últimos dez anos. Além dele, não tenho ninguém.

Acho que nesse instante Gahalowood sentiu pena de mim, pois me convidou para jantar em sua casa.

— Venha esta noite, escritor. Faremos um balanço da investigação, comeremos alguma coisa. Vai conhecer minha mulher. — E, arrependendo-se por ter sido muito educado, adotou em seguida seu tom mais desagradável: — Quer dizer, minha mulher é que vai ficar feliz. Faz tempo que ela insiste para eu convidá-lo. O sonho dela é conhecê-lo. Sonho estapafúrdio.

* * *

A família Gahalowood morava numa casinha bonita, num bairro residencial da zona leste de Concord. Helen, a mulher do sargento, era elegante e muito simpática, ou seja, o exato oposto do marido. Ela me recebeu de forma muito gentil.

— Gostei muito do seu livro — elogiou ela. — Então está realmente investigando junto com Perry?

O marido resmungou que eu não investigava nada, que o chefe era ele e eu era apenas um enviado dos céus para atrapalhar sua vida. Mais tarde, suas duas filhas, adolescentes completamente à vontade, vieram, muito educadas, despedir-se de mim, antes de sumirem no quarto. Falei para Gahalowood:

— No fundo, você é o único nesta casa que não gosta de mim.

Ele sorriu.

— Fique quieto, escritor. Fique quieto e venha para o lado de fora beber uma cerveja gelada. O clima está bastante agradável.

Passamos um longo momento na varanda, confortavelmente sentados em cadeiras de ratã, esvaziando uma caixa térmica. Embora de terno, Gahalowood calçava chinelos velhos. O início de noite estava quente, ouvimos crianças brincando na rua. O ar tinha perfume de verão.

— Tem uma família muito bacana — elogiei.

— Obrigado. E você? Mulher? Filhos?

— Não, nada.

— Um cachorro?

— Não.

— Nem um cachorro? Você deve ser mesmo um ermitão, escritor... Deixe-me adivinhar: mora num apartamento colossal num bairro da moda de Nova York. Um apartamento grande e sempre vazio.

Nem tentei negar.

— Antes — contei —, meu agente ia assistir aos jogos de beisebol lá em casa. Preparávamos nachos com queijo. Era uma beleza. Mas agora, com essa história toda, não sei se ele vai querer voltar a me visitar. Faz duas semanas que não tenho notícias dele.

— Está se borrando de medo, hein, escritor?

— Estou. Mas o pior é que não sei do que tenho medo. Estou escrevendo meu novo livro sobre isso. Vai me render, no mínimo, um milhão de dólares. E vai vender muito, com certeza. Ainda assim, no fundo, estou infeliz. O que acha que devo fazer?

Ele me fitou, quase perplexo.

— Está pedindo conselho a um cara que ganha cinquenta mil dólares por ano?

— Estou.

— Não sei o que posso lhe dizer, escritor.

— Se eu fosse seu filho, que conselho me daria?

— Você, meu filho? Acho que vou vomitar. Vá fazer análise, escritor. Sabe, tenho um filho. Mais jovem que você, com vinte anos...

— Não sabia.

Procurou no bolso e pegou uma pequena fotografia que colara num pedaço de papelão para não deformar. Mostrava um rapaz vestindo o uniforme de gala da Marinha.

— Seu filho é militar?

— Segunda divisão de infantaria. Embarcou para o Iraque. Eu me lembro do dia em que ele se alistou. Havia um posto ambulante de recrutamento da Marinha no estacionamento do shopping. Aquilo foi como um sinal para ele. Passou em casa e me avisou de sua decisão: estava largando a faculdade, queria ir para a guerra. Por causa das imagens do onze de setembro, que pipocavam em sua cabeça. Peguei então um mapa-múndi e perguntei a ele: "Onde fica o Iraque?" E ele me respondeu: "O Iraque fica onde deve ficar." O que acha disso, Marcus? — Era a primeira vez que ele me chamava pelo primeiro nome. — Ele tinha razão ou não?

— Não faço ideia.

— Nem eu. Tudo que sei é que a vida é uma série de escolhas que fazemos e que depois precisamos saber assumir.

Foi uma bela noite. Fazia tempo que não me sentia tão paparicado. Depois do jantar, fiquei um instante sozinho na varanda, enquanto Gahalowood ajudava a mulher na cozinha. Anoitecera, o céu era de um azul quase negro. Localizei a Ursa Maior, que cintilava. Tudo estava absolutamente calmo. As crianças haviam debandado da rua e só se ouvia o canto apaziguador dos grilos. Quando Gahalowood voltou a me fazer companhia, fizemos um balanço da investigação. Contei a história de como Stern deixara Harry ficar em Goose Cove de graça.

— O mesmo Stern que se relacionava com Nola? — observou ele. — Tudo isso é muito estranho.

— É você que está dizendo, sargento. E confirmo que naquela época alguém sabia de Harry e Nola. Ele me contou que durante um grande baile popular deparou com o espelho do banheiro manchado com uma mensagem chamando-o de *comedor de menininhas*. A propósito, e a dedicatória do original? Quando teremos os resultados dos exames grafológicos?

— Em princípio, até a semana que vem.

— Então em breve saberemos.

— Dissequei o relatório da polícia sobre o desaparecimento de Nola — disse Gahalowood. — Aquele redigido pelo chefe Pratt. Eu lhe asseguro que não há menção alguma a Stern ou a Harry.

— Estranho, porque Nancy Hattaway e Tamara Quinn me confirmaram ter informado ao chefe Pratt sobre suas suspeitas de Harry e Stern na época do desaparecimento de Nola.

— No entanto, o relatório é assinado pelo próprio Pratt. Será que ele sabia e não fez nada?

— O que isso pode significar? — indaguei.

O semblante de Gahalowood anuviou-se.

— Que ele também poderia ter um relacionamento com Nola Kellergan.

— Ele também? Acha que... Pelo amor de Deus... O chefe Pratt e Nola?

— A primeira coisa que faremos amanhã de manhã, escritor, será perguntar isso a ele.

Na manhã da quinta-feira, 3 de julho de 2008, Gahalowood veio me buscar em Goose Cove e fomos encontrar o chefe Pratt em sua casa em Mountain Drive. Foi o próprio Pratt quem abriu a porta. Como só me viu, me recebeu com simpatia.

— Sr. Goldman, que bons ventos o trazem? Na cidade estão dizendo que está fazendo uma investigação por conta própria...

Ouvi Amy perguntar quem era e Pratt responder:

— É Goldman, o escritor.

Em seguida, ele notou Gahalowood, alguns passos atrás de mim, e deixou escapar:

— Então é uma visita oficial...

Gahalowood balançou a cabeça.

— Só algumas perguntas, chefe — explicou ele. — A investigação chegou a um impasse, pois nos faltam alguns elementos. Tenho certeza de que entende.

Nós nos acomodamos na sala. Amy Pratt veio nos cumprimentar. Seu marido lhe ordenou que fosse cuidar do jardim, e, sem retrucar, ela colocou um chapéu e foi se ocupar de suas gardênias. A cena seria cômica, se, por uma razão que eu ainda não descobrira qual, a atmosfera não tivesse subitamente ficado tão tensa na sala dos Pratt.

Deixei Gahalowood tomar a frente do interrogatório. Era um bom policial e um bom conhecedor da psicologia humana, a despeito de sua agressividade latente. Primeiro fez algumas perguntas, nada de transcendental. Pediu que Pratt recapitulasse brevemente a série de fatos que havia culminado no desaparecimento de Nola Kellergan. Pratt, contudo, logo perdeu a paciência e disse que já tinha feito seu relato em 1975 e que bastava lê-lo. Foi nesse momento que Gahalowood replicou:

— Pois bem, para ser sincero, li seu relatório e o que encontrei nele não me convenceu. Por exemplo, sei que a Sra. Quinn lhe contou que sabia de Harry e Nola e, no entanto, isso não consta em parte alguma do inquérito.

Pratt não se desconcertou.

— Sim, a Sra. Quinn veio falar comigo. Disse que sabia de tudo, disse que Harry fantasiava sobre Nola. Mas não tinha qualquer prova, e eu tampouco.

— Está mentindo — intervim. — Ela lhe mostrou um papel escrito por Harry que claramente o comprometia.

— Ela me mostrou isso uma vez. Depois o papel desapareceu! Ela não tinha nada! Queriam que eu fizesse o quê?

— E Elijah Stern? — perguntou Gahalowood, franzindo o cenho. — O que sabia sobre Stern?

— Stern? — repetiu Pratt. — Elijah Stern? Qual a relação dele com essa história?

Gahalowood ganhara influência. Disse numa voz muito calma, mas que não permitia evasivas:

— Pare com esse circo, Pratt, estou sabendo de tudo. Sei que não procedeu ao inquérito como devia ter feito. Sei que, na época do desaparecimento da garota, Tamara Quinn lhe contou suas suspeitas sobre Quebert e que Nancy Hattaway revelou que Nola tivera um relacionamento com Elijah Stern. O senhor deveria ter indiciado, pelo menos interrogado, Quebert e Stern, revistado suas casas, esclarecido essa história e incluído tudo no relatório. É o procedimento de praxe. Mas, ora, não fez nada disso! Por quê? Por quê, hein? Afinal, você tinha uma mulher assassinada e uma garota desaparecida nas mãos!

Senti que Pratt estava constrangido. Alteou a voz para recuperar o respeito.

— Vasculhei a região durante semanas — grunhiu ele —, inclusive em meus dias de folga! Revirei tudo para encontrar essa garota! Então não venham aqui, na minha casa, me insultar e questionar meu trabalho! Policiais não fazem isso uns com os outros!

— Você escarafunchou a terra e vasculhou o fundo do mar — retorquiu Gahalowood —, mas sabia que havia indivíduos que deveriam ser interrogados e não fez nada! Por quê, cacete? O que você tinha a esconder?

Houve um longo silêncio. Olhei para Gahalowood, que estava bastante impressionado. Ele encarava Pratt com uma calma tempestiva.

— O que tinha a esconder? — repetiu ele. — Diga! Diga, pelo amor de Deus! O que aconteceu com essa garota?

Pratt desviou o olhar. Para evitar o nosso, levantou-se e ficou diante da janela. Observou sua mulher por um instante, do lado de fora, podando as folhas mortas das gardênias.

— Foi logo no início de agosto — começou ele, com uma voz quase inaudível. — Logo no início de agosto daquele maldito ano de 1975. Uma tarde, acreditem ou não, a menina veio me procurar, em meu escritório na delegacia. Ouvi baterem à porta e, sem esperar resposta, Nola Kellergan entrou. Eu estava sentado à minha mesa, lendo um processo. Fiquei surpreso ao vê-la. Cumprimentei-a e perguntei o que havia. Ela estava com uma expressão estranha. Não me dirigiu uma palavra sequer. Fechou a porta, girou a chave, olhou fixo para mim e veio na minha direção. Portanto, na direção da mesa...

Pratt interrompeu a frase. Sua perturbação estava visível, ele não encontrava mais as palavras. Gahalowood não demonstrou qualquer empatia. Perguntou secamente:

— Então *o quê*, chefe Pratt?

— Acredite ou não, sargento. Ela se enfiou debaixo da mesa... Ela... ela abriu minha calça, pegou meu pênis e o enfiou na boca.

Dei um pulo.

— Que loucura é essa?

— A verdade. Ela me chupou e permiti que o fizesse. Ela falou: "Se entregue, chefe." E, quando tudo acabou, acrescentou, limpando a boca: "Agora você é um criminoso."

Ficamos estupefatos: era por isso que Pratt não interrogou Stern nem Harry. Porque ele também, da mesma forma que os dois, estava diretamente envolvido no caso.

Agora que começara a aliviar sua consciência, Pratt precisava desabafar tudo. Revelou que Nola fizera sexo oral nele uma outra vez. Mas se a primeira havia sido iniciativa de Nola, depois ele a forçara a repetir. Contou que um dia, quando estava fazendo a patrulha sozinho, encontrara Nola voltando a pé da praia. Foi próximo a Goose Cove. Ela carregava a máquina de escrever. Ele lhe oferecera uma carona; porém, em vez de seguir para Aurora, rumara para a mata de Side Creek. Em suas próprias palavras:

— Algumas semanas antes do desaparecimento de Nola, eu estava com ela em Side Creek. Estacionei na orla da mata, nunca havia ninguém por aquelas bandas. Peguei sua mão, fiz com que tocasse meu sexo intumescido e pedi que fizesse outra vez o que fizera antes. Abri a calça, agarrei-a pela nuca e pedi que me chupasse... Não sei o que me deu. Faz trinta anos que isso me atormenta! Não aguento mais! Leve-me, sargento. Quero ser interrogado, quero ser julgado, quero ser perdoado. Perdão, Nola! Perdão!

Quando Amy Pratt viu o marido sair algemado de casa, seus gritos alertaram toda a vizinhança. Os curiosos saíram aos gramados para ver o que estava acontecendo e ouvi uma mulher chamar o marido para ele não perder o espetáculo:

— A polícia está levando Gareth Pratt!

Gahalowood colocou Pratt na viatura, que saiu com todas as sirenes apitando na direção do quartel-general da polícia estadual de Concord. Continuei no gramado dos Pratt, onde Amy chorava, ajoelhada ao lado de suas gardênias, e os vizinhos, e os vizinhos dos vizinhos, e toda a rua, e todo o quarteirão, e logo metade de Aurora confluía para a calçada da casa da Mountain Drive.

Zonzo devido ao que acabara de saber, acabei me sentando num hidrante e ligando para Roth, a fim de inteirá-lo da situação. Não tinha coragem de enfrentar Harry, pois não queria ser arauto daquela notícia. A televisão encarregou-se disso nas horas seguintes. Todos os canais repassaram a notícia, e a grande britadeira midiática começou: Gareth Pratt, ex-chefe de polícia de Aurora, acabava de confessar atos de ordem sexual impetrados contra Nola Kellergan, tornando-se um novo suspeito em potencial do caso. Harry me ligou a cobrar do presídio no início da tarde, chorando. Pediu que eu fosse visitá-lo. Não podia acreditar que aquilo tudo fosse verdade.

No locutório da prisão, contei-lhe o que acabara de acontecer com o chefe Pratt. Ele ficou completamente desestabilizado, as lágrimas correndo sem parar. Acabei dizendo:

— Isso não é tudo... Acho que está na hora de você saber...

— Saber o quê? Você me assusta, Marcus.

— No outro dia me referi a Stern porque estive na casa dele.

— E...?

— Lá encontrei um quadro de Nola.

— Um quadro? Como assim, *um quadro*?

— Stern tem um retrato pintado de Nola, nua, na casa dele.

Peguei a ampliação que levara da foto e lhe mostrei.

— É ela! — berrou Harry. — É Nola! É Nola! O que significa isso? Que sujeirada é essa?

Um guarda o advertiu.

— Harry — pedi —, tente manter a calma.

— Mas o que Stern tem a ver com essa história?

— Não sei... Nola nunca falou dele?

— Nunca! Nunca!

— Harry, ouvi dizer que Nola teria se relacionado com Elijah Stern. Durante esse mesmo verão de 1975.

— O quê? O quê? Mas aonde quer chegar, Marcus?

— Acho... Enfim, tenho a impressão... Harry, deve considerar a possibilidade de não ter sido o único homem na vida de Nola.

Ele enlouqueceu. Ergueu-se de um pulo e arremessou a cadeira de plástico na parede, berrando:

— Impossível! Impossível! Era a mim que ela amava! Está ouvindo? Era a mim que ela amava!

Guardas se precipitaram sobre ele para contê-lo e levá-lo. Ainda o ouvi gritando:

— Por que está fazendo isso, Marcus? Por que veio depravar tudo? Seus malditos! Você, Pratt e Stern!

Foi depois desse episódio que comecei a escrever a história de Nola Kellergan, quinze anos, que virara de pernas para o ar uma cidadezinha inteira na Nova Inglaterra.

16

As origens do mal
(Aurora, New Hampshire, 11 a 20 de agosto de 1975)

— Harry, de quanto tempo precisamos para escrever um livro?
— Depende.
— Depende de quê?
— De tudo.

11 de agosto de 1975

— Harry! Harry querido!
Ela entrou correndo em casa, com o manuscrito nas mãos. Era bem cedo, antes das nove da manhã. Harry estava no escritório, revirando braçadas de papéis. Ela apareceu na porta e agitou a pasta com o valioso documento.
— Onde estava? — perguntou Harry, irritado. — Onde estava esse maldito manuscrito, afinal?
— Desculpe, Harry. Harry querido… Não fique bravo comigo. Peguei ontem à noite, você estava dormindo e o levei comigo para ler em casa… Não devia ter feito isso… Mas é tão bonito! Extraordinário! Belíssimo!
Ela lhe estendeu as folhas, sorrindo.
— Então? Gostou?
— Se gostei?! — exclamou ela. — Está perguntando se gostei?! Adorei! É a coisa mais linda que já li. Você é um escritor excepcional! Esse

será um grande livro! Você vai ficar famoso, Harry. Está prestando atenção? Famoso!

Ao dizer essas palavras, Nola dançou; dançou no corredor, dançou até a sala, dançou na varanda. Dançava de felicidade, estava muito contente. Arrumou a mesa na varanda. Secou o orvalho, estendeu uma toalha e preparou o espaço de trabalho dele, com suas canetas, seus cadernos, suas anotações e pedras escolhidas com cuidado na praia que serviam de peso de papel. Em seguida, trouxe café, waffles, biscoitos e frutas e, para que ele se sentisse confortável, colocou uma almofada na cadeira. Certificava-se de que tudo estivesse perfeito para que Harry pudesse trabalhar nas melhores condições. Depois que ele se instalava, ela ia cuidar da casa. Fazia faxina, preparava comida; cuidava de tudo para que ele só tivesse que se preocupar em escrever. Escrever e nada mais. À medida que ele avançava em suas folhas manuscritas, ela as relia, fazia algumas correções, depois passava a limpo diretamente na Remington, trabalhando com a paixão e a devoção das secretárias mais fiéis. Só depois de cumprir todas as suas tarefas, autorizava-se a se sentar perto de Harry — não muito perto, para não importuná-lo — e, feliz, observava-o escrever. Era a mulher do escritor.

Nesse dia, foi embora pouco depois do meio-dia. Como sempre, ao se despedir, deixou instruções:

— Preparei sanduíches para você. Estão na cozinha. E tem chá gelado na geladeira. Não deixe de comer direito. E descanse um pouco. Caso contrário, terá dor de cabeça depois e sabe o que acontece quando trabalha demais, Harry querido: tem aquelas enxaquecas pavorosas que o deixam tão irritadiço.

Deu um abraço nele.

— Você vai voltar mais tarde? — perguntou Harry.

— Não, Harry. Estou ocupada.

— Ocupada com o quê? Por que está indo embora tão cedo?

— Ocupada e ponto final. As mulheres têm de ser misteriosas. Li isso numa revista.

Ele sorriu.

— Nola...

— O quê?

— Obrigado.

— Por quê, Harry?

— Por tudo. Eu... eu estou escrevendo um livro. E é graças a você que finalmente estou conseguindo.

— Harry querido, é isso que quero fazer da minha vida: cuidar de você, estar aqui para você, ajudá-lo em seus livros, formar uma família com você! Imagine como seríamos felizes todos juntos! Quantos filhos quer ter, Harry?

— No mínimo três.

— Isso! Quem sabe quatro? Dois meninos e duas meninas, para não ter muita briga. Quero me tornar a Sra. Nola Quebert! A mulher mais orgulhosa do marido no mundo.

E saiu. Seguindo a aleia de Goose Cove, chegou na estrada. Mais uma vez, não percebeu a silhueta que a espionava, encolhida nas moitas.

Precisou caminhar por trinta minutos para chegar a Aurora. Fazia esse trajeto duas vezes por dia. Ao chegar à cidade, dobrou na rua principal e seguiu até o largo, onde, como combinado, Nancy Hattaway a esperava.

— Por que aqui e não na praia? — queixou-se Nancy, ao vê-la. — Está muito calor!

— Tenho um compromisso hoje à tarde...

— O quê? Não, não me diga que vai se encontrar de novo com Stern!

— Não diga o nome dele!

— Você me chamou para ser seu álibi outra vez?

— Vamos, eu imploro, me dê cobertura...

— Mas faço isso o tempo todo!

— Só mais uma vez. Só essa. Por favor.

— Não vá lá! — suplicou Nancy. — Não vá à casa desse sujeito, isso precisa acabar! Fico preocupada com você. O que fazem juntos? Fazem sexo, não é? É isso?

Nola procurou tranquilizá-la.

— Não se preocupe, Nancy. Por favor, não se preocupe. Me dê cobertura, ok? Prometa me dar cobertura: sabe o que acontece quando me pegam mentindo. Sabe o que fazem comigo lá em casa...

Nancy suspirou, resignada.

— Está bem. Ficarei aqui até você voltar. Mas não passe das seis e meia, senão minha mãe briga comigo.

— Combinado. E se alguém perguntar vamos dizer que estávamos onde?

— Ficamos conversando aqui a tarde inteira — repetiu Nancy, feito uma marionete. — Mas estou farta de mentir por sua causa! — resmungou ela. — Por que você faz isso? Hein?

— Porque o amo! Eu o amo demais! Faria qualquer coisa por ele!

— Argh, que nojo. Não quero nem pensar...

Um Mustang azul surgiu em uma das ruas que ladeavam a praça e parou junto ao meio-fio. Nola o avistou.

— Lá está ele — disse ela. — Preciso ir. Até já, Nancy. Obrigada, você é uma amiga de verdade.

Seguiu depressa até o carro e mergulhou dentro dele.

— Olá, Luther — disse ao motorista, sentando-se no banco de trás.

O carro arrancou na mesma hora e desapareceu, sem que ninguém, exceto Nancy, visse qualquer coisa de estranho no que acabara de acontecer.

Uma hora mais tarde, o Mustang chegava ao pátio do solar de Elijah Stern, em Concord. Luther acompanhou a menina até dentro da casa. Ela já conhecia o caminho até o quarto.

— Dispa-se — ordenou Luther, com brandura. — Vou avisar ao Sr. Stern que você chegou.

12 de agosto de 1975

Como todas as manhãs desde a viagem a Martha's Vineyard, depois de ter recuperado a inspiração, Harry levantou-se ainda de madrugada e, antes de começar a trabalhar, saiu para correr.

Como todas as manhãs, correu até Aurora. E, como todas as manhãs, parou na marina para fazer uma série de flexões. Ainda não eram seis horas. A cidade dormia. Evitara passar em frente ao Clark's: era a essa hora que abriam e ele não queria correr o risco de cruzar com Jenny. Era uma garota formidável, não merecia a forma como ele a tratava. Por um instante ficou contemplando o mar, colorido pelos improváveis tons do nascer do dia. Sobressaltou-se quando alguém pronunciou seu nome:

— Harry? Então é verdade? Acorda cedo assim para correr?

Ele se virou: era Jenny, vestindo o uniforme do Clark's. Ela se aproximou e tentou cumprimentá-lo, sem jeito.

— Gosto de ver o sol nascer, é isso — respondeu ele.

Ela sorriu. Pensou que, se ele ia até lá, era porque afinal gostava um pouco dela.

— Quer ir ao Clark's tomar um café? — sugeriu ela.

— Obrigado, mas não quero perder o ritmo...

Ela disfarçou a decepção.

— Vamos pelo menos nos sentar um pouco.

— Não quero parar por muito tempo.

Ela fez uma expressão triste.

— Mas não tive mais notícias suas nos últimos dias! Você não vem mais ao Clark's...

— Sinto muito. Estava ocupado com o livro.

— Não existem apenas livros na vida! Venha me visitar de vez em quando, eu vou gostar. Prometo que mamãe não vai espezinhá-lo. Ela não deveria tê-lo feito pagar de uma tacada só toda a sua conta.

— Não tem problema.

— Preciso ir trabalhar, pois abrimos às seis. Tem certeza de que não quer um café?

— Tenho, obrigado.

— Quem sabe você aparece mais tarde?

— Não, acho que não.

— Se vem aqui todas as manhãs, posso esperá-lo na marina... Enfim, se quiser. Só para dar um oi.

— Não se dê esse trabalho.

— Tudo bem. Em todo caso, hoje trabalho só até as três. Se quiser vir escrever... Não vou atrapalhá-lo. Prometo. Espero que não tenha ficado bravo por eu ter ido ao baile com Travis... Não tenho nada com ele, sabe? É só um amigo. Eu... eu queria lhe dizer, Harry: eu amo você. Eu o amo como nunca amei ninguém.

— Não diga isso, Jenny...

O campanário da prefeitura soou seis horas: ela estava atrasada. Deu um beijo na bochecha dele e saiu correndo. Não deveria ter dito que o amava, já se culpava por isso. Era uma tola. Na rua, a caminho do Clark's, virou-se para acenar para ele com a mão, mas Harry desaparecera. Ela ruminou que, se ele voltasse ao Clark's, isso significaria que gostava um pouco dela, que nem tudo estava perdido. Apertou o passo e, no instante antes de alcançar o topo da subida, uma sombra larga e informe surgiu por detrás de uma cerca e bloqueou sua passagem.

Jenny, assustada, não conseguiu reprimir um grito. Em seguida reconheceu Luther.

— Luther! Você me assustou!

A luz de um poste revelou o rosto torto e o corpo forte.

— O gue é... O gue ele guer gom vofê?

— Nada, Luther...

Ele agarrou o braço dela e o apertou com força.

— Não... não... não... zompe te mim! O gue ele guer gom vofê?

— É um amigo! Agora me solte, Luther! Está me machucando, caramba! Me solte ou eu vou gritar!

Ele afrouxou o punho e perguntou:

— Penfou em minha brobosta?

— A resposta é não, Luther! Não quero que você me pinte! Agora me deixe passar! Ou vou dizer que está dando em cima de mim e você terá problemas.

Luther não retrucou e desapareceu, correndo pela manhã feito um animal enlouquecido. Jenny sentiu medo e começou a chorar. Foi às pressas para o restaurante e, antes de passar pela porta de entrada, enxugou os olhos para que sua mãe, que já estava lá, não notasse nada.

Harry retomara sua corrida, atravessando a cidade de ponta a ponta para alcançar a estrada e voltar a Goose Cove. Pensava em Jenny, não devia lhe dar falsas esperanças. Na verdade, sentia bastante pena dela. Quando chegou ao entroncamento com a estrada, suas pernas pregaram-lhe uma peça; seus músculos haviam esfriado na marina, sentia as cãibras chegando e estava sozinho numa estrada deserta. Arrependia-se de ter ido até Aurora, estava fora de cogitação voltar correndo para Goose Cove. Nesse instante, um Mustang azul parou silenciosamente a seu lado. O motorista baixou o vidro e Harry reconheceu Luther Caleb.

— Brecisa de axuta?

— Acabei correndo até muito longe... Acho que exagerei.

— Endre. Fou lefá-lo.

— Que sorte ter esbarrado com você — disse Harry, sentando-se no banco da frente. — O que veio fazer em Aurora tão cedo?

Caleb não respondeu: levou seu passageiro até Goose Cove sem trocarem mais uma palavra. Após deixar Harry em casa, o Mustang fez meia-volta. Porém, em vez de pegar a estrada de Concord, virou à esquerda, em direção a Aurora, e entrou numa pista florestal sem saída. Caleb deixou o carro debaixo dos pinheiros e, em seguida, num passo ágil, atravessou os renques de árvores e foi se esconder nas proximidades da casa. Eram seis e quinze. Ele se recostou a um tronco e esperou.

Por volta das nove horas, Nola chegou a Goose Cove para cuidar do seu bem-amado.

13 de agosto de 1975

— Veja bem, Dr. Ashcroft, continuo fazendo e depois me sinto culpada.
— Como é isso?
— Não sei. É como se saísse de mim involuntariamente. Uma espécie de impulso, não consigo me segurar. Seja como for, isso me deixa infeliz. Isso me deixa muito infeliz! Mas não consigo me conter.

O Dr. Ashcroft considerou Tamara Quinn por um instante e perguntou:
— A senhora é capaz de dizer às pessoas o que sente por elas?
— Eu… Não. Nunca digo.
— Por quê?
— Porque elas sabem.
— Tem certeza?
— Claro!
— Como sabem, se você nunca fala?

Ela deu de ombros.
— Não sei, doutor…
— Por acaso sua família sabe que a senhora veio me consultar?
— Não. Não! Eu… Isso não é da conta deles.

Ele balançou a cabeça.
— Sabe, Sra. Quinn, deveria escrever o que sente. Escrever, às vezes, acalma.
— Faço isso, escrevo tudo. Desde que tocamos no assunto, escrevo num caderno, que guardo com todo o cuidado.
— E isso ajuda?
— Não sei. Um pouco, sim. Eu acho.
— Voltaremos a tocar nesse assunto semana que vem. Está na sua hora.

Tamara Quinn se levantou e cumprimentou o terapeuta com um aperto de mão. Em seguida, saiu do consultório.

* * *

14 de agosto de 1975

Eram aproximadamente onze da manhã. Desde o amanhecer na varanda da casa de Goose Cove, Nola datilografava com afinco as folhas manuscritas na Remington, enquanto, diante dela, Harry seguia escrevendo.

— Está bom! — entusiasmava-se Nola à medida que descobria as palavras. — Está realmente bom! — À guisa de resposta, Harry sorria, sentindo-se impregnado por uma eterna inspiração.

Estava calor. Nola percebeu que Harry estava sem nada para beber e saiu da varanda por um instante para preparar chá gelado na cozinha. Assim que ela entrou na casa, uma visita, passando pelo lado de fora, surgiu na varanda: Elijah Stern.

— Está trabalhando demais, Harry Quebert! — exclamou Stern, com uma voz estrondante, assustando Harry, que não o ouvira chegar e foi imediatamente tomado por um pânico atroz: ninguém podia ver Nola ali.

— Elijah Stern! — berrou Harry, o mais alto que pôde, para que Nola o escutasse e ficasse dentro de casa.

— Harry Quebert! — berrou ainda mais alto Stern, que não entendeu por que Harry gritava daquela forma. — Toquei a campainha sem sucesso. Como vi seu carro, imaginei que talvez estivesse na varanda e tomei a liberdade de contornar a casa.

— Fez muito bem! — bradou Harry.

Stern observou os papéis, e depois, do outro lado da mesa, a Remington.

— Escreve a mão e datilografa ao mesmo tempo? — perguntou ele, curioso.

— Sim. Eu... eu escrevo várias páginas simultaneamente.

Stern acomodou-se numa cadeira. Suava muito.

— Várias páginas simultaneamente? Você é um escritor genial, Harry. Imagine que eu estava quieto no meu canto e então pensei em dar um pulo em Aurora. Que cidade magnífica. Deixei meu carro na rua principal e saí para caminhar. E, veja só, acabei parando aqui. Força do hábito, sem dúvida.

— Essa casa, Elijah... É incrível. Um lugar fabuloso.

— Estou muito feliz que tenha ficado.

— Agradeço sua generosidade. Eu lhe devo tudo.

— Ora, não me agradeça, não me deve nada.

— Um dia terei dinheiro e comprarei esta casa.

— Melhor assim, Harry, melhor assim. É o mínimo que posso lhe desejar. Será uma alegria para mim se ela renascer com você. Queira me desculpar, estou suando em bicas, morto de sede.

Harry, nervoso, olhava na direção da cozinha, esperando que Nola os escutasse e não aparecesse. Precisava dar um jeito de se livrar de Stern.

— Além de água, infelizmente não tenho nada aqui para lhe oferecer...

Stern riu.

— Ora, meu amigo, não se preocupe... Eu já desconfiava de que não teria nada para comer ou beber em casa. E é isso que me preocupa: escrever, tudo bem, mas, por favor, não se descuide! Está mais do que na hora de se casar, de ter alguém para cuidar de você. Sabe de uma coisa? Me dê uma carona de volta à cidade que o convido para almoçar, será uma oportunidade para conversarmos um pouco, se isso lhe convier, naturalmente.

— Boa ideia! — respondeu Harry, aliviado. — Claro que sim! Com prazer. Só vou procurar as chaves do carro.

Entrou na casa. Ao passar em frente à cozinha, viu Nola escondida embaixo da mesa. Ela abriu um sorriso magnífico e cúmplice, levando um dedo aos lábios. Ele retribuiu seu sorriso e foi ao encontro de Stern do lado de fora.

Entraram no Chevrolet e seguiram para o Clark's. Sentaram-se na varanda, onde pediram ovos, torradas e panquecas. Ao ver Harry, os olhos de Jenny brilharam. Fazia muito tempo que ele não aparecia.

— Que coisa mais louca! — comentou Stern. — Saí para dar uma volta e subitamente me vi em Goose Cove. Foi como se eu tivesse sido aspirado pela paisagem.

— A costa entre Aurora e Goose Cove é de uma beleza ímpar — respondeu Harry. — Nunca enjoo dela.

— Costuma passar por ali?

— Quase todas as manhãs. Saio para correr. É uma bela forma de começar o dia. Acordo bem cedo, corro ao amanhecer. É uma sensação poderosa.

— Meu caro, você é um atleta. Queria ter sua disciplina.

— Atleta, tenho cá minhas dúvidas. Anteontem, por exemplo, quando me preparava para retornar de Aurora para Goose Cove, senti cãibras terríveis. Não tinha mais condições de continuar. Por sorte, cruzei com seu motorista, que gentilmente me levou até em casa.

Stern esboçou um sorriso tenso.

— Luther esteve aqui anteontem de manhã? — perguntou ele.

Jenny os interrompeu para servir o café e logo depois sumiu.

— Esteve — confirmou Harry. — Eu mesmo fiquei impressionado ao vê-lo em Aurora tão cedo. Por acaso ele mora na região?

Stern tentou se desviar da pergunta.

— Não, mora em minha propriedade. Tenho dependências para os empregados. Mas ele gosta deste lugarejo. Devemos reconhecer que, sob a luz da manhã, Aurora é incrível.

— Você não disse que ele cuidaria das roseiras em Goose Cove? Porque nunca o vi...

— Mas as plantas continuam bonitas, não é? É que ele é muito discreto.

— Mesmo assim, estou praticamente o tempo todo em casa... Quase não saio.

— Luther é uma pessoa discreta.

— Fico me perguntando: o que houve com ele? Sua dicção é tão estranha...

— Um acidente. Uma velha história. É uma criatura de múltiplos talentos, sabe... Às vezes ele pode parecer um pouco assustador, mas é um belo homem por dentro.

— Não duvido.

Jenny veio completar as xícaras de café, ainda cheias. Arrumou o porta-guardanapos, mexeu no saleiro e trocou o pote de ketchup. Sorriu para Stern e acenou para Harry antes de desaparecer na cozinha.

— E o livro, está progredindo? — perguntou Stern.

— A passos largos. Mais uma vez obrigado por me permitir dispor da casa. Estou inspiradíssimo.

— Principalmente por essa garota — sorriu Stern.

— Como assim? — Harry estremeceu.

— Sou muito bom em adivinhar esse tipo de coisa. Está trepando com ela, hein?

— Co... Como assim?

— Não faça essa cara, meu amigo. Não há nada de errado nisso. Jenny, a garçonete, está trepando com ela, não está? Porque, pelo comportamento dela desde que chegamos, um de nós certamente está trepando com ela.

Ora, sei que não sou eu. Logo, deduzo que seja você. Rá, Rá! Sabe que tenho razão. Uma graça de garota. Veja como sou perspicaz.

Quebert obrigou-se a rir, aliviado.

— Jenny e eu não estamos juntos — observou ele. — Digamos que apenas flertamos um pouco. É uma ótima garota, mas, cá entre nós, ela me deixa um pouco entediado... Gostaria de encontrar alguém por quem eu me apaixonasse perdidamente, alguém especial... Diferente...

— Ah, se eu fosse você, não esquentaria a cabeça. Irá encontrar uma pérola rara, aquela que o fará feliz.

Enquanto Harry e Stern almoçavam, na estrada, fustigada pelo sol, Nola, carregando sua máquina de escrever, voltava para casa. Um carro aproximou-se dela e parou a seu lado. Era o chefe Pratt, ao volante de uma viatura policial de Aurora.

— Aonde vai com essa máquina de escrever? — perguntou ele, num tom de gracejo.

— Estou indo para casa, chefe.

— A pé? Está vindo de onde, caramba? Pouco importa. Entre, vou lhe dar uma carona.

— Obrigada, chefe Pratt, mas prefiro ir andando.

— Não seja ridícula. Está um calor de matar.

— Não, obrigada, chefe.

O chefe Pratt assumiu de repente um tom de voz agressivo.

— Por que não aceita minha carona? Entre, estou dizendo! Entre!

Nola acabou aceitando e Pratt instalou-a no banco do carona. Porém, em vez de seguir para a cidade, fez meia-volta e tomou a direção contrária.

— Aonde vamos, chefe Pratt? Aurora fica para o outro lado.

— Não se preocupe, minha querida. Só quero lhe mostrar uma coisa muito bonita. Não está com medo, está? Vou lhe mostrar a floresta, é um recanto muito agradável. Você quer ver uma bela paisagem, não quer? Todo mundo gosta de lugares bonitos.

Nola não disse mais nada. O carro seguiu até Side Creek, adentrou um caminho através da mata e parou em meio às árvores. O chefe então afrouxou o cinto, abriu a braguilha e, agarrando-a pela nuca, ordenou que repetisse o que fizera tão bem, antes, em seu escritório.

* * *

15 de agosto de 1975

Às oito da manhã, Louisa Kellergan foi chamar a filha no quarto. Nola aguardava-a, de calcinha e sutiã, sentada na cama. Era o dia. Ela sabia. Louisa abriu um sorriso cheio de ternura para a filha.

— Você sabe por que faço isso, Nola...

— Sim, mamãe.

— É para o seu bem. Para que possa ir para o Céu. Quer ser um anjo, não quer?

— Não sei se quero ser um anjo, mamãe.

— Ah, não diga besteira. Venha, minha querida.

Nola se levantou e seguiu docilmente a mãe até o banheiro. A grande tina estava pronta, disposta no chão, cheia d'água. Nola observou a mãe: era uma bela mulher, com um magnífico cabelo louro e cacheado. Todo mundo dizia que elas eram muito parecidas.

— Eu amo você, mamãe.

— Também amo você, minha querida.

— Sinto muito ser uma garota má.

— Você não é uma garota má.

Nola se ajoelhou diante da tina; sua mãe agarrou sua cabeça e a mergulhou na água, segurando-a pelo cabelo. Contou até vinte, lenta e severamente, depois puxou da água gelada a cabeça de Nola, que deixou escapar um grito de pânico.

— Vamos, minha filha, é para sua penitência — disse Louisa. — Vamos, vamos. — E voltou a mergulhar abruptamente a cabeça da menina na água gelada.

Trancado na garagem, o reverendo escutava sua música.

Ele ficou horrorizado com o que acabara de ouvir.

— Sua mãe afoga você? — repetiu Harry, transtornado.

Era meio-dia. Nola tinha acabado de chegar em Goose Cove. Chorara a manhã inteira, e, apesar de seus esforços para disfarçar os olhos vermelhos ao chegar ao casarão, Harry percebeu de imediato que havia algo de errado.

— Ela mergulha minha cabeça numa tina grande — explicou Nola. — A água é gelada! Ela mergulha minha cabeça e empurra. Tenho sempre a impressão de que vou morrer... Não aguento mais, Harry. Me ajude...

Ela se aconchegou nele. Harry sugeriu que descessem até a praia; a praia sempre a alegrava. Pegou a lata LEMBRANÇA DE ROCKLAND, MAINE, e foram distribuir migalhas de pão para as gaivotas ao longo dos rochedos. Em seguida, sentaram-se na areia e contemplaram o horizonte.

— Quero ir embora, Harry! — exclamou Nola. — Quero que me leve para longe daqui!

— Ir embora?

— Você e eu, para longe daqui. Você falou que iríamos um dia. Quero me proteger das pessoas. Não quer ir para longe de tudo junto comigo? Vamos, eu suplico. Podemos ir no final desse mês horrível. Digamos, dia 30, isso nos dá exatamente quinze dias para nos prepararmos.

— Dia 30? Você quer que deixemos a cidade em 30 de agosto? Mas isso é loucura!

— Loucura? Loucura, Harry, é viver nesta cidade mesquinha! Loucura é nos amarmos como nos amamos e não termos esse direito! Loucura é sermos obrigados a nos esconder, como se fôssemos animais exóticos! Não aguento mais, Harry! Pois eu vou embora. Dia 30 de agosto à noite, deixarei esta cidade. Não aguento mais ficar aqui. Venha comigo, eu suplico. Não me deixe sozinha.

— E se nos prenderem?

— Quem vai nos prender? Em duas horas estaremos no Canadá. E nos prenderiam por qual motivo? Ir embora não é crime. Ir embora é ser livre, e quem pode nos impedir de ser livres? A liberdade é o alicerce dos Estados Unidos! Está escrito em nossa Constituição. Eu vou embora, Harry, está decidido: em quinze dias, partirei. Na noite de 30 de agosto, vou deixar esta cidade desgraçada. Você vem comigo?

Ele respondeu sem refletir:

— Sim! É claro! Não posso imaginar viver sem você. Dia 30 de agosto, vamos embora juntos.

— Ah, Harry querido, estou tão feliz! E seu livro?

— Estou quase terminando.

— Quase terminando! Isso é ótimo! Está avançando muito depressa!

— O livro não interessa mais agora. Se eu fugir com você, acho que não poderei mais ser escritor. E pouco importa! Tudo que importa é você! Tudo que importa somos nós! Tudo que importa é ser feliz.

— Mas é claro que você continuará sendo escritor! Enviaremos os originais para Nova York pelo correio! Adoro seu novo romance! É provavelmente o mais belo romance que já li. Você se tornará um grande escritor. Acredito em você! Dia 30, então? Daqui a quinze dias. Daqui a quinze dias fugiremos, você e eu! Em duas horas, estaremos no Canadá. Seremos muito felizes, você verá. O amor, Harry, o amor é a única coisa capaz de tornar a vida realmente bela. O resto é supérfluo.

18 de agosto de 1975

Sentado ao volante de sua viatura de patrulha, ele a observava através da vidraça do Clark's. Mal haviam se falado desde o baile; ela mantinha certa distância entre eles, o que o deixava triste. Havia algum tempo, ela parecia especialmente infeliz. Ele se perguntava se aquilo tinha relação com ele, depois se lembrou da ocasião em que a encontrara aos prantos na varanda de casa e ela tinha lhe contado que um homem a magoara. O que ela quisera dizer com *magoar*? Será que estava com problemas? Pior: alguém batera nela? Quem? O que estava acontecendo? Decidiu juntar toda a coragem e interpelá-la. Como sempre fazia, esperou que o *diner* esvaziasse um pouco antes de ousar se aventurar. Quando finalmente entrou, Jenny estava limpando uma das mesas.

— Olá, Jenny — cumprimentou ele, o coração disparado.

— Olá, Travis.

— Tudo bem?

— Tudo bem.

— Não tivemos oportunidade de nos falar depois do baile — disse ele.

— Ando com muito serviço aqui.

— Eu queria dizer que foi um prazer ser seu par.

— Obrigada.

Ela parecia preocupada.

— Jenny, estou enganado ou está me evitando ultimamente?

— Não, Travis... Eu... Não tem nada a ver com você.

Ela pensava em Harry; pensava nele dia e noite. Por que ele a rejeitava? Havia alguns dias, ele estivera ali com Elijah Stern e mal lhe dirigira a palavra. Ela inclusive notara que tinham feito algum gracejo a seu respeito.

— Jenny, se está com problemas, sabe que pode se abrir comigo.

— Eu sei. Você é muito bom para mim, Travis. Agora preciso acabar de arrumar isso aqui.

Ela se encaminhou para a cozinha.

— Espere — pediu Travis.

Ele quis segurar o pulso dela. Foi um gesto débil, mas Jenny gritou de dor e largou os pratos, que se espatifaram no chão. Ele tinha tocado no enorme hematoma que marcava seu braço direito desde que Luther o apertara com força e que, a despeito do calor, ela procurava esconder usando mangas compridas.

— Eu realmente sinto muito — desculpou-se Travis, abaixando-se na mesma hora para catar os cacos.

— Não foi culpa sua.

Ele seguiu-a até a cozinha e pegou uma vassoura para varrer o salão. Quando voltou, ela estava lavando as mãos e, como arregaçara as mangas para não molhá-las, ele notou a marca roxa em seu pulso.

— O que foi isso? — perguntou Travis.

— Nada, esbarrei na porta outro dia.

— Esbarrou? Não me venha com essa história! — explodiu ele. — Alguém bateu em você, isso sim! Quem foi?

— Não importa.

— Claro que importa! Exijo saber quem é o homem que a machucou desse jeito. Fale, não sairei daqui enquanto não souber.

— Foi... Foi Luther Caleb que fez isso. O motorista de Stern. Ele... Foi outro dia de manhã, ele estava com raiva. Agarrou meu pulso e me machucou. Mas não foi de propósito, sabe. Ele não mediu a própria força.

— Isso é grave, Jenny! É muito grave! Se ele voltar aqui, quero que me avise imediatamente!

20 de agosto de 1975

Ela cantava, caminhando pela aleia de Goose Cove. Sentia como se tivesse sido invadida por uma doce sensação de alegria: dentro de dez dias, iriam embora juntos. Dentro de dez dias, finalmente ela começaria a viver de verdade. Contava as noites que faltavam para o grande dia: estava chegando. Quando avistou a casa, no fim do caminho de cascalho, acelerou o passo, ansiosa para encontrar Harry. Não percebeu a silhueta, contorcida em meio aos arbustos, que a observava. Como passara a fazer diariamente, ela entrou pela porta principal, sem tocar a campainha.

— Harry querido! — chamou Nola, para anunciar sua chegada.

Não houve resposta. A casa parecia deserta. Chamou de novo. Silêncio. Atravessou a sala de jantar e a sala de estar, mas não o encontrou. Não estava no escritório. Nem na varanda. Desceu então a escada até a praia e gritou seu nome. Será que tinha ido dar um mergulho? Quando trabalhava demais, ele costumava fazer isso. Mas também não havia ninguém na praia. Começou a entrar em pânico: onde, afinal, ele poderia estar? Voltou para a casa, chamou-o novamente. Ninguém. Passou revistando todos os cômodos do primeiro andar, depois subiu. Abrindo a porta do quarto, encontrou-o sentado na cama, lendo um maço de papéis.

— Harry? Você estava aqui? Faz dez minutos que estou procurando-o em toda parte...

Ele se assustou ao ouvir sua voz.

— Desculpe, Nola, estava lendo... Não a ouvi.

Ele se levantou, empilhou os papéis que segurava nas mãos e guardou-os numa gaveta da cômoda.

Ela abriu um sorriso.

— E o que lia de tão cativante que não me ouviu berrar seu nome pela casa?

— Nada importante.

— É a continuação do romance? Me mostre!

— Nada importante, eu lhe mostrarei quando for a hora.

Ela fitou-o, petulante.

— Tem certeza de que está tudo bem, Harry?

Ele riu.

— Está tudo bem, Nola.

Foram para a praia. Ela queria ver as gaivotas. Abriu bem os braços, como se tivesse asas, e correu, descrevendo grandes círculos.

— Eu queria poder voar, Harry! Só mais dez dias! Daqui a dez dias estaremos voando! Vamos embora dessa cidade maldita para sempre!

Acreditavam estar sozinhos na praia. Nem Harry nem Nola desconfiavam de que, além dos rochedos, no meio da mata, Luther Caleb os espiava. Ele esperou que os dois entrassem novamente em casa para sair de seu esconderijo. Percorreu a aleia de Goose Cove correndo e alcançou seu Mustang, na trilha florestal paralela. Voltou para Aurora e estacionou o carro em frente ao Clark's. Precipitou-se para o interior: precisava falar com Jenny de qualquer jeito. Alguém precisava saber. Ele tinha um mau pressentimento. Mas Jenny não estava com vontade alguma de vê-lo.

— Luther? Não deveria estar aqui. — Foram as palavras de Jenny, quando ele surgiu diante do balcão.

— Venny... Findo muido pela oudra manhã. Eu não deberia der abertato seu praço como viz.

— Fiquei toda roxa depois...

— Finto muido.

— Você precisa ir embora agora.

— Não, esbere...

— Registrei uma queixa contra você, Luther. E Travis falou que, se você aparecer por aqui, é para eu avisá-lo e você terá que se ver com ele. O melhor é ir embora antes que ele o veja aqui.

O gigante pareceu decepcionado.

— Vofê deu gueixa condra mim?

— Dei. Você me deixou muito assustada naquele outro dia...

— Mas brefiso lhe gomunicar uma goisa imbordande.

— Nada é importante, Luther. Vá embora...

— É a resbeido de Harry Guebert...

— Harry?

— É, dica-me o gue bensa de Harry Guebert...

— Por que está me falando dele?

— Gonfia nele?

— Se confio? Claro. Por que está me fazendo essa pergunta?

— Brefiso lhe gondar uma goisa...

— Me contar uma coisa? O que é, afinal?

Quando Luther estava prestes a responder, uma viatura policial surgiu no largo em frente ao Clark's.

— É Travis! — exclamou Jenny. — Corra, Luther, corra! Não quero que tenha problemas.

Caleb desapareceu. Jenny o viu entrar em seu carro e arrancar bruscamente. Alguns instantes depois, Travis Dawn entrou no restaurante.

— Por acaso acabei de ver Luther Caleb? — perguntou ele.

— Sim — respondeu Jenny. — Mas ele não queria nada comigo. É um bom sujeito, lamento ter registrado queixa.

— Eu tinha pedido que me avisasse! Ninguém tem o direito de levantar a mão contra você! Ninguém!

Travis voltou correndo para seu carro. Jenny precipitou-se atrás dele e o deteve na calçada.

— Eu imploro, Travis, não crie caso com ele! Por favor. Acho que agora ele entendeu.

Travis olhou para ela e, num lampejo, compreendeu o que lhe escapava. Era por isso que ela andava tão arisca ultimamente.

— Não, Jenny... Não vai me dizer que...
— Que o quê?
— Que está caída por esse troglodita?
— Hein? Que ideia, a sua!
— Caramba! Como pude ser tão estúpido?
— Ora, Travis, que ideia...

Ele não estava mais escutando. Entrou no carro e arrancou feito um louco, as luzes em cima piscando e a sirene aos berros.

Na estrada, pouco antes de Side Creek Lane, Luther percebeu pelo retrovisor a viatura policial que acabara de alcançá-lo. Parou no acostamento, com medo. Travis, furioso, saiu do carro. Milhares de pensamentos pulsavam em sua cabeça: como Jenny podia se sentir atraída por aquele monstro? Como podia preferi-lo a ele? Ele, que fazia tudo por ela, que ficara em Aurora para estar a seu lado, ser suplantado por aquele sujeito. Ordenou a Luther que saísse do carro e olhou-o de cima a baixo.

— Seu tarado, está molestando Jenny?
— Não, Travif. Juro gue não é o gue vofê esdá bensanto.
— Vi as marcas no braço dela!
— Galculei mal minha vorça. Finto muito mesmo. Não guero broblemas.
— Não quer problemas? Mas é você que está criando casos! Está trepando com ela, hein?
— O guê?
— Você e Jenny não estão trepando?
— Não! Não!
— Eu... eu faço tudo para deixá-la feliz e é você que trepa com ela? Pelo amor de Deus, o que está acontecendo com o mundo?
— Travif... Não é nata do gue vofê está bensanto.
— Cale a boca! — gritou Travis, agarrando Luther pelo colarinho e derrubando-o no chão.

Travis não sabia direito o que devia fazer: pensou em Jenny, que o repelia, fazendo-o sentir humilhado e miserável. Sentia raiva também, não aguentava mais ser incessantemente pisoteado, era hora de agir feito homem. Puxou então o cassetete da cintura, ergueu-o no ar e, desvairado, começou a espancar Luther freneticamente.

15

Antes da tempestade

— O que acha disso?
— Nada mal. Mas acho que você dá muita importância às palavras.
— Às palavras? Mas elas são importantes quando escrevemos, não?
— Sim e não. O sentido da palavra é muito mais importante do que a palavra em si.
— Aonde quer chegar?
— Muito bem, uma palavra é uma palavra e as palavras pertencem a todos. Basta abrir um dicionário e escolher uma. É nesse momento que a coisa fica interessante: será capaz de dar a essa palavra um sentido bem específico?
— Como assim?
— Pegue uma palavra e repita-a em um de seus livros, a qualquer propósito. Vamos escolher uma palavra qualquer: *gaivota*. As pessoas passarão a falar, referindo-se a você: "Sabe o Goldman? É aquele cara que fala das gaivotas." E depois chegará o momento em que, ao avistarem gaivotas, essas mesmas pessoas subitamente começarão a pensar em você. Observarão aquelas reles aves estridentes e dirão: "Fico me perguntando o que Goldman viu nesses bichos." Em seguida, associarão *gaivotas* e *Goldman*. E todas as vezes que avistarem gaivotas, pensarão no seu livro e em toda a sua obra. Não perceberão mais essas aves da mesma maneira. É nesse momento que você descobre que está escrevendo alguma coisa. As palavras são de todo mundo, até que você prova ser capaz de apropriar-se delas. É isso que define um escritor. E você vai ver, Marcus, haverá quem tente convencê-lo de que um livro tem a ver com palavras, mas não é assim: na verdade, um livro tem a ver com pessoas.

Segunda-feira, 7 de julho de 2008, Boston, Massachusetts

Quatro dias após a prisão do chefe Pratt, encontrei Roy Barnaski num salão do hotel Plaza, em Boston, para assinar um contrato editorial no montante de um milhão de dólares, tendo como objeto meu livro sobre o caso Harry Quebert. Douglas também estava, visivelmente aliviado com o meu final feliz.

— Que reviravolta nessa história! — anunciou Barnaski. — O grande Goldman finalmente voltou ao trabalho. Uma salva de palmas!

Não respondi nada, limitando-me a puxar um maço de folhas da bolsa e estender a ele, que abriu um largo sorriso.

— Então são estas as famosas cinquenta primeiras páginas...
— Exatamente.
— Posso dar uma olhada nelas?
— Por favor.

Douglas e eu saímos da sala para que ele pudesse ler sossegado e descemos até o bar do hotel, onde pedimos chopes escuros.

— Tudo bem, Marc? — perguntou Douglas.
— Tudo bem. Os últimos quatro dias foram uma loucura...

Ele balançou a cabeça e reforçou:

— É que toda essa história é uma loucura! Seu livro vai fazer tanto sucesso, você não tem noção. Barnaski sabe e por isso que lhe ofereceu essa bolada. Um milhão de dólares não é nada comparado ao que ele pode lucrar. Em Nova York todo mundo só fala desse caso. Os estúdios de cinema já cogitam um filme, todas as editoras querem publicar livros sobre Quebert. Mas sabemos que você é o único capaz de escrever o livro. É o único que conhece Harry, o único que conhece Aurora. Barnaski quer botar as mãos nessa história antes que qualquer outro o faça: ele diz que, se formos os primeiros a lançar um livro, Nola Kellergan pode virar marca exclusiva da Schmid & Hanson.

— O que acha disso? — perguntei.

— Acho que é uma bela aventura de escritor. E uma bela maneira de calar um pouco todas as ignomínias que disseram sobre Quebert. Defendê-lo era seu desejo inicial, não era?

Aquiesci. Em seguida, olhei para cima, na direção da escada, onde Barnaski estava prestes a descobrir um trecho da minha história que os acontecimentos dos últimos dias haviam permitido abafar consideravelmente.

* * *

3 de julho de 2008, quatro dias antes da assinatura do contrato

Aconteceu poucas horas depois da prisão do chefe Pratt. Eu voltava para Goose Cove, vindo do presídio estadual, onde Harry acabara de perder as estribeiras e quase me atingira com uma cadeira no meio da cara depois que revelei a existência de um quadro, na casa de Elijah Stern, que retratava Nola. Estacionei em frente à casa e, ao sair do carro, percebi imediatamente o pedaço de papel enfiado no vão da porta: mais um bilhete. E, dessa vez, o tom era outro.

Último aviso, Goldman.

Não dei a menor bola: primeiro ou último aviso, que diferença isso fazia? Joguei o bilhete na lata de lixo da cozinha e liguei a televisão. Só se falava na prisão do chefe Pratt: alguns chegavam a pôr em dúvida a investigação que ele próprio conduzira na época, questionando se as diligências não haviam sido sabotadas de propósito pelo ex-chefe da polícia.

O dia findava e a noite prometia ser amena e bonita; o tipo de noite de verão que pedia um encontro com amigos, com uma carne suculenta na grelha e uma boa cerveja. Eu não tinha os amigos, mas pensava ter a carne e a cerveja. Abri a geladeira, mas a encontrei vazia; havia me esquecido de fazer compras. Eu havia me esquecido de mim mesmo. Então me dei conta da semelhança com a geladeira de Harry: a geladeira de um homem solitário. Pedi uma pizza por telefone e comi na varanda. Ao menos eu tinha a varanda e o mar: para que a noite fosse perfeita, faltavam apenas o churrasco, os amigos e uma namorada. Foi então que recebi um telefonema de um de meus poucos amigos, de quem não tivera notícias nos últimos tempos: Douglas.

— O que há de novo, Marc?

— *O que há de novo?* Faz duas semanas que não tenho notícias suas! Aonde se meteu? Você é meu agente ou não é?

— Eu sei, Marc. Sinto muito. Estamos passando por uma situação difícil. Quer dizer, você e eu. Mas se quiser que eu continue sendo seu agente, ficarei honrado em dar sequência à nossa colaboração.

— Claro que sim. Só tenho uma condição: que continue indo assistir ao campeonato de beisebol lá em casa.

Ele riu.

— Beleza. Você cuida das cervejas e eu, dos nachos com queijo.

— Barnaski me ofereceu um contrato polpudo — comentei.

— Eu sei. Ele me disse. Vai aceitar?

— Acho que sim.

— Barnaski está empolgadíssimo. Quer vê-lo o mais rápido possível.

— Para quê?

— Para assinar o contrato.

— Já?

— É. Acho que ele quer se certificar de que seu trabalho está bem encaminhado. Os prazos serão curtos: terá de escrever rápido. Ele está completamente obcecado com a campanha presidencial. Você se sente pronto?

— Vai dar tudo certo. Voltei a escrever. Mas não sei o que devo fazer: contar tudo que sei? Contar que Harry tinha planejado fugir com a garota? Essa história, Doug, é um delírio total. Acho que você ainda não se deu conta.

— A verdade, Marc. Conte simplesmente a verdade sobre Nola Kellergan.

— E se a verdade prejudicar Harry?

— Conte a verdade, essa é sua responsabilidade como escritor. Ainda que a verdade seja difícil. Esse é meu conselho de amigo.

— E seu conselho de agente?

— O mais importante é proteger o seu rabo: evite acabar sendo processado por todos os habitantes de New Hampshire. Por exemplo, você me disse que a menina era espancada pelos pais?

— Sim. Pela mãe.

— Pois limite-se a escrever que Nola era uma *garotinha infeliz e maltratada*. Todo mundo vai entender que os pais são os responsáveis pelos maus-tratos, mas isso não ficará explícito... Ninguém poderá processá-lo.

— Mas a mãe tem um papel importante na história.

— Conselho de agente, Marc: você precisa de provas concretas para acusar as pessoas, caso contrário vai ruir sob a avalanche de processos. E acho que já teve chateação suficiente nos últimos meses. Caso não encontre uma testemunha confiável que aponte a mãe como uma tremenda megera que açoitava a garota, limite-se a *garotinha infeliz e maltratada*. Além disso, queremos evitar que um juiz qualquer mande suspender a venda do livro por problemas de difamação. Por outro lado, no caso de Pratt, agora que todo mundo sabe o que ele fez, pode contar os detalhes sórdidos. Isso vende.

Barnaski sugeriu que nos encontrássemos na segunda-feira, 7 de julho, em Boston, que tinha a vantagem de estar a uma hora de avião de Nova York e a duas horas de carro de Aurora, por isso, aceitei. Isso me dava quatro dias para escrever desenfreadamente e ter alguns capítulos para apresentar.

— Pode me telefonar se precisar de alguma coisa — disse Douglas, antes de desligar.

— Farei isso, obrigado. Doug, espere...

— Sim?

— Você preparava os *mojitos*. Lembra?

Ouvi-o sorrir.

— Lembro perfeitamente.

— Bons tempos, hein, Doug?

— Continuam sendo, Marc. Temos vidas muito boas, mesmo que, às vezes, haja momentos mais difíceis.

1º de dezembro de 2006, Nova York

— Que tal preparar mais uns *mojitos*, Doug?

Atrás do balcão da cozinha da minha casa, Douglas, usando um avental com a estampa de um corpo de uma mulher nua, uivou feito um lobo, pegou uma garrafa de rum e esvaziou-a numa coqueteleira cheia de gelo picado.

Isso aconteceu três meses depois do lançamento de meu primeiro livro, quando minha carreira estava no auge. Pela quinta vez em três semanas, desde que eu me mudara para o apartamento do Village, eu dava uma festa em casa. Dezenas de pessoas espremiam-se na minha sala, e eu não conhecia nem vinte por cento delas. Mas adorava aquilo. Douglas cuidava de embebedar os convidados com *mojitos* e eu me encarregava dos *white russians*, o único drinque que julgava decente beber.

— Que noite! — comentou Douglas. — Não é o porteiro do prédio que está dançando na sala?

— É. Eu o convidei.

— E temos Lydia Gloor, porra! Você tem noção? Lydia Gloor no seu apartamento!

— Quem é Lydia Gloor?

— Pelo amor de Deus, Marc, não é possível que não saiba! É a atriz do momento. Ela atua naquela série a que todo mundo assiste... Quer dizer, menos você, pelo visto. Como foi que a convidou?

— Não faço ideia. As pessoas tocam a campainha e eu abro a porta. *Mi casa es tu casa!*

Voltei para a sala com os salgadinhos e as coqueteleiras. Vi pelas janelas que a neve caía e me deu uma vontade súbita de sair para respirar um pouco de ar puro. Só com uma camisa, fui para a varanda; o frio estava congelante. Contemplei a imensidão de Nova York à minha frente, aqueles milhões de pontos de luz a perder de vista, e gritei com todas as minhas forças: "Eu sou Marcus Goldman!" Nesse instante, ouvi uma voz atrás de mim: era uma loura espetacular, da minha idade, que eu nunca vira na vida.

— Marcus Goldman, seu telefone está tocando — disse ela.

Seu rosto não me era estranho.

— Já a vi em algum lugar, não é? — perguntei.

— Na televisão, provavelmente.

— Você é Lydia Gloor.

— Sim.

— Só eu mesmo.

Pedi que me esperasse quietinha na varanda e corri para atender.

— Alô?

— Marcus? É Harry.

— Harry! Que prazer ouvi-lo! Como vai?

— Bem. Só queria dar um alô. Estou ouvindo uma barulheira ao fundo... Está recebendo gente em casa? Talvez tenha ligado na hora errada...

— Estou dando uma festinha. No meu apartamento novo.

— Saiu de Newark?

— Saí, comprei um apartamento no Village. Agora moro em Nova York! Precisa ver isto aqui, Harry, a vista é de tirar o fôlego!

— Tenho certeza. Em todo caso, parece estar mesmo se divertindo, fico feliz por você. Deve ter muitos amigos...

— Milhões! E isso não é tudo. Imagine só: há uma atriz deslumbrante me esperando na varanda. Rá, rá, não dá para acreditar! A vida é boa demais, Harry. Boa demais! E você? O que está fazendo esta noite?

— Eu... Estou dando uma festinha aqui em casa. Amigos, carne e cerveja. O que mais posso querer? Estamos nos divertindo, só falta você. Ih, alguém tocou a campainha, Marcus. Outros convidados chegando. Preciso ir abrir. Não sei se caberemos todos na casa, e Deus sabe como ela é grande!

— Tenha uma boa noite, Harry. Divirta-se bastante. Ligo para você de volta, sem falta.

Voltei para a varanda. Foi nessa noite que comecei a sair com Lydia Gloor, a que minha mãe viria a chamar de "aquela atriz da televisão".

Em Goose Cove, Harry foi abrir a porta: era o entregador de pizza. Ele pegou sua encomenda e foi jantar em frente à televisão.

Como prometido, liguei para Harry depois dessa noite. Contudo, um ano se passara entre os dois telefonemas. Foi em fevereiro de 2008.

— Alô?

— Harry, é Marcus.

— Ah, Marcus! É você mesmo quem está ligando? Inacreditável. Desde que virou celebridade, não me dá notícias. Tentei telefonar mês passado, mas quem atendeu foi uma secretária que falou que você não estava para ninguém.

Respondi bruscamente:

— As coisas vão mal, Harry. Acho que não sou mais escritor.

Ele ficou sério:

— Do que está falando, Marcus?

— Não sei o que escrever, estou acabado. Totalmente travado. Faz meses. Talvez um ano.

Ele desatou numa risada tranquilizadora e calorosa.

— É só uma estafa mental, Marcus, só isso! Bloqueios criativos são algo tão irracional quanto broxar: é o pânico do gênio, o mesmo que deixa seu pauzinho mole quando está se preparando para transar com uma de suas fãs e só pensa em lhe proporcionar um orgasmo que pode ser medido pela escala Richter. Não se preocupe com o talento, limite-se a alinhar um conjunto de palavras. O talento vem naturalmente.

— Você acha?

— Tenho certeza. Mas você devia deixar um pouco de lado as noitadas e os drinques. Escrever é coisa séria. Achava que tinha conseguido enfiar isso na sua cabeça.

— Mas estou trabalhando duro! É a única coisa que faço! E, mesmo assim, não sai nada.

— Então é porque está lhe faltando o cenário apropriado. Nova York é uma cidade bem bonita, mas acima de tudo é muito barulhenta. Por que não vem para cá, para minha casa, como fazia quando era meu aluno?

4 a 6 de julho de 2008

Durante os dias que antecederam o meu encontro com Barnaski em Boston, a investigação evoluíra de forma espetacular.

Para começar, o chefe Pratt fora indiciado por atos de ordem sexual contra uma menor de idade e solto sob fiança no dia seguinte à sua prisão. Ele se hospedou provisoriamente numa pensão na estrada de Montburry, enquanto Amy deixava a cidade rumo à casa da irmã, que morava em outro estado. O interrogatório de Pratt, conduzido pela Divisão de Homicídios da polícia estadual, confirmou não só que Tamara Quinn lhe mostrara a anotação encontrada na casa de Harry a respeito de Nola, como também que Nancy Hattaway lhe contara o que sabia sobre Elijah Stern. A razão pela qual Pratt desprezara conscientemente as duas pistas estava em seu receio de que Nola houvesse contado a um deles o episódio da viatura policial. Ele não queria, por conseguinte, correr o risco de, interrogando-os, acabar comprometendo a si mesmo. No entanto, jurou nada ter a ver com as mortes de Nola e Deborah Cooper e ter conduzido as diligências de maneira inatacável.

Com base nessas declarações, Gahalowood convenceu o escritório do promotor a expedir um mandado de busca domiciliar na casa de Elijah Stern, o que aconteceu na manhã da sexta-feira, 4 de julho, feriado nacional. O quadro que retratava Nola foi encontrado em seu ateliê e apreendido. Elijah Stern, levado às dependências da polícia estadual para ser ouvido, acabou não sendo indiciado. Contudo, essa nova reviravolta só conseguiu atiçar ainda mais a curiosidade da opinião pública: após a prisão do célebre escritor Harry Quebert e a do ex-chefe de polícia Gareth Pratt, eis que o homem mais rico de New Hampshire via-se envolvido na morte da jovem Kellergan.

Gahalowood me reproduziu fielmente o interrogatório de Stern.

— Um sujeito impressionante — opinou. — De uma calma absoluta. Ordenou inclusive que seu exército de advogados aguardasse fora da sala.

Sua presença, seu olhar azul de aço, me deixava quase incomodado, e Deus sabe como sou calejado nesse tipo de situação. Mostrei-lhe o quadro e ele confirmou ser mesmo Nola.

— Por que tem esse quadro em casa? — perguntara Gahalowood.

Stern respondeu, como se fosse uma coisa óbvia:

— Porque ele é meu. Há alguma lei neste estado que me proíba de pendurar quadros na parede?

— Não. Mas é o retrato de uma jovem que foi assassinada.

— E se eu tivesse um quadro de John Lennon, que também foi assassinado, seria algo grave?

— O senhor entendeu muito bem o que eu quis dizer, Sr. Stern. De onde veio esse quadro?

— Foi um de meus funcionários na época que o pintou. Luther Caleb.

— Por que ele o pintou?

— Porque gostava de pintar.

— Quando esse quadro foi pintado?

— No verão de 1975. Em julho, agosto, se não me falha a memória.

— Logo antes do desaparecimento da garota.

— Sim.

— Como ele o pintou?

— Com pincéis, imagino.

— Pare de bancar o idiota, por favor. De onde ele conhecia Nola?

— Todo mundo conhecia Nola em Aurora. Ele se inspirou nela para pintar o quadro.

— E não fica constrangido por ter em casa o quadro de uma garota desaparecida?

— Não. É um belo quadro. Chamamos isso de "arte". E a verdadeira arte incomoda. A arte consensual não passa do resultado da degenerescência do mundo apodrecido pelo politicamente correto.

— Está consciente de que a posse de uma obra que retrata uma adolescente de quinze anos nua pode lhe causar problemas, Sr. Stern?

— Nua? Não aparecem seus seios nem suas partes genitais.

— Mas é evidente que está nua.

— Está disposto a defender seu ponto de vista perante um tribunal, sargento? Porque o senhor perderia, e sabe disso tão bem quanto eu.

— Eu só gostaria de saber por que Luther Caleb pintou Nola Kellergan.

— Já falei: ele gostava de pintar.

— O senhor conhecia Nola Kellergan?
— Um pouco. Como todo mundo em Aurora.
— Só um pouco?
— Só um pouco.
— Está mentindo, Sr. Stern. Tenho testemunhas que afirmam que o senhor teve um relacionamento com ela. Que mandava que a levassem à sua casa.

Stern deu uma gargalhada.

— Tem provas do que diz? Duvido, porque isso é mentira. Nunca toquei nessa menina. Escute, sargento, o senhor me dá pena: está na cara que seu inquérito chegou a um impasse e suas perguntas não fazem sentido. Portanto, vou ajudá-lo: foi Nola Kellergan quem veio me procurar. Um dia ela veio à minha casa dizendo que precisava de dinheiro. E aceitou posar para um quadro.

— O senhor pagou para que ela posasse?

— Paguei. Luther tinha um grande talento para a pintura. Um talento incomum! Já pintara quadros magníficos para mim, paisagens de New Hampshire, cenas da vida cotidiana do nosso querido país, e eu estava bastante entusiasmado. Para mim, Luther poderia se tornar um dos grandes pintores deste século e imaginei que ele pudesse fazer algo grandioso pintando aquela jovem deslumbrante. A prova disso é que se eu vender esse quadro agora, com todo o alvoroço que cerca o caso, faturo tranquilamente um ou dois milhões de dólares. O senhor conhece muitos pintores contemporâneos que vendem quadros por dois milhões de dólares?

Dada essa explicação, após decretar que já desperdiçara muito tempo e pôr termo ao interrogatório, Stern fora embora, acompanhado de seu séquito de advogados, deixando Gahalowood mudo e acrescentando mais um mistério ao caso.

— Consegue entender alguma coisa nisso tudo, escritor? — perguntou Gahalowood, após terminar seu relato do interrogatório de Stern. — Um belo dia a garota aparece na casa de Stern e se oferece para ser pintada em troca de uma bolada. Dá para acreditar?

— Não faz sentido. Por que ela precisaria de dinheiro? Para a fuga?

— Talvez. Por outro lado, ela não levou suas economias. Em seu quarto há um pote de biscoitos com cento e vinte dólares.

— E o que fez com o quadro? — indaguei.

— Ficaremos com ele por enquanto. Prova material.
— Prova de quê, se Stern não foi indiciado?
— Contra Caleb.
— Então suspeita mesmo dele?
— Não faço ideia, escritor. Stern envolvido com o quadro, Pratt envolvido com boquetes, mas qual teria sido a motivação deles para matar Nola?
— Medo de que ela os delatasse? — sugeri. — Ela teria ameaçado revelar tudo e, num momento de pânico, um deles a espanca até a morte e depois a enterra perto da mata?
— Mas por que deixar aquele bilhete no original? *Adeus, Nola querida?* É de alguém que amava a garota. E o único que a amava era Quebert. Tudo nos leva a Quebert. E se Quebert, tendo descoberto sobre Pratt e Stern, tivesse perdido a cabeça e matado Nola? Essa história pode muito bem ser um crime passional.
— Harry cometer um crime passional? Não, isso não faz o menor sentido. Quando chegam os resultados daquele maldito exame grafológico?
— Muito em breve. É uma questão de só mais alguns dias, imagino. Marcus, você precisa saber: o escritório do promotor vai sugerir um acordo a Quebert. Eles desistem da acusação de rapto e ele confessa ser culpado de crime passional. Vinte anos de prisão. Em caso de bom comportamento, ele cumpre quinze. E a pena de morte é descartada.
— Um acordo? Por que um acordo? Harry não é culpado de nada.

Eu sentia que estávamos passando ao largo de alguma coisa, um detalhe que poderia explicar tudo. Retracei os últimos dias de Nola, mas nenhum incidente significativo fora assinalado em Aurora durante todo o mês de agosto de 1975, até a fatídica noite de 30 de agosto. A bem da verdade é que, depois de conversar com Jenny Dawn, Tamara Quinn e alguns moradores da cidade, minha impressão era de que as últimas três semanas de Nola tinham sido felizes. Harry descrevera cenas de afogamento, Pratt confessara como a obrigara a praticar sexo oral, Nancy contara dos encontros sórdidos com Luther Caleb, mas as declarações de Jenny e Tamara destoavam completamente: de acordo com seus depoimentos, nada deixava pressagiar que Nola fosse espancada ou se sentisse infeliz. Tamara Quinn, inclusive, me deu a entender que Nola lhe pedira para voltar a trabalhar no Clark's após as aulas recomeçarem, o que ela aceitara. Fiquei tão perplexo ao saber disso que duas vezes pedi que me confirmasse. Por que Nola teria cogitado retomar o emprego de garçonete, se planejava fugir? Robert Quinn, por sua vez, contou que às vezes cruzava com ela carregando uma máquina de escrever, mas que ela andava depressa, cantarolando alegremente. Era como se Aurora, em agosto de 1975, fosse o paraíso na terra. Cheguei a me perguntar se Nola tivera realmente intenção de deixar a cidade. Fui então invadido por uma dúvida terrível: que garantias eu tinha de que Harry estava me dizendo a verdade? Como saber se Nola de fato pedira para ir embora com ele? E se fosse um estratagema dele para se inocentar do assassinato dela? E se Gahalowood tivesse razão desde o início?

Fiz uma nova visita a Harry na tarde de 5 de julho, no presídio. Estava abatido, a pele, sem brilho. Marcas de expressão que eu nunca vira nele haviam surgido em sua testa.

— O promotor quer lhe propor um acordo — falei.

— Eu sei. Roth já me falou. Crime passional. Eu poderia sair depois de quinze anos.

Pelo seu tom de voz, percebi que ele estava disposto a considerar a opção.

— Não me diga que vai aceitar a oferta! — exaltei-me.

— Não faço ideia, Marcus. Mas não deixa de ser um meio de evitar a pena de morte.

— Evitar a pena de morte? O que está querendo dizer? Que é culpado?

— Não! Mas isso tudo me aflige! E não tenho vontade alguma de me atirar numa partida de pôquer com jurados que já me condenaram de antemão. Quinze anos de prisão não deixa de ser melhor do que a prisão perpétua ou o corredor da morte.

— Harry, vou fazer a pergunta pela última vez: você matou Nola?

— Mas é claro que não, porra! Quantas vezes terei de repetir?

— Então provaremos isso!

Peguei meu gravador e o coloquei na mesa.

— Por favor, Marcus. Essa máquina de novo, não!

— Preciso entender o que aconteceu.

— Não quero mais ser gravado. Por favor.

— Tudo bem. Irei anotar.

Peguei um bloquinho e uma caneta.

— Eu gostaria que retomássemos nossa conversa sobre a fuga de 30 de agosto de 1975. Se entendi direito, no momento em que Nola e você decidiram ir embora, seu livro estava quase terminado...

— Terminei de escrever alguns dias antes da data da fuga. Escrevi rápido, muito rápido. Eu vivia numa espécie de estado secundário. Tudo era muito especial: Nola, presente o tempo todo, relendo, corrigindo, datilografando. Pode parecer um pouco piegas, mas era mágico. O livro foi concluído ao longo do dia 27 de agosto. Eu me lembro disso porque foi o último dia que vi Nola. Havíamos combinado, para não despertar suspeitas, que eu sairia da cidade dois ou três dias antes dela. Portanto, 27 de agosto foi o último dia que passamos juntos. Eu acabara o romance em um mês. Foi uma loucura. Eu estava muito orgulhoso de mim mesmo. Lembro-me dos dois originais reinando na mesa da varanda: um deles, escrito a mão, correspondendo a todos os rascunhos; o outro, consistindo no trabalho de titã realizado por Nola, sua transcrição datilografada. Ficamos algum tempo na praia, bem onde havíamos nos conhecido três meses antes. Fizemos uma longa caminhada. Nola pegou minha mão e disse: "Conhecer você mudou minha vida, Harry. Você vai ver, seremos muito felizes juntos." Caminhamos mais um pouco. Nosso plano estava traçado: eu deixaria Aurora na manhã seguinte, passando antes no Clark's para ser visto e espalhar que ficaria ausente por uma ou duas semanas, a pretexto de negócios urgentes em Boston. Então eu ficaria dois dias em Boston, para guardar as contas do hotel, de forma que tudo batesse caso a polícia viesse a me interrogar. Em seguida, no dia 30 de agosto, iria para um quarto no Sea Side Motel, na estrada. Quarto 8, dissera Nola, porque gostava desse número. Perguntei como ela faria para chegar ao motel, já que ficava a quilômetros de Aurora, e ela respondeu que eu não precisava me preocupar, que ela andava depressa e conhecia um atalho pela praia. Ela me encontraria no quarto no início da noite, às sete horas. Partiríamos imediatamente, chegaríamos ao Canadá e arranjaríamos um lugar para ficar, um pequeno apartamento para alugar. Eu voltaria a Aurora alguns dias depois, como se nada tivesse acontecido. A polícia certamente estaria à procura de Nola e eu manteria a calma: se me interrogassem, responderia que estivera em Boston e mostraria os recibos do hotel. Deveria ficar uma semana em Aurora, para não despertar suspeitas, enquanto ela me aguardaria em nosso apartamento, tranquila. Depois disso, eu devolveria a casa de Goose Cove e deixaria Aurora definitivamente, explicando que acabara de escrever meu romance e agora precisava tentar publicá-lo. Depois retornaria para junto de Nola, tendo enviado o original pelo correio a editoras nova-iorquinas e, mais tarde, faria uma ponte entre o nosso esconderijo do Canadá e Nova York para tocar o lançamento do livro.

— Mas e Nola, o que ela teria feito?

— Providenciaríamos documentos falsos para ela, que poderia terminar o colégio, e depois a universidade. E esperaríamos que ela completasse dezoito anos para se tornar a Sra. Harry Quebert.

— Documentos falsos? Mas isso é uma tremenda loucura!

— Sei disso. Era uma tremenda loucura! Tremenda!

— E depois, o que aconteceu?

— Em 27 de agosto, na praia, recapitulamos o plano várias vezes e depois voltamos para casa. Nós nos sentamos no velho sofá da sala, que não era velho mas ficou porque nunca consegui me livrar dele, e tivemos nossa última conversa. Ouça, Marcus, ouça as últimas palavras dela, as quais nunca esquecerei. Ela me disse: "Seremos muito felizes, Harry. Eu serei sua mulher. Você se tornará um escritor admirado. E professor universitário. Sempre sonhei em me casar com um professor universitário. A seu lado, serei a mulher mais feliz do mundo. E teremos um grande cachorro da cor do sol, um labrador que se chamará Storm. Espere por mim, por favor, espere por mim." E respondi: "Esperarei por você a vida inteira se for preciso, Nola." Foram suas últimas palavras, Marcus. Depois disso, caí no sono, e, quando despertei, o sol se punha e Nola já tinha ido embora. Uma luminosidade rósea irradiava do mar e viam-se nuvens de gaivotas escandalosas. Essas malditas gaivotas de que ela tanto gostava. Na mesa da varanda, restava apenas um original: o que permaneceu comigo, o manuscrito. E ao lado, aquele bilhete, o que você achou e que, eu me lembro de cor, dizia: *Não se preocupe, Harry, não se preocupe comigo, darei um jeito de encontrá-lo. Espere por mim no quarto 8, gosto desse número, é o meu preferido. Espere por mim nesse quarto às sete horas. Então, iremos embora para sempre.* Não procurei o original datilografado: entendi que ela o levara, para reler mais uma vez. Ou talvez para ter certeza de que eu estaria no motel no dia 30. Ela carregou o maldito original, Marcus, como fazia de vez em quando. E eu, no dia seguinte, deixei a cidade. Como havíamos combinado, passei no Clark's para tomar um café, para que todo mundo me visse anunciar que eu ficaria ausente por um tempo. Como em todas as manhãs, Jenny estava lá, e eu lhe disse que tinha compromissos em Boston, que meu livro estava quase terminado e reuniões importantes me aguardavam. E fui embora. Fui embora sem desconfiar um segundo que nunca veria Nola novamente.

Larguei a caneta. Harry estava chorando.

7 de julho de 2008

Em Boston, no salão do Plaza, Barnaski levou meia hora para percorrer as cinquenta páginas que eu entregara para ele, antes de mandar nos chamar.

— E então? — perguntei, entrando no salão.

Seus olhos brilharam.

— É pura e simplesmente genial, Goldman! Genial! Eu sabia que você tinha as rédeas da situação!

— Mas, preste atenção, essas páginas são em grande parte anotações minhas. Há fatos descritos aí que não devem ser publicados.

— É claro, Goldman. Com certeza. Seja como for, você verá as provas finais.

Ele pediu champanhe, espalhou os contratos na mesa e recapitulou seu teor:

— Entrega do original para o fim de agosto. Os espaços para publicidade já estarão prontos. Revisão e diagramação em duas semanas, impressão ao longo de setembro. Lançamento programado para a última semana de setembro, no mais tardar. Que *timing* perfeito! Logo antes das eleições presidenciais e durante o julgamento de Quebert! Golpe de marketing fenomenal, meu caro Goldman! Hip hip hurra!

— E se a investigação não estiver concluída? — perguntei. — Como devo terminar o livro?

Barnaski já tinha uma resposta pronta e corroborada por seu departamento jurídico:

— Se a investigação estiver concluída, é um relato autêntico. Se não estiver, deixamos o final em aberto ou você sugere um fim e então vira um romance. Juridicamente, isso é inatacável e, para os leitores, não faz a menor diferença. E depois, melhor ainda se a investigação não estiver concluída: nesse caso poderemos fazer um segundo volume. Que mina de ouro!

Ele me olhou com uma expressão de sabe-tudo; um garçom trouxe o champanhe e ele mesmo fez questão de abrir. Assinei o contrato, ele espocou a garrafa, esguichou champanhe por todos os cantos, encheu duas taças e estendeu uma para Douglas e outra para mim. Perguntei:

— Você não bebe?

Ele fez uma careta de asco e enxugou as mãos numa almofada.

— Não me apetece. Champanhe é só para o show. O show, Goldman, são os noventa por cento de lucro que as pessoas agregam ao produto final!

E saiu para telefonar para a Warner Bros. a fim de acertar os direitos cinematográficos.

Ao longo dessa mesma tarde, na estrada de volta para Aurora, recebi uma ligação de Roth, que estava exultante.

— Temos os resultados, Goldman!

— Que resultados?

— A letra! Não é de Harry! Não foi ele que escreveu aquele bilhete no original.

Dei um grito de alegria.

— O que isso significa concretamente? — perguntei.

— Ainda não sei. De qualquer forma, se a letra não é dele, está confirmado que ele não estava com o original no momento em que Nola foi morta. Ora, o original é uma das principais provas da acusação. O juiz acaba de marcar uma nova audiência de comparecimento para essa quinta-feira, 10 de julho, às onze da manhã. Uma convocação tão repentina é certamente uma boa notícia para Harry!

Eu estava eufórico: logo Harry estaria livre. Portanto, falara sempre a verdade, era inocente. Esperei com impaciência a quinta-feira chegar. Contudo, na véspera da nova audiência, na quarta-feira, 9 de julho, aconteceu uma catástrofe. Nesse dia, por volta das cinco da tarde, eu estava em Goose Cove, no escritório de Harry, relendo minhas anotações sobre Nola. E então recebi uma ligação de Barnaski no celular. Sua voz tremia.

— Marcus, tenho uma notícia terrível — anunciou ele, de supetão.

— O que aconteceu?

— Houve um roubo...

— Como assim, *um roubo*?

— Suas páginas... As que levou para mim, em Boston.

— O quê? Como é possível uma coisa dessas?

— Estavam numa gaveta do meu escritório. Ontem de manhã, não as encontrei mais... Primeiro, pensei que Marisa arrumara o escritório e as guardara no cofre, às vezes ela faz isso. Mas quando perguntei, ela respondeu que não tocara nelas. Procurei ontem o dia inteiro, mas foi em vão.

Meu coração estava disparado. Eu pressentia uma tempestade.

— Mas o que o faz pensar que foram roubadas? — indaguei.

Houve um longo silêncio. Então ele respondeu:

— O telefone não parou de tocar a tarde inteira: *Globe*, *USA Today*, *The New York Times*... Alguém vazou cópias de suas páginas para toda a imprensa nacional, que está se preparando para divulgá-las. Marcus, é provável que amanhã o país inteiro fique sabendo do teor do seu livro.

SEGUNDA PARTE

A cura dos escritores
(Redação do livro)

14

O fatídico 30 de agosto de 1975

— Veja, Marcus, nossa sociedade foi concebida de tal forma que precisamos escolher incessantemente entre razão e paixão. A razão nunca foi útil a ninguém e a paixão costuma ser destruidora. Sendo assim, terei muita dificuldade em ajudá-lo.
— Por que me diz isso, Harry?
— Por nada. A vida é um embuste.
— Ainda vai comer suas batatas fritas?
— Não. Pode se servir, se quiser.
— Obrigado, Harry.
— Não está muito interessado no que estou falando?
— Sim, estou, sim. Estou escutando com atenção. Número 14: a vida é um embuste.
— Meu Deus, Marcus, você não entendeu nada. Às vezes tenho a impressão de estar conversando com um débil mental.

16h

O dia havia sido magnífico. Um desses sábados ensolarados de fim de verão que envolviam Aurora numa atmosfera serena. No centro da cidade, pessoas circulavam, tranquilas, demorando-se diante das vitrines para aproveitar os últimos dias de tempo bom. As ruas dos bairros residenciais, desertadas pelos automóveis, tinham sido tomadas por crianças, que nelas organizavam corridas de bicicletas e de patins, enquanto os pais, à sombra dos pórticos, bebericavam limonada, folheando os jornais.

Pela terceira vez em menos de uma hora, Travis Dawn, a bordo de sua viatura, atravessou Terrace Avenue e passou em frente à casa dos Quinn. A tarde fora de uma calma absoluta; nada digno de nota, nem sequer uma ligação da central. Travis fez alguns controles de rotina na estrada, para se ocupar um pouco, mas seus pensamentos estavam longe: não conseguia pensar em nada a não ser em Jenny. Lá estava ela, na varanda, com o pai. Haviam passado a tarde inteira completando palavras cruzadas, enquanto Tamara podava os arbustos, precavendo-se para o outono. Ao se aproximar da casa, Travis reduziu a velocidade ao ritmo do passo; esperava que ela o notasse, virasse a cabeça e o visse, e então acenasse com a mão, um gesto amigo que o incentivasse a parar um instante, a cumprimentá-la pelo vidro aberto. Talvez inclusive lhe oferecesse um copo de chá gelado e eles conversassem um pouco. Mas ela não virou a cabeça nem o viu. Ria com o pai, parecia feliz. Ele seguiu em frente e parou algumas dezenas de metros adiante, fora do campo de visão dela. Olhou para o buquê de flores no banco do carona e pegou o papel ao lado dele, no qual anotara o que pretendia lhe dizer:

Bom dia, Jenny. Que dia bonito! Se estiver livre esta tarde, pensei que talvez pudéssemos dar um passeio na praia. Quem sabe até pudéssemos ir ao cinema. Há filmes novos em cartaz em Montburry. (Entregar-lhe as flores.)

Sugerir o passeio e o cinema. Seria fácil. Contudo, ele não ousou sair do carro. Então arrancou bruscamente e retomou sua patrulha, percorrendo o mesmo trajeto que o faria passar outra vez diante da casa dos Quinn dali a vinte minutos. Arrumou as flores no banco para que ninguém as visse. Eram rosas silvestres, colhidas perto de Montburry, às margens de um pequeno lago do qual Erne Pinkas lhe falara. À primeira vista, eram menos bonitas que as rosas cultivadas, mas suas cores eram bem mais vistosas. Várias vezes quisera levar Jenny até lá; chegara a arquitetar todo um plano. Vendaria seus olhos, iria com ela até o roseiral e só desataria o lenço quando chegassem aos arbustos, para que as mil cores explodissem à sua frente como fogos de artifício. Em seguida, fariam um piquenique à beira do lago. Mas nunca tivera coragem de convidá-la. Percorria agora a Terrace Avenue e passava em frente à casa dos Kellergan, já menos interessado. Seus pensamentos estavam longe.

Apesar do tempo ameno, o reverendo ficara a tarde inteira confinado na garagem, consertando uma velha Harley-Davidson, que ele confiava cegamente que faria funcionar um dia. Segundo o relatório da polícia de Aurora, só deixou a oficina para ir à cozinha pegar algo para beber, e, todas as vezes que fez isso, encontrou Nola lendo tranquilamente na sala.

17h30

À medida que o dia chegava ao fim, as ruas do centro da cidade iam aos poucos se esvaziando, enquanto nos bairros residenciais as crianças voltavam para suas casas para jantar e, nas calçadas, não restavam mais que cadeiras vazias e jornais em desordem.

Gareth Pratt, o chefe de polícia, que estava de folga, e sua mulher, Amy, voltavam para casa, depois de passarem parte do dia fora da cidade, na casa de amigos. No mesmo instante, a família Hattaway, isto é, Nancy, seus dois irmãos e os pais, retornava à casa em Terrace Avenue, após ter passado a tarde na praia de Grand Beach. Consta no relatório da polícia que a Sra. Hattaway, mãe de Nancy, observou que a música estava num volume insuportável na casa dos Kellergan.

A muitos quilômetros dali, Harry chegava ao Sea Side Motel. Registrava-se no quarto 8 com um nome falso e pagava em espécie para não ter que mostrar a identidade. Na estrada, comprara flores. Também enchera o tanque do carro. Tudo estava pronto. Só mais uma hora e meia. Só isso. Assim que Nola chegasse, comemorariam o reencontro e iriam embora o mais depressa possível. Às nove da noite, estariam no Canadá. Ficariam juntos de vez. Ela nunca mais seria infeliz.

18h

Deborah Cooper, sessenta e um anos, que morava sozinha numa casa isolada na orla da mata de Side Creek desde a morte do marido, sentou-se à mesa da cozinha para preparar uma torta de maçã. Após descascar e cortar as frutas, jogou alguns pedaços pela janela, para os guaxinins, e permaneceu atrás do vidro para aguardar a chegada dos pequenos animais. Foi quando teve a impressão de ter percebido uma silhueta correndo através das fileiras de árvores e, observando com mais atenção, teve tempo de ver distintamente uma garota de vestido vermelho sendo perseguida por um homem, os quais desapareceram em seguida na vegetação. Ela correu para a sala, onde ficava o telefone, a fim de avisar à polícia. O relatório policial indica que a ligação foi recebida na central às dezoito horas e vinte e um minutos. Durou vinte e sete segundos. Sua transcrição é a seguinte:

— *Central de polícia, como posso ajudar?*
— *Alô? Meu nome é Deborah Cooper, eu moro em Side Creek Lane. Acho que acabei de ver uma garota sendo perseguida por um homem na floresta.*
— *O que aconteceu exatamente?*
— *Não sei! Eu estava na janela, olhando para o bosque, e vi essa garota correndo por entre as árvores... Tinha um homem atrás dela... Acho que ela estava tentando fugir dele.*
— *Onde eles estão agora?*
— *Eu... eu não consigo mais ver. Estão na floresta.*
— *Estou enviando agora mesmo uma patrulha para o local, senhora.*
— *Obrigada, não demore!*

Após desligar, Deborah Cooper voltou imediatamente para a janela da cozinha. Não viu mais nada. Pensou que sua vista talvez lhe tivesse pregado uma peça, mas, por via das dúvidas, era preferível que a polícia desse uma olhada nas cercanias. E saiu de casa para receber a patrulha.

No inquérito, consta que a central de polícia transmitiu a informação à delegacia de Aurora, sendo que o único oficial de plantão naquele dia era o oficial Dawn. Ele chegou a Side Creek Lane aproximadamente quatro minutos após a ligação.

Depois de pedir uma breve explicação, Travis Dawn procedeu a uma primeira busca na floresta. Algumas dezenas de metros após embrenhar-se por ali, logo encontrou um farrapo de tecido vermelho. Estimando que a situação talvez fosse grave, decidiu avisar logo ao chefe Pratt, embora ele estivesse de folga. Ligou da casa da Sra. Cooper. Faltavam quinze para as sete.

* * *

19h

O chefe Pratt considerou o caso sério o bastante para ir até lá pessoalmente tomar as medidas cabíveis, pois Travis Dawn jamais o importunaria em casa salvo em uma situação excepcional.

Ao chegar a Side Creek Lane, recomendou a Deborah Cooper que se trancasse em casa enquanto ele e Travis saíam para uma busca mais apurada na floresta. Seguiram a trilha paralela ao mar, na direção que a garota de vestido vermelho parecia ter tomado. Segundo o inquérito, após andarem cerca de um quilômetro e meio, os dois policiais descobriram vestígios de sangue e fios de cabelo louro numa parte mais descampada da mata, quase no litoral. Eram sete e meia da noite.

É provável que Deborah Cooper tenha permanecido na janela de sua cozinha para tentar acompanhar a movimentação dos policiais. Estes já haviam desaparecido na trilha fazia certo tempo quando ela subitamente viu uma menina vindo da floresta, com o vestido rasgado e o rosto ensanguentado, pedindo ajuda e correndo na direção da casa. Deborah Cooper, em pânico, puxou o trinco da porta da cozinha para acolhê-la e precipitou-se para a sala a fim de ligar mais uma vez para a polícia.

O inquérito policial indica que a segunda chamada foi atendida pela central às dezenove horas e trinta e três minutos. Durou pouco mais de quarenta segundos. Sua transcrição é a seguinte:

— *Central de polícia, como posso ajudar?*

— *Alô? (Voz de pânico.) Aqui é Deborah Cooper, eu... eu liguei ainda há pouco... para contar que havia uma menina sendo perseguida na floresta; pois bem, ela está aqui! Está na minha cozinha!*

— *Calma, senhora. O que aconteceu?*

— *Não faço ideia! Ela veio da floresta. Aliás, dois policiais estão na floresta neste momento, mas acho que não a viram! Eu a recebi na minha cozinha. E... Acho que é a filha do reverendo... A menina que trabalha no Clark's... Acho que é ela...*

— *Qual é o seu endereço?*

— *Deborah Cooper, Side Creek Lane, em Aurora. Já liguei antes! A menina está aqui, entendeu? Está com o rosto ensanguentado! Venha depressa!*

— *Não se mexa, senhora. Estou enviando reforços imediatamente.*

Os dois policiais examinavam os vestígios de sangue quando ouviram o som do tiro vindo da casa. Sem perder um segundo, voltaram correndo, empunhando as armas.

No mesmo instante, o telefonista da central de polícia, sem conseguir falar com Travis Dawn ou com o chefe Pratt em seu rádio de bordo e julgando a situação preocupante, resolveu disparar um alerta geral para o escritório do xerife e da polícia estadual e enviar as unidades disponíveis para Side Creek Lane.

19h45

Ofegantes, o oficial Dawn e o chefe Pratt chegaram de volta a casa de Deborah Cooper. Entraram pela porta dos fundos, que dava para a cozinha, onde encontraram a Sra. Cooper morta, prostrada no ladrilho, banhada em sangue, com um buraco de bala na altura do coração. Após uma rápida busca no primeiro andar, que se revelou infrutífera, o chefe Pratt correu até o carro para avisar à central e pedir reforços. A transcrição de sua conversa com o telefonista da central é a seguinte:

— *Aqui é o chefe Pratt, polícia de Aurora. Pedido urgente de reforços para Side Creek Lane, no cruzamento da estrada. Temos uma mulher morta por arma de fogo e possivelmente uma menina no meio da floresta.*
— *Chefe Pratt, já recebemos uma ligação desesperada de uma pessoa que se identificou como Sra. Deborah Cooper, de Side Creek Lane, há sete minutos, informando que uma menina se refugiou em sua casa. Os dois casos têm ligação?*
— *O quê? É Deborah Cooper que está morta, não há mais ninguém na casa. Enviem toda a força disponível! Isso aqui está uma zona!*
— *As unidades estão a caminho, chefe. Providenciarei mais reforços.*

Antes mesmo de desligar, Pratt ouviu uma sirene: os reforços já estavam chegando. Ele mal teve tempo de inteirar Travis da situação e pedir a ele que revistasse a casa, pois o rádio começou a chiar de repente: começara uma perseguição na estrada, a poucas centenas de metros dali, entre uma viatura do escritório do xerife e um veículo suspeito, detectado nas cercanias da floresta. O auxiliar do xerife Paul Summond, que encabeçava os reforços a caminho e fora o primeiro a chegar, passara casualmente por um Chevrolet Monte Carlo preto com placas ilegíveis, que saía da mata e fugia a toda a velocidade a despeito de suas advertências. Dirigia-se ao norte.

O chefe Pratt pulou para dentro da viatura e arrancou, indo apoiar Summond. Embrenhou-se numa trilha florestal paralela à estrada, com a finalidade de, mais à frente, barrar a passagem do fugitivo: saiu na rodovia principal cinco quilômetros depois de Side Creek Lane e por pouco não interceptou o Chevrolet preto.

Os carros andavam em suas velocidades máximas. O Chevrolet continuava seguindo na estrada, para o norte. O chefe Pratt lançou um alerta pelo rádio a todas as unidades disponíveis para que montassem barreiras e pediu que enviassem um helicóptero. Dali a pouco, o Chevrolet, após uma curva espetacular, entrou numa estrada secundária, depois em outra. Sua velocidade era vertiginosa, as viaturas policiais penavam para não perdê-lo de vista. Em seu rádio de bordo, Pratt berrava que iam perdê-lo.

A perseguição continuou por trilhas cada vez mais estreitas: o motorista parecia saber exatamente aonde ia, conseguindo aos poucos se distanciar dos policiais. Ao chegar a um entroncamento, o Chevrolet quase se chocou com um veículo que vinha em sentido contrário, o qual parou no acostamento. Pratt conseguiu contornar o obstáculo, passando por cima da faixa de grama, mas Summond, que vinha logo atrás, não pôde evitar a colisão, felizmente sem gravidade. Pratt, agora sozinho no encalço do Chevrolet, orientou os reforços da melhor forma que podia. Perdeu por um instante o contato visual com o carro, mas localizou-o em seguida na estrada de Montburry, antes que ele se distanciasse definitivamente. Ao cruzar com patrulhas que vinham no sentido contrário, percebeu que o veículo suspeito escapara. Pediu na mesma hora o bloqueio de todas as estradas, buscas generalizadas em toda a região e o envio da polícia estadual. Em Side Creek Lane, Travis Dawn foi categórico: não havia qualquer sinal da menina de vestido vermelho, nem na casa, nem nas cercanias imediatas.

20h

Em pânico, o reverendo David Kellergan discou o número de emergência da polícia para comunicar que sua filha, Nola, de quinze anos, desaparecera. Foi um auxiliar do xerife do condado, que viera entre os reforços, o primeiro a chegar ao número 245 da Terrace Avenue, seguido imediatamente por Travis Dawn. Às oito e quinze, o chefe Pratt chegou ao local. A conversa entre Deborah Cooper e o telefonista da central de polícia não deixava margem à dúvida: tinha sido Nola Kellergan quem ela vira em Side Creek Lane.

Às oito e vinte e cinco, o chefe Pratt enviou outra mensagem de alerta geral confirmando o desaparecimento de Nola Kellergan, quinze anos, localizada pela última vez uma hora antes em Side Creek Lane. Pediu que fosse disparado um aviso de busca por uma adolescente branca, de um metro e cinquenta e oito de altura, quarenta e cinco quilos, cabelo louro e comprido, olhos verdes, usando um vestido vermelho e um colar de ouro com o nome NOLA gravado.

Reforços policiais chegavam de todo o condado. Enquanto uma primeira fase de buscas na mata e na praia se iniciava, na esperança de encontrarem Nola Kellergan antes da madrugada, patrulhas esquadrinhavam a região à procura do Chevrolet preto, cujo rastro haviam momentaneamente perdido.

21h

Às nove da noite, unidades da polícia estadual chegaram a Side Creek Lane sob o comando do capitão Neil Rodik. Equipes da polícia técnica também foram deslocadas para a casa de Deborah Cooper e para a floresta, no local onde haviam sido encontrados vestígios de sangue. Poderosos spots de lâmpadas halogênicas foram instalados para iluminar a área; localizaram alguns tufos de cabelo louro arrancados, pedaços de dentes e farrapos de tecido vermelho.

Rodik e Pratt, observando a cena de longe, fizeram um balanço da situação.

— Parece ter sido uma autêntica carnificina — disse Pratt.

Rodik aquiesceu e perguntou:

— E você acha que ela ainda está na floresta?

— Ou ela desapareceu dentro daquele carro ou ainda está na mata. Passamos um pente fino na praia. Nada a assinalar.

Rodik ficou pensativo por um instante.

— Cacete, o que pode ter acontecido? Será que ela foi levada para longe daqui? Será que está desacordada em algum ponto da mata?

— Não consigo entender nada — suspirou Pratt. — Tudo que quero é encontrar essa garota viva o quanto antes.

— Sei disso, chefe. Mas, com todo o sangue que ela perdeu, se ainda estiver viva em algum canto da floresta, deve estar num estado lamentável. O que me intriga é como ela conseguiu reunir forças para chegar à casa. A força do desespero, sem dúvida.

— Sem dúvida.

— Nenhuma notícia do carro? — perguntou ainda Rodik.

— Nada. Um verdadeiro mistério. No entanto, há barreiras em absolutamente toda parte, em todas as direções possíveis.

Quando agentes descobriram rastros de sangue saindo da casa de Deborah Cooper para o local onde havia sido visto o Chevrolet preto, Rodik fez uma expressão resignada.

— Não gosto de dar uma de urubu, mas ou ela se arrastou até algum canto para morrer ou acabou indo parar no porta-malas daquele carro.

Às nove e quarenta e cinco, quando o sol não passava de um halo flutuante acima da linha do horizonte, Rodik pediu a Pratt que interrompesse as buscas durante a noite.

— Interromper as buscas? — protestou Pratt. — Nem pensar. Imagine que ela continua por aí, até agora, ainda viva, esperando por socorro. Não vamos abandonar essa garota na floresta! Os caras passarão a noite lá se for preciso, mas, se ela estiver em algum lugar, eles a encontrarão.

Rodik era um experiente oficial de terreno. Sabia que os policiais locais costumavam ser ingênuos, e parte de seu trabalho consistia em dar um choque de realidade em seus agentes.

— Chefe Pratt, o senhor deve suspender as buscas. Essa floresta é imensa, não dá para enxergar mais nada. Uma busca noturna é inútil. No melhor dos casos, esgotará os seus recursos e terá de recomeçar tudo amanhã. Na pior das hipóteses, alguns de seus homens vão se perder nessa mata gigantesca e depois terá de procurá-los também. O senhor já tem problemas suficientes nas costas.

— Mas temos de encontrá-la!

— Chefe, confie na minha experiência: passar a noite aqui fora não adiantará nada. Se a garota estiver viva, mesmo ferida, nós a encontraremos amanhã.

* * *

Nesse ínterim, em Aurora, a população estava em polvorosa. Centenas de pessoas, contidas com dificuldade pelas faixas de isolamento da polícia, espremiam-se em torno da casa dos Kellergan. Todo mundo queria saber o que havia acontecido. Quando o chefe Pratt retornou à cidade, foi obrigado a confirmar os diferentes rumores: Deborah Cooper estava morta, Nola desaparecera. Irromperam gritos de pavor na multidão, as mães de família levaram os filhos para casa a fim de se enclausurarem, enquanto os pais desencavavam suas velhas espingardas e se organizavam em milícias civis para patrulhar os quarteirões. A tarefa do chefe Pratt se complicava: não era conveniente que a cidade cedesse ao pânico. Patrulhas percorreram sem descanso as ruas para acalmar a população, enquanto agentes da polícia estadual encarregavam-se de bater de porta em porta para colher os depoimentos dos vizinhos da Terrace Avenue.

23h

Na sala de reunião da delegacia de Aurora, o chefe Pratt e o capitão Rodik faziam um balanço. Os primeiros elementos do inquérito não apontavam nenhum indício de roubo ou de luta no quarto de Nola. Apenas a janela escancarada.

— A garota levou algum pertence? — perguntou Rodik.

— Não. Nem pertences, nem dinheiro. Seu cofre está intacto, com cento e vinte dólares.

— Isso me parece um rapto.

— E nenhum vizinho viu nada.

— Não me espanta. Alguém convenceu a menina a segui-lo.

— Pela janela?

— Talvez. Ou não. Estamos em agosto, todo mundo deixa a janela aberta. Pode ser que ela tenha saído para passear e deparou com alguém.

— Aparentemente, uma testemunha, um tal Gregory Stark, disse ter ouvido gritos vindos da casa dos Kellergan quando passeava com o cachorro. Isso foi em torno das cinco da tarde, mas ele não tem certeza.

— Como assim, *não tem certeza*? — perguntou Rodik.

— Ele disse que dava para ouvir música vindo na casa dos Kellergan. Uma música em altíssimo volume.

Rodik exasperou-se:

— Não temos nada! Nenhum indício, nenhuma pista. É como se fosse um fantasma. A única coisa que temos é essa garota vista por alguns instantes, ensanguentada, em pânico, e gritando por socorro.

— O que acha que devíamos fazer agora? — perguntou Pratt.

— Acredite em mim, o senhor fez o que pôde esta noite, chefe. Chegou a hora de se concentrar no que está por vir. Mande todo mundo descansar, mas mantenha as barreiras nas estradas. Prepare um plano para esquadrinhar a floresta, terá de retomar as buscas ao amanhecer. O senhor é o único capaz de realizar as buscas, conhece a mata como a palma da mão. Envie também um comunicado para todas as unidades de polícia, tente fornecer detalhes precisos sobre Nola. Uma bijuteria que ela estivesse usando, um detalhe físico que a diferenciasse e permitisse que testemunhas a identificassem. Passarei essas informações para o FBI, para as polícias dos estados vizinhos e para a polícia de fronteira. Pedirei um helicóptero para amanhã e cães como reforços. Durma um pouco também, se conseguir. E reze. Gosto da minha profissão, chefe, mas rapto de criança é mais do que posso suportar.

A cidade continuou agitada a noite inteira, com o balé das viaturas policiais e curiosos em volta da Terrace Avenue. Alguns queriam entrar na mata, outros se apresentavam na delegacia como voluntários para as buscas. O pânico dominava os moradores.

Domingo, 31 de agosto de 1975

Uma chuva glacial abatia-se sobre a região, invadida por um nevoeiro denso vindo do oceano. Às cinco da manhã, nas proximidades da casa de Deborah Cooper, sob um imenso toldo estendido às pressas, o chefe Pratt e o capitão Rodik davam instruções aos primeiros grupos de policiais e voluntários. Num mapa, a floresta havia sido quadriculada em setores, e cada setor fora atribuído a uma equipe. Reforços de cães farejadores e guardas-florestais eram esperados pela manhã a fim de permitir ampliar as buscas e organizar revezamentos entre as equipes. O helicóptero havia sido temporariamente cancelado devido à má visibilidade.

Às sete da manhã, no quarto 8 do Sea Side Motel, Harry acordou assustado; dormira totalmente vestido. O rádio continuava ligado e divulgava um boletim informativo: ...*Alerta geral na região de Aurora após o desaparecimento de uma adolescente de quinze anos, Nola Kellergan, ontem à noite, por volta das dezenove horas. A polícia procura pessoas capazes de fornecer informações... No momento em que desapareceu, Nola Kellergan usava um vestido vermelho...*

Nola! Eles tinham dormido e se esquecido de ir embora. Ele pulou da cama e chamou seu nome. Por uma fração de segundo, julgou que ela estivesse no quarto com ele. Só então lembrou que ela não aparecera. Por que o abandonara? Por que não estava ali? O rádio noticiava seu desaparecimento, então ela fugira de casa como planejado. Mas por que sem ele? Será que tivera um contratempo? Refugiara-se em Goose Cove? A fuga dos dois caminhava para uma catástrofe.

Ainda sem ter noção da gravidade da situação, jogou fora as flores e saiu precipitadamente do quarto, sem sequer dar-se o trabalho de se pentear ou dar o nó na gravata. Jogou as malas dentro do carro e arrancou furiosamente para voltar a Goose Cove. Não rodara nem três quilômetros quando deparou com uma imponente barreira policial. O chefe Gareth Pratt viera checar a eficiência do dispositivo com um fuzil automático nas mãos. Estavam todos nervosos. Pratt reconheceu o carro de Harry na fila dos veículos detidos e se aproximou.

— Chefe, acabo de ouvir sobre Nola no rádio — disse Harry pela janela abaixada. — O que está havendo?

— Sinistro, sinistro — disse ele.

— Mas o que aconteceu?

— Ninguém sabe: ela desapareceu de casa. Foi vista perto de Side Creek Lane ontem à noite e, depois disso, não há mais qualquer vestígio dela. Toda a região foi cercada, a floresta, vasculhada.

Harry pensou que seu coração ia parar de bater. Side Creek Lane ficava na direção do motel. Será que ela teria se ferido a caminho de lá? Será que teria receado, depois de ter sido vista em Side Creek Lane, que a polícia fosse ao motel e os flagrasse juntos? Onde se escondera então?

O chefe percebeu o aspecto fúnebre de Harry e seu porta-malas cheio de bagagens.

— Está voltando de viagem?

Harry julgou que era melhor sustentar o álibi combinado com Nola.

— Eu estava em Boston. Resolvendo negócios do livro.

— Boston? — perguntou Pratt. — Mas está vindo do norte...

— Eu sei — balbuciou Harry. — Fiz um desvio por Concord.

O chefe olhou para ele com desconfiança. Harry dirigia um Chevrolet Monte Carlo preto. Então ordenou que ele desligasse o motor do veículo.

— Algum problema? — indagou Harry.
— Estamos à procura de um carro igual ao seu, que poderia estar envolvido no caso.
— Um Monte Carlo?
— Sim.

Dois oficiais revistaram o carro. Nada encontraram de suspeito e o chefe Pratt autorizou Harry a seguir em frente. Disse-lhe displicentemente:

— Eu lhe pediria que não deixasse a região. Só uma simples precaução, é claro.

O rádio do carro continuava a repisar a descrição de Nola. *Adolescente branca, de um metro e cinquenta e oito de altura, quarenta e cinco quilos, cabelo louro comprido, olhos verdes, usando um vestido vermelho e um colar de ouro com o nome NOLA gravado.*

Ela não estava em Goose Cove. Nem na praia, nem na varanda, nem dentro de casa. Em parte alguma. Ele a chamou, sem se importar que o ouvissem. Percorreu a praia, desvairado. Procurou uma carta, um bilhete. Mas não havia nada. Começou a entrar em pânico. Por que teria fugido se não fora para encontrá-lo?

Sem saber o que fazer, foi para o Clark's. E ali ficou sabendo que, antes de ser encontrada morta, Deborah Cooper vira Nola ensanguentada. Não podia acreditar naquilo. O que acontecera? Por que ele aceitara que ela ficasse por conta própria? Deveriam ter se encontrado em Aurora. Atravessou a cidade a pé até a casa dos Kellergan, sitiada por viaturas policiais, e intrometeu-se nas conversas dos curiosos para tentar entender. No final da manhã, de volta a Goose Cove, sentou-se na varanda, com um par de binóculos e pão para as gaivotas. E esperou. Ela se perdera, ainda voltaria. Voltaria, isso era um fato. Esquadrinhou a praia com os binóculos. Continuou à espreita. Até o cair da noite.

13

A tempestade

— O perigo dos livros, meu caro Marcus, é que às vezes você pode perder o controle sobre eles. Publicar significa que o que você escreveu tão solitariamente de repente escapa-lhe das mãos e vai se diluir no espaço público. É um momento de grande perigo: você deve manter o controle da situação o tempo todo. Perder o controle do próprio livro é uma catástrofe.

EXCERTOS DOS GRANDES JORNAIS DA COSTA LESTE
10 de julho de 2008

Excerto do The New York Times

MARCUS GOLDMAN PREPARA-SE PARA DESVENDAR O CASO HARRY QUEBERT
Nos últimos tempos, corria nos meios culturais o boato de que o escritor Marcus Goldman estaria preparando um livro sobre Harry Quebert. Pois tal boato acaba de ser confirmado pelo vazamento de páginas avulsas do livro em questão, deixadas ontem de manhã nas redações de vários jornais do país. O livro narra a minuciosa investigação conduzida por Marcus Goldman para lançar luz sobre os acontecimentos do verão de 1975 que culminaram no assassinato de Nola Kellergan, desaparecida em 30 de agosto de 1975 e encontrada enterrada numa floresta nas proximidades de Aurora em 12 de junho de 2008.

Os direitos foram adquiridos por um milhão de dólares pela poderosa editora nova-iorquina Schmid & Hanson. Seu CEO, Roy Barnaski, que não comentou o fato, indicou, contudo, que o lançamento do livro está programado para o próximo outono sob o título *O caso Harry Quebert*. [...]

Excerto do Concord Herald

AS REVELAÇÕES DE MARCUS GOLDMAN
[...] Goldman, amigo íntimo de Harry Quebert, de quem foi aluno na universidade, conta sobre os recentes acontecimentos de Aurora. Sua narrativa começa pela descoberta da relação entre Quebert e a jovem Nola Kellergan, na época com quinze anos.

"*Na primavera de 2008, aproximadamente um ano após eu me tornar a nova estrela da literatura americana, ocorreu um incidente que resolvi enterrar nas profundezas da memória: descobri que Harry Quebert, que foi meu professor na faculdade, de sessenta e sete anos, um dos escritores mais respeitados do país, tivera um relacionamento com uma garota de quinze anos, quando ele próprio tinha trinta e quatro. Isso acontecera no verão de 1975.*"

Excerto do Washington Post

A BOMBA DE MARCUS GOLDMAN
[...] No decorrer de suas investigações, Goldman parece ir de descoberta em descoberta. Ele conta que Nola Kellergan era uma garota perdida, espancada e supliciada, submetida a simulacros de afogamento e repetidas surras. Sua amizade e proximidade com Harry Quebert proporcionavam-lhe uma estabilidade que ela nunca conhecera até aquele momento e que lhe permitia sonhar com uma vida melhor [...]

Excerto do Boston Globe

A VIDA ESCANDALOSA DA JOVEM NOLA KELLERGAN
Marcus Goldman traz à tona elementos até agora desconhecidos pela imprensa.

Ela era o objeto sexual de E.S., um poderoso homem de negócios de Concord, que mandava seu homem de confiança para arrebanhá-la feito carne fresca. Metade mulher, metade criança, à mercê das fantasias dos homens de Aurora, também foi vítima do chefe de polícia local, que teria forçado sexo oral com a menina. O mesmo chefe de polícia seria o encarregado de comandar as buscas por ocasião de seu desaparecimento. [...]

E assim perdi o controle de um livro que ainda nem existia.

Logo nas primeiras horas da manhã da quinta-feira, 10 de julho, descobri as manchetes sensacionalistas da imprensa: todos os jornais dos Estados Unidos estampavam, na primeira página, fragmentos do que eu escrevera, porém cortando as frases, descontextualizando-as. Minhas hipóteses haviam se tornado afirmações odiosas, minhas suposições, fatos comprovados, e minhas reflexões, infames juízos de valor. Haviam desmontado meu trabalho, saqueado minhas ideias, violado meu pensamento. Haviam matado Goldman, o escritor em redenção que tentava penosamente redescobrir o caminho dos livros.

À medida que Aurora despertava, a comoção tomava conta da cidade: os moradores, hipnotizados, liam e reliam as matérias dos jornais. O telefone de casa começou a tocar sem parar, alguns indignados vieram bater à minha porta para tirar satisfação. Eu podia escolher entre enfrentar ou me esconder: decidi enfrentar. Às dez da manhã, tomei dois uísques duplos e fui para o Clark's.

Ao entrar pela porta de vidro do *diner*, senti os olhares dos fregueses de sempre se voltarem para mim como punhais. Eu me sentei à mesa 17, o coração disparado, e Jenny, furiosa, precipitou-se em minha direção para dizer que eu era um crápula. Achei que ia jogar o bule na minha cara.

— Quer dizer então — explodiu ela — que veio para cá ganhar dinheiro à nossa custa? Escrever besteiras sobre nós?

Seus olhos estavam marejados. Tentei abrandar a fervura:

— Jenny, você sabe que isso não é verdade. Esses trechos nunca deveriam ter sido publicados.

— Mas você escreveu mesmo aquelas barbaridades?

— Essas frases, fora do contexto, são abomináveis...

— Mas você escreveu aquelas palavras?

— Sim. Mas...

— Não tem *mas*, Marcus!

— Acredite em mim, eu não queria prejudicar ninguém...

— Não queria prejudicar? Quer que eu cite sua obra-prima? — Abriu um caderno de jornal. — Veja, está escrito aqui: *Jenny Quinn, a garçonete do Clark's, apaixonara-se por Harry desde o primeiro dia...* É assim que me define? Como a garçonete, a serviçal nojenta que baba de amor pensando em Harry?

— Sabe que isso não é verdade...

— Mas está escrito, santo Deus! Está escrito nos jornais de toda a porra deste país! Todo mundo vai ler isso! Meus amigos, minha família, meu marido!

Jenny berrava. Os fregueses observavam a cena em silêncio. Como não queria criar caso, preferi ir embora e acabei parando na biblioteca, esperando encontrar em Erne Pinkas um aliado em condições de compreender o desastre de palavras mal empregadas. Mas tampouco ele parecia disposto a me ver pela frente.

— Ora, eis o grande Goldman — disse ele, ao me avistar. — Veio procurar outras perversidades para escrever sobre este lugar?

— Estou horrorizado com esse vazamento, Erne.

— Horrorizado? Chega de teatro, Marcus! Todo mundo só fala do seu livro. Jornais, internet, televisão: você é o único assunto da mídia! Deve estar feliz. Em todo caso, espero que tenha tirado bom proveito de todas as informações que lhe dei. Marcus Goldman, o deus todo-poderoso de Aurora, Marcus, que vai entrando aqui e dizendo: *Preciso saber disso, preciso saber daquilo.* Nunca disse um obrigado, como se tudo fosse normal, como se eu estivesse a serviço do grande escritor Marcus Goldman. Sabe o que fiz no final de semana? Tenho setenta e cinco anos e, um domingo sim, outro não, complemento meu salário trabalhando no supermercado de Montburry. Recolho os carrinhos no estacionamento e os levo para a entrada da loja. Sei que não é glória nenhuma, que não sou uma celebridade como você, mas mereço o mínimo de respeito, não acha?

— Sinto muito.

— Sente muito? Pois não sente nada! Você não sabia porque nunca se interessou, Marc. Nunca se interessou por ninguém em Aurora. A única coisa com o que se importa é a fama. Mas a fama tem consequências!

— Sinto muito mesmo, Erne. Podemos almoçar juntos, se quiser.

— Não quero almoçar! Quero que me deixe em paz! Tenho livros para arrumar. Os livros são importantes. Já você não é nada.

Fui me entocar novamente em Goose Cove, apavorado. Marcus Goldman, o filho adotivo de Aurora, havia traído a própria família sem querer. Liguei para Douglas e pedi que publicasse um desmentido.

— Um desmentido de quê? Os jornais apenas reproduziram o que você escreveu. O que de toda forma seria publicado daqui a dois meses.

— Os jornais distorceram tudo! Nada do que publicaram corresponde a meu livro!

— Ora, Marc. Não faça um dramalhão. Concentre-se no livro, é o que importa. Tem pouco tempo pela frente. Você se lembra de que, há três dias, nos reunimos em Boston e você assinou um contrato de um milhão de dólares para escrever um livro em sete semanas?

— Eu sei! Eu sei! Mas isso não quer dizer que deva ser um lixo!

— Um livro escrito em poucas semanas é um livro escrito em poucas semanas...

— Foi o tempo que Harry levou para escrever *As origens do mal* — relembrei Douglas.

— Harry é Harry, se é que me entende.

— Não, não entendo.

— É um grande escritor.

— Obrigado! Muito obrigado! E eu, então?

— Você entendeu o que eu quis dizer... Você é um escritor, digamos... moderno. Você agrada porque é jovem e dinâmico... E antenado. Você é um escritor antenado. É isso. As pessoas não esperam que você ganhe o prêmio Pulitzer, elas gostam dos seus livros porque você está dentro das tendências, porque os diverte, além de ser bom também.

— Então é realmente isso que você pensa? Que sou um autor *de entretenimento*?

— Não distorça minhas palavras, Marc. Mas você tem consciência de que o seu público tem uma atraçãozinha por você porque você é... Boa pinta.

— Boa pinta? Só está piorando!

— Enfim, Marc, sabe aonde quero chegar! Você transmite uma certa imagem. Repito, você está dentro da tendência. Todos gostam de você. Você é ao mesmo tempo o bom companheiro, o amante misterioso, o genro ideal... É por isso que *O caso Harry Quebert* fará um imenso sucesso. É uma loucura, seu livro nem existe ainda e já causa furor. Em toda a minha carreira, nunca vi nada parecido.

— *O caso Harry Quebert*?
— É o título do livro.
— Como assim, *o título do livro*?
— Foi o que você escreveu nos seus papéis.
— Era um título provisório. Deixei isso claro no cabeçalho: título provisório. *Pro-vi-só-ri-o*. Sabe, é um adjetivo que significa uma coisa não definitiva.
— Barnaski não avisou? O departamento de marketing achou o título perfeito. Bateram o martelo ontem à noite. Reunião de emergência devido ao vazamento. Acharam que era melhor usar o vazamento como uma ferramenta de marketing e lançaram a campanha do livro hoje de manhã. Pensei que você soubesse. Dê uma olhada na internet.
— Você *pensou* que eu soubesse? Puta merda, Doug! Você é meu agente! Não é para você pensar, é para você agir! É sua função se certificar de que eu esteja a par de tudo que acontece em torno do meu livro, cacete!

Furioso, desliguei e corri para o computador. A primeira página do site da Schmid & Hanson era dedicada ao livro. Havia uma grande foto minha, em cores, e imagens de Aurora, em preto e branco, ilustrando o seguinte texto:

O CASO HARRY QUEBERT
A versão de Marcus Goldman sobre o
desaparecimento de Nola Kellergan
A ser lançado no outono
Encomende na pré-venda agora mesmo!

Estava marcada para a uma da tarde desse mesmo dia a audiência convocada pelo escritório do promotor após o laudo da perícia grafológica. Os jornalistas haviam tomado de assalto os degraus do tribunal de justiça de Concord, os canais de televisão cobriam o evento ao vivo, enquanto os comentaristas repetiam por conta própria as revelações publicadas pela imprensa. Falava-se agora de um possível abandono das acusações; era um escândalo.

Uma hora antes da audiência, liguei para Roth para dizer que não iria ao tribunal.

— Está se escondendo, Marcus? — provocou ele. — Vamos, não seja medroso: esse livro é uma bênção para todo mundo. Vai inocentar Harry, consolidará sua carreira e fará a minha dar um grande salto; não serei mais simplesmente o Roth de Concord, serei o Roth mencionado no seu best-seller! Esse livro vem muito a calhar. Principalmente para você, no fundo. Faz o quê, dois anos que não escreve nada?

— Cale a boca, Roth! Você não sabe do que está falando!

— E você, Goldman, pare com esse teatro! Seu livro vai arrebentar e você sabe muito bem disso. Você vai revelar ao país inteiro por que Harry é um pervertido. Estava sem inspiração, não sabia o que escrever, e então começa a escrever um livro com sucesso garantido.

— Aquelas páginas nunca deveriam ter vazado para a imprensa.

— Mas foi você quem as escreveu. Não se preocupe, eu realmente pretendo tirar Harry da prisão ainda hoje. Graças a você, sem dúvida. Suponho que o juiz leia o jornal, logo, não terei dificuldade em convencê-lo de que Nola era uma espécie de puta consentida.

Exclamei:

— Não faça isso, Roth!

— Por que não?

— Porque não é o que ela era. E ele a amava! Harry a amava!

Mas Roth já havia desligado. Eu o vi pouco depois na tela da minha televisão, triunfante, subindo os degraus do tribunal com um largo sorriso. Os jornalistas estendiam microfones, perguntando-lhe se o que a imprensa dizia era mesmo verdade: Nola Kellergan tivera aventuras com todos os homens da cidade? A investigação recomeçaria do zero? E ele respondia alegremente com afirmativas a todas as perguntas que lhe eram feitas.

A audiência durou apenas vinte minutos, durante os quais, em vista do arrazoado do juiz, todo o caso desinflou como um suflê. A prova principal da acusação — o original do livro — perdia toda a credibilidade a partir do momento em que ficou claro que a mensagem *Adeus, Nola querida* não fora escrita por Harry. Os demais indícios foram varridos feito pó: as acusações de Tamara Quinn não eram embasadas por prova material alguma; o Chevrolet Monte Carlo preto sequer fora considerado um elemento de acusação na época dos fatos. O inquérito parecia uma grande fraude, e o juiz determinou que, em razão dos novos elementos trazidos a seu conhecimento, autorizava a soltura de Harry Quebert, fixando sua fiança em meio milhão de dólares. Era a porta aberta para o abandono completo das acusações.

Essa reviravolta espetacular deixou os jornalistas histéricos. Eles se perguntavam agora se o promotor não quisera dar um monumental golpe de publicidade ao prender Harry e entregá-lo de bandeja à opinião pública. Perante a corte, assistiu-se em seguida à exposição das partes: primeiro, Roth, exultante, tendo como certo que, a partir do dia seguinte — o tempo de amealhar a fiança —, Harry seria um homem livre; em seguida, o promotor, que, sem conseguir convencer, tentou explicar a lógica das investigações.

Farto do grande balé da justiça na televisão, saí para correr. Precisava ir longe, pôr meu corpo à prova. Precisava me sentir vivo. Corri até o pequeno lago de Montburry, infestado de crianças e famílias. No caminho de volta, quando já estava quase chegando a Goose Cove, fui ultrapassado por um caminhão dos bombeiros, imediatamente seguido por outro e por uma viatura da polícia. Foi nesse momento que avistei a fumaça acre e espessa irrompendo acima dos pinheiros e na mesma hora entendi o que acontecia: a casa estava pegando fogo. O incendiário viera executar suas ameaças.

Corri como nunca antes, precipitando-me para salvar aquela casa da qual eu tanto gostava. Os bombeiros já trabalhavam, mas as labaredas, vorazes, devoravam a fachada. Tudo queimava. A poucas dezenas de metros do incêndio, no flanco da aleia da entrada, um policial examinava a lataria do meu carro, na qual se lia, escrito em tinta vermelha: *Queime, Goldman, queime.*

Às dez horas da manhã seguinte, o incêndio ainda fumegava. A casa fora em grande parte destruída. Peritos da polícia estadual moviam-se entre as ruínas enquanto outra equipe de bombeiros fazia o rescaldo. Pela intensidade das chamas, haviam jogado gasolina ou um combustível similar sob a marquise. O incêndio alastrara-se no mesmo instante. A varanda e o salão haviam sido destruídos, assim como a cozinha. O andar superior fora relativamente poupado pelas chamas, mas a fumaça e, sobretudo, a água usada pelos bombeiros provocaram estragos irreversíveis.

Eu parecia um fantasma, ainda em trajes de corrida, sentado na relva a contemplar as ruínas. Passei a noite ali. A meus pés, uma sacola intacta com os objetos que os bombeiros tinham retirado do meu quarto: dentro havia algumas roupas e meu laptop.

Ouvi um carro chegar e um burburinho correr entre os curiosos atrás de mim. Era Harry. Acabara de ser solto. Eu avisara a Roth e sabia que ele fora informado da tragédia. Ele deu alguns passos até onde eu estava, em silêncio, sentou-se na relva e disse, simplesmente:

— O que deu em você, Marcus?

— Não entendi o que quis dizer, Harry.

— Não diga nada. Veja o que fez. Palavras são desnecessárias.

— Harry, eu...

Ele percebeu a mensagem no capô do meu Range Rover.

— Seu carro não sofreu nada?

— Não.

— Melhor assim. Porque vai entrar nele e dar o fora daqui.

— Harry...

— Ela me amava, Marcus! Ela me amava! E eu a amava como nunca mais amei. Por que foi escrever aquelas barbaridades, hein? Sabe qual é o seu problema? Você nunca foi amado! Nunca! Quer escrever histórias de amor, mas não sabe nada sobre o amor! Quero que vá embora. Adeus.

— Nunca descrevi, muito menos imaginei Nola tal como a imprensa afirma que ela era. Eles deturparam o sentido das minhas palavras, Harry!

— Mas o que deu em você para permitir que Barnaski enviasse esse lixo para toda a imprensa nacional?

— Foi um roubo!

Ele explodiu numa risada cínica.

— Um roubo! Não me diga que é ingênuo a ponto de acreditar nas lorotas que Barnaski lhe conta! Posso lhe garantir que ele mesmo copiou e enviou aquelas malditas páginas para todos os cantos do país.

— O quê? Mas...

Ele me interrompeu.

— Marcus, acho que eu preferia nunca ter conhecido você. Vá embora agora mesmo. Você está na minha propriedade e não é mais bem--vindo aqui.

Houve um longo silêncio. Os bombeiros e os policiais nos observavam. Peguei minha sacola, entrei no carro e fui embora. Telefonei na mesma hora para Barnaski.

— Que bom falar com você, Goldman — disse ele. — Acabei de ficar sabendo sobre a casa de Quebert. Está em todos os canais. Fico feliz de saber que não se machucou. Não posso falar muito, tenho um encontro com diretores da Warner Bros. Eles já estão contratando roteiristas para escrever um filme sobre O caso a partir de suas páginas iniciais. Estão encantados. Acho que poderemos vender os direitos por uma pequena fortuna.

Interrompi-o.

— Não haverá livro, Roy.

— Como é que é?

— Foi você, não foi? Foi você que vazou o meu texto para a imprensa! Você simplesmente destruiu tudo!

— Está viajando, Goldman. Pior: está dando uma de diva, e isso não me agrada nem um pouco. Você faz seu grande espetáculo de detetive e, de repente, tomado por um capricho, larga tudo. Sabe de uma coisa, vou atribuir isso à sua noite horrível e esquecer este telefonema. Não haverá livro, que piada... Quem você acha que é, Goldman?

— Um escritor de verdade. Escrever é ser livre.

Ele forçou uma risada.

— Quem enfiou essas asneiras na sua cabeça? Você é escravo de sua carreira, de suas ideias, de seus sucessos. Você é escravo de sua condição. Escrever é ser dependente. Daqueles que o leem ou não. A liberdade é uma babaquice deslavada! Ninguém é livre. Tenho parte de sua liberdade nas mãos, assim como os acionistas da editora têm parte da minha nas mãos deles. Assim é feita a vida, Goldman. Ninguém é livre. Se fossem livres, as pessoas seriam felizes. Conhece muita gente feliz de verdade? — Como não respondi, ele prosseguiu: — Sabe, Marcus, a liberdade é um conceito interessante. Conheci um sujeito que era negociante em Wall Street, o tipo de *golden boy* cheio da grana e a quem tudo sorri. Um dia, ele quis se tornar um homem livre. Viu uma reportagem na televisão sobre o Alasca e levou uma espécie de choque. Decidiu virar caçador, livre e feliz, e viver de ar. Largou tudo e foi para o sul do Alasca. Pois bem, imagine que esse cara, que sempre triunfou na vida, também ganhou essa aposta: tornou-se efetivamente um homem livre. Sem laços, sem família, sem casa: apenas alguns cães e uma barraca. Era o único homem realmente livre que conheci.

— Era?

— Era. O sujeito foi livre durante quatro meses, de junho a outubro. Depois, com a chegada do inverno, acabou morrendo de frio, após ter devorado todos os seus cães, em desespero. Ninguém é livre, Goldman, nem mesmo os caçadores do Alasca. Muito menos nos Estados Unidos, onde os bons americanos dependem do sistema, os esquimós dependem da ajuda do governo e do álcool e os indígenas são livres, mas confinados em zoológicos humanos que eles chamam de reservas, onde são condenados a repetir sua ridícula e perpétua dança da chuva perante grupos de turistas. Ninguém é livre, meu rapaz. Somos prisioneiros dos outros e de nós mesmos.

Enquanto Barnaski falava, ouvi de repente uma sirene atrás de mim. Eu acabara de virar a presa de uma viatura policial descaracterizada. Desliguei o motor e parei no acostamento, esperando uma advertência por falar no celular ao volante. Mas quem saiu da viatura foi o sargento Gahalowood. Ele se aproximou da minha janela e disse:

— Não me diga que vai voltar para Nova York, escritor!

— O que o fez pensar isso?

— Digamos que você está pegando a estrada.

— Estava dirigindo sem prestar atenção.

— Hum. Instinto de sobrevivência?

— Eu não poderia definir melhor. Como me encontrou?

— Se por acaso não notou, seu nome está escrito em vermelho no capô do carro. Não é hora de voltar para casa, escritor.

— A casa de Harry pegou fogo.

— Eu sei. É por isso que estou aqui. Não pode voltar para Nova York.

— Por quê?

— Porque é um sujeito corajoso. Porque, em toda a minha carreira, poucas vezes vi alguém tão tenaz.

— Eles sabotaram meu livro.

— Ora, você nem escreveu esse livro ainda: seu destino está em suas mãos! Ainda pode fazer tudo! Tem o dom de criar! Então, mãos à massa, escreva uma obra-prima! Você é tinhoso, escritor. É tinhoso e tem um livro para escrever. Tem coisas a dizer! E depois, se me permite, por sua causa estou atolado nessa merda até o pescoço. O promotor está sendo pressionado, e eu junto. Fui eu que o aconselhei a prender Harry o quanto antes. Achava que, trinta e três anos após os acontecimentos, uma prisão relâmpago abaixaria sua crista. Agi como um iniciante. E depois você apareceu, com seus sapatos de verniz que valem um salário inteiro meu. Não farei uma cena de amor aqui na beira da estrada, mas... não vá. Precisamos concluir essa investigação.

— Não tenho mais onde dormir. A casa virou cinzas...

— Você acabou de embolsar um milhão de dólares. Está escrito no jornal. Pegue um quarto num hotel de Concord. Colocarei meus almoços na sua conta. Estou morrendo de fome. Vamos em frente, escritor. Trabalho é o que não falta.

Durante toda a semana seguinte, não coloquei mais os pés em Aurora. Estava hospedado numa suíte do Regent's, no centro de Concord, onde passava os dias debruçado sobre a investigação e o meu livro ao mesmo tempo. Só tive notícias de Harry por intermédio de Roth, que me contou que ele se instalara no quarto 8 do Sea Side Motel. Roth explicou que Harry não queria mais me ver porque eu manchara o nome de Nola. Depois, acrescentou:

— No fundo, por que foi dizer à imprensa que Nola era uma putinha enrustida?

Tentei me defender:

— Eu não disse absolutamente nada! Escrevi umas míseras páginas, que entreguei àquele pústula do Roy Barnaski para ele se certificar de que o meu trabalho estava progredindo. Ele deu um jeito de vazá-las para os jornais, declarando tratar-se de um roubo.

— Se você está dizendo...

— Porra, é a verdade!

— De qualquer jeito, parabéns, artista. Eu não teria feito melhor.

— O que está querendo dizer?

— Transformar a vítima em culpada, não há nada melhor para desmontar uma acusação.

— Harry foi solto com base no exame grafológico. Sabe disso melhor do que eu.

— Ah, como já expliquei, Marcus, juízes são apenas seres humanos. A primeira coisa que eles fazem de manhã, ao tomar o café, é ler o jornal.

De toda forma, Roth, que era um personagem bastante superficial, mas não antipático, tentou me reconfortar, alegando que Harry decerto estava muito abalado com a perda de Goose Cove e, que, assim que a polícia botasse as mãos no culpado, ele se sentiria melhor. Nesse ponto, os investigadores tinham uma pista importante: no dia seguinte ao incêndio, após uma busca minuciosa nos arredores da casa, haviam descoberto, na praia, escondido nas moitas, um galão de gasolina, no qual fora detectada uma impressão digital. Infelizmente, não foi encontrada nenhuma correspondência nos cadastros da polícia, e Gahalowood julgava que, sem mais elementos, seria difícil descobrir o culpado. Segundo ele, tratava-se provavelmente de um cidadão de grande honradez, sem antecedentes criminais, que nunca correria o risco de ser visto. Contudo, estimava ser possível restringir o círculo dos suspeitos a alguém da região, alguém de Aurora, que, tendo cometido seu delito à luz do dia e temendo ser reconhecido por eventuais passantes, correra para se desfazer de uma prova comprometedora.

Eu tinha seis semanas para reverter o curso dos acontecimentos e fazer de meu livro um bom livro. Era hora de lutar e me transformar no escritor que eu desejava ser. Pela manhã me dedicava ao livro e, à tarde, trabalhava no caso com Gahalowood, que transformara minha suíte em anexo do seu escritório, usando os funcionários do hotel para transportar caixas de papelão abarrotadas de depoimentos, autos de interrogatórios, recortes de jornais, fotos e arquivos.

Recomeçamos a investigação do zero: relemos os relatórios da polícia, estudamos os depoimentos de todas as testemunhas da época. Desenhamos um mapa de Aurora e dos arredores e calculamos todas as distâncias, da casa dos Kellergan a Goose Cove, depois de Goose Cove a Side Creek Lane. Gahalowood foi ao local verificar a duração de cada trajeto, a pé e de carro, checando inclusive o tempo que a polícia levou para intervir à época dos fatos, que se revelou muito breve.

— É muito difícil questionar o trabalho do chefe Pratt — disse ele. — As buscas foram empreendidas com grande profissionalismo.

— Quanto a Harry, sabemos que o bilhete no original não foi escrito por ele — assinalei. — Mas então por que enterraram Nola em Goose Cove?

— Porque estava vazia, sem dúvida — sugeriu Gahalowood. — Você mesmo disse que Harry alardeou que iria ausentar-se de Aurora por um tempo.

— Exatamente. Logo, na sua opinião, o assassino sabia que Harry não estaria em casa?

— É possível. Mas admita que é muito estranho que Harry, ao retornar, não tenha notado que haviam cavado um buraco praticamente ao lado de sua casa...

— Ele não estava em seu estado normal — argumentei. — Estava preocupado, devastado. Ficava esperando por Nola. Tinha muita coisa na cabeça para notar um pedaço de terra revolvida, ainda mais em Goose Cove: basta chover um pouco que o terreno vira uma lama só.

— Ele estava no limite, concordo. O assassino, portanto, sabia que ninguém iria bisbilhotar ali. E, se por acaso descobrissem o cadáver, quem seria acusado?

— Harry.

— Na mosca, escritor!

— Mas então por que aquele bilhete? — indaguei. — Por que escrever *Adeus, Nola querida*?

— Esta é a pergunta de um milhão de dólares, escritor. Ou seja, é você quem tem de responder, se é que me permite dizer.

Nosso principal problema era que nossas pistas indicavam todas as direções. Várias questões importantes continuavam em aberto, e Gahalowood escreveu-as em grandes folhas de papel.

Elijah Stern
- *Por que ele paga a Nola para que pose para ser pintada?*
- *Qual sua motivação para matá-la?*

Luther Caleb
- *Por que ele pinta Nola? Por que circula por Aurora? Qual sua motivação para matar Nola?*

David e Louisa Kellergan
- *Eles batiam violentamente na filha?*
- *Por que escondem a tentativa de suicídio de Nola e o fato de que ela fugiu de casa por uma semana?*

Harry Quebert
- *Culpado?*

Chefe Gareth Pratt
- *Por que Nola tomou a iniciativa de se relacionar com ele?*
- *Motivação: ela teria ameaçado denunciar?*

- *Tamara Quinn afirma que o papel roubado de Harry desapareceu. Quem o pegou no escritório do Clark's?*
- *Quem escreveu os bilhetes anônimos para Harry? Quem sabia e por que não falou nada por trinta e três anos?*
- *Quem ateou fogo em Goose Cove? Quem não tem interesse em que a investigação seja concluída?*

Era um fim de tarde quando Gahalowood fixou esses painéis numa das paredes da minha suíte. Deu então um longo suspiro desesperançado.

— Quanto mais avançamos, menos vejo claramente — admitiu ele. — Algo me diz que há um elemento central ligando essas pessoas e acontecimentos entre si. Essa é a chave da investigação! Se encontrarmos o elo, teremos o culpado.

E desmoronou numa cadeira. Eram sete horas e faltava-lhe energia para refletir. Como em todos os dias anteriores, à mesma hora, me preparei para sair, a fim de continuar o que eu me propusera a fazer: retornar ao boxe. Eu havia descoberto uma academia a quinze minutos de carro e decidira que estava na hora do meu grande retorno aos ringues. Desde que me hospedara no Regent's, tinha ido até lá todas as noites, por recomendação do porteiro do hotel, que praticava naquele local.

— Aonde vai assim? — perguntou Gahalowood.
— Lutar boxe. Quer vir?
— De jeito nenhum.

Joguei minhas coisas dentro de uma bolsa e me despedi.

— Fique o quanto quiser, sargento. É só bater a porta ao sair.
— Ah, não se preocupe, peguei uma chave extra do quarto. Vai mesmo lutar boxe?
— Vou.

Ele esboçou uma hesitação, depois, quando atravessei a soleira da porta, ouvi-o chamar:

— Espere, escritor, resolvi ir com você.
— O que o fez mudar de opinião?
— A tentação de lhe dar uns socos. Por que gosta tanto de boxe, escritor?
— É uma longa história, sargento.

Na quinta-feira, 17 de julho, fomos visitar Neil Rodik, capitão de polícia que também participara da investigação em 1975. Tinha agora oitenta e cinco anos e usava uma cadeira de rodas, vivendo num asilo para idosos à beira-mar. Ainda trazia na memória as buscas sinistras por Nola. Afirmava ter sido o caso de sua vida.

— Essa garota que desapareceu foi uma tremenda loucura! — exclamou ele. — Uma mulher a viu saindo da floresta, ensanguentada. Enquanto ela avisava à polícia, a menina desaparecia para sempre. O mais patético, a meu ver, era aquela música insana que o velho Kellergan colocava para tocar. Isso sempre me preocupou. Além do mais, sempre me perguntei como ninguém na casa notou que a filha havia sido raptada.

— Então, para o senhor foi um rapto? — perguntou Gahalowood.

— Difícil dizer. Faltam provas. A garota poderia ter saído para passear e ter sido pega por um maníaco de carro? Sim, claro.

— E por acaso se lembra de como estava o tempo no momento das buscas?

— As condições meteorológicas eram deploráveis. Chovia, havia uma neblina densa. Por que a pergunta?

— Para saber se Harry Quebert poderia não ter percebido que haviam escavado seu jardim.

— Não é impossível. A propriedade é imensa. Tem um jardim, sargento?

— Sim.

— De que tamanho?

— Pequeno.

— Acha possível alguém escavar um buraco modesto nele em sua ausência e o senhor não perceber depois?

— É possível, com efeito.

Na estrada de volta para Concord, Gahalowood me perguntou o que eu achava daquilo.

— Para mim, o original prova que Nola não foi raptada em casa — opinei. — Ela saiu para se encontrar com Harry. Tinham um encontro naquele motel e ela fugiu discretamente de casa, com a única coisa que importava para ela: o livro de Harry, que levara consigo. E no caminho foi raptada.

Gahalowood esboçou um sorriso.

— Acho que estou começando a gostar dessa ideia — declarou ele.

— Ela foge de casa, o que explica o fato de ninguém ter ouvido nada. Anda pela estrada rumo ao Sea Side Motel. E é nesse momento que é raptada. Ou pega no acostamento por alguém em quem confiava. *Nola querida*, escreveu o assassino. Ele a conhecia. Oferece-lhe uma carona. E depois começa a boliná-la. Talvez pare no acostamento e enfie a mão dentro de sua saia. Ela se debate: ele a golpeia, diz para ela manter a calma. Mas ele não havia trancado as portas do carro e ela consegue fugir. Quer se esconder na floresta, mas quem mora nas vizinhanças da estrada e da mata de Side Creek?

— Deborah Cooper.

— Exato! O agressor persegue Nola, largando o carro no acostamento. Deborah Cooper vê os dois e liga para a polícia. Nesse ínterim, o agressor alcança Nola no local onde foram encontrados sangue e fios de cabelo; ela se defende, ele a espanca severamente. Talvez inclusive abuse dela. Mas então a polícia chega: o oficial Dawn e o chefe Pratt fazem uma varredura na floresta e, aos poucos, o encurralam. Ele arrasta Nola para o meio da floresta, mas ela consegue escapar e alcançar a casa de Deborah Cooper, onde se refugia. Dawn e Pratt, por sua vez, continuam suas buscas na mata. Já estão longe demais para se dar conta de alguma coisa. Deborah Cooper recebe Nola em sua cozinha e corre até a sala para ligar para a polícia. Quando retorna, o agressor está ali, invadiu sua casa para recuperar Nola. Ele liquida Cooper com uma bala bem no coração e agarra Nola. Arrasta-a até o carro, joga-a no porta-malas. Ela continua viva, mas provavelmente inconsciente, pois perdeu muito sangue. É nesse momento que ele cruza com o carro do auxiliar do xerife. Uma perseguição começa. Após ter despistado a polícia, ele se entoca em Goose Cove. Sabe que o local é ermo, ali ninguém vai perturbá-lo. Os policiais procuram mais adiante, na estrada de Montburry. Ele deixa o carro em Goose Cove, com Nola dentro; talvez inclusive o esconda na garagem. Em seguida, desce até a praia e volta a pé para Aurora. Sim, tenho certeza de que o nosso homem mora em Aurora: ele conhece as estradas e a mata, sabe da ausência de Harry. Sabe de tudo. Sorrateiramente, retorna à própria casa; toma um banho, troca de roupa e, em seguida, quando a polícia chega à casa dos Kellergan, onde o pai acabara de anunciar o desaparecimento da filha, junta-se à multidão de curiosos em Terrace Avenue, se misturando a eles. É por isso que nunca encontramos o assassino: enquanto todo mundo o procurava nas cercanias de Aurora, ele já estava no meio da confusão, no centro da cidade.

— Incrível — consegui dizer. — Então ele estava lá?

— Sim. Acho que estava lá o tempo todo. No meio da noite, bastou que ele retornasse a Goose Cove, passando pela praia. Imagino que, a essa altura, Nola está morta. Ele então a enterra na propriedade, na orla da mata, num local que ninguém perceberá que a terra foi revolvida. Em seguida, pega mais uma vez o carro e guarda-o direitinho em sua garagem, de onde não sairá mais por um bom tempo para não despertar suspeitas. O crime era perfeito.

Fiquei pasmo diante daquela explanação.

— O que isso diz sobre o nosso suspeito?

— Que é um homem solitário. Alguém que pôde agir sem que ninguém fizesse perguntas ou indagasse por que não tirava mais o carro da garagem. Alguém que tinha um Chevrolet Monte Carlo preto.

Deixei-me arrebatar pelo entusiasmo:

— Basta saber quem tinha um Chevrolet preto em Aurora naquela época que descobriremos o nosso homem!

Gahalowood jogou um balde de água fria no meu entusiasmo.

— Pratt pensou nisso na época. Pratt pensou em tudo. Em seu relatório figura a lista dos proprietários de Chevrolet em Aurora e arredores. Ele foi visitar todas essas pessoas e todas tinham álibis consistentes. Todas, menos uma: Harry Quebert.

Harry de novo. Esbarrávamos sempre em Harry. Ele se encaixava em todos os critérios suplementares que definíamos para desmascarar o assassino.

— E Luther Caleb? — interroguei, com um fio de esperança. — Qual era o carro dele?

Gahalowood balançou a cabeça e respondeu:

— Um Mustang azul.

Suspirei.

— E agora, sargento, o que acha que devemos fazer?

— Ainda há a irmã de Caleb, que não interrogamos. Acho que está na hora de lhe fazer uma visita. É a única pista que ainda não exploramos a fundo.

Naquela noite, depois do boxe, reuni toda a minha coragem e fui até o Sea Side Motel. Eram em torno de nove e meia. Harry estava sentado numa cadeira de plástico, em frente ao quarto 8, aproveitando a noite amena bebendo uma latinha de refrigerante. Ao me ver, não disse nada, e pela primeira vez eu me senti incomodado em sua presença.

— Eu precisava falar com você, Harry. E lhe dizer que sinto muito por toda essa história...

Ele fez sinal para que eu me sentasse na cadeira ao lado da sua.

— Refrigerante? — ofereceu ele.

— Sim, obrigado.

— A máquina fica no fim do corredor.

Sorri e fui pegar uma Coca Light. Ao voltar, comentei:

— Foi o que você falou na primeira vez que fui a Goose Cove. Eu estava no primeiro ano da faculdade. Você tinha feito limonada, perguntou se eu queria, eu respondi *sim* e você falou para eu ir pegar na geladeira.

— Bons tempos.

— É.

— O que foi que mudou, Marcus?

— Nada. Tudo e nada. Todos nós mudamos, o mundo mudou. O World Trade Center veio abaixo, os Estados Unidos entraram em guerra... Mas continuo a vê-lo da mesma forma. Você continua sendo meu mestre. Continua sendo Harry.

— O que mudou, Marcus, foi a luta entre o mestre e o discípulo.

— Não estamos lutando.

— De certa forma, sim. Eu lhe ensinei a escrever livros e veja o que seus livros fazem: eles me prejudicam.

— Eu nunca quis prejudicá-lo, Harry. Descobriremos quem incendiou Goose Cove, eu juro.

— Mas será que isso vai me devolver os trinta anos de recordações que acabei de perder? Toda a minha vida virou fumaça! Por que escreveu aquelas barbaridades sobre Nola?

Não respondi. Ficamos em silêncio por um tempo. Apesar da luz fraca das arandelas, ele notou as lesões em meus punhos, causadas pela repetição dos socos nos sacos de pancada.

— Suas mãos... — observou ele. — Voltou a praticar boxe?

— Voltei.

— Está desferindo mal os golpes. Sempre foi o seu defeito. Você acerta os socos, mas sempre adianta muito a falange do indicador, que sofre atrito no momento do impacto.

— Então, vamos ao boxe — sugeri.

— Como quiser.

Fomos para o estacionamento. Não havia ninguém. Tiramos as camisas. Ele emagrecera bastante. Então me contemplou:

— Você está muito bonito, Marcus. Case-se, caramba! Vá viver.

— Tenho uma investigação para concluir.

— Para o inferno com essa investigação!

Ficamos frente a frente e trocamos alguns *jabs*; um golpeava e o outro mantinha a guarda fechada, protegendo-se. Harry dava socos secos.

— Não quer saber quem matou Nola? — perguntei.

Ele estacou.

— Você sabe?

— Não. Mas as pistas estão se afunilando. Amanhã o sargento Gahalowood e eu vamos atrás da irmã de Luther Caleb. Em Portland. E ainda tem gente que queremos interrogar em Aurora.

Ele suspirou.

— Aurora... Desde que saí da prisão, não vi mais ninguém. Outro dia, fiquei um tempo diante da casa destruída. Um bombeiro disse que eu podia entrar, então resgatei alguns pertences e vim a pé para cá. Não arredei o pé daqui. Roth está cuidando do seguro e de todo o resto. Não posso mais ir a Aurora. Não posso olhar na cara daquelas pessoas e dizer que amava Nola, que escrevi um livro para ela. Não consigo olhar nem para a minha própria cara. Roth disse que seu livro vai se chamar *O caso Harry Quebert*.

— É verdade. É um livro reiterando que o seu é um grande livro. Amo *As origens do mal*! Foi o livro que me fez ser escritor!

— Que tolice, Marcus!

— É verdade! É provavelmente o melhor livro que já li na vida. Você é o meu escritor preferido!

— Pelo amor de Deus, cale a boca!

— Quero escrever um livro para defender o seu, Harry. É verdade que assim que soube que você o escrevera para Nola, fiquei chocado. E depois o reli. É um livro magnífico! Você conta tudo nele! Principalmente no fim. Você expõe a dor que nunca deixará de afligi-lo. Não posso permitir que achincalhem o que escreveu, porque esse livro me construiu. Sabe, esse episódio da limonada, na primeira vez que fui à sua casa: abri aquela geladeira, aquela geladeira vazia, foi quando compreendi sua solidão. E, naquele dia, entendi que *As origens do mal* é um livro sobre a solidão. Você descreve a solidão como ninguém. É um escritor fantástico!

— Pare, Marcus!

— O fim do seu livro é sublime! Você não desiste de Nola: ela desapareceu para sempre, você sabe disso e, no entanto, espera por ela, a despeito de tudo... Minha única pergunta, agora que compreendi efetivamente o seu livro, é sobre o título. Por que deu um título tão sombrio a um livro tão belo?

— É complicado, Marcus.

— Estou aqui para entender...

— É muito complicado...

Nós nos encaramos em posição de guarda, como dois guerreiros. Ele acabou dizendo:

— Não sei se poderei perdoá-lo, Marcus...

— Perdoar? Mas vou reconstruir Goose Cove! Pagarei tudo! Com o dinheiro do livro, reergueremos a casa! Não pode sabotar nossa amizade desse jeito!

Ele começou a chorar.

— Você não entende, Marcus. Não é culpa sua! Nada é culpa sua e, por isso, não posso perdoá-lo.

— Perdoar de quê?

— Não posso falar. Você não entenderia!

— Afinal, Harry, por que todas essas charadas? O que está acontecendo, porra?!

Com as costas da mão, ele enxugou as lágrimas no rosto.

— Você se lembra do meu conselho? — perguntou ele. — Quando ainda era meu aluno, um dia eu lhe disse: nunca escreva um livro se não souber o seu fim.

— Sim, lembro-me perfeitamente. Nunca esquecerei.

— O fim do seu livro, como é?

— É um final feliz.

— Mas ela morre no final!

— Não, o livro não termina com a morte da heroína. Acontecem belas coisas depois.

— O quê, posso saber?

— O homem que a esperou durante trinta anos volta a viver.

TRECHO DE *AS ORIGENS DO MAL* (última página)

Quando ele compreendeu que nada jamais seria possível e que as esperanças não passavam de mentiras, escreveu-lhe pela última vez. Depois das cartas de amor, chegara a hora de uma carta triste. Só restava aceitar. De agora em diante, faria mais do que esperá-la. Esperaria a vida inteira. Mas sabia perfeitamente que ela não voltaria. Sabia que não a veria mais, que não a encontraria mais, que não a ouviria mais.

Quando compreendeu que nada jamais seria possível, escreveu-lhe pela última vez.

> *Minha querida,*
> *Esta é minha última carta. Estas são minhas últimas palavras.*
> *Escrevo para dizer adeus.*
>
> *A partir de hoje, não haverá mais "nós".*
> *Os apaixonados se separam e não se veem mais, e assim terminam as histórias de amor.*
>
> *Sentirei sua falta, querida. Sentirei muito a sua falta.*
> *Meus olhos choram. Tudo arde em mim.*
> *Nunca mais nos veremos; sentirei muitas saudades.*
>
> *Espero que seja feliz.*
>
> *Convenci a mim mesmo de que eu e você éramos um sonho e que agora devo despertar.*
>
> *Sentirei sua falta pelo resto da vida.*
>
> *Adeus. Amo-a como nunca mais amarei.*

12

Aquele que pintava quadros

— Aprenda a gostar de seus fracassos, Marcus, pois são eles que o construirão. Seus fracassos é que darão todo sabor às suas vitórias.

Fazia um dia radiante em Portland, no estado do Maine, quando fomos visitar Sylla Caleb Mitchell, irmã de Luther. Isso aconteceu na sexta-feira, 18 de julho de 2008. A família Mitchell morava numa casa confortável, num bairro residencial próximo à colina em cujo topo fica o centro da cidade. Sylla nos recebeu na cozinha; quando entramos, o café já fumegava em duas xícaras idênticas dispostas na mesa e havia álbuns de família empilhados ao lado.

Gahalowood entrara em contato com ela na véspera. Na estrada entre Concord e Portland, ele comentou que, ao conversarem por telefone, tivera a impressão de que ela já esperava aquele telefonema:

— Eu me apresentei como policial, disse que estava investigando os assassinatos de Deborah Cooper e Nola Kellergan e que precisava encontrá-la para fazer algumas perguntas. A princípio, as pessoas se assustam quando ouvem as palavras "polícia estadual", fazem perguntas, indagam o que está acontecendo e por que aquilo lhes diz respeito. Ora, Sylla Mitchell simplesmente respondeu: *Venha amanhã a qualquer hora, estarei em casa. É importante que conversemos.*

Na cozinha, ela se sentou à nossa frente. Era uma mulher bonita, uma cinquentona bem conservada, de aparência sofisticada e mãe de dois filhos. O marido, que também estava presente, ficou de pé, retraído, como se temesse importunar.

— Quer dizer que é tudo mesmo verdade? — perguntou ela.

— Tudo o quê? — retorquiu Gahalowood.

— O que li nos jornais... Todas essas coisas pavorosas sobre aquela pobre menina de Aurora.

— Sim. A imprensa distorceu um pouco, mas os fatos são verídicos. Sra. Mitchell, a senhora não me pareceu surpresa com minha ligação ontem...

Seu semblante ficou triste.

— Como lhe disse ontem ao telefone — explicou ela —, embora o jornal não citasse nomes, não tive dúvidas de que E.S. era Elijah Stern. E Luther era o motorista dele. — Ela pegou um recorte de jornal e leu em voz alta, como se quisesse entender o que não conseguia. — *E.S., um dos homens mais ricos de New Hampshire, enviava seu motorista para buscar Nola no centro da cidade e levá-la à sua casa, em Concord. Trinta e três anos mais tarde, uma amiga de Nola, que na época não passava de uma adolescente, contou que um dia presenciara o encontro da amiga com o motorista e que ela se fora como se fosse para a morte. Essa jovem testemunha descrevera o motorista como um homem assustador, corpulento e com o rosto deformado.* Uma descrição dessas, só pode ser meu irmão.

Então parou de falar e nós a encaramos. Ela esperava uma resposta e Gahalowood botou as cartas na mesa:

— Encontramos um quadro retratando Nola Kellergan, seminua, na casa de Elijah Stern — declarou ele. — Segundo Stern, foi seu irmão quem o pintou. Aparentemente, Nola teria aceitado posar por dinheiro. Luther ia buscá-la em Aurora e a levava para Concord, para junto de Stern. Não sabemos muito bem o que acontecia lá, mas, de qualquer jeito, Luther pintou um retrato dela.

— Ele pintava muito! — exclamou Sylla. — Era muito talentoso, poderia ter feito uma bela carreira. Por acaso... Por acaso suspeitam de que ele tenha matado essa garota?

— Digamos que ele consta na lista de suspeitos — respondeu Gahalowood.

Uma lágrima escorreu pela face de Sylla.

— Sabe, sargento, eu me lembro do dia em que ele morreu. Era uma sexta-feira, no final de setembro. Eu tinha acabado de comemorar meus vinte e um anos. Recebemos uma ligação da polícia comunicando que Luther falecera num acidente de carro. Lembro-me perfeitamente do telefone tocando, da minha mãe tirando-o do gancho. Meu pai e eu estávamos em volta. Minha mãe atendeu e murmurou no mesmo instante: *É a polícia.* Escutou atentamente e disse: *Ok.* Nunca vou me esquecer daquele momento. Do outro lado da linha, um oficial de polícia lhe comunicara a morte do filho. Ele tinha acabado de lhe dizer algo do tipo: *Senhora, é meu triste dever anunciar que seu filho faleceu em um acidente de carro,* e ela respondeu: *Ok.* Depois disso, desligou, olhou em nossos olhos e disse: *Ele morreu.*

— O que havia acontecido? — interrogou Gahalowood.

— Uma queda de trinta metros, de um penhasco na costa de Sagamore, em Massachusetts. Parece que estava bêbado. É uma estrada sinuosa e sem iluminação à noite.

— Quantos anos ele tinha?

— Trinta... Ele tinha trinta anos. Meu irmão era um homem direito, mas... Sabem, estou contente que estejam aqui. Acho que devo revelar uma coisa que deveríamos ter contado trinta e três anos atrás.

E, com a voz trêmula, Sylla nos relatou uma cena que se desenrolara aproximadamente três semanas antes do acidente. Foi no sábado, 30 de agosto de 1975.

30 de agosto de 1975, Portland, Maine

Naquela noite, a família Caleb marcara de ir jantar no Horse Shoe, o restaurante preferido de Sylla, para comemorar seu vigésimo primeiro aniversário. Ela nascera em 1º de setembro. Jay Caleb, o pai, fizera-lhe a surpresa de reservar o salão privado do primeiro andar e convidara todos os amigos dela e alguns parentes, cerca de trinta pessoas no total, entre eles, Luther.

Os Caleb — Jay, a mãe, Nadia, e Sylla — chegaram ao restaurante às seis da tarde. Todos os convidados já aguardavam Sylla no salão e saudaram-na efusivamente quando ela apareceu. A festa começou: tinha música e champanhe. Luther não havia chegado ainda. No início, o pai pensou que ele tivera um contratempo na estrada. Contudo, às sete e meia, quando o jantar foi servido, seu filho ainda não estava lá. Ele, aliás, não costumava se atrasar, e Jay começou a ficar preocupado com sua ausência. Tentou então falar com Luther, ligando para o ramal do telefone do quarto que ele ocupava no anexo da propriedade de Stern; ninguém atendeu.

Luther perdeu o jantar, o bolo, as danças. À uma da manhã, os Caleb voltaram para casa, em silêncio e preocupados; estavam aflitos. Por nada no mundo Luther faltaria ao aniversário da irmã. Em casa, Jay ligou mecanicamente o rádio da sala. O noticiário reportava uma operação policial de grande porte em Aurora, deflagrada em função do desaparecimento de uma garota de quinze anos. Aurora era um nome familiar. Luther dizia que ia muito lá, para cuidar das roseiras de uma casa magnífica, de frente para o mar, propriedade de Elijah Stern. Jay Caleb imaginou uma coincidência. Escutou atentamente o restante do boletim, depois os de outras estações, para checar se ocorrera algum acidente nas estradas da região; nada similar foi noticiado. Preocupado, continuou acordado parte da noite, sem saber se devia avisar à polícia, esperar em casa ou percorrer a estrada até Concord. Acabou dormindo no sofá da sala.

Na primeira hora da manhã seguinte, ainda sem notícias, ligou para Elijah Stern, perguntando pelo filho. "Luther?", respondera Stern. "Não está aqui, não. Tirou uma folga. Não lhe falou nada?" Toda aquela história era muito estranha. Por que Luther teria ido embora sem avisá-los? Confuso e sem se contentar só com a espera, Jay Caleb decidiu então sair à sua procura.

Sylla Mitchell, rememorando esse episódio, começou a tremer. Levantou-se bruscamente da cadeira e foi fazer mais café.

— Passei o dia na casa de amigas — prosseguiu ela —, enquanto meu pai ia a Concord e minha mãe ficava em casa para o caso de Luther chegar. Quando voltei, já era tarde. Meus pais estavam na sala, conversando, e ouvi meu pai dizer à minha mãe: *Acho que Luther fez uma grande besteira*. Perguntei o que estava acontecendo e ele mandou que eu não tocasse no assunto do desaparecimento de Luther com ninguém, principalmente com a polícia. Disse que ele mesmo se encarregaria de encontrá-lo. Procurou-o em vão durante mais de três semanas. Até o acidente.

Ela conteve um soluço.

— O que aconteceu, Sra. Mitchell? — perguntou Gahalowood, com uma voz reconfortante. — Por que seu pai pensava que Luther tinha feito uma besteira? Por que ele não queria acionar a polícia?

— É complicado, sargento. É tudo tão complicado...

Ela abriu os álbuns de fotos e falou da família Caleb: de Jay, seu querido pai, de Nadia, a mãe, uma ex-miss Maine que inculcara nos filhos o gosto pela estética. Luther era o mais velho, tinha nove anos a mais que ela. Ambos tinham nascido em Portland.

Mostrou algumas fotos de sua infância. A casa da família, as férias no Colorado, o imenso armazém da empresa do pai, no qual ela e Luther haviam passado verões inteiros. Havia uma série de retratos da família em Yosemite, em 1963. Luther com dezoito anos, um bonito rapaz, magro, elegante. Em seguida, deparamos com uma imagem que datava do outono de 1974: os vinte anos de Sylla. Os personagens envelheceram. Jay, o orgulhoso pai de família, com a barriga dos sessenta. A mãe com rugas no rosto, contra as quais não se pode fazer mais nada. Luther com quase trinta anos: seu rosto, deformado.

Sylla deteve-se longamente nessa última foto.

— Antes, éramos uma bela família — relembrou ela. — Antes, éramos muito felizes.

— Antes de quê?

Ela olhou para ele como se aquilo fosse algo evidente.

— Antes da agressão.

— Agressão? — repetiu Gahalowood. — Não sei do que está falando.

Sylla colocou as duas fotos do irmão lado a lado.

— Isso aconteceu no outono seguinte às nossas férias em Yosemite. Olhem essa foto... Olhem como ele era bonito. Pois fiquem sabendo que Luther era um homem muito especial. Adorava artes plásticas, tinha um dom para a pintura. Concluíra o colégio e acabara de ser aprovado na escola de belas-artes de Portland. Todos eram unânimes em afirmar que ele poderia se tornar um grande pintor, que tinha talento. Era um rapaz feliz. Mas estávamos na iminência da guerra do Vietnã, e ele se alistou. Acabou sendo convocado. Disse que quando voltasse, cursaria belas-artes e se casaria. Já estava noivo. Eleanore Smith era o nome dela. Uma colega do colégio. Repito, era um rapaz feliz. Antes daquela noite de setembro de 1964.

— O que aconteceu nessa noite?

— Já ouviu falar da gangue dos *field goals*, sargento?

— Gangue dos *field goals*? Não, nunca.

— Era como a polícia chamava um bando de maus elementos que dominava a região nessa época.

* * *

Setembro de 1964

Era em torno de dez horas da noite. Luther voltava a pé da casa de Eleanore para a casa dos pais. No dia seguinte iria integrar-se à tropa. Eleanore e ele haviam acabado de decidir que se casariam tão logo ele retornasse; haviam jurado fidelidade um ao outro e feito amor pela primeira vez na exígua cama de Eleanore, enquanto a mãe dela, na cozinha, preparava cookies para os dois.

Ao sair da casa dos Smith, Luther virou-se diversas vezes para trás, na direção da casa. No portão, à luz dos postes, viu Eleanore chorando e acenando para ele com a mão. Começou a percorrer a Lincoln Road: uma estradinha pouco frequentada àquela hora, além de mal iluminada, mas o trajeto mais curto até sua casa. Eram cinco quilômetros de caminhada. Um primeiro carro passou por ele, o facho dos faróis iluminou a pista bem à sua frente. Pouco depois, um segundo veículo apareceu veloz, por trás. Seus ocupantes, visivelmente alterados, gritaram pela janela para assustá-lo. Luther não reagiu e o carro parou de repente no meio da estrada, algumas dezenas de metros à frente. Ele continuou seguindo em frente: o que mais poderia fazer? Atravessar para o outro lado da estrada? Quando passou pelo carro, o motorista lhe perguntou:

— Ei, você! É daqui?

— Sou — respondeu Luther.

Recebeu um esguicho de cerveja no meio da cara.

— Os carinhas do Maine são uns caipiras! — berrou o motorista.

Os passageiros vibraram. Eram quatro ao todo, mas Luther não conseguia ver os rostos no escuro. Pareciam jovens, entre vinte e cinco e trinta anos, bêbados, muito agressivos. Ficou com medo e seguiu adiante, o coração acelerado. Não era de brigar, não queria problemas.

— Ei! — interpelou-o novamente o motorista. — Aonde pensa que vai, caipira?

Luther não respondeu e apertou o passo.

— Volte aqui! Volte ou verá como amestramos bostinhas como você.

Luther ouviu as portas do carro se abrirem e o motorista gritar:

— Senhores, declaro aberta a caça ao caipira! Cem dólares para quem capturá-lo.

Luther saiu em disparada: rezava para outro carro aparecer. Mas não surgiu ninguém para salvá-lo. Um dos perseguidores o alcançou e o derrubou no chão, berrando para os demais:

— Peguei! Peguei! Os cem dólares são meus!

Todos correram para cima de Luther e o encheram de porrada. Enquanto ele jazia no chão, um dos agressores rosnou:

— Quem está a fim de jogar futebol? Sugiro alguns *field goals*!*

Os outros soltaram gritos entusiasmados e, alternadamente, passaram a lhe desferir chutes no rosto com uma violência inaudita, como se chutassem uma bola para marcar um gol. Quando terminaram, abandonaram-no para morrer na beira da estrada. Foi um motociclista que o encontrou, quarenta minutos depois, e chamou o socorro.

— Após alguns dias em coma, Luther acordou com o rosto todo arrebentado — explicou Sylla. — Passou por várias cirurgias reconstrutoras, mas nenhuma foi capaz de restituir sua fisionomia. Ficou dois meses no hospital. Saiu de lá condenado a viver com o rosto deformado e a dicção prejudicada. Claro que o Vietnã foi para o espaço, porque na realidade tudo foi para o espaço. Ele ficava jogado em casa, o dia inteiro, não pintava mais, não tinha mais planos. Ao fim de seis meses, Eleanore desfez o noivado. E ainda foi embora de Portland. O que poderia esperar dele? Ela tinha dezoito anos e nenhuma vontade de sacrificar sua vida cuidando de Luther, que virara uma sombra e remoía seu desespero. Não era mais o mesmo.

— E os agressores? — perguntou Gahalowood.

— Nunca mais foram vistos. Aparentemente, a mesma gangue já tocara o terror diversas vezes na região. E em todas elas haviam se esbaldado com suas sessões de *field goals*. Mas Luther foi o caso de agressão mais grave que cometeram: quase o mataram. Toda a imprensa noticiou o fato, a polícia estava sendo cobrada. Eles então sumiram do mapa. Sem dúvida com medo de serem presos.

— O que aconteceu com seu irmão depois disso?

— Durante os dois anos seguintes, Luther assombrou a casa da família. Era como um fantasma. Totalmente apático. Meu pai fazia seu serão diário no armazém, minha mãe dava um jeito de passar os dias fora de casa. Foram dois anos quase insuportáveis. Até que um dia, em 1966, alguém tocou a campainha.

* * *

---

* *Field goal*: jogada do futebol americano que consiste em tentar marcar pontos chutando a bola de modo a que ela passe por entre as duas traves verticais do gol. (N. do A.)

1966

Ele hesitou antes de puxar o trinco da porta: não suportava que o vissem. Ao abrir se deparou com um homem de cerca de trinta anos, vestido com bastante elegância.

— Olá — disse o homem. — Sinto muito aparecer assim, mas meu carro enguiçou a alguns metros daqui. Por acaso, conhece algum mecânico?

— Ifo debende — respondeu Luther.

— Não foi nada grave, só um pneu furado. Mas não consigo fazer o macaco funcionar.

Luther aceitou dar uma olhada. Era um carro esportivo muito luxuoso, parado no acostamento da estrada, a cem metros da casa. Um prego havia furado o pneu dianteiro direito. O macaco emperrara porque estava sem graxa; apesar disso, Luther conseguiu destravá-lo e trocar o pneu.

— Nossa, estou impressionado. Que sorte a minha ter encontrado você. O que faz da vida? É mecânico?

— Nata. Antes eu bintava. Mas sovri um afidende.

— E como ganha a vida?

— Eu não canho a fida.

O homem examinou-o e estendeu-lhe a mão.

— Meu nome é Elijah Stern. Obrigado, devo-lhe um grande favor.

— Luther Caleb.

— Prazer, Luther.

Os dois se encararam por um instante. Stern acabou fazendo a pergunta que o atormentava desde que Luther abrira a porta de casa.

— O que aconteceu com seu rosto?

— Oufiu valar da canque dos *field goals*?

— Não.

— Uns garas que comederam agrefões, fó por brazer. Patiam na capeça das fítimas gomo fe vosse uma pola.

— Nossa, que horror... Sinto muito.

Luther deu de ombros, fatalista.

— Não se entregue! — exclamou Stern, num tom amistoso. — Se a vida foi ingrata com você, vingue-se dela! O que acharia de ter um emprego? Estou procurando alguém para fazer a manutenção dos meus carros e ser meu motorista. Gostei de você. Se a oferta lhe agradar, está contratado.

Uma semana mais tarde, Luther se mudava para Concord, para o anexo dos empregados da imensa propriedade da família Stern.

Sylla achava que o encontro com Stern havia sido providencial para o irmão.

— Graças a Stern, Luth voltou a ser alguém — continuou ela. — Tinha um trabalho, um salário. Sua vida tornara a fazer algum sentido. E, o principal, ele voltou a pintar. Stern e ele se entendiam muito bem: ele era seu motorista, mas também seu homem de confiança, eu diria que até mesmo era quase um amigo. Stern tinha acabado de assumir os negócios do pai; morava sozinho naquele solar, grande demais para ele. Acho que ele ficou bem feliz com a companhia de Luther. Tinham um relacionamento sólido. Luth trabalhou para ele os nove anos seguintes. Até morrer.

— Sra. Mitchell — perguntou Gahalowood. — Como era seu relacionamento com seu irmão?

Ela sorriu.

— Ele era alguém muito especial. Tão meigo! Amava flores, amava arte. Não merecia terminar a vida como um reles motorista. Quer dizer, não tenho nada contra motoristas, mas Luth era alguém! Costumava almoçar lá em casa aos domingos. Chegava de manhã, passava o dia conosco e à noite voltava para Concord. Eu adorava esses domingos, principalmente quando ele ia pintar em seu antigo quarto, transformado em ateliê. Ele tinha um talento enorme. Quando começava a desenhar, uma beleza absurda emanava dele. Eu ficava atrás dele, sentada numa cadeira observando tudo o que fazia. Observava suas pinceladas, que a princípio ganhavam formas caóticas antes de o conjunto formar cenas de um realismo contundente. No começo, tinha-se a impressão de que ele estava fazendo qualquer coisa, e depois uma imagem surgia de repente em meio aos traços, os quais então mostravam sentido. Era um momento absolutamente extraordinário. Eu falava para ele continuar desenhando, reconsiderar as belas-artes, expor suas telas. Mas ele não queria mais, por causa do seu rosto, por causa da sua dicção. Por causa de tudo. Antes da agressão, dizia que pintava porque carregava a pintura dentro dele. Quando finalmente se recuperou, dizia que pintava para se sentir menos só.

— Poderíamos ver alguns de seus quadros? — perguntou Gahalowood.

— Mas é claro. Meu pai formou uma espécie de coleção, com todas as telas deixadas em Portland e as recuperadas do quarto de Luther, na casa de Stern, após sua morte. Dizia que um dia poderíamos doá-las a um museu, que talvez fizessem sucesso. Mas limitou-se a juntar as recordações em baús, que, depois da morte dos meus pais, guardo comigo.

Sylla levou-os ao subsolo, onde um dos compartimentos era ocupado por grandes baús de madeira. Diversas telas, de grandes dimensões, escapavam para fora, croquis e desenhos acumulavam-se entre as molduras. Era uma quantidade impressionante.

— Está tudo muito bagunçado — desculpou-se ela. — São recordações no estado bruto. Não ousei me desfazer de nada.

Vasculhando os quadros, Gahalowood reparou numa tela que retratava uma jovem loura.

— Essa é Eleanore — explicou Sylla. — Essas telas são de antes da agressão. Ele adorava pintá-la. Dizia que era capaz de pintá-la pelo resto da vida.

Eleanore era uma jovem loura e bonita. Um detalhe intrigante é que era muito parecida com Nola. Havia diversos outros retratos de diferentes mulheres, todas louras, e todas as datas indicavam anos posteriores à agressão.

— Quem são essas mulheres nos quadros? — perguntou Gahalowood.

— Não sei — respondeu Sylla. — Provavelmente fruto da imaginação de Luther.

Foi nesse momento que deparamos com uma série de desenhos a carvão. Num deles, pensei ter reconhecido o interior do Clark's e uma mulher bonita, embora triste, sentada ao balcão. A semelhança com Jenny era estarrecedora, mas achei que era só uma coincidência. Até que, ao virar o desenho, vi as seguintes palavras: *Jenny Quinn, 1974*. Então perguntei:

— Por que seu irmão tinha essa obsessão em pintar mulheres louras?

— Não sei — respondeu Sylla. — Não sei mesmo...

Gahalowood então fitou-a com uma expressão serena e grave ao mesmo tempo e falou:

— Sra. Mitchell, chegou a hora de contar por que, na noite de 31 de agosto de 1975, seu pai achou que Luther tinha feito "uma besteira".

Ela aquiesceu.

31 de agosto de 1975

Às nove da manhã, quando Jay Caleb colocou de volta o telefone no gancho, percebeu que alguma coisa não batia. Elijah Stern acabara de lhe informar que Luther tirara uma licença por tempo indeterminado.

— Está procurando Luther? — Ele se espantara. — Ora, ele não está. Pensei que o senhor soubesse.

— Não está? Mas onde ele se meteu? Ontem esperamos ele chegar no aniversário da irmã e ele acabou não aparecendo. Estou muito preocupado. O que ele lhe disse exatamente?

— Disse que provavelmente teria que parar de trabalhar para mim. Isso foi na sexta-feira.

— Parar de trabalhar para o senhor? Mas por quê?

— Não sei. Pensei que o senhor soubesse.

Logo após desligar, Jay pegou de novo o aparelho para avisar à polícia. Mas não concluiu seu gesto. Foi tomado por um estranho pressentimento. Nadia, sua mulher, irrompeu no escritório.

— O que Stern falou? — perguntou ela.

— Que Luther pediu demissão na sexta-feira.

— Demissão? Como assim, *demissão*?

Jay suspirou; estava esgotado pela noite maldormida.

— Não sei — disse ele. — Não estou entendendo nada. Absolutamente nada... Vou atrás dele.

— Mas onde vai procurá-lo?

Ele encolheu os ombros. Não fazia a menor ideia.

— Fique aqui — pediu a ela. — Caso ele chegue. Ligarei de hora em hora para dar notícias.

Ele pegou as chaves da pick-up e, sem sequer saber por onde começar, foi para a estrada. Acabou decidindo ir até Concord. Conhecia pouco a cidade e percorreu-a às cegas, sentindo-se perdido. Em mais de uma ocasião, passou em frente a uma delegacia: queria parar e pedir ajuda aos agentes, mas todas as vezes que cogitava fazer isso, alguma coisa dentro dele o dissuadia. Por fim, foi à casa de Elijah Stern. Este não estava lá, e um empregado da casa o levou ao quarto de Luther. Jay esperava que o filho tivesse deixado um bilhete; mas não encontrou nada. O quarto estava arrumado e não havia uma carta ou qualquer indício que explicasse seu sumiço.

— Luther lhe falou alguma coisa? — perguntou Jay ao empregado que o acompanhava.

— Não. Eu não estive aqui nos últimos dois dias, mas ouvi dizer que por enquanto Luther não viria mais trabalhar.

— Por enquanto não viria mais? Mas ele tirou uma licença ou pediu demissão?

— Não sei dizer, senhor.

Toda essa confusão em torno de Luther era muito estranha. Jay agora estava convencido de que um incidente grave acontecera para que seu filho evaporasse daquela forma. Deixou a propriedade de Stern e retornou à cidade. Parou numa lanchonete para ligar para a mulher e engolir um sanduíche. Nadia disse que continuava sem notícias. Enquanto almoçava, deu uma olhada no jornal; o único assunto era aquela atrocidade perpetrada em Aurora.

— Que história é essa de garota desaparecida? — perguntou ao dono do estabelecimento.

— Um crime sórdido... Aconteceu num lugarejo que fica a uma hora daqui: uma pobre mulher foi assassinada e uma garota de quinze anos, raptada. Todas as polícias do estado estão atrás dela...

— Em que direção fica Aurora?

— Pegue a 95, direção leste. Quando alcançar o litoral, siga na direção sul, e chegará lá.

Movido por um pressentimento, Jay Caleb seguiu para Aurora. Na estrada, após ser parado em duas ocasiões por barreiras policiais, às margens da mata fechada de Side Creek, pôde constatar a amplitude do dispositivo de busca: dezenas de viaturas de emergência, policiais em toda parte, cães e muito tumulto. Foi até o centro da cidade, e, pouco depois da marina, parou em frente a um *diner* na rua principal, lotado de gente. Entrou e sentou-se no balcão. Uma loura exuberante serviu-lhe café. Durante uma fração de segundo, achou que a conhecia, no entanto, era a primeira vez na vida que botava os pés ali. Olhou para ela, que sorriu de volta. Em seguida, ele viu seu nome no crachá: Jenny. E, subitamente, entendeu: a mulher, naquele desenho a carvão de Luther que ele apreciava em especial, era ela! Lembrava-se perfeitamente dos dizeres no verso: *Jenny Quinn, 1974.*

— Posso ajudar em alguma coisa, senhor? Parece perdido.

— Eu... Que horror o que aconteceu aqui...

— Nem me fale! Continuamos sem saber o que aconteceu com a garota. É tão jovem! Tem apenas quinze anos. Eu a conheço bem, ela trabalha aqui aos sábados. Chama-se Nola Kellergan.

— Co... Como disse? — gaguejou Jay, torcendo para não ter escutado direito.

— Nola. Nola Kellergan.

Ao ouvir novamente aquele nome, sentiu uma tontura. Teve vontade de vomitar. Devia sair dali. Ir para bem longe. Deixou dez dólares no balcão e se mandou.

Assim que entrou em casa, Nadia percebeu na mesma hora que o marido estava transtornado. Acorreu em sua direção e ele quase desmoronou em seus braços.

— Meu Deus, Jay, o que está acontecendo?
— Há três semanas, Luth e eu fomos pescar. Lembra-se?
— Claro. Você fisgou aquelas percas que estavam intragáveis. Mas por que está falando isso agora?

Jay descreveu aquele dia para a mulher. Foi no domingo, 10 de agosto de 1975. Luther chegara a Portland na noite da véspera: haviam combinado de sair bem cedo para ir pescar às margens de um pequeno lago. O dia estava bonito, os peixes eram abundantes, escolheram um recanto sossegado e não havia ninguém para importuná-los. Enquanto bebiam cerveja, falaram sobre a vida.

— Prefiso lhe gontar, bai — dissera Luther. — Gonhefi uma mulher exdraortinária.
— É mesmo?
— Estou tizento. Ela é vora do gomum. Faz meu goração disbarar e, feja fó, ela me ama. Ela me dife. Um tia, vou lhe abresendar. Denho ferdeza de gue fai gosdar tela.

Jay abrira um sorriso.

— E essa jovem tem nome?
— Nola, bai. Ela fe chama Nola Kellergan.

Ao se lembrar desse dia, Jay Caleb explicou à mulher:

— Nola Kellergan é o nome da garota que foi raptada em Aurora. Acho que Luther fez uma grande besteira.

Sylla estava entrando em casa naquele instante. Ouviu as palavras do pai.

— O que isso significa? — perguntou ela. — O que Luther fez?

Seu pai, após lhe explicar a situação, ordenou que ela não comentasse aquela história com ninguém. Ninguém podia associar Luther e Nola. Ele passou então a semana inteira fora de casa, procurando o filho: esquadrinhou primeiro o Maine, depois toda a costa, do Canadá até Massachusetts. Esteve nos lugares mais remotos, lagos e cabanas de que o filho gostava.

Ruminava que poderia ter escolhido um deles, e devia estar aterrado, em pânico, acuado como um animal por todas as polícias do país. Não encontrou pista alguma. Esperou todas as noites, atento ao menor ruído. Quando a polícia telefonou para comunicar sua morte, ele pareceu quase aliviado. Exigiu de Nadia e Sylla que nunca evocassem aquela história para que a memória do filho não acabasse um dia sendo maculada.

Quando Sylla terminou seu relato, Gahalowood perguntou:

— Está nos dizendo que acha que seu irmão teve alguma coisa a ver com o rapto de Nola?

— Digamos que ele tinha um comportamento estranho com as mulheres... Gostava de pintá-las. Principalmente as louras. Sei que de vez em quando as desenhava às escondidas, em locais públicos. Nunca entendi que prazer tinha nisso... Então, sim, acho que pode ter acontecido alguma coisa com essa garota. Meu pai supunha que Luther havia se exaltado, que a garota devia ter dito não a ele, e que então ele a matara. Quando a polícia ligou para nos dizer que ele havia falecido, meu pai caiu no choro. E, em meio a suas lágrimas, ouvi-o dizendo: "Ainda bem que ele morreu... Se eu o tivesse encontrado, acho que o teria matado. Para que ele não acabasse na cadeira elétrica."

Gahalowood balançou a cabeça. Deu mais uma olhada nos objetos de Luther e pegou uma caderneta de anotações.

— É a letra do seu irmão?

— Sim, são instruções para podar roseiras... Ele também cuidava das roseiras da casa de Stern. Nem sei por que guardei isso.

— Posso levar comigo? — perguntou Gahalowood.

— Levar? Sim, claro. Mas receio que não seja muito interessante para sua investigação. Já dei uma olhada nisso aí: é apenas um guia de jardinagem.

Gahalowood aquiesceu.

— A senhora não entendeu: a caligrafia do seu irmão passará por uma perícia.

11

À espera de Nola

— Soque o saco de pancada, Marcus. Bata como se toda a sua vida dependesse disso. Você deve lutar boxe como escreve e escrever como luta boxe: deve dar tudo de si, porque cada luta, assim como cada livro, pode ser a última.

O verão de 2008 foi bastante calmo nos Estados Unidos. A batalha pelas candidaturas presidenciais terminara no final de junho, quando, na convenção de Montana, os democratas escolheram Barack Obama como candidato, enquanto John McCain havia sido referendado pelos republicanos desde fevereiro. Chegara a fase da convergência das forças partidárias: os próximos comícios importantes aconteceriam só a partir do final de agosto, por ocasião das convenções nacionais dos dois grandes partidos históricos do país, que então consagrariam oficialmente seus candidatos à Casa Branca.

A relativa calma antes da tempestade eleitoral que seria deflagrada com o *Election Day*, em 4 de novembro, permitira que o caso Harry Quebert ocupasse as manchetes da mídia, causando um alvoroço sem precedente no seio da opinião pública. Havia os "pró-Quebert", os "anti-Quebert", os adeptos da teoria da conspiração e ainda os que julgavam que sua libertação sob fiança devera-se exclusivamente a um acordo financeiro com o velho Kellergan. Além disso, depois que meu texto vazou na imprensa, meu livro estava na boca do povo; todo mundo só falava do "novo Goldman a ser lançado no outono". Visando impedir a publicação do livro, embora seu nome não tivesse sido explicitamente mencionado, Elijah Stern entrara com um processo por difamação. David Kellergan também manifestara a intenção de apelar aos tribunais, defendendo-se vigorosamente das alegações de maus-tratos contra a filha. E, no meio dessa confusão, duas pessoas em especial deleitavam-se: Barnaski e Roth.

Roy Barnaski, que despachara suas equipes de advogados nova-iorquinos para New Hampshire a fim de desfazer qualquer imbróglio jurídico que pudesse atrasar a publicação do livro, rejubilava-se: os vazamentos, cujo orquestrador ninguém mais duvidava ter sido ele próprio, asseguravam-lhe vendas espetaculares e permitiam-lhe ocupar bastante espaço na mídia. Não considerava sua estratégia pior nem melhor que a dos demais, só achava que o mundo dos livros passara da nobre arte da impressão à loucura capitalista do século XXI, e que, agora, para vender um livro, era fundamental que falassem dele, sendo, para isso, necessário apropriar-se de um espaço que, se não conquistado pessoalmente pela força, seria tomado pelos outros. Devorar ou ser devorado.

Do lado da justiça, era praticamente certo que o processo penal não demoraria a se desmantelar. Benjamin Roth estava prestes a se tornar o advogado do ano e uma celebridade nacional. Aceitava todos os pedidos de entrevista e passava a maior parte do tempo nos estúdios das televisões e rádios locais. Qualquer coisa, contanto que falassem dele.

— Imagine só que agora cobro mil dólares por hora — exultava. — E, a cada vez que apareço no jornal, acrescento dez dólares ao preço da minha hora para os próximos clientes. Com os jornais, falem bem ou falem mal, o importante é que falem de mim. As pessoas se lembram de ter visto sua foto nas páginas do *The New York Times*, nunca o que exatamente você dizia.

Ao longo de toda a sua carreira, Roth esperara que o caso do século aparecesse à sua frente, e no fim acabou topando com ele. De agora em diante, sob a luz dos holofotes, oferecia à mídia tudo o que ela queria ouvir: falava sobre o chefe Pratt, sobre Elijah Stern, repetia exaustivamente que Nola era uma garota perturbada, sem dúvida uma manipuladora, e Harry, no fim das contas, era a verdadeira vítima do caso. Para atiçar o público, insinuava, com base em detalhes imaginários, que metade de Aurora tivera um caso íntimo com Nola, de modo que fui obrigado a ligar para ele a fim de esclarecer as coisas.

— Precisa parar com suas fofocas pornográficas, Benjamin. Está respingando sujeira em todo mundo.

— Mas, justamente, Marcus, no fundo meu trabalho consiste mais em mostrar o quanto a honra dos outros era suja e asquerosa do que salvar a honra de Harry. E, se porventura houver um julgamento, obrigarei Pratt a testemunhar, convocarei Stern, levarei todos os homens de Aurora ao tribunal para que exponham publicamente os pecados carnais que cometeram com a jovem Kellergan. E provarei que o coitado do Harry cometeu um erro venial ao se deixar seduzir por uma mulher perversa, como tantos outros antes dele.

— Mas o que está dizendo? — exaltei-me. — Isso nunca aconteceu!

— Ora, meu amigo, vamos nomear direito as coisas. Aquela menina era uma safada.

— Você é execrável — respondi.

— Execrável? Mas tudo que eu faço é repetir o que você escreveu no seu livro, não é?

— É claro que não, e você sabe muito bem disso! Nola não tinha nada de vulgar, nem de provocante. O relacionamento dela com Harry era uma história de amor!

— Amor, amor, sempre o amor! Mas o amor não significa nada, Goldman! O amor é uma mentira que os homens inventaram para não ter que lavar roupa!

O escritório do promotor começou a ser pressionado pela mídia e essa atmosfera contaminava as dependências da Divisão de Homicídios da polícia estadual: corria o boato de que o próprio governador, durante uma reunião tripartite, intimara a polícia a elucidar o caso com urgência máxima. Desde as revelações de Sylla Mitchell, Gahalowood começara a enxergar o inquérito com mais clareza; as provas convergiam cada vez mais para Luther e, a fim de confirmar sua intuição, o sargento depositava grande esperança nos resultados do exame grafológico da caderneta. Enquanto isso, colheria mais dados, em especial sobre as passagens de Luther por Aurora. Assim, no domingo, 20 de julho, marcamos um encontro com Travis Dawn para perguntar o que ele sabia sobre isso.

Como eu ainda não me sentia preparado para voltar a Aurora, Travis aceitou nos encontrar num restaurante na estrada próxima a Montburry. Eu esperava ser recebido com frieza, em virtude do que eu escrevera sobre Jenny, mas ele foi cortês.

— Sinto muito pelo vazamento do texto — desculpei-me. — Eram anotações pessoais, nada daquilo seria publicado.

— Não lhe desejo mal, Marc...

— Você poderia...

— Você só contou a verdade. Sei perfeitamente que Jenny era louca por Quebert... Eu via como ela olhava para ele naquela época... Ao contrário, Marcus, penso que sua investigação está no caminho certo... Pelo menos é o que isso prova. Então, o que temos de novo?

Foi Gahalowood quem respondeu:

— A novidade é que temos sérias suspeitas sobre Luther Caleb.

— Luther Caleb... Aquele desajustado? Então aquela história da pintura é verdade?

— Sim. Pelo visto a menina ia com certa frequência à casa de Stern. Você sabia de alguma coisa sobre o chefe Pratt e Nola?

— Essas histórias ignóbeis? Não! Quando descobri, levei um susto. Sabe, ele pode até ter saído da linha, mas sempre foi um bom policial. Duvido que possam questionar seu inquérito e suas diligências, como li na imprensa.

— O que você acha das suspeitas sobre Stern e Quebert?

— Acho que estão imaginando coisas. Tamara Quinn afirmou que nos avisara sobre Quebert na época. Acho que devemos contextualizar um pouco a situação: embora ela pensasse saber tudo, não sabia nada. Não tinha prova alguma do que dizia. Tudo o que podia dizer é que tivera uma prova concreta e a perdera misteriosamente. Nada digno de crédito. Você mesmo, sargento, sabe a precaução com que devemos tratar as acusações gratuitas. A única prova que tínhamos contra Quebert era o Chevrolet Monte Carlo preto. O que não era, nem de longe, suficiente.

— Uma amiga de Nola afirma ter avisado Pratt sobre o que acontecia na casa de Stern.

— Pratt nunca me contou isso.

— Então como não pensar que tenha havido falhas na investigação? — observou Gahalowood.

— Não coloque palavras na minha boca, sargento.

— E Luther Caleb? O que pode nos falar sobre ele?

— Luther era um sujeito muito estranho. Importunava as mulheres. Eu mesmo cheguei a forçar Jenny a registrar queixa contra ele, por causa de sua agressividade.

— Nunca suspeitou dele?

— Para ser sincero, não. Seu nome foi cogitado e checamos o carro: um Mustang azul, eu me lembro. De toda forma, parecia pouco provável que ele fosse o nosso homem.

— Por quê?

— Pouco antes do desaparecimento de Nola, eu me certificara de que ele não voltaria nunca mais a Aurora.

— Como assim?

De repente Travis se sentiu acuado.

— Digamos que... Eu o vi no Clark's em meados de agosto, logo após ter convencido Jenny a registrar queixa contra ele... Luther a machucara, ela estava com um hematoma horrível no braço. Quer dizer, parecia ser sério. Quando ele me viu chegar, fugiu. Fui no encalço dele, alcancei-o na estrada. E então... Eu... Vocês sabem, Aurora é uma cidade pacata, eu não queria que ele voltasse a perturbar...

— O que você fez?

— Bati nele. Não tenho orgulho disso. E...

— *E o quê*, chefe Dawn?

— Enfiei meu trabuco nas partes dele. Dei uma surra nele e, quando ficou caído encurvado no chão, segurei-o firme no lugar, saquei meu colt, engatilhei uma bala e enfiei o cano nos testículos dele. Falei que não queria vê-lo nunca mais na vida. Ele gemia. Gemia, dizendo que não voltaria mais, suplicou para que eu o deixasse ir embora. Sei que não era o procedimento padrão, mas eu queria ter certeza de que não o veríamos mais em Aurora.

— E acha que ele obedeceu?

— Sem sombra de dúvida.

— Então você foi o último a vê-lo em Aurora?

— Fui. Passei a instrução aos meus colegas, com as características do carro. Ele nunca mais apareceu. Um mês depois, ficamos sabendo que havia morrido num acidente em Massachusetts.

— Que tipo de acidente?

— Ele errou uma curva, eu acho. Não sei mais nada. Para dizer a verdade, perdi um pouco o interesse. Naquele momento, tínhamos coisas mais importantes com que nos preocupar.

Quando saímos do restaurante, Gahalowood resumiu:

— Acho que essa lata velha é a chave do enigma. Precisamos saber quem pode ter circulado num Chevrolet Monte Carlo preto. Ou melhor, elucidar a seguinte questão: Luther Caleb pode ter dirigido um Chevrolet Monte Carlo preto em 30 de agosto de 1975?

No dia seguinte, retornei a Goose Cove pela primeira vez depois do incêndio. Apesar das faixas de isolamento da polícia estendidas nas imediações da marquise para interditar o acesso à casa, consegui entrar. Estava tudo devastado. Na cozinha, encontrei intacta a lata LEMBRANÇA DE ROCKLAND, MAINE. Substituí o pão dormido por alguns objetos incólumes recolhidos aleatoriamente nos cômodos contíguos adjacentes. Na sala, descobri um pequeno álbum de fotos, que se salvara por milagre. Levei-o comigo para o lado de fora e me sentei embaixo de um grande carvalho, em frente à casa, para ver as fotos. Foi nesse instante que Erne Pinkas apareceu.

— Vi seu carro na entrada da casa — disse ele, simplesmente.
Ele foi se sentar a meu lado.
— São fotos de Harry? — perguntou, apontando para o álbum.
— São. Encontrei dentro da casa.

Houve um longo silêncio. Eu virava as páginas. As imagens datavam provavelmente do início dos anos 1980. Em várias delas, aparecia um labrador amarelo.

— De quem é esse cachorro? — indaguei.
— De Harry.
— Não sabia que ele tinha um cachorro.
— Storm, era o nome dele. Deve ter vivido uns doze ou treze anos.

Storm. Esse nome não me era estranho, embora eu não desconfiasse por quê.

— Marcus — continuou Pinkas —, não quis ser antipático naquele outro dia. Sinto muito se o magoei.
— Não importa.
— Importa, sim. Eu não sabia que tinha recebido ameaças. Foram por causa do livro?
— Provavelmente.
— Mas quem fez isso? — indignou-se, apontando para a casa.
— Não temos ideia. A polícia afirma que usaram um combustível, talvez gasolina. Encontraram um galão vazio na praia, mas as impressões digitais são desconhecidas.
— Então você foi ameaçado e resolveu ficar?
— Sim.
— Por quê?

— Que motivo teria para sair daqui? Medo? O medo é desprezível.

Pinkas me disse que eu era de ferro e que ele também tentara ser assim ao longo da vida. Sua mulher sempre acreditara nele. Ela falecera alguns anos antes, levada por um tumor. No leito de morte, ela vaticinara, como se ele fosse um adolescente cheio de futuro:

— Erne, você fará algo grandioso na vida. Acredito em você.

— Estou muito velho... Minha vida ficou para trás.

— Nunca é tarde demais, Erne. Enquanto não morremos, temos a vida inteira pela frente.

Mas o que Erne arranjara depois do falecimento da esposa foi um emprego no supermercado de Montburry para pagar a quimioterapia e a manutenção do mármore do túmulo dela.

— Eu guardo os carrinhos, Marcus. Percorro o estacionamento, procuro os carrinhos desgarrados e abandonados, os resgato, os consolo e os estaciono junto a seus companheiros, para os próximos clientes. Os carrinhos nunca estão sós. Ou não por muito tempo. Porque, em todos os supermercados do mundo, há um Erne que vai rebocá-los para devolvê-los à família. Mas quem é que vai depois à casa de Erne devolvê-lo à sua família, hein? Por que fazemos pelos carrinhos de supermercado o que não fazemos pelos homens?

— Tem razão. O que posso fazer por você?

— Gostaria de ser citado nos agradecimentos do seu livro. Gostaria que meu nome constasse nos agradecimentos, na última página, como os escritores costumam fazer. Gostaria de ter meu nome em primeiro lugar. Em letras maiúsculas. Porque de certa forma eu o ajudei a coletar os dados. Acha que seria possível? Minha mulher ficaria orgulhosa de mim. Seu maridinho terá contribuído para o imenso sucesso de Marcus Goldman, a nova estrela da literatura.

— Deixe comigo — falei.

— Lerei seu livro, Marc. Todos os dias me sentarei ao lado do túmulo dela e lerei seu livro.

— Nosso livro, Erne. Nosso livro.

De repente ouvimos passos atrás de nós: era Jenny.

— Vi seu carro na entrada da casa, Marcus — explicou ela.

Ao ouvir essas palavras, Erne e eu sorrimos. Eu me levantei e Jenny me abraçou feito uma mãe. Em seguida, olhou para a casa e começou a chorar.

* * *

Nesse dia, a caminho de Concord, passei para visitar Harry no Sea Side Motel. Ele andava de um lado para outro em frente à porta do quarto, sem camisa. Ensaiava movimentos de boxe. Não era mais o mesmo. Quando me viu, propôs:

— Vamos lutar, Marcus.
— Vim para conversar.
— Conversaremos durante a luta.

Estendi para ele a lata LEMBRANÇA DE ROCKLAND, MAINE, encontrada nas ruínas da casa.

— Trouxe para você — falei. — Dei uma passada em Goose Cove. Ainda há várias coisas suas na casa... Por que não vai pegá-las?
— O que você quer que eu pegue lá?
— Recordações?

Ele fez um muxoxo.

— Recordações só servem para nos deixar tristes, Marcus. Só de ver essa lata sinto vontade de chorar!

Ele pegou a lata e apertou-a contra o peito.

— Quando ela desapareceu — contou Harry —, não participei das buscas... Sabe o que eu fazia?
— Não...
— Esperava por ela, Marcus. Esperava por ela. Sair para procurá-la significaria que ela não estava mais aqui. Então eu esperava por ela, convencido de que Nola voltaria para mim. Eu tinha certeza de que ela voltaria um dia. E, nesse dia, eu queria que ela tivesse orgulho de mim. Eu me preparei durante trinta e três anos para a sua volta. Trinta e três anos! Todos os dias eu comprava chocolate e flores para ela. Sabia que ela era a única pessoa que eu amaria, e o amor, Marcus, só acontece uma vez na vida! E, se não acredita em mim, isso significa que nunca amou. À noite eu ficava no sofá, à sua espera, ruminando que ela surgiria do nada como sempre fez. Quando viajava para dar conferências pelo país, eu deixava um bilhete na porta: *Em conferência em Seattle. Voltarei na próxima terça.* Para o caso de ela aparecer no meio-tempo. E deixava sempre a porta aberta. Sempre! Nunca tranquei a porta, em trinta e três anos. As pessoas falavam que eu era louco, que um dia eu entraria e encontraria minha casa depenada por assaltantes, mas ninguém é assaltado em Aurora, em New Hampshire. Sabe por que passei anos na estrada, aceitando todas as conferências que me propunham? Porque achei que talvez pudesse encontrá-la. Megalópoles ou vilarejos, esquadri-

nhei esse país de ponta a ponta, certificando-me de que todos os jornais locais noticiavam a minha chegada, às vezes pagando do meu próprio bolso espaços publicitários, tudo isso para quê? Para ela, para que pudéssemos nos reencontrar. E, ao longo de minhas conferências, eu percorria o auditório com o olhar, procurava por jovens louras da idade dela, em busca de semelhanças. Todas as vezes, sem exceção, eu pensava: pode ser que ela esteja aqui. E, ao fim da conferência, atendia a cada solicitação, pensando que talvez ela viesse até mim. Procurei-a em meio ao público durante anos, visando em primeiro lugar as garotas de quinze anos, depois as de dezesseis, de vinte, de vinte e cinco! Se fiquei em Aurora, Marcus, foi para esperar por Nola. E não é que há um mês e meio ela foi encontrada morta? Enterrada no meu jardim! Esperei por ela esse tempo todo e ela estava ali, bem ao meu lado! Ali onde eu sempre quisera plantar hortênsias para ela! Desde esse dia, desde que a encontraram, meu coração parece que vai explodir, Marcus. Porque perdi o amor da minha vida, porque, se não tivesse marcado com ela naquele maldito motel de estrada, talvez ela ainda estivesse viva! Então não apareça aqui com suas recordações, que dilaceram meu coração. Pare, eu imploro, pare.

Ele se dirigiu para a escada.

— Aonde vai, Harry?

— Lutar boxe. É só o que me resta, o boxe.

Desceu para o estacionamento e começou a executar coreografias belicosas sob os olhares ressabiados dos clientes do restaurante ao lado. Juntei-me a ele, que se plantou diante de mim, em posição de guarda. Ousou uma série de golpes diretos, porém, mesmo lutando boxe, não era mais o mesmo.

— Francamente, por que veio até aqui? — perguntou ele, entre duas saraivadas de direita.

— Por quê? Ora, para ver você...

— E por que essa vontade de me ver?

— Porque somos amigos!

— Pois bem, Marcus, é justamente isso que você não está entendendo: não podemos mais ser amigos.

— Que história é essa, Harry?

— É verdade. Amo você como a um filho. E sempre amarei. Mas não podemos mais ser amigos daqui para a frente.

— Por quê? Pela casa? Eu pagarei, já disse! Eu pagarei!

— Você ainda não entendeu, Marcus. Não é pela casa.

Baixei minha guarda por um instante e ele me infligiu uma série de diretos no ombro direito.

— Mantenha a guarda, Marcus! Se fosse a cabeça, estava na lona!

— Estou me lixando para a minha guarda! Quero saber! Quero entender o que significa essa sua charada estapafúrdia!

— Não é uma charada. O dia em que conseguir entender, terá elucidado o mistério.

Fiquei imóvel.

— O que você está falando, porra? Está me escondendo coisas, é isso? Não me contou toda a verdade?

— Falei tudo, Marcus. A verdade está em suas mãos.

— Não estou entendendo.

— Eu sei. Mas quando for capaz de entender, tudo será diferente. Você está vivendo uma etapa crucial da sua vida.

Eu me sentei no cimento, desolado. Ele começou a gritar que não era hora de me sentar.

— Levante-se, levante-se! — berrou Harry. — Estamos praticando a nobre arte do boxe!

Mas eu já não tinha mais nada a fazer com a nobre arte do boxe.

— O boxe só faz sentido para mim se for a seu lado, Harry! Você se lembra do campeonato de 2003?

— Claro que me lembro... Como poderia esquecer?

— Então por que não seríamos mais amigos?

— Por causa dos livros. Os livros nos uniram e agora nos separam. Estava escrito.

— Estava escrito? Como assim?

— Está tudo nos livros... Marcus, eu sabia que esse momento chegaria desde o dia em que o conheci.

— Que momento?

— É tudo culpa do livro que você está escrevendo.

— Esse livro? Ora, se quiser, desisto do livro! Quer que cancelemos tudo? Pois bem, está cancelado, pronto! Não tem mais livro! Não tem mais nada!

— Isso infelizmente não serviria para nada. Se não for este, será outro.

— Harry, o que você está me dizendo? Não estou entendendo.

— Você escreverá esse livro e ele será magnífico, Marcus. Fico muito feliz com isso, não se engane. Mas chegamos ao momento da separação. Um escritor se vai, outro nasce. Você vai assumir esse papel, Marcus. Será um escritor inigualável. Você vendeu os direitos do original por um milhão de dólares! Um milhão de dólares! Você se tornará alguém muito importante, Marcus. Eu sempre soube.

— Pelo amor de Deus, o que está tentando me dizer?

— Marcus, a chave está nos livros. Está diante dos seus olhos. Olhe, olhe direito! Vê onde estamos?

— Estamos no estacionamento de um motel de beira de estrada!

— Não! Não, Marcus! Estamos nas origens do mal! E, por mais de trinta anos, temi este momento.

Academia de boxe do campus da universidade de Burrows,
fevereiro de 2003

— Seus golpes entram mal, Marcus. Você acerta os socos, mas sempre adianta muito a falange do indicador, que sofre atrito no momento do impacto.

— Quando estou de luvas, não sinto nada.

— Pois deveria lutar sem luvas. Luvas servem apenas para não matar o adversário. Saberia disso se socasse outra coisa além deste saco.

— Harry... Na sua opinião, por que eu sempre pratico boxe sozinho?

— Pergunte a si mesmo.

— Porque tenho medo, acho. Tenho medo do fracasso.

— Mas o que sentiu quando, seguindo meu conselho, foi àquela academia de Lowell e acabou sendo massacrado por aquele negão?

— Orgulho. Depois senti orgulho. No dia seguinte, quando vi os hematomas no meu corpo, adorei, eu havia me superado, havia ousado! Ousara lutar com alguém!

— Então acha que venceu...

— No fundo, sim. Ainda que, tecnicamente, eu tenha perdido a luta, tenho a impressão de, nesse dia, ter vencido.

— A resposta é clara: pouco importa ganhar ou perder, Marcus. O que conta é o caminho que você percorre entre o gongo do primeiro assalto e o gongo final. O resultado da luta, no fundo, é apenas uma informação para o público. Quem tem o direito de afirmar que você perdeu, se você, você próprio, acredita ter vencido? A vida é como uma corrida, Marcus: haverá sempre pessoas mais velozes ou mais lentas que você. Tudo o que conta, no final, é o vigor que você despendeu ao percorrer o trajeto.

— Harry, encontrei esse cartaz no hall...
— É o campeonato universitário de boxe?
— É... Todas as grandes universidades participarão... Harvard, Yale... Eu... Eu gostaria de participar.
— Então vou ajudá-lo.
— Sério?
— Claro. Pode contar sempre comigo, Marcus. Nunca se esqueça disso. Você e eu formamos um time. Para toda a vida.

10

À procura de uma garota de quinze anos
(Aurora, New Hampshire, 1º a 18 de setembro de 1975)

— Harry, como podemos transmitir emoções que nunca vivemos?
— Este é justamente seu trabalho de escritor. Escrever significa que você é capaz de sentir mais intensamente que os outros e em seguida transmitir o que sentiu. Escrever é permitir que seus leitores enxerguem o que às vezes é invisível para eles. Se apenas os órfãos contassem histórias de órfãos, teríamos dificuldade em sair do mesmo lugar. Isso significaria que você não poderia falar de mãe, pai, cachorro ou piloto de avião, nem da Revolução Russa, porque você não é mãe, nem pai, nem cachorro ou piloto de avião, e não estava lá durante a Revolução Russa. Você é simplesmente Marcus Goldman. E, se todo escritor fosse obrigado a limitar-se a si mesmo, a literatura seria de uma tristeza terrível e perderia todo o sentido. Nós temos o direito de falar de tudo, Marcus, de tudo o que nos toca. E ninguém pode nos julgar por isso. Somos escritores porque fazemos de maneira original algo que todo mundo à nossa volta sabe fazer: escrever. É nisso que reside toda a sutileza.

Num ou noutro momento, todo mundo achava que tinha visto Nola em algum lugar. Na mercearia de uma cidade próxima, num ponto de ônibus, no balcão de um restaurante. Uma semana após o desaparecimento, quando as buscas ainda não haviam sido suspensas, a polícia viu-se às voltas com uma enxurrada de pistas falsas. No condado de Cordridge, uma sessão de cinema foi interrompida depois que um espectador pensou ter reconhecido Nola Kellergan na terceira fila. Nas cercanias de Manchester, um pai que acompanhava a filha — loura e com quinze anos — em um parque de diversões foi encaminhado ao comissariado para verificação.

As buscas, apesar de sua intensidade, não avançavam: a mobilização dos moradores da região acabara estendendo-as a todas as cidades vizinhas a Aurora, porém sem levar a qualquer pista. Especialistas do FBI haviam se deslocado para otimizar o trabalho da polícia, apontando os locais prioritários que deviam ser vasculhados, com base na experiência e em estatísticas: cursos d'água e beira da mata próximos a um estacionamento, lixões onde apodreciam detritos nauseabundos. O caso parecia-lhes tão complexo que chegaram a solicitar a ajuda de um médium, que já elucidara dois casos de assassinato no Oregon, mas dessa vez não tivera sucesso.

A cidade de Aurora fervilhava, invadida por curiosos e jornalistas. Na rua principal, a delegacia fumegava com atividades intensas: ali, não só as buscas eram coordenadas, como informações eram centralizadas e selecionadas. As linhas telefônicas estavam congestionadas, o telefone não parava de tocar, não raro à toa, e cada ligação exigia longas verificações. Foram abertas investigações paralelas em Vermont e Massachusetts, para onde foram enviadas equipes com cães farejadores. Em vão. A coletiva de imprensa, que o chefe Pratt e o capitão Rodik promoviam duas vezes ao dia em frente à delegacia, parecia cada vez mais uma confissão de impotência.

Sem que ninguém percebesse, Aurora era objeto de uma severa vigilância: dissimulados entre os jornalistas procedentes de todo o estado para cobrir o caso, agentes federais espionavam os arredores da casa dos Kellergan e haviam grampeado o telefone de lá. Se fosse um sequestro, o sequestrador não demoraria a se manifestar. Ligaria, ou talvez, por perversidade, se misturaria aos curiosos que desfilavam diante do número 245 da Terrace Avenue para deixar mensagens de apoio. E, caso não se tratasse de resgate, e sim do ataque de um maníaco, como alguns temiam, convinha neutralizá-lo o mais depressa possível, antes que ele reincidisse.

A população estava solidária: os homens não contavam mais as horas que passavam vasculhando zonas inteiras de pastos e florestas ou esquadrinhando margens de cursos d'água. Robert Quinn tirou dois dias de folga para participar das buscas. Erne Pinkas, autorizado pelo contramestre, saía da fábrica uma hora mais cedo para se juntar às equipes do final da tarde até o anoitecer. Na cozinha do Clark's, Tamara Quinn, Amy Pratt e outras almas caridosas preparavam lanches para os voluntários. Não falavam de outra coisa senão da investigação.

— Tenho informações — repetia Tamara Quinn. — Tenho informações importantes!

— O quê? O quê? Conte! — grunhia sua plateia, passando manteiga no pão para preparar os sanduíches.

— Não posso falar nada... É gravíssimo.

E todas tinham uma história para contar: não era de hoje que suspeitavam de tramas escusas no 245 da Terrace Avenue e não as surpreendia que aquilo acabasse mal. A Sra. Philips, cujo filho era da turma de Nola no colégio, contou que, aparentemente, durante o recreio um aluno levantara de surpresa a camisa polo de Nola para fazer uma brincadeira e todo mundo vira que a garota tinha marcas no corpo. A Sra. Hattaway contou que a filha, Nancy, era muito amiga de Nola e que, durante o verão, acontecera uma série de fatos muito estranhos, em especial quando, ao longo de uma semana inteira, parecia que Nola havia desaparecido e a porta da casa dos Kellergan permanecera fechada para visitas.

— E aquela música! — exclamou a Sra. Hattaway. — Todos os dias eu ouvia aquela música nas alturas vindo da garagem e me perguntava que necessidade era aquela de ensurdecer o quarteirão inteiro. Deveria ter reclamado do barulho, mas nunca ousei fazer isso. Pensava que, afinal de contas, era o reverendo...

Segunda-feira, 8 de setembro de 1975

Era por volta de meio-dia.

Em Goose Cove, Harry esperava. Insistentes, as mesmas perguntas repercutiam em sua cabeça: o que aconteceu? O que aconteceu com Nola? Fazia uma semana que se enclausurara, em casa, esperando. Dormia no sofá da sala, à espreita dos mais ínfimos ruídos. Não comia mais. Tinha a impressão de estar enlouquecendo: onde Nola poderia estar? Como era possível a polícia não conseguir encontrar qualquer vestígio dela? Quanto mais pensava nisso, mais repisava a mesma ideia: e se a intenção de Nola fosse embaralhar as pistas? E se tivesse encenado a agressão? Maquiagem vermelha no rosto e gritos para forjar um rapto, e enquanto a polícia procurava por ela nos arredores de Aurora, ela tinha todo o tempo do mundo para desaparecer para longe, para isolar-se nos confins do Canadá. Talvez inclusive concluíssem que ela estava morta e suspendessem as buscas. Será que Nola armara toda aquela encenação para que desistissem definitivamente? Se esse era o caso, por que não comparecera ao encontro no motel? A polícia teria chegado rápido demais? Ela fora obrigada a se esconder na mata? E o que acontecera na casa de Deborah Cooper? Haveria um elo entre os dois episódios ou tudo não passava de mera coincidência? Se Nola não tinha sido raptada, por que não dava sinal de vida? Por que não viera se refugiar ali, em Goose Cove? Ele tentou refletir: afinal, onde ela poderia estar? Em um lugar que só eles conheciam. Martha's Vineyard? Longe demais. Ao ver a lata-lembrança na cozinha, lembrou-se da viagem ao Maine, no início do relacionamento deles. Será que estaria escondida em Rockland? Tão logo a ideia lhe ocorreu, pegou as chaves do carro e precipitou-se para fora. Ao empurrar a porta, deu de cara com Jenny, que se preparava para tocar a campainha. Viera checar se estava tudo bem: fazia alguns dias que não o via e estava preocupada. Achou que ele estava com uma aparência horrível, emagrecera. Usava o mesmo terno em que ela o vira no Clark's, uma semana antes.

— O que aconteceu, Harry?

— Estou esperando.

— Esperando quem?

— Nola.

Ela não entendeu. Então exclamou:

— Ah, sim, que história horrível! Todo mundo na cidade está perplexo. Já faz uma semana e não há qualquer pista. Nenhum rastro. Harry... Você não está com uma cara boa, estou preocupada. Tem se alimentado direito? Vou fazer você tomar banho enquanto preparo alguma coisa para comer.

Ele não tinha tempo para perder com Jenny. Precisava descobrir onde Nola se escondera. Afastou-a de forma bastante brusca, desceu os poucos degraus de madeira que davam acesso à área de estacionamento de cascalho e entrou no carro.

— Não quero nada — disse ele simplesmente, da janela aberta. — Estou muito ocupado, por favor, não me incomode.

— Mas ocupado com o quê? — insistiu Jenny com tristeza.

— Esperando.

Arrancou e desapareceu atrás de uma fileira de pinheiros. Jenny se sentou nos degraus da entrada e começou a chorar. Quanto mais amava Harry, mais infeliz se sentia.

Nesse exato instante, empunhando rosas, Travis Dawn entrava no Clark's. Fazia dias que não via Jenny; desde o desaparecimento de Nola. Passara a manhã na mata, com as equipes de busca, depois, ao entrar em sua viatura, vira as flores no assoalho. Embora secas e estranhamente contorcidas, sentiu uma vontade súbita de entregá-las imediatamente a Jenny. Como se a vida fosse muito curta. Deu uma escapada, só o tempo de ir encontrá-la no Clark's, mas ela não estava lá.

Sentou-se junto ao balcão e Tamara Quinn logo se aproximou dele, como sempre fazia agora quando via um uniforme.

— Como estão as buscas? — perguntou ela, com uma expressão de mãe preocupada.

— Não descobrimos nada, Sra. Quinn. Absolutamente nada.

Ela suspirou e examinou os traços cansados do jovem policial.

— Já almoçou, rapaz?

— Ehh.... Não, Sra. Quinn. Na verdade, eu queria falar com Jenny.

— Ela deu uma saidinha.

Tamara serviu-lhe um copo de chá gelado e dispôs à frente dele um kit com toalha de papel e talheres. Ao notar as flores, perguntou:

— São para ela?

— Sim, Sra. Quinn. Eu queria me certificar de que ela estava bem. Com todo esse drama dos últimos dias...

— Ela não vai demorar. Pedi que estivesse de volta antes do turno do almoço, mas é claro que está atrasada. Esse sujeito faz ela perder a cabeça...

— Ora, mas que sujeito? — perguntou Travis, sentindo o coração murchar subitamente.

— Harry Quebert.

— Harry Quebert?

— Tenho certeza de que ela foi à casa dele. Não entendo por que insiste em bajular esse cafajestezinho... Enfim, não quero falar sobre isso. O prato do dia é bacalhau com batatas sautées...

— Perfeito, Sra. Quinn. Obrigado.

Ela pousou uma mão amiga em seu ombro.

— Você é um bom rapaz, Travis. Eu gostaria muito que a minha Jenny ficasse com alguém como você.

Enquanto ela ia até a cozinha, Travis bebeu alguns goles de seu chá gelado. Estava triste.

Jenny apareceu minutos depois; retocara a maquiagem às pressas para ninguém perceber que havia chorado. Passou para trás do balcão, amarrou o avental e só então notou a presença de Travis. Ele sorriu e estendeu-lhe o buquê de flores esmaecidas.

— Não estão muito bonitas — desculpou-se ele —, mas já faz alguns dias que eu queria lhe dá-las. Julguei que o importante era o gesto.

— Obrigada, Travis.

— São rosas silvestres. Conheço um lugar perto de Montburry onde crescem centenas delas. Posso levar você até lá um dia, se quiser. Tudo bem, Jenny? Você não parece muito bem...

— Estou bem...

— É essa história horrível que está fazendo você sofrer, não é? Está com medo? Não se preocupe, a polícia está de prontidão. E depois, tenho certeza de que encontraremos Nola.

— Não estou com medo. É outra coisa.

— Que outra coisa?

— Nada importante.

— É por causa de Harry Quebert? Sua mãe disse que você está interessada nele.

— Talvez. Deixe para lá, Travis, isso não tem importância. Preciso... preciso ir à cozinha. Estou atrasada e mamãe vai fazer outra cena.

Jenny desapareceu atrás da porta vaivém e esbarrou com a mãe, que preparava alguns pratos.

— De novo atrasada, Jenny! Estou sozinha neste salão lotado de gente.

— Desculpe, mamãe.

Tamara estendeu-lhe um prato de bacalhau e batatas sautées.

— Leve para Travis, por favor.

— Está bem, mamãe.

— Ele é um bom rapaz, fique sabendo.

— Eu sei...

— Convide-o para almoçar domingo lá em casa.

— Almoçar lá em casa? Não, mamãe. Não quero. Ele não me interessa nem um pouco. E depois, ele alimentaria ilusões, não seria correto da minha parte.

— Não discuta! Você não se fez de difícil quando não tinha companhia para o baile e ele a convidou. Ele gosta muito de você, está na cara, e poderia dar um bom marido. Esqueça Quebert, caramba! Nunca haverá Quebert! Meta isso na cabeça de uma vez por todas! Quebert não é um homem decente! Está na hora de arranjar um homem e considere-se com sorte por um rapaz bonito cortejá-la, mesmo você usando avental o dia inteiro!

— Mamãe!

Tamara fez uma voz aguda e tola como a de uma criança manhosa:

— *Mamãe! Mamãe!* Quer parar de choramingar, por favor? Em breve você fará vinte e cinco anos! Quer acabar solteirona? Todas as suas amigas já se casaram! E você? Hein? Você era a rainha da beleza do colégio, o que aconteceu, em nome de Cristo? Ah, como estou decepcionada, minha filha. A mamãe está muito decepcionada com você. Vamos almoçar com Travis no domingo e ponto final. Você vai levar o prato dele e convidá-lo. Depois, vá passar um pano nas mesas dos fundos, que estão um nojo. Isso lhe ensinará a não chegar mais atrasada.

Quarta-feira, 10 de setembro de 1975

— Veja, doutor, há esse policial encantador, que gosta dela. Falei para convidá-lo para almoçar no domingo. Ela não queria, mas eu a obriguei.

— Por que a obrigou, Sra. Quinn?

Tamara deu de ombros e deixou a cabeça cair com todo o peso no encosto do divã. Refletiu um instante.

— Porque... porque não quero que ela acabe sozinha.

— Então tem medo de que sua filha fique sozinha até o fim da vida.

— Isso! Exatamente! Até o fim da vida!

— E a senhora, teme a solidão?

— Sim.

— O que ela lhe inspira?

— A solidão é a morte.

— Tem medo de morrer?

— A morte, doutor, me apavora.

* * *

Domingo, 14 de setembro de 1975

À mesa dos Quinn, Travis foi bombardeado com perguntas. Tamara queria saber tudo sobre a investigação que não avançava. Robert, por sua vez, embora tivesse algumas curiosidades para compartilhar, nas raras vezes em que fizera menção de falar, levara um fora da mulher, que o advertira:

— Cale-se, Bobbo. Isso não faz bem para o seu câncer.

Jenny parecia infeliz e mal tocou a comida. Apenas sua mãe matraqueava. Na hora de servir a torta de maçã, ela acabou se atrevendo a perguntar:

— A propósito, Travis, já há uma lista de suspeitos?

— Para falar a verdade, não. Devo dizer que estamos um pouco atrapalhados no momento. É realmente uma loucura, não temos indício algum.

— Por acaso Harry Quebert é suspeito? — interrogou Tamara.

— Mamãe! — indignou-se Jenny.

— Ora bolas! Não se pode mais fazer perguntas nesta casa? Se cito o nome dele, é porque tenho boas razões: ele é um pervertido, Travis. Um pervertido! Não me surpreenderia se ele estivesse envolvido no desaparecimento da menina.

— O que a senhora diz é grave, Sra. Quinn — respondeu Travis. — Não podemos afirmar esse tipo de coisa sem provas.

— Mas eu tinha uma! — rosnou ela, louca de raiva. — Eu tinha! Pois saiba que eu tinha um texto muito comprometedor escrito por ele, guardado no meu cofre, no restaurante! Sendo que só eu tenho a chave! E sabe onde a guardo? Pendurada no pescoço! Ela não sai daqui! Nunca! Pois bem, outro dia, quis pegar esse maldito pedaço de papel para entregá-lo ao chefe Pratt, e não é que havia desaparecido? Não estava mais no meu cofre! Como é possível uma coisa dessas? Não faço ideia. É bruxaria!

— Talvez tenha simplesmente guardado em outro lugar — sugeriu Jenny.

— Cale a boca, minha filha. Afinal de contas, não sou louca, não é mesmo? Sou louca, Bobbo?

Robert balançou a cabeça num gesto que não dizia sim nem não, o que acabou irritando ainda mais sua mulher.

— Então, Bobbo, por que não me responde quando faço uma pergunta?

— Por causa do meu câncer — disse ele.

— Muito bem, pois não comerá torta. O médico foi taxativo: sobremesas podem ser fatais.

— Não ouvi o médico dizer isso! — protestou Robert.
— Está vendo? O câncer já está prejudicando sua audição. Daqui a dois meses você se juntará aos anjos, meu pobre Bobbo.

Travis tentou colocar panos quentes, retomando o fio da conversa:
— Em todo caso, se a senhora não tem provas, isso não se sustenta — concluiu. — Inquéritos policiais devem ser precisos e científicos. E sei o que estou dizendo: fui major do meu pelotão na academia de polícia.

Só a ideia de não saber onde fora parar o pedaço de papel capaz de desgraçar Harry tirava Tamara do sério. Para se acalmar, pegou a espátula da torta e cortou diversas fatias com um gesto belicoso, enquanto Bobbo soluçava porque não tinha a menor vontade de morrer.

Quarta-feira, 17 de setembro de 1975

A busca pelo papel obcecava Tamara Quinn. Ela passara dois dias vasculhando a casa, o carro e até mesmo a garagem, aonde nunca ia. Em vão. Naquela manhã, após o início do primeiro turno de café da manhã no Clark's, ela se trancou em seu escritório e esvaziou o conteúdo do cofre no chão: ninguém tinha acesso ao cofre, era impossível que o papel tivesse sumido. Só podia estar ali. Voltou a verificar o conteúdo, sem sucesso; desconcertada, guardou tudo de volta. Nesse instante, Jenny bateu à porta e enfiou a cabeça pelo vão. Deparou com a mãe imersa na enorme abertura de aço.
— Mãe? O que está fazendo?
— Estou ocupada.
— Ah, mãe! Não me diga que continua procurando aquele maldito pedaço de papel?
— Cuide da sua vida, minha filha, pode ser? Que horas são?
Jenny consultou o relógio de pulso.
— Quase oito e meia — disse ela.
— Droga, droga, droga! Estou atrasada.
— Atrasada para quê?
— Tenho um compromisso.
— Um compromisso? Mas temos que receber as bebidas esta manhã. Na última quarta-feira você já...
— Você é adulta, certo? — interrompeu-a secamente a mãe. — Tem dois braços e sabe onde fica o estoque. Ninguém precisa ir para Harvard para empilhar engradados de garrafas de Coca-Cola, tenho certeza de que

se sairá muito bem. E não vá dar em cima do entregador para ele fazer o serviço! Já está na hora de arregaçar as mangas!

Sem lançar um único olhar para a filha, Tamara pegou as chaves do carro e saiu. Meia hora depois, um imponente caminhão estacionava nos fundos do Clark's e o entregador deixava um carregamento de garrafas de Coca-Cola na calçada da entrada de serviço.

— Precisa de ajuda? — perguntou a Jenny, depois que ela assinou o recibo.

— Não, senhor. Minha mãe quer que eu me vire sozinha.

— Como quiser. Bom dia, então.

O caminhão se foi e Jenny começou a erguer um a um os pesados engradados para carregá-los até o estoque. Estava com vontade de chorar. Nesse instante, Travis, que passava por ali em sua viatura, avistou-a. Parou na mesma hora e saiu do carro.

— Quer uma mãozinha? — ofereceu ele.

Ela deu de ombros.

— Não precisa. Você deve estar ocupado — respondeu ela, sem interromper a tarefa.

Ele pegou um engradado e tentou puxar conversa.

— Dizem que a receita da Coca-Cola é secreta e que fica guardada num cofre em Atlanta.

— Não sabia disso.

Ele seguiu Jenny até o estoque e eles empilharam os dois engradados que tinham acabado de transportar. Como ela não estava falando nada, ele continuou a explicação:

— Parece que ela levanta o moral dos fuzileiros navais e que, desde a Segunda Guerra Mundial, eles mandam engradados e mais engradados para as tropas alocadas no exterior. Li isso num livro sobre a Coca-Cola. Quer dizer, só folheei esse livro, também leio alguns mais sérios.

Saíram no estacionamento. Ela olhou no fundo de seus olhos.

— Travis...

— O quê, Jenny?

— Abrace-me com força. Por favor, me dê um abraço forte! Eu me sinto tão só! Eu me sinto tão infeliz! Tenho a impressão de que meu coração vai congelar.

Ele a tomou nos braços e apertou-a com toda a sua força.

* * *

— Minha filha deu para me fazer perguntas, doutor. Agora mesmo me perguntou aonde eu vou toda quarta-feira.

— O que respondeu?

— Para ela se enxergar! E receber os engradados de Coca-Cola! Não é da conta dela para que lugar eu vou.

— Sinto pela sua voz que a senhora está com raiva.

— Sim! Sim! Claro que estou com raiva, Dr. Ashcroft!

— Com raiva de quem?

— Ora, de quem... de... de mim!

— Por quê?

— Porque gritei de novo com ela. Sabe, doutor, criamos os filhos e depois queremos que eles sejam as pessoas mais felizes do mundo. E então eles vêm se meter em nosso caminho!

— O que está querendo dizer?

— Ela está sempre me pedindo conselho para tudo! Está sempre na barra da minha saia, me perguntando: *Mãe, como faço isso? Mãe, onde guardo isso? Mãe, isso, mãe, aquilo! Mãe! Mãe! Mãe!* Mas não estarei sempre aqui para ela! Um dia não poderei mais cuidar dela, entende?! E, quando penso nisso, sinto um embrulho aqui, na barriga! Como se todo o meu estômago desse um nó! Além de doer, tira meu apetite!

— Está dizendo que sente angústia, Sra. Quinn?

— Sim! Sim! Angústia! Uma angústia terrível! A gente tenta fazer tudo direito, tenta dar o que há de melhor para nossos filhos! Mas o que eles farão quando não estivermos mais aqui? O que farão, hein? E como ter certeza de que serão felizes e que nunca acontecerá nada a eles? É o caso dessa garota, Dr. Ashcroft! Essa pobre Nola, o que aconteceu com ela? Afinal, onde ela se meteu?

Afinal, onde ela se meteu? Não estava em Rockland. Nem nas praias, nem nos restaurantes, nem na loja. Em parte alguma. Harry ligou para o hotel de Martha's Vineyard e perguntou se algum funcionário vira uma adolescente loura, mas a pessoa com quem falou achou que ele estava louco. Então ele esperou, dias e noites inteiros.

Esperou a segunda-feira inteira.

Esperou a terça-feira inteira.

Esperou a quarta-feira inteira.

Esperou a quinta-feira inteira.
Esperou a sexta-feira inteira.
Esperou o sábado inteiro.
Esperou o domingo inteiro.
Esperou com fervor e esperança: ela voltaria. E iriam embora juntos. Seriam felizes. Ela fora a única pessoa que dera algum sentido à sua vida. Podiam atear fogo nos livros, nas casas, na música e nos homens: nada importava, contanto que ela estivesse a seu lado. Ele a amava: amar queria dizer que nem a morte nem a adversidade o atemorizavam enquanto ela estivesse a seu lado. Então, ele esperava. E quando anoitecia, prometia às estrelas esperá-la para sempre.

Enquanto Harry se recusava a perder a esperança, ao capitão Rodik, a despeito da extensão dos recursos empregados, só restava admitir o fracasso das diligências policiais. Já fazia mais de duas semanas que reviravam o céu e a terra, sem sucesso. Durante uma reunião com o FBI e o chefe Pratt, Rodik fez esta amarga constatação:

— Os cães não encontram nada, os homens não encontram nada. Acho que não a encontraremos.

— Tendo a concordar com o senhor — disse o representante do FBI. — A princípio, em casos como esse, ou encontramos a vítima imediatamente, morta ou viva, ou há um pedido de resgate. Como não há nada disso, este se junta aos casos de desaparecimento não elucidados que se acumulam nas gavetas ano após ano. Só na semana passada o FBI recebeu cinco alertas referentes a crianças desaparecidas no país. Não temos tempo de apurar tudo.

— Mas então o que pode ter acontecido à garota? — indagou Pratt, reticente à ideia de cruzar os braços. — Uma fuga?

— Uma fuga? Não. Por que então ela teria sido vista ensanguentada e assustada?

Rodik encolheu os ombros e o homem do FBI sugeriu que fossem tomar uma cerveja.

No dia seguinte, na noite de 18 de setembro, por ocasião de uma última coletiva de imprensa, o chefe Pratt e o capitão Rodik declararam que as buscas para encontrar Nola Kellergan seriam suspensas. O inquérito continuava em aberto junto à Divisão de Homicídios da polícia estadual. Não havia um único elemento, uma pista sequer: decorridos quinze dias, não encontraram nenhum vestígio da adolescente Nola Kellergan.

Voluntários liderados pelo chefe Pratt estenderam as buscas por várias semanas, até as fronteiras do estado. Mas foi em vão. Nola Kellergan parecia ter evaporado.

9

Um Monte Carlo preto

— As palavras foram bem escolhidas, Marcus. Mas não escreva para ser lido: escreva para ser entendido.

Meu livro estava avançando. As horas dedicadas a escrever materializavam-se pouco a pouco e eu sentia de novo aquela indescritível sensação que acreditava ter estado perdida para sempre. Era como se eu enfim recuperasse um senso vital, que, ao me escapar, me desestabilizara; como se alguém tivesse clicado num botão do meu cérebro e o reiniciado. Como se eu ressuscitasse. Era a sensação dos escritores.

Meus dias começavam antes do amanhecer, quando eu saía para correr, atravessando Concord de ponta a ponta, com o MiniDisc nos ouvidos. Mais tarde, ao voltar para o quarto do hotel, pedia um bom litro de café e começava a trabalhar. Contava novamente com a ajuda de Denise, que eu resgatara da Schmid & Hanson e que aceitara voltar a trabalhar para mim no escritório da Quinta Avenida. Eu lhe enviava minhas laudas por e-mail à medida que as escrevia e ela se encarregava de fazer as revisões de praxe. Concluído um capítulo, eu o encaminhava a Douglas, para receber sua opinião. Era divertido ver todos apostando no livro; sei que ele ficava grudado no computador, aguardando meus capítulos. Claro que não deixava de relembrar a iminência dos prazos, repetindo: "Se nós não terminarmos a tempo, estamos fritos!" Dizia "nós", quando, teoricamente, ele não arriscava nada na operação, embora se sentisse tão envolvido quanto eu.

Acho que Douglas sofria uma enorme pressão por parte de Barnaski e tentava me proteger: Barnaski receava que eu não fosse capaz de cumprir os prazos sem ajuda externa. Mais de uma vez me ligara para sugerir com sua voz forte:

— Você precisa recrutar *ghost-writers* para redigir esse livro — insistia —, caso contrário nunca vai conseguir. Tenho equipes aqui para isso, é só entregar as linhas gerais que eles escrevem para você.

— Nem morto — eu respondia. — É minha responsabilidade escrever esse livro. Ninguém fará isso no meu lugar.

— Ah, Goldman, você é insuportável com sua moral e seus bons sentimentos. Todo mundo contrata alguém para escrever os próprios livros hoje em dia. *Você-sabe-quem*, por exemplo, nunca recusa minhas equipes.

— *Ele* não escreve os próprios livros?

Barnaski deu aquela risadinha estúpida e característica.

— Claro que não! Como espera que ele aguente o ritmo, caramba? Os leitores não querem saber como *ele* escreve os livros, ou mesmo quem os escreve. Tudo que eles querem é, todo ano, no início do verão, ter um livro novo *dele* para as férias. E é o que nós proporcionamos. Isso se chama tino comercial.

— Isso se chama enganar o público — repliquei.

— Enganar o público... Ai, ai, Goldman, você é mesmo um grande tragediógrafo.

Esclareci que estava fora de cogitação que outra pessoa escrevesse o livro. Barnaski, então, perdeu a paciência e apelou para a grosseria.

— Goldman, se bem me lembro, já lhe paguei um milhão de dólares por esse maldito livro: portanto, gostaria que fosse mais cooperativo. Se eu achar que você precisa dos meus escritores, então vamos usá-los, porra!

— Calma, Roy, você terá o livro no prazo. Com a condição de que pare de interromper meu trabalho telefonando o tempo todo.

Barnaski então excedeu-se na grosseria:

— Puta que pariu, Goldman, espero que tenha consciência de que, ao publicar este livro, estou pondo o meu na reta. Ouviu bem? Investi uma fortuna e estou arriscando a credibilidade de uma das maiores editoras dos Estados Unidos. Então, se as coisas não derem certo, se não houver livro por causa dos seus caprichos ou outra merda qualquer e eu acabar afundando, saiba que o arrastarei comigo! E para bem fundo!

— Sei muito bem disso, Roy. Acredite, sei muito bem.

Barnaski, para além de seu traquejo social, tinha um talento inato para o marketing: meu livro era desde já o livro do ano, ao passo que sua divulgação, com propagandas gigantes nos muros de Nova York, só estava começando. Logo após o incêndio da casa de Goose Cove, ele dera uma declaração bombástica. Suas palavras: "Há, em algum lugar, escondido nos Estados Unidos, um escritor que se esforça para restabelecer a verdade sobre o que ocorreu em 1975, em Aurora. E, como a verdade incomoda, alguém está disposto a tudo para calá-lo." No dia seguinte, uma matéria do *The New York Times* estampava a manchete: *Quem quer a pele de Marcus Goldman?* Minha mãe, é claro, leu e me ligou na mesma hora:

— Pelo amor de Deus, Markie, onde você está?

— Em Concord, no Regent's. Suíte 208.

— Ora, cale a boca! — exclamou ela. — Não quero saber.

— Mas, mãe, foi você que...

— Se me disser, contarei para o açougueiro, que contará para o entregador, que repetirá para a mãe dele, que, por sinal, é prima do porteiro do Colégio Felton, que não conseguirá ficar de bico calado, e esse desgraçado vai contar ao diretor, que comentará na sala dos professores, e logo toda Newark saberá que meu filho está na suíte 208 do Regent's de Concord e aquele-que-quer-a-sua-pele vai degolá-lo durante o sono. Por que uma suíte, aliás? Tem uma namorada? Você vai se casar?

Ela então chamou meu pai e ouvi-a gritar:

— Nathan. Venha aqui ouvir isso! Markie vai se casar!

— Mãe, não vou me casar. Estou totalmente sozinho na minha suíte.

Gahalowood, que estava no quarto e havia acabado de se servir de um farto café da manhã, não encontrara nada melhor para fazer do que gritar:

— Ei! Eu estou aqui!

— De quem é essa voz? — Minha mãe logo quis saber.

— Ninguém.

— Não ouse responder que não é ninguém! Ouvi a voz de um homem. Marcus, vou lhe fazer uma pergunta médica extremamente importante e você precisa ser honesto com aquela que o carregou por nove meses no ventre: há um homem homossexual secretamente escondido no seu quarto?

— Não, mãe. É o sargento Gahalowood, que é policial. Ele está me ajudando na investigação, além de onerar minha conta de serviço de quarto.

— Ele está nu?

— O quê? Claro que não! Ele é um policial, mãe! Trabalhamos juntos!

— Um policial... Pois saiba que não nasci ontem: vi uma coisa musical, homens cantando, um motociclista todo de couro, um bombeiro, um indígena e um policial...

— Mãe, ele é mesmo um oficial de polícia.

— Markie, em nome dos seus ancestrais, que fugiram dos pogroms, e se você ama sua bondosa mãe, expulse esse homem nu do seu quarto.

— Não vou expulsar ninguém, mãe.

— Ah, Markie, por que você me liga se é para me fazer sofrer?

— Foi você quem ligou, mãe.

— É porque seu pai e eu estamos com medo desse criminoso enlouquecido que está perseguindo você.

— Ninguém está me perseguindo. A imprensa exagera.

— Todas as manhãs e todas as tardes, eu verifico a caixa de correio.

— Por quê?

— *Por quê? Por quê?* Ele me pergunta por quê! Ora, por causa das bombas!

— Não acho que alguém vai mandar uma bomba para a sua casa, mãe.

— Morreremos com uma bomba! E sem nunca ter conhecido a alegria de sermos avós. Pronto, está contente agora? Imagine que outro dia seu pai foi seguido por um carrão preto até na frente de casa. Ele correu para dentro e o carro foi estacionar na rua, bem ao lado.

— Chamaram a polícia?

— Óbvio. Mandaram duas viaturas, com as sirenes ligadas.

— E?

— Eram os vizinhos. Aqueles malditos compraram um carro novo! Sem nem ao menos nos avisar. Um carro novo, o que é isso? Enquanto todo mundo está falando que teremos uma grande crise econômica, eles compram um carro novo? Não é suspeito? Acho que o marido mama no tráfico de drogas ou algo do gênero.

— Por que fala tanta bobagem, mãe?

— Sei o que estou dizendo! E não fale assim com sua pobre mãe que corre o risco de morrer de uma hora para outra num atentado a bomba! Em que pé está o livro?

— Está avançando bem. Devo terminá-lo daqui a quatro semanas.

— E como termina? Talvez quem matou a menina seja quem também quer matar você.

— É meu único problema: ainda não sei como o livro termina.

Na tarde de segunda-feira, 21 de julho, Gahalowood apareceu na minha suíte quando eu escrevia o capítulo em que Nola e Harry decidem ir juntos para o Canadá. Ele estava num estado de intensa excitação e foi pegar uma cerveja no frigobar.

— Eu estava na casa de Elijah Stern — desembuchou ele.

— Stern? Sem mim?

— Se você não se lembra, Stern entrou na justiça contra a publicação do seu livro. Enfim, vim justamente lhe contar...

Gahalowood explicou que, para não dar um caráter oficial à visita, aparecera de surpresa na casa de Stern e havia sido o advogado de Stern, Bo Sylford, um bambambã do tribunal de Boston, que, suando debaixo de um moletom, o recebera, e nos seguintes termos: "Dê-me cinco minutos, sargento. Vou tomar uma ducha e sou todo seu."

— Uma ducha? — perguntei.

— Estou dizendo, escritor: esse Sylford perambulava seminu pelo saguão. Fiquei esperando numa salinha até ele voltar, de terno, acompanhado de Stern, que dirigiu-se a mim: "Pelo que vejo, sargento, já conheceu meu companheiro."

— Seu companheiro? — repeti. — Está me dizendo que Stern é...

— Gay. O que significa que ele nunca deve ter sentido qualquer atração por Nola Kellergan.

— Mas o que tudo isso quer dizer? — indaguei.

— Foi a pergunta que fiz a ele. Ele mostrou-se aberto para conversar.

Stern estava furioso com o meu livro: afirmava que eu não sabia o que estava dizendo. Gahalowood aproveitara a deixa e lhe sugerira esclarecer alguns pontos do inquérito:

— Sr. Stern — começara ele —, à luz do que acabo de saber sobre sua... sua orientação sexual, pode me dizer que tipo de relação vigorou entre Nola e o senhor?

— Já lhe disse desde o início — respondera Stern, sem pestanejar. — Uma relação de trabalho.

— Relação de trabalho?

— É, quando alguém faz uma coisa para você e você paga por isso, sargento. No caso, ela posava.

— Então Nola Kellergan vinha aqui só para posar para o senhor?
— Isso. Mas não para mim.
— Não? Para quem, então?
— Para Luther Caleb.
— Para Luther? Mas por quê?
— Para que ele pudesse regozijar-se.

A cena que Stern narrou desenrolara-se numa tarde de julho de 1975. Stern não se lembrava mais da data exata, mas tinha sido no final do mês. Meus dados permitem situá-la num dia anterior à viagem a Martha's Vineyard.

Concord. Final de julho de 1975

Já era tarde. Stern e Luther estavam sozinhos em casa, jogando xadrez na varanda. A campainha da porta soou de súbito e eles se perguntaram quem poderia ser a uma hora daquelas. Foi Luther quem abriu. E voltou à varanda acompanhado de uma deslumbrante adolescente loura com os olhos vermelhos de tanto chorar. Nola.

— Boa noite, Sr. Stern — começou ela, timidamente. — Peço desculpas por aparecer de surpresa. Meu nome é Nola Kellergan e sou filha do pastor de Aurora.

— Aurora? Você veio de Aurora? — perguntou ele. — Como chegou aqui?

— Consegui uma carona, Sr. Stern. Preciso falar com o senhor de qualquer jeito.

— Por acaso nos conhecemos?

— Não, senhor. Mas tenho um pedido de extrema importância.

Stern contemplou aquela jovenzinha, de olhos cintilantes mas tristes, que viera encontrá-lo no meio da noite para um *pedido de extrema importância*. Apontou-lhe uma poltrona confortável e Caleb trouxe um copo de limonada e biscoitos.

— Estou ouvindo — disse ele, quase se divertindo com a cena, depois que ela bebeu a limonada praticamente de um gole só. — O que tem de tão importante a me pedir?

— Mais uma vez, Sr. Stern, peço desculpas por incomodá-lo a uma hora dessas. Mas é um caso de força maior. Venho visitá-lo confidencialmente para... para pedir que me contrate.

— Contratá-la? Mas contratá-la para quê?

— Para o que quiser, senhor. Farei qualquer coisa para o senhor.

— Contratá-la? — repetiu Stern, que não estava entendendo direito. — Mas por quê, ora essa? Está precisando de dinheiro, minha jovem?

— Em troca, eu gostaria que autorizasse Harry Quebert a continuar em Goose Cove.

— Harry Quebert está deixando Goose Cove?

— Ele não tem recursos para continuar lá. Já entrou em contato com a imobiliária da casa. Não pode pagar o mês de agosto. Mas ele precisa ficar! Por causa do livro, que ele mal começou a escrever e que eu sinto que será um livro magnífico! Se ele for embora, nunca o terminará! Sua carreira estaria acabada! Uma tragédia, senhor, uma tragédia! E depois, ainda tem nós dois! Eu amo Harry, Sr. Stern. Eu o amo como só amarei alguém assim uma vez na vida! Sei que vai achar ridículo, pensar que tenho apenas quinze anos e não sei nada da vida. Talvez eu não saiba nada da vida, Sr. Stern, mas conheço meu coração! Sem Harry, não sou mais nada.

Ela juntou as mãos num gesto de súplica e Stern perguntou:

— O que quer de mim?

— Não tenho dinheiro. Se tivesse, pagaria o aluguel da casa para que Harry pudesse continuar lá. Mas pode me contratar! Serei sua empregada e trabalharei o tempo necessário para pagar o aluguel da casa por mais alguns meses.

— Tenho empregados suficientes em minha casa.

— Posso fazer o que quiser. Tudo! Ou então deixe eu pagar o aluguel aos pouquinhos: já tenho cento e vinte dólares. — Pegou as cédulas no bolso. — São todas as minhas economias! Aos sábados eu trabalho no Clark's e continuarei trabalhando até reembolsá-lo!

— Quanto ganha?

Ela respondeu, cheia de orgulho:

— Três dólares por hora! Mais as gorjetas!

Stern, comovido diante daquele pedido, sorriu. Considerou Nola com ternura: no fundo, não precisava do dinheiro do aluguel de Goose Cove, podia perfeitamente deixar Quebert dispor de mais alguns meses. Mas então Luther pediu para conversar a sós com ele. Isolaram-se no cômodo ao lado.

— Eli — disse Caleb —, eu gosdaria de bintá-la. Bor vafor... Bor vafor...

— Não, Luther. Isso não... Ainda não...

— Eu subligo... Deife-me bintá-la... Faz dando tembo...
— Mas por quê? Por que ela?
— Porgue ela me lempra Eleanore.
— Eleanore de novo? Basta! Tem que parar com isso de uma vez por todas!

Stern começou recusando. Mas Caleb insistiu tanto que ele acabou cedendo. Voltou para junto de Nola, que ciscava no prato de biscoitos.

— Pensei melhor, Nola — disse ele. — Estou inclinado a permitir que Harry Quebert continue na casa pelo tempo que quiser.

Ela pulou espontaneamente em seu pescoço.

— Ah, obrigada! Obrigada, Sr. Stern.
— Espere, há uma condição...
— Claro! Tudo que quiser! O senhor é tão bom, Sr. Stern!
— Você será modelo. Para uma pintura. Luther é quem vai pintá-la. Você ficará nua e ele a pintará.

Ela quase perdeu a voz:

— Nua? Quer que eu fique totalmente nua?
— Sim. Mas só para posar. Ninguém nunca vai tocar em você.
— Mas, senhor, é constrangedor ficar nua... Quer dizer... — Ela começou a soluçar. — Pensei que eu poderia lhe prestar pequenos serviços: trabalhos de jardinagem ou organizar sua biblioteca. Não pensava que teria... Eu não podia imaginar isso.

Ela enxugou as lágrimas das faces. Stern considerou aquele protótipo de mulher de uma doçura transbordante, e ele a obrigava a posar nua. Gostaria de abraçá-la para consolá-la, mas não podia permitir que os sentimentos prevalecessem.

— É meu preço — disse ele, secamente. — Você posa nua e Quebert continua na casa.

Ela aquiesceu.

— Farei isso, Sr. Stern. Farei tudo que quiser. Agora sou sua.

Trinta e três anos após essa cena, atormentado pelo remorso e como se pedisse expiação, Stern conduzira Gahalowood à varanda de sua casa, exatamente onde exigira que Nola, se quisesse que o amor de sua vida permanecesse na cidade, se despisse a pedido de seu motorista.

— Pronto — concluiu ele —, foi assim que Nola entrou na minha vida. No dia seguinte, tentei fazer contato com Quebert para lhe dizer que podia permanecer em Goose Cove, mas não consegui falar com ele. Ele continuou inacessível por uma semana. Cheguei até a despachar Luther para a sua casa. No fim, ele conseguiu alcançá-lo quando estava prestes a deixar Aurora.

Gahalowood perguntara em seguida:

— Mas não lhe pareceu estranho esse pedido de Nola? Nem o fato de uma garota de quinze anos ter um caso com um homem de mais de trinta e vir pedir um favor para ele?

— Sabe, sargento, ela se expressava tão bem sobre o amor... Tão bem que eu mesmo nunca poderia reproduzir aquelas palavras. E depois, eu gostava de homens. Sabe como a homossexualidade era vista na época? Ainda hoje, aliás... A prova é que continuo me escondendo. Mesmo com esse Goldman espalhando que sou um velho sádico e dando a entender que abusei de Nola, não ouso me pronunciar. Envio meus advogados para a frente de batalha, entro na justiça, tento fazer com que a publicação do livro seja proibida. Bastaria eu declarar ao país que jogo no outro time. Mas nossos concidadãos são ainda muito puritanos e tenho uma reputação a zelar.

Gahalowood tentou recuperar o foco da conversa.

— Quais eram os termos de seu acordo com Nola?

— Luther encarregava-se de ir buscá-la em Aurora. Eu lhe dizia que não queria saber de nada. Exigia que ele usasse seu carro pessoal, um Mustang azul, e não o Lincoln preto de serviço. Assim que o via ir para Aurora, eu dispensava todos os empregados da casa. Não queria ninguém aqui. Aquilo me deixava muito envergonhado. Da mesma forma, não queria que aquilo acontecesse na varanda que Luther costumava usar como ateliê: morria de medo de que alguém o surpreendesse. Então ele acomodava Nola numa pequena sala contígua ao meu escritório. Eu ia cumprimentá-la quando ela chegava e quando ia embora. Era minha condição para Luther: queria certificar-me de que tudo estava correndo bem. Ou, se preferir, relativamente bem. Eu me lembro de que na primeira vez ela estava num sofá forrado com um lençol branco. Já estava nua, trêmula, constrangida, assustada. Apertei a mão dela, que estava gelada. Eu nunca ficava naquela sala, mas, para ter certeza de que ele não lhe faria mal algum, não saía de perto. Depois, cheguei a esconder um interfone no cômodo. Ligava-o e assim podia escutar tudo.

— E?

— Nada. Luther não pronunciava uma palavra. Era lacônico por natureza, em decorrência dos maxilares arrebentados. Ele pintava o retrato da menina. Só isso.

— Está me dizendo que ele não tocou nela?
— Nunca! Repito, eu nunca teria tolerado isso.
— Quantas vezes ela veio?
— Não sei. Umas dez, talvez.
— E quantos quadros ele pintou?
— Só um.
— Aquele que apreendemos?
— Sim.

Portanto, havia sido unicamente graças a Nola que Harry pudera permanecer em Aurora. Mas por que Luther Caleb quisera pintá-la? E por que Stern, que se declarara disposto a permitir que Harry ficasse na casa sem contrapartida, cedera subitamente ao pedido de Caleb e obrigara Nola a posar nua? Eram perguntas para as quais Gahalowood não tinha resposta.

— Perguntei a ele — explicou. — Falei: "Sr. Stern, há um detalhe que ainda me escapa: por que Luther queria pintar Nola? O senhor já disse que se tratava de um regozijo para ele, mas quis sugerir com isso que tal coisa lhe proporcionava prazer sexual? Também mencionou uma certa Eleanore, por acaso essa é a ex-namorada dele?" Mas Stern encerrou o assunto. Disse que era uma história complicada, que eu sabia o que precisava saber e que o resto pertencia ao passado. E deu a entrevista por encerrada. Eu estava lá oficiosamente, não podia obrigá-lo a responder.

— Jenny nos contou que Luther queria pintá-la também — lembrei a Gahalowood.

— Então ele seria o quê? Uma espécie de maníaco do pincel?

— Não faço ideia, sargento. Acha que Stern cedeu ao pedido de Caleb porque se sentia atraído por ele?

— Pensei nessa hipótese e perguntei a Stern. Quis saber se havia alguma coisa entre ele e Caleb. Ele respondeu com toda a calma do mundo que não havia absolutamente nada. "Sou o mais fiel companheiro do Sr. Sylford desde o início dos anos 1970", declarou ele. "Nunca senti nada por Luther Caleb a não ser pena, razão pela qual o contratei. Era o pobre coitado de Portland, ficou gravemente desfigurado e incapacitado após uma agressão violenta. Uma vida destruída sem razão. Ele era bom em mecânica e eu precisava justamente de alguém para cuidar de minha frota de carros e ser meu motorista. Criamos laços de amizade depressa. Ele era um ótimo sujeito, sabe. Posso dizer que fomos amigos." Veja bem, escritor, o que me atormenta são esses laços a que ele se refere e descreve como amistosos. Mas tenho a impressão de que há mais que isso. E tampouco é sexual: tenho certeza de que Stern não está mentindo quando diz que não se sentia atraído por Caleb. Não, seriam laços mais... doentios. Foi a impressão que tive quando Stern me descreveu a cena em que ele cedeu à súplica de Caleb e pediu que Nola posasse nua. Isso lhe dava engulhos e, no entanto, ele o fez assim mesmo, como se Caleb exercesse uma espécie de poder sobre ele. A propósito, isso também não escapou a Sylford. Ele não abrira o bico até aquele momento, limitando-se a escutar, mas, quando Stern contou o episódio da garota, apavorada e nua, que ele cumprimentara antes da sessão de pintura, acabou dizendo: "Mas Eli, como assim? Como assim? Que história é essa? Por que você nunca me falou nada?"

— E sobre o desaparecimento de Luther? — perguntei. — Você questionou Stern?

— Calma, escritor, guardei o melhor para o final. Sem querer, Sylford pressionou-o. Ele ficou desatinado, perdeu seus reflexos de advogado. Começou a rugir: "Mas, Eli, afinal, explique-se! Por que nunca me disse nada? Por que ficou calado por todos esses anos?" O Eli em questão, como pode supor, não se intimidara e respondera: "Fiquei quieto, sim, mas não esqueci! Guardei aquele quadro por trinta e três anos! Ia ao ateliê todos os dias, me sentava no sofá e a observava. Obrigava-me a sustentar seu olhar, sua presença. Ela me fitava com aquele olhar de fantasma! Era a minha punição!"

Gahalowood evidentemente perguntara a Stern a que punição ele se referia.

— Minha punição por tê-la matado um pouco! — exclamara Stern. — Acho que, ao permitir que Luther a pintasse, despertei nele demônios aterradores... Eu... eu mandei aquela menina posar nua para Luther e criei uma espécie de relação entre os dois. Talvez, indiretamente, eu tenha alguma culpa na morte daquela boa menina!

— O que aconteceu, Sr. Stern?

A princípio, Stern permaneceu calado; desviou do assunto, visivelmente hesitante quanto a contar o que sabia. Então resolveu falar:

— Não demorei a perceber que Luther estava completamente apaixonado por Nola e que ele não entendia por que a menina amava Harry. Isso o atormentava. Como se não bastasse, ficou totalmente obcecado por Quebert, a ponto de ir se esconder na mata ao redor da casa de Goose

Cove para espioná-lo. Eu o via multiplicar suas idas e vindas a Aurora, sabia que às vezes passava dias inteiros na cidade. Com a impressão de estar perdendo o controle da situação, um dia eu o segui. Encontrei seu carro estacionado na mata, perto de Goose Cove. Deixei o meu longe dali, ao abrigo dos olhares, e vasculhei o bosque: foi então que o vi, sem que ele reparasse em mim. Estava dissimulado atrás dos arbustos, espionando a casa. Não deixei que me visse, mas queria lhe dar uma boa lição, fazê-lo sentir o ventinho da bala de raspão. Decidi irromper em Goose Cove, como se estivesse indo fazer uma visita surpresa a Harry. Voltei então pela estrada e cheguei pela alameda de Goose Cove, como quem não quer nada. Fui direto para a varanda e fiz questão de fazer barulho. Berrei: "Harry!" para ter certeza de que Luther me ouviria. Harry deve ter achado que eu era um louco, aliás, lembro que ele também gritou como se estivesse possesso. Dei a entender que havia deixado meu carro em Aurora e sugeri que me levasse à cidade para almoçarmos juntos. Felizmente ele topou, e então fomos. Pensei que isso daria tempo para Luther se mandar e que o susto fora suficiente. Fomos almoçar no Clark's. Lá, Harry me contou que dois dias antes, ao amanhecer, Luther dera-lhe uma carona de Aurora para Goose Cove, depois que ele sentira cãibras durante sua corrida. Harry me perguntou o que Luther fazia a uma hora daquelas em Aurora. Mudei de assunto, mas estava bastante preocupado: aquilo não podia continuar. Naquela noite, ordenei a Luther que não fosse mais a Aurora, que ele teria problemas caso insistisse naquilo. Mesmo assim, a despeito de tudo, ele continuou. Então, cerca de uma ou duas semanas mais tarde, chamei-o e falei que não queria mais que ele pintasse Nola. Tivemos uma briga horrível. Foi na sexta-feira, 29 de agosto de 1975. Ele disse que não podia mais trabalhar para mim e saiu batendo a porta. Na hora pareceu-me uma reação intempestiva e que ele voltaria. No dia seguinte, aquele fatídico 30 de agosto de 1975, saí bem cedo para compromissos pessoais. Porém, no final do dia, ao regressar e constatar que Luther não voltara ainda, tive um pressentimento estranho. Saí à sua procura. Peguei a estrada de Aurora, devia ser por volta das oito da noite. No caminho, fui ultrapassado por uma fileira de viaturas da polícia. Ao chegar à cidade, reinava uma grande agitação: estavam dizendo que Nola desaparecera. Pedi que me indicassem o endereço dos Kellergan, embora bastasse seguir o fluxo de curiosos e os veículos de emergência que para lá confluíam. Fiquei um tempo em frente à casa deles, em meio à multidão, incrédulo, contemplando o lugar onde morava aquela graça de menina, aquela casinha sossegada, de tábuas brancas, com o balanço pendurado numa cerejeira robusta. Ao anoitecer, voltei para Concord e fui ao quarto de Luther verificar se ele estava lá, mas, evidentemente, não havia ninguém. O quadro de Nola me encarava. Havia sido concluído, o quadro havia sido concluído. Peguei-o e pendurei-o no ateliê. Nunca saiu dali. Esperei Luther a noite inteira, em vão. No dia seguinte, o pai dele me ligou: também estava à sua procura. Falei que o seu filho fora embora na antevéspera e não dei maiores esclarecimentos. Para ninguém, aliás. Fiquei quieto. Porque apontar Luther como culpado do desaparecimento de Nola Kellergan era, de certa forma, declarar que eu mesmo era culpado. Esperei por Luther nas três semanas seguintes; todos os dias, ia atrás dele. Até o pai me comunicar que ele morrera num acidente de carro.

— Por acaso o senhor está me dizendo que acha que foi Luther Caleb quem matou Nola? — perguntara Gahalowood.

Stern assentira.

— Sim, sargento. Faz trinta e três anos que penso isso.

A princípio, as declarações de Stern relatadas por Gahalowood me deixaram sem voz. Fui pegar mais duas cervejas no frigobar e liguei o gravador.

— Vai ter de repetir tudo isso, sargento — falei. — Preciso gravar, é para o livro.

Ele aceitou de bom grado.

— Como quiser, escritor.

Liguei o aparelho. Foi nesse instante que o celular de Gahalowood tocou. Ele atendeu, e a gravação registrou sua fala:

— Tem certeza? — disse ele. — Verificou tudo? O quê? O quê? Porra, que loucura é essa!

Ele me pediu um pedaço de papel e uma caneta, anotou a informação e desligou. Em seguida, olhou para mim com uma expressão estranha e explicou:

— Era uma estagiária da Divisão... Eu tinha pedido que encontrasse o boletim do acidente de Luther Caleb.

— E?

— De acordo com o relatório feito na época, Caleb foi encontrado num Chevrolet Monte Carlo preto registrado em nome da empresa de Stern.

* * *

Sexta-feira, 26 de setembro de 1975

Era um dia de neblina. Embora o sol já estivesse alto, a luminosidade não era boa. Orvalhos leitosos agarravam-se à paisagem, como costuma acontecer nos outonos úmidos da Nova Inglaterra. Eram oito horas da manhã quando George Tent, um pescador de lagostas, deixou o porto de Sagamore, em Massachusetts, a bordo de seu barco, acompanhado do filho. Sua zona de pesca concentrava-se basicamente ao longo da costa, mas ele fazia parte dos raros homens de sua profissão que também instalavam armadilhas em certas enseadas desprezadas por outros pescadores, porque eram geralmente consideradas de difícil acesso e muito dependentes dos caprichos das marés para serem rentáveis. Foi justo a uma dessas enseadas que George Tent foi nesse dia, para verificar suas duas armadilhas. Enquanto manobrava o barco num ponto conhecido como Sunset Cove — uma intrusão do oceano por entre penhascos abruptos —, seu filho teve a visão subitamente ofuscada por um reflexo luminoso. Um raio de sol atravessara as nuvens e refletira-se em alguma coisa. Durara apenas uma fração de segundo, mas foi suficientemente intenso para intrigar o menino, que pegou um binóculo e examinou os penhascos.

— O que houve? — perguntou o pai.

— Há alguma coisa ali, na beira da água. Não sei o que é, mas vi um objeto reluzir muito forte.

Tomando os rochedos como referência para calcular a profundidade, Tent concluiu que havia água suficiente para se aproximar dos penhascos. Avançou então muito lentamente, costeando o paredão.

— Saberia dizer o que era? — perguntou outra vez George Tent, intrigado.

— Um reflexo, com certeza. Mas em alguma coisa incomum, metal ou vidro.

Avançaram mais um pouco e, ao contornarem um escolho, de repente descobriram o que chamara a atenção do garoto.

— Santo Deus! — praguejou o velho Tent, com os olhos esbugalhados. Depois, correu para o rádio de bordo para chamar a guarda-costeira.

Às oito e quarenta e sete desse mesmo dia, a polícia de Sagamore recebeu um alerta da guarda-costeira a respeito de um acidente fatal: um veículo desgarrara-se da estrada encravada nos penhascos de Sunset Cove e se espatifara nos rochedos. Foi o oficial Darren Wanslow que se deslocou para o local. Conhecia bem a região; uma estradinha moldada na encosta de um paredão vertiginoso, oferecendo uma vista espetacular. Um mirante fora inclusive construído no ponto culminante, para permitir que os turistas admirassem a vista panorâmica. O lugar era magnífico, mas o oficial Wanslow sempre o considerara perigoso, pois não havia mureta de proteção. Ele, inclusive, já solicitara diversas vezes isso à prefeitura, sem sucesso, a despeito da grande afluência nas tardes de verão. Colocaram apenas uma placa de "Perigo".

Ao chegar às imediações do mirante, Wanslow avistou a pickup dos guardas-florestais, decerto assinalando o local do acidente. Desligou a sirene da viatura e estacionou imediatamente. Dois guardas-florestais observavam a cena que se desenrolava mais abaixo: uma lancha da guarda-costeira aproximava-se dos penhascos, movimentando um guindaste.

— Parece que há um carro lá embaixo — declarou um dos guardas-florestais a Wanslow, mas não dava para ver nada.

O policial aproximou-se da beira do penhasco: a ribanceira era abrupta, coberta de amoreiras, capim alto e reentrâncias na rocha. Era mesmo impossível enxergar qualquer coisa.

— O carro está bem aqui embaixo? — perguntou ele.

— Foi o que ouvimos pelo ramal de emergência. Pela posição do barco da guarda-costeira, suponho que o carro estivesse no mirante e, por alguma razão, tenha despencado pela ribanceira. Estou torcendo para que não tenham sido adolescentes que vieram namorar no meio da noite e esqueceram de puxar o freio de mão.

— Meu Deus — murmurou Wanslow —, também espero que não haja crianças lá embaixo.

Ele inspecionou a parte do mirante contígua ao penhasco. Havia uma longa faixa de capim entre o fim do asfalto e o início da ribanceira. Procurou vestígios da passagem do carro, mato e amoreiras arrancados pelo veículo no momento da queda.

— Acha que o carro passou direto? — perguntou ao guarda-florestal.

— Sem dúvida. Já faz tempo que pedimos a construção de uma mureta. Garotos, ouça o que digo. São garotos. Beberam além da conta e passaram direto. Porque, a não ser estar de cara cheia, é preciso um bom motivo para não parar depois do mirante.

A lancha efetuou uma manobra e afastou-se do penhasco. Os três homens perceberam um carro balançando na ponta do guindaste. Wanslow retornou à viatura e fez contato com a guarda-costeira através do rádio de bordo.

— Qual é a marca do carro? — perguntou ele.
— É um Chevrolet Monte Carlo — responderam. — Preto.
— Um Monte Carlo preto? Confirme, é um Monte Carlo preto?
— Positivo. Placa de New Hampshire. Há um cadáver no interior. Não é uma imagem bonita.

Fazia duas horas que rodávamos a bordo do vagaroso Chrysler de serviço de Gahalowood. Era segunda-feira, 21 de julho de 2008.

— Quer que eu dirija, sargento?
— Claro que não.
— Você dirige que nem uma lesma.
— Dirijo com prudência.
— Este carro é um lixo, sargento.
— É uma viatura da polícia estadual. Um pouco de respeito, por favor.
— Então é um lixo estadual. E se puséssemos uma música?
— Nem em sonho, escritor. Estamos em plena investigação, isso aqui não é um programa de duas amiguinhas.
— Pois saiba que escreverei isso no meu livro, que você dirige feito um velhinho.
— Coloque uma música, escritor. E bem alto. Não quero mais ouvir sua voz até chegarmos.

Eu ri.

— Bem, recapitule para mim quem é esse cara — pedi. — Darren...
— ...Wanslow. Era oficial de polícia em Sagamore. Foi ele que atendeu à chamada quando os pescadores encontraram a carcaça do carro de Luther.
— Um Chevrolet Monte Carlo preto.
— Exatamente.
— Isso não faz sentido! Por que ninguém fez a associação?
— Não faço ideia, escritor. É justamente o que vamos tirar a limpo.
— O que aconteceu com esse Wanslow?
— Aposentou-se há alguns anos. Hoje toca uma oficina de carros com o primo. Está gravando?
— Estou. O que Wanslow falou ao telefone ontem?
— Não muito. Pareceu surpreso com a ligação. Disse que o encontraríamos na oficina a qualquer hora do dia.

— E por que não o interrogou por telefone?

— Nada equivale a um bom cara a cara, escritor. Telefone é muito impessoal. Telefone é para franguinhos como você.

A oficina ficava na entrada de Sagamore. Encontramos Wanslow com a cabeça enfiada no motor de um velho Buick. Ele expulsou o primo do escritório, nos acomodou, deslocou uma pilha de pastas de contabilidade amontoadas nas cadeiras para que pudéssemos nos sentar, lavou demoradamente as mãos numa pia improvisada e, por fim, nos ofereceu um café.

— E então? — perguntou, enchendo as xícaras. — O que houve para a polícia do estado de New Hampshire vir me procurar aqui?

— Como falei ontem — respondeu Gahalowood —, estamos investigando a morte de Nola Kellergan. E, mais especificamente, um acidente rodoviário ocorrido em seu distrito, em 26 de setembro de 1975.

— O Monte Carlo preto, certo?

— Exatamente. Como sabe que é isso que nos interessa?

— Vocês estão investigando o caso Kellergan. E na época eu mesmo cheguei a pensar que havia uma ligação.

— Sério?

— Sério. Aliás, é por isso que me lembro do carro. Quer dizer, com o passar do tempo, há as ocorrências que esquecemos e as que continuam em nossa memória. Esse acidente pertence ao segundo caso.

— Por quê?

— Sabe, quando somos policiais de uma cidade pequena, os acidentes rodoviários fazem parte das ocorrências mais importantes que temos de administrar. Quer dizer, em toda a minha carreira, os únicos mortos que vi foram em acidentes de trânsito. Mas esse caso foi diferente: semanas antes, tínhamos recebido um alerta geral a respeito do desaparecimento ocorrido em New Hampshire. Um Chevrolet Monte Carlo preto vinha sendo procurado incessantemente e nos pediram para ficar de olho. Lembro-me de que durante essas semanas eu detivera, em minhas patrulhas, diversos Chevrolets desse modelo, de todas as cores, para averiguação. Ocorreu-me que um carro preto é fácil de repintar. Ou seja, fiquei interessado no caso, como todos os policiais da região, aliás, queríamos encontrar a garota a todo custo. Então, finalmente, certa manhã, quando estava no comissariado, a guarda-costeira informa que estão resgatando um carro ao sopé do penhasco de Sunset Cove. E adivinhe só qual era o carro...

— Um Monte Carlo preto.

— Na mosca. Com placa de New Hampshire. E com um cadáver dentro. Lembro-me também de quando revistei o carro: fora completamente esmagado na queda e havia um sujeito na cabine que parecia um verdadeiro mingau. Encontramos os documentos com ele: Luther Caleb. Eu me lembro bem. O carro estava registrado no nome de uma poderosa empresa de Concord, Stern Limited. Passamos o interior do veículo no pente fino: não havia nada demais. Devo ressaltar que a água do mar havia feito seus estragos. De toda forma, encontramos cacos de garrafas de bebida. No porta-malas, não havia nada além de uma bolsa com algumas roupas.

— Uma mala de viagem?

— Sim, isso. Digamos que havia uma pequena mala de viagem.

— O que fez em seguida? — perguntou Gahalowood.

— Meu trabalho: passei as horas seguintes investigando. Queria saber quem era aquele sujeito, o que fazia ali e desde quando estava lá embaixo. Investiguei o tal Caleb e adivinhe o que descobri?

— Que havia uma queixa por assédio registrada na polícia de Aurora — declarou Gahalowood, quase indiferente.

— Isso mesmo! Como sabia disso, caramba?

— Sabendo.

— Pensei então que não podia mais ser coincidência. Primeiro me informei para saber se alguém havia notificado seu desaparecimento. Quer dizer, pela minha experiência com acidentes de trânsito, sei que sempre há parentes preocupados e, aliás, normalmente é isso o que nos permite identificar alguns cadáveres. Mas também não havia qualquer registro. Estranho, não? Telefonei na mesma hora para a companhia Stern Limited, a fim de colher mais informações. Falei que acabara de encontrar um carro deles e, então, sem mais nem menos, pediram que eu aguardasse: uma breve música de espera e me vi na linha com o Sr. Elijah Stern. O herdeiro da família Stern. Em pessoa. Expliquei a situação, perguntei se dera por falta de algum de seus carros e ele me garantiu que não. Aludi ao Chevrolet preto e ele esclareceu que esse era o veículo geralmente usado pelo motorista quando não estava a serviço. Em seguida, perguntei quanto tempo fazia que ele não via o motorista e ele me contou que este saíra de férias. "De férias há quanto tempo exatamente?", eu quis saber. Ele respondeu: "Algumas semanas". "E férias onde?" Isso, ele disse que não fazia a menor ideia. Mas eu achei tudo terrivelmente estranho.

— E aí, o que você fez? — questionou Gahalowood.

— Para mim, tínhamos acabado de pôr as mãos no suspeito número um do sequestro da jovem Kellergan. E liguei imediatamente para o chefe de polícia de Aurora.

— Ligou para o chefe Pratt?

— Chefe Pratt. Isso, esse era o nome dele. Sim, coloquei-o a par de minha descoberta. Era ele o responsável pelo inquérito sobre o desaparecimento.

— E?

— Ele veio no mesmo dia. Agradeceu-me e estudou o inquérito com atenção. Foi muito simpático. Vistoriou o carro e disse que, infelizmente, não correspondia ao modelo que ele vira durante a perseguição, mas que, pensando bem, já nem tinha tanta certeza se havia sido um Chevrolet Monte Carlo mesmo que ele vira ou se seria um Nova, que é um modelo bastante similar, e que verificaria isso com o escritório do xerife. Acrescentou que já investigara aquele Caleb, mas ele tinha álibis suficientes que o inocentavam para que seguisse aquela pista. Aconselhou-me a enviar o relatório mesmo assim, e foi isso que fiz.

— Quer dizer que o senhor avisou ao chefe Pratt e ele não seguiu sua pista?

— Exatamente. Como falei, ele me assegurou que eu estava equivocado. Estava convencido disso e, afinal, era ele quem conduzia o inquérito. Sabia o que estava fazendo. Concluiu ser um acidente de trânsito banal, e foi o que coloquei no relatório.

— E isso não lhe pareceu estranho?

— Na hora, não. Achei que eu me deixara empolgar fácil demais. Mas, preste atenção, nem por isso fui relapso em meu trabalho; encaminhei o cadáver para o legista, queria entender o que havia acontecido e saber se, tendo em vista as garrafas encontradas, o acidente tinha ocorrido devido ao consumo excessivo de álcool. Infelizmente, com o que restava do corpo, entre a violência da queda e os estragos causados pela água do mar, não foi possível confirmar nada. Estou falando, o sujeito virou um mingau. Tudo o que o legista pôde afirmar é que o corpo já estava lá havia semanas. E sabe Deus quanto tempo ainda teria ficado se aquele pescador não tivesse avistado o carro. Em seguida, o corpo foi entregue à família e esse é o fim da história. Acreditem em mim, tudo indicava que era um acidente de trânsito comum. Claro que hoje, depois de tudo que eu soube, principalmente sobre Pratt e a garota, não tenho mais certeza de nada.

Tal como relatada por Darren Wanslow, a cena era bastante intrigante. Após conversarmos com ele, Gahalowood e eu fomos até a marina de Sagamore comer alguma coisa. Era um porto minúsculo, flanqueado por uma mercearia e um quiosque de cartões postais. O dia estava bonito, as cores, esplendorosas, e o mar parecia imenso. Ao redor, era possível vislumbrar casas coloridas e graciosas, sendo que algumas tocavam a beira d'água e ostentavam jardinzinhos bem-cuidados. Almoçamos bifes e tomamos cerveja num pequeno restaurante, cuja varanda sobre palafitas adentrava o mar. Gahalowood mastigava com um ar pensativo.

— O que você está pensando? — perguntei.

— Os fatos parecem apontar Luther como culpado. Ele estava com uma mala... Seu plano era fugir, levando Nola, talvez. Mas deu tudo errado: Nola desvencilhou-se dele, ele foi obrigado a matar a Sra. Cooper e, em seguida, golpeou a menina várias vezes.

— Acha que foi ele?

— Acho, embora nem tudo esteja claro... Não entendo por que Stern não mencionou o Chevrolet preto. Seja como for, não deixa de ser um detalhe importante. Luther some com um veículo registrado no nome de sua empresa e ele nem se preocupa? E por que cargas d'água Pratt não aprofundou a investigação em cima dele?

— Acha que o chefe Pratt está envolvido no desaparecimento de Nola?

— Digamos que eu estaria interessado em lhe perguntar o que o levou a descartar a pista de Caleb, apesar do relatório de Wanslow. Quer dizer, oferecem-lhe um suspeito de ouro num Chevrolet Monte Carlo preto, e ele não faz qualquer associação... Muito estranho, não acha? E, se ele alimentava efetivamente alguma dúvida sobre o modelo do carro, julgando que podia ser um Nova em vez de um Monte Carlo, deveria ter comentado sobre isso. Ora, no relatório ele só menciona um Monte Carlo...

Naquela mesma tarde, fomos até Montburry interrogar o chefe Pratt na pensão onde ele passara a morar. Era um prédio de um único andar, com uns dez quartos alinhados lado a lado e vagas de estacionamento em frente às portas de cada um. O lugar parecia deserto, havia apenas dois carros, um deles em frente ao quarto de Pratt, provavelmente o seu. Gahalowood bateu na porta. Ninguém respondeu. Tentou novamente. Nada. Uma camareira passou e Gahalowood pediu que ela abrisse com sua chave mestra.

— Impossível — respondeu ela.

— Como assim, *impossível*? — irritou-se Gahalowood, mostrando a insígnia.

— Já passei várias vezes para arrumar esse quarto hoje — explicou ela. — Achei que o hóspede tivesse saído sem eu perceber, mas ele deixou a chave na fechadura. Impossível abrir. Isso significa que ele está no quarto. A não ser que tenha saído e batido a porta com a chave na fechadura, por dentro. É típico dos hóspedes apressados. Mas o carro dele está aqui.

Gahalowood fez uma expressão contrariada. Bateu com veemência e intimou Pratt a abrir. Tentou espiar pela janela, mas a cortina puxada impedia que se visse o que quer que fosse. Resolveu então arrombar a porta. A fechadura cedeu ao terceiro pontapé.

O chefe Pratt estava estendido no carpete. Ensopado no próprio sangue.

8

O informante

— Quem ousa vence, Marcus. Pense nisso sempre que estiver diante de uma escolha difícil. Quem ousa vence.

TRECHO DE *O CASO HARRY QUEBERT*

Na segunda-feira, 21 de julho de 2008, foi a vez da cidadezinha de Montburry experimentar a mesma agitação que Aurora, após a descoberta do corpo de Nola, conhecera semanas antes. Vindas de toda a região, patrulhas da polícia dirigiram-se para lá, convergindo numa pensão nas cercanias da zona industrial. Os curiosos diziam que um homem havia sido assassinado e que se tratava do ex-chefe de polícia de Aurora.

Imperturbável, o sargento Gahalowood mantinha-se de pé diante da porta do quarto. Enquanto vários policiais da equipe de perícia trabalhavam na cena do crime, ele se limitava a observar. Eu me perguntava o que se passava na sua cabeça naquele momento preciso. Ele acabou se virando e notou que eu o observava, sentado no capô de uma viatura policial. Desferiu-me seu olhar de bisão assassino e veio em minha direção.

— O que você está maquinando com esse gravador, escritor?

— Estou ditando a cena para o meu livro.

— Sabia que você está sentado no capô de uma viatura policial?

* * *

— O que você está maquinando com esse gravador, escritor?

— Estou ditando a cena para o meu livro.

— Sabia que você está sentado no capô de uma viatura policial?

— Ah, me desculpe, sargento. O que temos?

— Desligue o gravador.

Obedeci.

— De acordo com os primeiros elementos do inquérito — explicou Gahalowood —, o chefe foi golpeado na parte posterior do crânio. Um ou vários golpes. Com um objeto pesado.

— Da mesma forma que Nola?

— Mesma coisa, exatamente. A morte aconteceu há mais de doze horas. Isso nos leva de volta à noite de ontem. Acho que ele conhecia o assassino. Ainda mais considerando que deixou a chave na porta. Provavelmente ele mesmo a abriu, talvez o estivesse esperando. Os golpes foram desferidos na parte de trás do crânio, o que significa que ele provavelmente estava de costas: sem dúvida não desconfiava de nada e o visitante se aproveitou disso para aplicar o golpe fatal. Não encontramos o objeto com o qual foi agredido. Decerto o assassino o levou consigo. Talvez uma barra de ferro, ou algo do tipo. Não há indícios de que tenha sido uma briga que terminou em morte, mas sim um ato premeditado. Alguém veio aqui matar Pratt.

— Há testemunhas?

— Nenhuma. A pensão está praticamente vazia. Ninguém viu nada, ninguém ouviu nada. A recepção fecha às sete da noite. Há um vigia entre as dez da noite e as sete da manhã, mas estava grudado na televisão. Não soube nos dizer nada. E é claro que não há câmeras.

— Quem você acha que poderia ter feito isso? — perguntei. — A mesma pessoa que incendiou Goose Cove?

— Pode ser. Em todo caso, provavelmente alguém que foi acobertado por Pratt e estava com medo de que ele abrisse a boca. Talvez Pratt conhecesse a identidade do assassino de Nola todo esse tempo e tenha sido executado para calar-se para sempre.

— Já tem uma hipótese, não é, sargento?

— Pois bem, quem, além de Harry Quebert está ligado a Goose Cove e a um Chevrolet preto?

— Elijah Stern?

— Elijah Stern. Não é de hoje que penso isso e, ao examinar o cadáver de Pratt, voltei a pensar. Não sei se Elijah Stern assassinou Nola, mas me pergunto se ele não vem acobertando Caleb há trinta anos. Entre a misteriosa partida, quando ele saiu de licença, e o desaparecimento do carro, que Stern não revelou a ninguém...

— O que está pensando, sargento?

— Que Caleb é culpado e Stern está metido nessa história. Eu acredito que, ao ser visto em Side Creek Lane, a bordo do Chevrolet preto, e após conseguir despistar Pratt durante a perseguição, Caleb foi se refugiar em Goose Cove. Imagine que a região inteira está bloqueada e, se por um lado ele sabe que não tem qualquer chance de fugir, por outro sabe que ninguém irá procurá-lo ali. Ninguém exceto... Stern. É provável que, em 30 de agosto de 1975, Stern tenha efetivamente passado o dia honrando compromissos pessoais, como afirmou. Contudo, no fim do dia, ao voltar para casa e constatar que Luther ainda não voltara e, pior, que saíra com um dos carros de serviço, mais discreto que o seu Mustang azul, como podemos imaginar que Stern tenha cruzado os braços? A lógica exigiria que ele saísse à procura de Luther para impedi-lo de fazer uma besteira. E acho que foi o que ele fez. Porém, ao chegar a Aurora, já era tarde demais: há policiais em toda parte, a tragédia que ele temia aconteceu. Precisa encontrar Caleb a todo custo, e para onde ele vai primeiro, escritor?

— Goose Cove.

— Exatamente. Para a sua propriedade, onde ele sabe que Luther sente-se seguro. Se bobear, tem, inclusive, uma cópia das chaves. Ou seja, Stern vai ver o que está se passando em Goose Cove e, lá, encontra Luther.

30 de agosto de 1975, segundo a hipótese de Gahalowood

Stern avistou o Chevrolet em frente à garagem: Luther estava debruçado no porta-malas.

— Luther! — gritou Stern, saindo do carro. — O que você fez?

Luther estava em completo pânico.

— Nós... nós tifemos uma priga... Eu não gueria machugá-la.

Stern aproximou-se do carro e descobriu Nola prostrada no porta-malas, com uma bolsa de couro a tiracolo; o corpo estava contorcido, hirto.

— Mas... Você a matou...

Stern vomitou.

— Fenão ela deria afisado a polífia...

— Luther? O que você fez? O que você fez?

— Me ajute, bor biedate. Eli, me ajute.

— Você precisa fugir, Luther. Se a polícia pegar você, vai acabar na cadeira elétrica.

— Não! Biedate! Ifo não! Ifo não! — gritou Luther, fora de si.

Stern observou a coronha de uma arma em seu cinto.

— Luth! O que... O que é isso?

— A felha... A felha fiu tuto.

— Que velha?

— Na gasa, lá...

— Pelo amor de Deus, alguém viu você?

— Eli, tife uma priga gom Nola... Ela não gueria afeitar. Fui oprigato a machugá-la. Mas ela confeguiu fugir, gorreu, endrou naguela gasa... Entrei tampém, achafa que a gasa estafa fazia. Mas tei gom aguela felha... Tife que madá-la...

— O quê? O quê? Mas o que está dizendo?

— Eli, eu sublico, me ajute!

Precisava livrar-se do corpo. Sem perder tempo, Stern foi pegar uma pá na garagem e na mesma hora começou a cavar um buraco. Escolheu a orla da mata, onde a terra era fofa e ninguém, principalmente Quebert, notaria o solo revolvido. Escavou às pressas uma vala rasa: então chamou Caleb para que trouxesse o corpo, mas ele desaparecera. Encontrou-o ajoelhado diante do carro, mergulhado num maço de papéis.

— Luther? Mas o que está inventando, porra?

Ele chorava.

— É o lifro de Quebert... Nola me falou tele. Ele escrefeu um lifro bra ela... É muito ponito.

— Leve-a para lá, cavei um buraco.

— Esbere!

— O que foi?

— Guero lhe tizer gue a amo.

— Hein?

— Teixe eu escrefer uma balafrinha. Só um pilhete. Me embreste a ganeta. Debois a enderramos e eu tesabareço bra sembre.

Stern deixou escapar um palavrão; apesar disso, puxou a caneta do bolso do sobretudo e a estendeu a Caleb, que escreveu na capa do original: *Adeus, Nola querida*. Então guardou-o religiosamente na bolsa ainda a tiracolo de Nola, e a transportou para a vala. Em seguida, os dois homens taparam o buraco, tendo o requinte de, na superfície, para que a ilusão fosse completa, espalhar troncos de pinheiros, galhos e musgo.

— E depois? — perguntei.

— Depois — prosseguiu Gahalowood —, Stern arquiteta um plano para proteger Luther. E esse plano é o chefe Pratt.

— Pratt?

— Sim, acho que Stern sabia o que Pratt impusera a Nola. Sabemos que Caleb rondava Goose Cove para espionar Harry e Nola: ele poderia ter visto Pratt pegar Nola na estrada no episódio em que ele a obrigou a fazer sexo oral... E teria contado a Stern. Sendo assim, naquela noite, Stern deixa Luther em Goose Cove e vai encontrar Pratt na delegacia: espera uma hora tardia, talvez depois das onze, quando as buscas são suspensas. Quer ficar a sós com Pratt, e obriga-o a abrir o jogo: em troca de seu silêncio sobre Nola, pede que autorize a partida de Luther e providencie para que ele atravesse as barreiras. E Pratt aceita: caso contrário, qual a probabilidade de Caleb circular livremente até Massachusetts? Mas Caleb sente-se acuado. Não tem para onde ir, está perdido. Compra bebidas, bebe. Quer acabar com aquilo. Dá então o grande salto, dos penhascos de Sunset Cove. Algumas semanas mais tarde, quando o carro é encontrado, Pratt vai a Sagamore abafar o caso. E dá um jeito de desviar as suspeitas de Caleb.

— Mas por que desviar as suspeitas, se ele está morto?

— Por causa de Stern. Stern sabia. Inocentando Caleb, Pratt se protegia.

— Pratt e Stern então saberiam a verdade o tempo todo?

— Sim. E teriam enterrado o episódio no fundo de suas memórias. Nunca mais voltaram a se encontrar. Stern livrou-se da casa de Goose Cove, entregando-a de mão beijada a Harry, e nunca mais pôs os pés em Aurora. E, durante mais de trinta anos, todos deram por certo que o caso nunca seria elucidado.

— Até encontrarem o cadáver de Nola.

— E um escritor cabeça dura vir meter o bedelho no caso. Um escritor contra o qual se tentou de tudo para que desistisse de descobrir a verdade.

— Quer dizer que Pratt e Stern teriam pretendido abafar o caso — repeti. — Mas quem matou Pratt, então? Stern, ao perceber que Pratt está prestes a explodir e vai dar com a língua nos dentes?

— Isto ainda precisamos descobrir. Mas, atenção, escritor, não diga uma palavra sobre isso — ordenou Gahalowood. — Não escreva nada a esse respeito por enquanto, não quero outro vazamento na imprensa. Vou revirar a vida de Stern pelo avesso. Será uma hipótese difícil de verificar. Em todo caso, há um denominador comum em todas essas conjeturas: Luther Caleb. E, se foi mesmo ele que assassinou Nola Kellergan, teremos a confirmação disso...

— Com o exame grafológico... — completei.

— Exatamente.

— Uma última pergunta, sargento: qual o interesse de Stern em proteger Caleb a todo custo?

— É o que eu gostaria de saber, escritor.

A investigação sobre a morte de Pratt anunciava-se complexa: a polícia não dispunha de qualquer elemento sólido e também não havia qualquer pista. Uma semana após o assassinato dele, foi realizado o sepultamento dos restos mortais de Nola, cujo cadáver foi finalmente restituído ao pai. Era uma quarta-feira, 30 de julho de 2008. A cerimônia, à qual não assisti, desenrolou-se no cemitério de Aurora, no início da tarde, sob uma garoa inesperada e com poucas pessoas presentes. David Kellergan chegou montado em sua moto e, sem que ninguém protestasse, avançou até o túmulo. Estava com os fones nos ouvidos e suas únicas palavras — segundo o que disseram — foram: "Mas por que a arrancaram da terra se era para enterrá-la de novo?" Ele não chorou.

Se não compareci à cerimônia do enterro foi porque, na hora exata em que começou, fiz o que me pareceu importante: fui visitar Harry para lhe fazer companhia. Ele estava sentado no estacionamento, sem camisa debaixo da chuva tépida.

— Venha se proteger, Harry — chamei.

— Está na hora do enterro, certo?

— Certo.

— Eles a estão enterrando e eu nem estou lá.

— Melhor assim... Melhor que não esteja lá... Por causa de toda essa história.

— Dane-se *o que vão falar*! Estão enterrando Nola e eu nem fui lá para lhe dizer adeus e vê-la pela última vez. Para estar com ela. Há trinta e três anos espero reencontrá-la, nem que seja pela última vez. Sabe onde eu gostaria de estar?

— No enterro?

— Não. No paraíso dos escritores.

Ele se deitou no cimento e permaneceu imóvel. Deitei-me a seu lado. Continuava chovendo.

— Marcus, eu queria estar morto.

— Eu sei.

— Como sabe?

— Os amigos percebem esse tipo de coisa.

Houve um longo silêncio. Acabei comentando:

— Outro dia, você falou que não poderíamos mais ser amigos.

— É verdade. Estamos nos despedindo aos poucos, Marcus. É como se você soubesse que estou moribundo e tivesse algumas semanas para se conformar. É o câncer da amizade.

Harry fechou os olhos e estendeu os braços como se estivesse numa cruz. Eu o imitei. E assim permanecemos deitados no cimento por um longo tempo.

Mais tarde, nesse mesmo dia, deixei o motel e, querendo conversar com alguém que tivesse ido ao sepultamento de Nola, fui ao Clark's. O lugar estava deserto: havia apenas um funcionário lustrando preguiçosamente o balcão e que fez parecer ser um sacrifício enorme ao acionar a alavanca da chopeira para me servir. Foi então que notei Robert Quinn, emboscado no fundo do salão, mastigando amendoins e completando palavras cruzadas de velhos jornais largados nas mesas. Escondia-se da mulher. Fui até ele. Ofereci-lhe um chope e ele abriu espaço no banco, convidando-me a me sentar. Foi um gesto tocante: eu poderia ter me sentado de frente para ele, numa das cinquenta cadeiras vazias do estabelecimento. Mas ele se afastara para eu me sentar a seu lado, no mesmo banco.

— Você esteve no enterro de Nola? — perguntei.

— Estive.

— Como foi?

— Sórdido. Como toda essa história. Havia mais jornalistas do que conhecidos.

Ficamos um momento em silêncio, depois ele puxou conversa:

— Como vai seu livro?

— Está avançando. Mas ontem, ao relê-lo, me dei conta de que ainda há algumas zonas sombrias. Em especial no que diz respeito à sua mulher. Ela garante que possuía um papel comprometedor escrito pelo próprio Harry Quebert, o qual teria desaparecido misteriosamente. Por acaso você não saberia dizer onde foi parar esse papel?

Ele deu um longo gole na cerveja, permitindo-se ainda engolir alguns amendoins antes de responder.

— Queimado — declarou ele. — Esse maldito papel foi queimado.

— O quê? Como sabe disso? — perguntei, estupefato.

— Porque fui eu que o queimei.

— O quê? Mas por quê? E, antes de qualquer coisa, por que nunca disse nada?

Ele encolheu os ombros, muito pragmático.

— Porque nunca me perguntaram. Faz trinta e três anos que minha mulher buzina nos meus ouvidos por causa desse papel. Esgoela-se, grita, diz: "Mas ele estava aqui! No cofre! Aqui! Aqui!" Nunca perguntou: "Robert, meu querido, por acaso teria visto aquele papel?" Como nunca me perguntou, nunca respondi.

Tentei disfarçar minha perplexidade para não inibi-lo.

— Mas então o que aconteceu?

— Tudo começou numa tarde de domingo, quando minha mulher ofereceu um *garden-party* ridículo em homenagem a Quebert, sendo que ele mesmo não compareceu. Louca de raiva, ela resolveu ir à casa dele. Lembro-me perfeitamente desse dia, foi um domingo, 13 de julho de 1975. O mesmo dia em que a jovem Nola tentou suicídio.

Domingo, 13 de julho de 1975

— Robert! Robeeeeert!

Tamara entrou em casa feito um furacão, abanando-se com uma folha de papel. Atravessou os cômodos do primeiro andar até encontrar o marido, que estava na sala lendo jornal.

— Robert, seu paspalho! Por que não responde quando eu chamo? Está surdo? Olhe! Olhe esses horrores! Leia como é nojento!

Ela lhe estendeu o papel que acabara de roubar da casa de Harry Quebert e ele leu.

Minha Nola, Nola querida, Nola amada. O que você fez? Por que quis morrer? Foi por minha causa? Eu a amo, amo mais que tudo. Não me abandone. Se você morrer, eu morro. Tudo que importa na minha vida, Nola, é você. Quatro letras: N-O-L-A.

— Onde encontrou isso? — perguntou Robert.
— Na casa desse grande filho da puta do Harry Quebert! Rá!
— Você foi à casa dele e roubou isso?
— Não roubei nada: eu achei! Eu sabia! Ele é uma espécie de pervertido nojento que alimenta fantasias com uma garota de quinze anos. Isso me dá engulhos! Sinto vontade de vomitar! Sinto vontade de vomitar, Bobbo, está me ouvindo? Harry Quebert está apaixonado por uma garotinha! Isso é ilegal! É um porco! Um porco! E pensar que ele passa tanto tempo no Clark's só para devorá-la com os olhos! Ele vai ao meu restaurante para olhar a bunda de uma menina!

Robert releu o texto várias vezes. Não restava sombra de dúvida; eram de fato palavras de amor que Harry escrevera. Palavras de amor para uma menina de quinze anos.

— O que vai fazer com isso? — perguntou à mulher.
— Não tenho ideia.
— Vai avisar à polícia?
— Polícia? Não, meu Bobbo. Por enquanto, não. Não quero que todo mundo saiba que esse criminoso do Quebert prefere uma garotinha à nossa maravilhosa Jenny. Aliás, onde ela está? No quarto?
— Não vai acreditar, mas, assim que você saiu, aquele jovem oficial de polícia, Travis Dawn, passou por aqui para convidá-la para o baile de verão. Foram jantar em Montburry. Jenny já encontrou uma companhia para o baile, não é ótimo?
— Ah, cale a boca, Bobbo! Vamos, saia daqui agora! Preciso esconder esse papel em algum lugar, e ninguém pode saber onde.

Bobbo obedeceu e foi acabar de ler o jornal na soleira da porta de casa. Mas não conseguia ler, a mente demasiado absorta pelo que a mulher descobrira. Então, Harry Quebert, o grande escritor, escrevera bilhetes de amor para uma menina com a metade de sua idade. A doce e pequena Nola. Era perturbador demais. Será que deveria avisá-la? Dizer que Harry estava possuído por impulsos bizarros, o que podia inclusive ser perigoso? Não deveria avisar à polícia, para que um médico o examinasse e lhe receitasse um tratamento?

Uma semana depois desse episódio, foi realizado o baile de verão. Robert e Tamara Quinn ficaram num canto da sala, bebericando um coquetel sem álcool, quando perceberam Harry Quebert entre os convidados.

— Olhe, Bobbo — silvou Tamara —, lá está o pervertido.

Observaram-no demoradamente, enquanto Tamara prosseguia com sua enxurrada de insultos, que apenas Robert podia ouvir.

— Resolveu o que vai fazer com aquele papel? — Robert acabou perguntando.

— Não faço ideia. Mas o que sei é que vou cobrar o que ele me deve. Ele tem quinhentos dólares pendurados no restaurante!

Harry parecia incomodado; foi até o balcão do bar pedir alguma coisa para beber a fim de relaxar e, depois, entrou no banheiro.

— Ele está indo ao banheiro — espiava Tamara. — Olhe, olhe, Bobbo! Sabe o que ele vai fazer?

— O número dois?

— Claro que não, vai se masturbar pensando na garota!

— O quê?

— Cale-se, Bobbo. Parece uma matraca, não quero mais ouvir sua voz. E faça o favor de não arredar o pé daqui.

— Aonde vai?

— Não se mexa. Apenas observe.

Tamara deixou o copo numa mesa alta e, sorrateiramente, dirigiu-se ao banheiro, no qual Harry Quebert acabara de entrar, e se enfurnou lá dentro. Saiu instantes depois e correu para juntar-se ao marido.

— O que você fez? — perguntou Robert.

— Cale-se, já disse! — ordenou a mulher, pegando o copo de volta. — Calê-se ou seremos flagrados!

Amy Pratt anunciou que os convidados podiam se sentar e todos lentamente confluíram para as mesas. Nesse instante, Harry saiu do banheiro. Suando em bicas, em pânico, misturou-se aos presentes.

— Observe-o fugir feito um coelho — murmurou Tamara. — Está em pânico.

— O que você fez, afinal? — insistiu Robert.

Tamara sorriu. Sua mão brincava discretamente com o batom que acabara de usar no espelho do banheiro. Respondeu simplesmente:

— Digamos que deixei uma pequena mensagem de advertência, da qual ele se lembrará.

Sentado no fundo do Clark's, eu ouvia, estupefato, o relato de Robert Quinn.

— Então, a mensagem no espelho, foi sua mulher? — perguntei.
— Foi. Harry Quebert virou uma obsessão para ela. Ela só falava daquele pedaço de papel, repetindo que acabaria com Harry de uma vez por todas. Que em breve as manchetes dos jornais anunciariam que *O grande escritor é um grande pervertido*. Ela acabou contando o incidente ao chefe Pratt. Quinze dias depois do baile, mais ou menos. Não lhe escondeu nada.
— Como sabe disso? — indaguei.
Ele hesitou um instante antes de responder:
— Sei porque... Nola me contou.

Terça-feira, 5 de agosto de 1975

Eram seis da tarde quando Robert retornou da fábrica. Como sempre, estacionou o velho Chrysler e, ao desligar o motor, ajeitou seu chapéu pelo retrovisor e imitou o olhar que o ator Robert Stack fazia quando seu personagem Eliot Ness, na televisão, preparava-se para encher os mafiosos de porrada. Costumava circular assim dentro do carro: fazia muito tempo que deixara de sentir qualquer entusiasmo ao voltar para casa. Às vezes, fazia um desvio para adiar um pouco aquele momento; outras, parava na sorveteria. Quando conseguiu sair do carro, pensou ter escutado uma voz chamando-o por trás dos arbustos. Virou-se, procurou por um instante ao redor e então avistou Nola, dissimulada entre azaleias.

— Nola? — perguntou Robert. — Olá, mocinha, como vai?
— Preciso falar com o senhor, Sr. Quinn. É muito importante — sussurrou ela.
Ele continuou, alto e bom som:
— Então entre, vou preparar uma limonada bem gelada para você.
Ela fez sinal para ele falar mais baixo.
— Não — explicou ela —, precisamos de um lugar sossegado. Será que podíamos entrar no seu carro e dar uma volta? Há uma barraquinha de cachorro-quente na estrada de Montburry, lá estaremos bem.

Embora bastante surpreso com aquele pedido, Robert aquiesceu. Fez Nola entrar no carro e seguiram em direção a Montburry. Pararam poucos quilômetros adiante, em frente a uma barraquinha de madeira que vendia lanches para viagem. Robert comprou um waffle e um refrigerante para Nola, um cachorro-quente e uma cerveja sem álcool para si. Acomodaram-se em uma das mesas espalhadas na relva.

— Então, mocinha? — perguntou Robert, enquanto engolia o cachorro-quente. — O que está acontecendo de tão grave que não pode sequer tomar uma bela limonada lá em casa?

— Preciso da sua ajuda, Sr. Quinn. Sei que vai lhe parecer estranho, mas... Aconteceu uma coisa hoje no Clark's e o senhor é a única pessoa que pode me ajudar.

Nola descreveu então a cena à qual assistira fortuitamente cerca de duas horas antes. Tinha ido encontrar a Sra. Quinn, no Clark's, para receber pelos sábados que trabalhara antes da tentativa de suicídio. Foi a própria Sra. Quinn quem havia lhe dito para passar lá quando quisesse. Chegou às quatro da tarde. Lá, encontrou apenas alguns fregueses em silêncio, além de Jenny, que, ocupada em lavar a louça, informou-lhe que a mãe estava no escritório, sem achar necessário esclarecer que não estava sozinha. O *escritório* era o lugar onde Tamara Quinn mantinha sua contabilidade, guardava a féria do dia no cofre, descabelava-se ao telefone com fornecedores atrasados ou simplesmente se trancava alegando pretextos infames quando queria um pouco de paz. Era um recinto exíguo, cuja porta, sempre fechada, estampava a palavra Privado. Chegava-se lá pelo corredor de serviço, situado depois da sala dos fundos, o qual também dava acesso ao banheiro dos funcionários.

Diante da porta, com a mão fechada já pronta para bater, Nola ouviu vozes. Havia alguém ali com Tamara. Era voz de homem. Prestou atenção e captou uma parte da conversa.

— É um criminoso, o senhor entende? — dizia Tamara. — Talvez um predador sexual! Precisa fazer alguma coisa.

— E a senhora tem certeza de que foi Harry Quebert quem escreveu essas palavras?

Nola reconheceu a voz do chefe Pratt.

— Certeza e convicção — respondeu Tamara. — Ele escreveu de próprio punho. Harry Quebert arrasta asa para a pequena Kellergan e escreve obscenidades pornográficas sobre ela. O senhor precisa fazer alguma coisa.

— Muito bem. Fez bem em falar comigo. Mas a senhora entrou ilegalmente na casa dele e roubou esse pedaço de papel. Por enquanto, não posso fazer nada.

— Nada? Então o quê? Vamos esperar esse pervertido molestar a menina para o senhor agir?

— Não foi o que eu disse — recuou o chefe. — Vou ficar de olho em Quebert. Enquanto isso, guarde esse papel direito. Não posso levá-lo comigo, teria problemas.

— Vou guardá-lo neste cofre — decidiu Tamara. — Ninguém tem acesso a ele, estará em segurança. Eu lhe peço, chefe, faça alguma coisa, esse Quebert é uma aberração! Um criminoso! Um criminoso!

— Não fique apreensiva, Sra. Quinn, verá o que fazemos por aqui com sujeitos desse tipo.

Nola ouvira passos aproximando-se da porta e fugira do restaurante sem pedir seu pagamento.

Robert estava perplexo. Pensava: pobre menina, saber que Harry escreve aquelas porcarias bizarras sobre ela deve ter lhe deixado em choque. Ela precisava se abrir e viera procurá-lo; tinha que se mostrar à altura e explicar a situação, dizer que os homens não valiam nada, em especial Harry Quebert, de quem ela devia manter distância, e que devia avisar à polícia caso temesse que ele pudesse molestá-la. Ele o fizera, aliás? Será que ela precisava confessar que fora estuprada? Saberia ele reagir a tais revelações, ele que, segundo a mulher, não era capaz nem mesmo de pôr a mesa corretamente para o jantar? Dando uma mordida no seu cachorro-quente, pensou em palavras reconfortantes que pudesse dizer, mas não teve tempo de abrir a boca porque, no instante em que se preparava para falar, ela declarou:

— Sr. Quinn, o senhor precisa me ajudar a recuperar esse pedaço de papel.

E ele quase engasgou com a salsicha.

— Não preciso me estender muito, Sr. Goldman — disse Robert Quinn, no fundo do salão do Clark's. — Eu imaginara tudo, menos isto: ela queria que eu pusesse a mão naquele maldito papel. Aceita mais um chope?

— Com prazer. Igual a este. Seja franco, Sr. Quinn, o senhor se incomoda se eu gravar?

— Gravar? Faça o favor. Pelo menos uma vez na vida alguém se interessa pelo que eu falo.

Chamou o atendente e pediu mais dois chopes; peguei o gravador e o liguei.

— O senhor estava dizendo que haviam parado na barraca de cachorro-quente e ela lhe pediu ajuda — falei, para incentivá-lo a prosseguir.

— Isso. Aparentemente, minha mulher estava disposta a qualquer coisa para destruir Harry Quebert. E Nola, disposta a tudo para protegê-lo dela. Quanto a mim, fiquei pasmo com as coisas que acabara de ouvir. Foi aí que soube que Nola e Harry de fato tinham uma relação. Lembro que ela me olhava com seus olhos cintilantes e cheios de graça quando exclamei: "O quê? Como assim, *recuperar esse pedaço de papel*?" Ela respondeu: "Amo Harry. Não quero que ele tenha problemas. Se ele escreveu aquelas palavras, foi por causa da minha tentativa de suicídio. É tudo culpa minha, eu não deveria ter tentado me matar. Eu o amo, ele é tudo que tenho, tudo com que jamais poderei sonhar." E então conversamos sobre o amor. "Quer dizer que você e Harry, vocês…" "Nós nos amamos!" "Amar? O que está dizendo, afinal? Não pode amá-lo!" "E por que não?" "Porque ele é muito velho para você." "A idade não importa!" "Claro que importa!" "Mas não deveria!" "Só que é assim, adolescentes da sua idade não devem se envolver com um sujeito da idade dele." "Eu o amo!" "Não diga barbaridades e coma seu waffle, está bem?" "Mas, Sr. Quinn, se eu perder Harry, perco tudo!" Eu não acreditava nos meus ouvidos, Sr. Goldman: aquela menina estava perdidamente apaixonada por Harry. E os sentimentos dela eram sentimentos que eu mesmo não conhecia, ou não me lembrava de haver sentido por minha própria mulher. Naquele instante, por intermédio daquela menina de quinze anos, percebi que eu provavelmente nunca conhecera o amor. Que muita gente certamente nunca o conheceu. Que as pessoas no fundo contentam-se com bons sentimentos, encasulando-se no conforto de uma vida sórdida e passando ao largo de sensações maravilhosas, provavelmente as únicas que justificam nossa existência. Tenho um sobrinho que mora em Boston, trabalha com finanças e ganha uma montanha de dólares por mês, é casado, tem três filhos, uma mulher adorável e um belo carro. Resumindo, a vida ideal. Um dia, chegou em casa e disse à mulher que estava indo embora, que descobrira o amor, estava apaixonado por uma universitária de Harvard com a idade de sua filha, a quem fora apresentado numa conferência. Todos acharam que ele havia perdido o juízo, que buscava uma segunda juventude naquela garota, mas creio simplesmente que descobriu o amor. As pessoas acreditam que se amam, então se casam. Mas um dia descobrem o amor sem sequer procurar ou se dar conta. E se jogam nele. Nesse momento, é como se o hidrogênio entrasse em contato com o ar, provocando uma explosão fenomenal e destruindo tudo. Trinta anos de casamento frustrado que arrebentam de uma só vez, como se uma gigantesca fossa séptica levada à ebulição explodisse, respingando em todo mundo por perto. Crise dos quarenta, demônio da meia-idade, são apenas tipos que compreendem o alcance do amor tarde demais e por isso têm a vida revirada do avesso.

— Então, o que o senhor fez? — perguntei.

— Quanto a Nola? Recusei. Aleguei que não queria me meter naquela história e que, de toda forma, não havia nada que eu pudesse fazer. Falei que o papel estava no cofre e que a única chave que o abria vivia dia e noite pendurada no pescoço da minha mulher. Nada feito. Ela suplicou, afirmando que, se a polícia pusesse as mãos naquele papel, Harry teria problemas sérios, sua carreira seria destruída e talvez ele fosse para a cadeia, sendo que nada tinha feito de errado. Lembro-me de seu olhar ardente, sua atitude, seus gestos... Havia nela uma fúria magnífica. Lembro-me de ela dizer: "Eles vão estragar tudo, Sr. Quinn! As pessoas dessa cidade são completamente loucas!" Isso lembra aquela peça do Arthur Miller, *As bruxas de Salem*. O senhor leu Miller? Os olhos dela encheram-se de pequenas pérolas de lágrimas prestes a rebentar e escorrer pelas faces. Eu tinha lido Miller. Lembrava-me do escândalo que teve no lançamento da peça na Broadway: a estreia coincidiu com a noite da execução do casal Rosenberg. Era uma sexta-feira, ainda me lembro. Aquilo me deixara arrepiado dias a fio, porque os Rosenberg tinham filhos um pouco mais velhos que Jenny nessa época e eu me perguntava o que aconteceria a ela se eu também fosse executado. Sentia um alívio enorme por não ser comunista.

— Por que Nola foi procurar justamente o senhor?

— Sem dúvida porque imaginava que eu tinha acesso ao cofre. Mas não era o caso. Como falei, ninguém, a não ser minha mulher, tinha a chave. Guardava-a ciosamente presa numa corrente e sempre acomodada entre os seios. E fazia tempo que eu não tinha acesso aos seios dela.

— O que aconteceu então?

— Nola partiu para a sedução e disse: "O senhor é engenhoso e astuto, conseguirá dar um jeito!" Acabei aceitando. Falei que iria tentar.

— Por quê?

— Por quê? Ora, por causa do amor! Como já disse, embora tivesse quinze anos, ela me falava de coisas que eu não conhecia e provavelmente nunca chegarei a conhecer. Ainda que, sinceramente, aquela história com Harry me desse náuseas. Fiz por ela, não por ele. E perguntei o que ela pretendia fazer quanto ao chefe Pratt. Com ou sem prova, o chefe Pratt sabia de tudo. Ela me olhou fixo nos olhos e disse: "Vou tirá-lo de circulação. Vou transformá-lo num criminoso." Na hora, não entendi. E então, poucas semanas atrás, quando Pratt foi preso, suspeitei que o motivo estaria ligado a tempos longínquos.

Quarta-feira, 6 de agosto de 1975

Sem combinar, ambos começaram a agir no dia seguinte à conversa. Por volta das cinco da tarde, numa farmácia de Concord, Robert Quinn comprou soníferos. Enquanto isso, na discrição do comissariado de Aurora, Nola, ajoelhada debaixo da mesa do chefe Pratt, se esforçava para proteger Harry, infernizando Pratt, transformando-o num criminoso, arrastando-o ao que viria a se transformar numa longa espiral de trinta anos.

Naquela noite, Tamara dormiu como um anjo. Depois do jantar, sentiu-se tão cansada que foi se deitar sem nem sequer tirar a maquiagem. Desmoronou feito uma pedra na cama e caiu num sono profundo. Foi tão rápido que, por uma fração de segundo, Robert receou ter dissolvido uma dose forte demais em seu copo d'agua e tê-la matado, mas os roncos magistrais, em cadência militar, prontamente emitidos pela mulher, logo o tranquilizaram. Esperou dar uma hora da manhã para agir — precisava ter certeza de que Jenny dormia e que ninguém o veria na cidade. No momento de entrar em ação, começou sacudindo com força a mulher, para certificar-se de que estava completamente neutralizada: teve a alegria de constatar que continuava inerte. Pela primeira vez, sentiu-se poderoso, a megera, prostrada no colchão, não impressionava mais ninguém. Abriu a corrente que ela levava ao pescoço e se apoderou da chave. De lambuja, avançou as mãos pelos seios da mulher e constatou amargamente que aquilo não lhe causava mais efeito algum.

Saiu de casa de fininho. Para não fazer barulho e não despertar suspeitas, pegou a bicicleta da filha. Pedalando na noite, com as chaves do Clark's e do cofre no bolso, sentiu-se invadido pela exaltação do proibido. Não sabia mais se estava fazendo aquilo por Nola ou, essencialmente, para prejudicar sua esposa. E, na bicicleta lançada a toda velocidade pela cidade, sentiu-se de repente tão livre que decidiu se divorciar. Jenny já era adulta, ele não tinha mais motivo algum para ficar com a mulher. Estava cheio daquela fúria, tinha direito a uma vida nova. Por vontade própria, fez alguns desvios para prolongar a inebriante sensação. Ao chegar à rua principal, passou a empurrar a bicicleta, para ter tempo de estudar os arredores: a cidade dormia num sono profundo. Não havia luzes nem barulho. Encostou a bicicleta num muro, abriu o Clark's e esgueirou-se no salão, guiando-se somente pela luz dos postes que atravessava as vidraças. Foi direto para o escritório. Aquele escritório, onde nunca tivera o direito de entrar sem autorização expressa da mulher. Agora ele era o seu soberano; pisoteava-o, violava-o, era um território conquistado. Acendeu a lanterna que havia levado consigo e começou explorando as prateleiras e os arquivos. Fazia anos que sonhava esquadrinhar aquele lugar: o que a mulher poderia esconder ali? Pegou diversos documentos e percorreu-os rapidamente. Surpreendeu-se ao procurar cartas de amantes. Perguntava-se se a mulher o traía. Imaginava que sim. Como poderia se satisfazer com ele? Mas só encontrou comandas e documentos da contabilidade. Passou então ao cofre — um cofre de aço, imponente, com pelo menos um metro de altura, fixado em cima de um estrado de madeira. Enfiou a chave de segurança na fechadura, girou-a e, ao ouvir o mecanismo de abertura acionado, estremeceu. Puxou a porta pesada e apontou a lanterna para o interior, que era dividido em quatro níveis. Era a primeira vez que via aquele cofre aberto, sentiu um calafrio de excitação.

Na primeira prateleira encontrou documentos bancários, o último extrato da contabilidade, recibos de encomendas e a folha salarial dos funcionários.

Na segunda, achou uma pequena lata contendo o fluxo de caixa do Clark's e outra com dinheiro trocado para pagar fornecedores.

Na terceira, viu um pedaço de madeira que lembrava um urso. Sorriu: havia sido o primeiro presente que dera a Tamara, durante o primeiro programa de verdade que fizeram juntos. Preparara com esmero aquele momento, ao longo de várias semanas, multiplicando as horas extras no posto de gasolina em que trabalhava depois da aula, tudo para levar sua Tamy a um dos melhores estabelecimentos da região, *Chez Jean-Claude*, restaurante francês onde serviam lagostins que pareciam extraordinários. Estudara o cardápio inteiro, calculara quanto sairia a refeição no caso de ela escolher os pratos mais caros; economizara até juntar dinheiro suficiente e depois a convidara. Naquela noite gloriosa, quando ele fora pegá-la na casa dos pais e ela ficou sabendo aonde iam, suplicara que ele não se arruinasse por causa dela. "Ah, Robert, você é um amor. Mas é exagero, juro que é exagero", dissera ela. Ela falara *amor*. E, para convencê-lo a desistir, sugeriu irem jantar num pequeno restaurante italiano de Concord, que fazia tempo ela queria conhecer. Haviam comido espaguete, bebido *chianti* e *grappa* da casa e, meio bêbados, acabaram em um parque de diversões ali perto. No caminho de volta, estacionaram à beira-mar e aguardaram o nascer do sol. Na praia, ele encontrara um pedaço de madeira que lembrava um urso, e lhe dera quando ela se aconchegara em seus braços, aos primeiros fulgores da alvorada. Ela prometeu que o guardaria para sempre e deu-lhe o primeiro beijo.

Continuando sua exploração do cofre, Robert, atordoado, encontrou, ao lado do pedaço de madeira, uma série de retratos seus ao longo dos anos. No verso de cada um, Tamara fizera algumas anotações, inclusive nos mais recentes. A última foto datava de abril, quando haviam ido assistir a uma corrida automobilística. Nela, via-se Robert, com o binóculo grudado nos olhos, comentando as voltas. E Tamara escrevera no verso: *Meu Robert, sempre tão apaixonado pela vida. Vou amá-lo até o último suspiro.*

Além das fotos, havia recordações da vida em comum dos dois, o convite de casamento, o anúncio do nascimento de Jenny, fotos de férias, cacarecos que há muito ele pensava terem sido jogados no lixo. Pequenos presentes, um broche engraçado, uma caneta de lembrança, ou ainda aquele peso de papéis espiralado comprado nas férias no Canadá, que lhe haviam atraído enormes reprimendas: *Mas, Bobbo! O que eu faço com essas porcarias?* E não é que, religiosamente, ela guardara tudo naquele cofre? Robert concluiu, então, que o que a mulher escondia naquele cofre era o coração dela. E se perguntou por quê.

Na quarta prateleira, encontrou um caderno grosso, com capa de couro, que ele abriu: o diário de Tamara. Sua mulher tinha um diário! Nunca soubera disso. Abriu-o ao acaso e leu à luz da lanterna:

1º de janeiro de 1975

Passamos o réveillon na casa dos Richardson.
    Nota da noite: 5. A comida não estava tão terrível, mas os Richardson são pessoas maçantes. Eu nunca tinha reparado nisso. Acho que o réveillon é um bom jeito de descobrir quais dos seus amigos são maçantes ou não. Bobbo logo notou que eu estava entediada e quis me entreter. Pior, quis contar piadas e fingiu que seu siri falava. Os Richardson até que riram. Paul Richardson chegou a se levantar para anotar uma das

piadas. Disse querer ter certeza de que se lembraria. Quanto a mim, tudo que consegui fazer foi brigar com ele. No carro, na volta, falei coisas horríveis para ele. Disse: "Você não faz ninguém rir com suas piadas de mau gosto. Você é lamentável. Quem mandou bancar o palhaço, hein? É engenheiro numa grande fábrica, não é? Fale de sua profissão, mostre que é sério, alguém importante. Não está no circo, caramba!" Ele me respondeu que Paul rira de suas piadas e eu ordenei que se calasse, pois não queria mais ouvi-lo.

Não sei por que sou tão má. Amo-o tanto... Ele é tão meigo e atencioso... Não sei por que me comporto mal com ele. Depois eu me censuro, me odeio e, então, fico ainda mais ignóbil.

Neste dia de ano-novo, tomo a resolução de mudar. Quer dizer, todo ano tomo essa resolução e nunca a cumpro. De uns meses para cá, comecei a fazer terapia com o Dr. Ashcroft, em Concord. Foi ele quem me aconselhou a ter um diário. Temos uma sessão por semana. Ninguém sabe. Eu morreria de vergonha se soubessem que faço terapia com um psiquiatra. As pessoas diriam que estou louca. Mas não estou louca. Sofro. Sofro, mas não sei do quê. O Dr. Ashcroft diz que tenho tendência a destruir tudo que me faz bem. Chamam isso de autodestruição. Ele disse que tenho angústias de morte e que talvez haja alguma ligação. Não entendi nada. O que sei é que estou sofrendo. E que amo o meu Robert. Ele é tudo o que eu mais amo. O que seria de mim sem ele?

Robert fechou o caderno. Estava chorando. O que sua mulher nunca conseguira expressar, colocara no papel. Ela o amava. Ela o amava de verdade. Ele era tudo o que ela mais amava. Julgou serem as mais belas palavras que já lera. Enxugou os olhos para não manchar as páginas e leu mais; pobre Tamara, Tamy querida, que sofria em silêncio. Por que não lhe contara nada sobre o Dr. Ashcroft? Se ela sofria, ele queria sofrer a seu lado, para isso se casara com ela. Varrendo a última prateleira do cofre com o facho da lanterna, encontrou o bilhete de Harry e foi rapidamente aspirado de volta à realidade. Lembrou-se de sua missão, de sua mulher prostrada na cama, drogada, e ele precisava livrar-se daquele pedaço de papel. Odiou-se subitamente pelo que fazia; estava prestes a desistir quando ruminou que, sem aquela carta, sua mulher se preocuparia menos com Harry Quebert e mais com ele. Era ele que contava, ela o amava. Estava escrito. Foi o que o determinou a se apoderar da folha e debandar do Clark's na calada da noite, após certificar-se de não ter deixado qualquer rastro de sua passagem. Atravessou a cidade na bicicleta e, numa rua tranquila, acendeu seu isqueiro e ateou fogo às palavras de Harry Quebert. Observou o pedaço de papel queimar, enegrecer, contorcer-se numa labareda inicialmente dourada, depois azul, desfazendo-se devagar. Pouco depois não restava mais nada. Voltou para casa, recolocou a chave entre os seios da mulher, deitou-se a seu lado e abraçou-a demoradamente.

Tamara levou dois dias para se dar conta de que o papel não estava mais no lugar. Achou que estava louca: tinha certeza de tê-lo guardado no cofre e, não obstante, não estava lá. Ninguém poderia ter tido acesso a ele, ela guardava a chave consigo e não havia sinal de arrombamento. Será que o perdera no escritório? Guardara em outro lugar, mecanicamente? Passou horas vasculhando o local, esvaziando e recolocando tudo nos arquivos, fazendo uma triagem dos documentos e arrumando-os de novo, em vão: aquele minúsculo pedaço de papel sumira misteriosamente.

Robert Quinn me explicou que, quando Nola desapareceu poucas semanas mais tarde, sua mulher ficou enlouquecida com aquilo.

— Ela ficava repetindo que, se ainda tivesse aquele papel, a polícia poderia investigar Harry. E o chefe Pratt reiterava que, sem aquele pedaço de papel, não podia fazer nada. Ela ficou histérica. Martelava cem vezes por dia: "Foi Quebert, foi Quebert! Eu sei, você sabe, todos nós sabemos! Você também viu aquele papel, não viu?"

— Por que não contou à polícia sobre o que sabia? — perguntei. — Por que não disse que Nola fora procurá-lo, que lhe dissera sobre Harry? Poderia ter sido uma pista, não acha?

— Era o que eu queria fazer. Eu estava muito dividido. Pode desligar o gravador, Sr. Goldman?

— Claro.

Desliguei o aparelho e guardei-o na bolsa. Ele continuou:

— Quando Nola desapareceu, passei a me odiar. Me arrependi de ter queimado aquele pedaço de papel que a ligava a Harry. Ruminei que, de posse daquela prova, a polícia poderia ter interrogado Harry, se debruçado sobre ele, aprofundado a investigação. Se ele não devia nada, não teria o que temer. Afinal de contas, pessoas inocentes não têm com o que se preocupar, certo? Enfim, resumindo, eu me odiava. Comecei então a escrever bilhetes anônimos, que passei a deixar na porta dele quando sabia que estava fora de casa.

— O quê? Os bilhetes anônimos eram do senhor?

— Eram meus. Eu havia preparado um pequeno estoque na máquina de escrever da minha secretária, na fábrica. *Sei o que fez com aquela menina de quinze anos. E logo toda a cidade saberá.* Guardava os bilhetes no porta-luvas do carro. E, sempre que esbarrava com Harry na cidade, eu corria até Goose Cove para deixar um deles.

— Mas por quê?

— Para aliviar minha consciência. Minha mulher não parava de repetir que ele era o culpado, eu não achava que isso era impossível. E, se eu o pressionasse e o amedrontasse, ele acabaria se entregando. Isso durou alguns meses. Depois, parei.

— O que o fez parar?

— Sua tristeza. Depois do desaparecimento, ele ficou muito triste... Não era mais o mesmo homem. Percebi que não podia ser ele. Então acabei parando.

Fiquei estupefato com o que acabara de saber. Perguntei ainda, completamente ao acaso:

— Agora, fale a verdade, Sr. Quinn, por acaso não teria incendiado a casa de Goose Cove?

Ele sorriu, quase se divertindo com a minha pergunta.

— Não. O senhor é um bom sujeito, Sr. Goldman, eu não lhe faria isso. Não sei qual mente doentia foi responsável por esse evento.

Terminamos nossos chopes.

— No fim — observei —, o senhor não se divorciou. Acabou se entendendo com a sua mulher? Quer dizer, depois que descobriu no cofre todas as recordações e o diário?

— Foi ficando cada vez pior, Sr. Goldman. Ela continuou me espezinhando sem parar e nunca falou que me amava. Nunca. Ao longo dos meses, depois anos seguintes, passei a drogá-la periodicamente com soníferos para poder ler e reler seu diário e chorar por nossas lembranças, esperando que um dia as coisas melhorassem. Esperar que um dia as coisas melhorem: talvez seja isso o amor.

Balancei a cabeça para concordar.

— Talvez — falei.

Na minha suíte, no Regent's, eu continuava avançando no meu livro. Contei como Nola Kellergan, de quinze anos, fizera de tudo para proteger Harry. Como se entregara e se comprometera para que ele pudesse continuar na casa e escrever sem ser importunado. Como aos poucos se tornara musa e, ao mesmo tempo, guardiã de sua obra-prima. Como conseguira criar uma bolha à sua volta para permitir que ele se concentrasse em sua escrita e engendrasse a obra de sua vida. E, à medida que escrevia, cheguei a me pegar pensando que Nola Kellergan havia sido a mulher excepcional com quem certamente sonhavam todos os escritores do mundo. De Nova York, onde trabalhava no meu texto com uma dedicação e eficiência raras, Denise me ligou uma tarde:

— Marcus, acho que estou chorando.

— Ora, e por quê?

— Por causa dessa menina, essa Nola. Acho que eu a amo também.

Sorri e respondi:

— Acho que todo mundo a amou, Denise. Todo mundo.

Então, dois dias depois, ou seja, 30 de agosto, recebo uma ligação de Gahalowood, empolgadíssimo:

— Escritor! — grunhiu ele. — Estou com os resultados do laboratório! Sente-se, pois não vai acreditar no que vai ouvir! A letra no original é de Luther Caleb! Não há dúvida. Temos o nosso homem, Marcus. Temos o nosso homem!

7

Depois de Nola

— Cuide do amor, Marcus. Transforme-o em sua mais bela conquista, sua única ambição. Depois dos homens, haverá outros homens. Depois dos livros, haverá outros livros. Depois da glória, haverá outras glórias. Depois do dinheiro, haverá mais dinheiro. Contudo, depois do amor, Marcus, depois do amor, não há mais nada além do sal das lágrimas.

A vida depois de Nola não era mais vida. Todos afirmam que, nos meses seguintes a seu desaparecimento, a cidade de Aurora afundou lentamente na depressão e no pavor de um novo rapto.

Embora estivéssemos no outono, com suas árvores coloridas, as crianças não podiam mais atirar-se nos volumosos montes de folhas secas acumuladas no meio-fio: os pais, preocupados, vigiavam-nas o tempo todo. Passaram a aguardar o ônibus escolar com elas e a esperá-las na rua, na hora de voltarem para casa. A partir das quatro e meia da tarde, portanto, fileiras de mães nas calçadas, cada uma em frente a sua casa, formavam uma sebe humana nas avenidas desertas, sentinelas impassíveis ansiando pelo retorno de suas proles.

Os pequenos não tinham mais o direito de se deslocar sozinhos. A época abençoada, quando as ruas eram tomadas por crianças alegres e estridentes, passara: não havia mais partidas de hóquei sobre patins em frente às garagens, não havia mais campeonatos de pular corda nem amarelinhas gigantes desenhadas a giz nas calçadas, não havia mais bicicletas na rua principal obstruindo a calçada em frente à mercearia da família Hendorf, onde era possível comprar um punhado de bombons por menos de um níquel. Logo pairou nas ruas o silêncio inquietante das cidades-fantasma.

As casas eram trancadas a chave e, ao anoitecer, pais e maridos, organizados em patrulhas civis, percorriam as ruas para proteger o bairro e as famílias. A maioria saía armada com um porrete, alguns carregavam espingardas de caça. Diziam que, caso fosse necessário, não hesitariam em atirar.

A confiança se quebrara. Os representantes comerciais e caminhoneiros de passagem eram mal recebidos e insolentemente vigiados. O pior era a desconfiança que os moradores cultivavam entre si. Vizinhos, amigos há vinte e cinco anos, agora espionavam-se mutuamente. E todo mundo se perguntava o que o outro estava fazendo no crepúsculo daquele 30 de agosto de 1975.

As viaturas da polícia e do escritório do xerife rodavam o tempo todo pela cidade; a falta de policiamento preocupava, o excesso assustava. E quando o já conhecido Ford preto descaracterizado da polícia estadual estacionava em frente ao número 245 da Terrace Avenue, todos se perguntavam se era o capitão Rodik que viera trazer notícias. As janelas da casa dos Kellergan permaneceram fechadas durante dias, semanas, meses. David Kellergan não oficiava mais e, por isso, um pastor substituto foi despachado de Manchester para ministrar o culto em St. James.

Chegaram então as brumas do fim de outubro. A região foi invadida por nuvens cinzentas, opacas e úmidas, e logo caiu uma chuva intermitente e glacial. Em Goose Cove, solitário, Harry definhava. Fazia dois meses que não o viam em parte alguma. Passava os dias trancado no escritório, trabalhando na máquina de escrever, assoberbado com a pilha de folhas manuscritas, que lia, relia e datilografava minuciosamente. Madrugava, preparava-se com esmero: fazia caprichosamente a barba e vestia-se com elegância, mesmo sabendo que ficaria em casa e não veria ninguém. Instalava-se diante da mesa e punha-se a trabalhar. As raras interrupções eram exclusivamente para ir encher a cafeteira; o restante do tempo era dedicado a transcrever, corrigir, rasgar e recomeçar.

Sua solidão só era perturbada por Jenny. Ela ia visitá-lo diariamente após o serviço, preocupada ao vê-lo se degradar aos poucos. Em geral, chegava por volta das seis da tarde; a chuva que ela pegava nos poucos passos que separavam seu carro da entrada da casa era suficiente para deixá-la encharcada. Carregava consigo uma cesta repleta de provisões surrupiadas do Clark's: sanduíches de frango, maionese de ovo, massa com molho de queijo, que ela guardava, quentes e fumegantes, numa travessa de metal, além de doces recheados que escamoteava dos fregueses para ter certeza de que sobrassem para Harry. Então, tocava a campainha.

Ele pulava da cadeira. Nola! Nola querida! Acorria à porta. Ela estava ali, diante dele, radiante, magnífica. Enlaçavam-se mutuamente, ele a erguia nos braços, girava-a ao seu redor, ao redor do mundo, beijavam-se. Nola! Nola! Nola! Beijavam-se de novo e dançavam. Era um belo verão, o céu estampava os tons explosivos do crepúsculo, acima deles pairavam nuvens de gaivotas que piavam como rouxinóis, ela sorria, ela ria, seu rosto era um sol. Ela estava ali, ele podia estreitá-la nos braços, tocar sua pele, acariciar seu rosto, sentir seu perfume, brincar com seu cabelo. Ela estava ali, estava viva. Eles estavam vivos. "Mas onde se meteu?", perguntava ele, pousando as mãos nas dela. "Eu estava à sua espera! Senti tanto medo! Todo mundo dizia que havia acontecido uma coisa grave com você! Que a Sra. Cooper a viu ensanguentada perto de Side Creek! Havia policiais em toda parte! Eles vasculharam a floresta! Pensei que tivesse acontecido uma desgraça com você e, sem notícias, estava quase enlouquecendo." Ela o abraçava com força, pendurava-se nele e o tranquilizava: "Não se preocupe, Harry querido! Não aconteceu nada comigo, estou aqui. Estou aqui! Estamos juntos, para sempre! Você comeu? Deve estar com fome! Comeu?"

— Você comeu? Harry? Harry? Tudo bem? — perguntava Jenny ao fantasma lívido e esquálido que lhe abrira a porta.

A voz dela trazia-o de volta à realidade. Estava escuro e frio, caía um aguaceiro diluviano. Era quase inverno. As gaivotas já haviam partido faz tempo.

— Jenny? — perguntava ele, aturdido. — É você?

— Sim, sou eu. Trouxe um lanche para você, Harry. Precisa se alimentar, você não está bem. Nada bem mesmo.

Ele a observava, gotejante e trêmula. Convidava-a para entrar. Ela não se demorava. Só o tempo de deixar a cesta na cozinha e pegar de volta as travessas da véspera. Ao constatar que mal haviam sido tocadas, repreendia-o brandamente.

— Precisa comer, Harry!

— Às vezes me esqueço — respondia ele.

— Mas, afinal, como é possível se esquecer de comer?
— É por causa do livro que estou escrevendo... Mergulho nele e esqueço o resto.
— Deve ser um livro muito bonito — dizia ela.
— Um livro muito bonito.

Ela não entendia como era possível entrar num estado daqueles por causa de um livro. Todas as vezes esperava um convite para ficar e jantar com ele. Preparava sempre pratos para duas pessoas e ele nunca notava. Ela ficava ali alguns minutos, de pé, entre a cozinha e a sala de jantar, sem saber o que dizer. Ele sempre hesitava em lhe convidar para ficar um pouco, mas declinava, para não lhe dar falsas esperanças. Sabia que nunca mais voltaria a amar. Quando o silêncio ficava constrangedor, ele dizia "obrigado" e dirigia-se à porta da entrada para incentivá-la a ir embora.

Desiludida e inquieta, Jenny tomava o caminho de volta para casa. Seu pai preparava um chocolate quente, no qual derretia marshmallow, e acendia a lareira da sala. Sentavam-se no sofá, diante do átrio, e ela reportava ao pai o estado depressivo de Harry.

— Por que ele está tão triste? — perguntava ela. — Parece um moribundo.
— Não faço ideia — respondia Robert Quinn.

Harry tinha medo de sair. Nas raras vezes em que deixava Goose Cove, encontrava aqueles horríveis bilhetes ao voltar. Estava sendo espionado. Alguém lhe desejava mal, alguém que espreitava suas ausências para enfiar um pequeno papel no vão da porta. Dentro, sempre as mesmas palavras:

Sei o que fez com aquela menina de quinze anos.
E logo toda a cidade saberá.

Quem? Quem poderia lhe querer mal? Quem sabia sobre ele e Nola e queria agora prejudicá-lo? Isso acabava com ele; a cada bilhete encontrado, sentia-se febril. Tinha dores de cabeça, era tomado de angústia. Tornara-se comum ter crises de enjoo e insônias. Temia ser acusado de ter molestado Nola. Como poderia provar sua inocência? Começava então a imaginar as piores perspectivas: o horror do pavilhão de segurança máxima de uma penitenciária federal até o fim da vida, talvez a cadeira elétrica ou a câmara de gás. Desenvolveu paulatinamente um medo da polícia: a visão de um uniforme ou de uma viatura fazia-o tremer nas bases. Um dia, ao sair do supermercado, reparou numa patrulha da polícia estadual parada no estacionamento; dentro do veículo um policial o seguia com o olhar. Ele se esforçou para manter a calma e, com as compras nos braços, apertou o passo na direção de seu carro. Então, subitamente, ouviu alguém chamá-lo. Era o policial. Fingiu não escutar. Percebeu o barulho de uma porta de carro atrás dele: o policial saíra da viatura. Ouviu seus passos, o tilintar do cinturão, do qual pendiam algemas, arma, cassetete. Ao alcançar o carro, jogou de qualquer jeito as compras no porta-malas a fim de partir o mais depressa possível. Tremia, suava, a visão falhava: entrou em pânico total. O mais importante era manter a calma, ruminou ele, entrar no carro e sumir do mapa. Não retornar a Goose Cove. Mas não teve tempo de fazer nada: sentiu uma mão poderosa pousar no seu ombro.

Nunca brigara, não sabia brigar. O que devia fazer? Empurrá-lo para trás, correr para dentro do carro e sair em retirada? Dar-lhe um soco? Arrancar a arma dele e abatê-lo? Virou-se, disposto a tudo. O policial estendeu-lhe então uma cédula de vinte dólares.

— Caiu do seu bolso, cavalheiro. Eu o chamei, mas o senhor não me ouviu. Tudo bem com o senhor? Está pálido...

— Tudo bem — respondeu Harry —, tudo bem... Eu estava... estava absorto em meus pensamentos e... Enfim, obrigado. Eu... eu... preciso ir.

O policial dirigiu-lhe um aceno simpático com a mão e retornou à sua viatura; Harry tremia.

Depois desse episódio, matriculou-se numa academia de boxe, e praticava assiduamente. Além disso, decidiu fazer terapia. Colhidas as referências, entrou em contato com o Dr. Roger Ashcroft, em Concord, que aparentemente era um dos melhores psiquiatras da região. Marcaram uma sessão por semana, nas manhãs de quarta-feira, das dez e quarenta às onze e meia. Com o Dr. Ashcroft, ele não comentou sobre os bilhetes, e sim sobre Nola. Sem mencioná-la. Contudo, era a primeira vez que podia falar sobre Nola com alguém. Isso lhe fez um bem considerável. Ashcroft, em sua poltrona estofada, escutava-o atentamente, brincando com os dedos sobre uma prancheta sempre que começava a interpretar algo.

— Acho que estou vendo mortos — explicou Harry.

— Então sua amiga está morta? — concluiu Ashcroft.

— Não faço ideia... É isso que me deixa louco.

— Não acho que esteja louco, Sr. Quebert.

— Às vezes vou à praia e grito seu nome. E, quando não tenho mais forças para gritar, sento na areia e choro.

— Acredito que está num processo de luto. Seu lado racional, lúcido, consciente, briga com outro lado seu, que, por sua vez, se recusa a aceitar o que, a seus olhos, é inaceitável. Quando a realidade é insuportável demais, tentamos nos desviar dela. Talvez possa lhe receitar calmantes para ajudá-lo a relaxar.

— Não, por favor, não. Tenho que conseguir me concentrar no meu livro.

— Fale-me do seu livro, Sr. Quebert.

— É uma história de amor maravilhosa.

— E que história é essa?

— Sobre um amor impossível entre duas pessoas.

— É a história do senhor e de sua amiga?

— Sim. Odeio os livros.

— Por quê?

— Porque eles me fazem mal.

— Está na sua hora. Continuaremos semana que vem.

— Claro. Obrigado, doutor.

Um dia, na sala de espera, ele deparou com Tamara Quinn saindo do consultório.

Ele colocou o ponto final no livro em meados de novembro, numa tarde tão escura que não dava para saber se era dia ou noite. Juntou o grosso maço de páginas e releu atentamente o título, escrito em maiúsculas na capa:

AS ORIGENS DO MAL
Por Harry L. Quebert

Sentiu uma necessidade súbita de comentar o fato com alguém e foi ao Clark's encontrar Jenny.

— Terminei o livro! — exclamou ele, eufórico. — Vim a Aurora para escrever um livro e aqui está ele. Está terminado. Terminado. Terminado!

— Isso é magnífico — respondeu Jenny. — Tenho certeza de que é um livro fantástico. O que fará agora?

— Passarei um tempo em Nova York. Para oferecê-lo às editoras.

Submeteu cópias do original a cinco grandes editoras de Nova York. Menos de um mês depois, as cinco o procuraram de volta, convictas de estar com uma obra-prima nas mãos e entrando em leilão para comprar os direitos. Uma nova vida estava começando. Harry contratou um advogado e um agente. Finalmente, a poucos dias do Natal, assinou um contrato fenomenal, no valor de cem mil dólares, com uma delas. Estava a caminho da glória.

Ele retornou a Goose Cove em 23 de dezembro, ao volante de um Chrysler Cordoba zero quilômetro. Fazia questão de passar o Natal em Aurora. Enfiado na porta, um bilhete anônimo deixado vários dias antes. O último que viria a receber.

O dia seguinte inteiro foi dedicado à preparação do jantar: encomendou um peru gigante assado, feijões dourados na manteiga e batatas fritas no azeite; fez um bolo de chocolate com creme de chantilly. Na vitrola, *Madame Butterfly*. Botou a mesa para dois, ao lado do pinheiro. Não percebeu, atrás do vidro embaçado, Robert Quinn observando-o. Naquele dia, ele jurava a si mesmo parar com os bilhetes.

Após o jantar, Harry pediu licença ao prato vazio à sua frente e desapareceu por um instante em seu escritório. Voltou trazendo uma grande caixa de papelão.

— É para mim? — perguntou Nola.

— Não foi fácil encontrar, mas tudo é possível — respondeu ele, colocando a caixa no chão.

Nola ajoelhou-se junto ao embrulho.

— O que será? O que será? — repetiu ela, erguendo as abas soltas da caixa. Um focinho apareceu e, logo em seguida, uma cabecinha amarela. — Um cachorrinho! É um cachorrinho! Um cachorro da cor do sol! Ah, Harry, Harry querido! Obrigada! Obrigada!

Ela retirou o cachorrinho da caixa e tomou-o nos braços. Era um labrador de apenas dois meses e meio.

— Vai se chamar Storm! — explicou ela ao cão. — Storm! Storm! O cachorro com que sempre sonhei!

Colocou o cãozinho no chão. Latindo, ele começou a explorar seu novo habitat e Nola se pendurou no pescoço de Harry.

— Obrigada, Harry, estou muito feliz por estarmos juntos. Mas estou morrendo de vergonha, não tenho presente para você.

— Meu presente é a sua felicidade, Nola.

Ele apertou-a nos braços, mas lhe pareceu que ela deslizava, pouco depois não a sentiu mais, não a viu mais. Chamou-a, ela parou de responder. Viu-se sozinho, de pé no meio da sala de jantar, abraçando a si mesmo. A seus pés, o cãozinho saíra da caixa e embolava os cadarços de seus sapatos.

As origens do mal foi publicado em junho de 1976. O livro estourou desde o lançamento. Incensado pela crítica, o prodigioso Harry Quebert, de trinta e cinco anos, passou a ser considerado o maior escritor de sua geração.

Duas semanas antes do lançamento, consciente do impacto que estava por vir, o editor de Harry fez pessoalmente o trajeto até Aurora para encontrá-lo.

— Fale a verdade, Quebert, não pretende mesmo ir a Nova York? — perguntou o editor.

— Não posso sair daqui — respondeu Harry. — Estou esperando uma pessoa.

— Esperando uma pessoa? O que você está me dizendo? O país inteiro quer você. Vai virar uma celebridade.

— Não posso ir, tenho um cachorro.

— Muito bem, levaremos o cachorro conosco. Você vai ver, ele será paparicado: terá uma babá, um cozinheiro, um passeador, um tosador. Vamos, faça as malas a caminho da glória, meu amigo.

E Harry deixou Aurora para uma turnê de vários meses pelo país. Logo só se falaria dele e de seu romance estarrecedor. Da cozinha do Clark's ou de seu quarto, pelo rádio ou pela televisão, Jenny acompanhava seus passos. Adquiria todas as publicações sobre ele, guardava religiosamente todas as matérias. Sempre que via seu livro numa loja, comprava-o. Tinha mais de dez exemplares. Lera todos eles. Perguntara-se mais de uma vez se Harry voltaria a procurá-la. Quando o carteiro passava, surpreendia-se esperando uma carta. Quando o telefone tocava, rezava para ser ele.

Esperou o verão inteiro. Quando via um carro semelhante ao dele, seu coração batia mais forte.

Esperou durante todo o outono. Quando a porta do Clark's se abria, imaginava ser ele voltando para buscá-la. Ele era o amor da sua vida. Enquanto isso, para distrair-se, recordava-se dos dias gloriosos em que ele viera trabalhar na mesa 17 do Clark's. Ali, juntinho dela, escrevera aquela obra-prima, da qual ela relia algumas páginas todas as noites. Se ele quisesse voltar a morar em Aurora, poderia continuar indo lá diariamente: ela se disporia a atendê-lo, só pelo prazer de estar a seu lado. Pouco lhe importava se tivesse de servir hambúrgueres até o fim da vida, contanto que vivesse ao lado dele. Reservaria aquela mesa para ele, para sempre. E, a despeito das censuras da mãe, encomendou, do próprio bolso, uma placa de metal, que mandou aparafusar na mesa 17 e na qual estava gravado:

FOI NESTA MESA QUE, DURANTE O VERÃO DE 1975,
O ESCRITOR HARRY QUEBERT ESCREVEU SEU CÉLEBRE ROMANCE
"AS ORIGENS DO MAL"

Em 13 de outubro de 1976, Jenny comemorou vinte e cinco anos. Harry estava na Filadélfia, segundo lera no jornal. Depois que ele se fora, não dera mais sinal de vida. Naquela noite, na sala de sua casa e perante seus pais, Travis Dawn, que havia um ano almoçava na casa dos Quinn todos os domingos, pediu a mão de Jenny em casamento. E, como não tinha mais esperanças, ela aceitou.

Julho de 1985

Decorridos dez anos dos fatos, o fantasma de Nola e seu desaparecimento foram varridos pelo tempo. Nas ruas de Aurora, fazia bastante tempo que a vida retomara o curso normal: as crianças, em seus patins, voltaram a jogar hóquei ruidosamente, os campeonatos de pular corda haviam recomeçado e as amarelinhas gigantes, ressurgido nas calçadas. Na rua principal, as bicicletas obstruíam novamente a calçada da mercearia da família Hendorf, onde o punhado de bombons agora custava um dólar.

Em Goose Cove, no fim de uma manhã da segunda semana de julho, Harry, instalado na varanda, aproveitava o calor dos dias bonitos de verão, corrigindo as provas de seu novo romance; deitado a seu lado, o cão Storm dormia. Uma nuvem de gaivotas passou acima dele. Acompanhou-as com o olhar; elas pousaram na praia. Ele se levantou prontamente para pegar pão dormido na cozinha, que guardava em uma lata com os dizeres LEMBRANÇA DE ROCKLAND, MAINE, depois desceu à praia para distribuí-lo às aves, seguido no faro pelo velho Storm, que já se movia com dificuldade por causa da artrose. Sentou-se na colcha de seixos para contemplar as aves, e o cão, a seu lado, imitou-o. Harry acariciou-o demoradamente.

— Meu pobre e velho Storm — disse ele —, está difícil andar, não é? É porque você não é mais jovem... Não me esqueço do dia em que o comprei, foi logo antes do Natal de 1975... Você era uma bolinha de pelo, cabia entre minhas mãos.

De repente, ouviu uma voz chamando-o:

— Harry?

Uma visita procurava-o na varanda. Harry franziu os olhos e reconheceu Eric Rendall, o reitor da universidade de Burrows, em Massachusetts. Os dois homens haviam se conhecido por ocasião de uma conferência, um ano antes, e, desde então, mantinham contatos regulares.

— Eric? É você? — perguntou Harry.

— Eu mesmo.

— Não se mexa, estou subindo.

Segundos depois, Harry, seguido penosamente pelo velho labrador, juntou-se a Rendall na varanda.

— Tentei ligar — explicou o reitor, para justificar a visita surpresa.

— Não costumo atender o telefone. — Harry sorriu.

— É um novo romance? — perguntou Rendall, notando os papéis espalhados na mesa.

— É, deve sair no outono. Há dois anos venho trabalhando nele... Ainda preciso reler as provas, mas, sabe, acho que nada do que eu escrever será como *As origens do mal*.

Rendall considerou Harry com compaixão.

— No fundo, os escritores só escrevem um livro na vida.

Harry aquiesceu e ofereceu café ao amigo. Em seguida sentaram-se à mesa e Rendall se explicou:

— Harry, vim até aqui pessoalmente porque me lembro de você falar que gostaria de lecionar na universidade. Ora, está abrindo uma vaga de professor no departamento de literatura de Burrows. Sei que não é Harvard, mas somos uma universidade séria. Se o cargo lhe interessar, é seu.

Harry voltou-se para o cachorro da cor do sol e fez um carinho no pescoço dele.

— Está ouvindo isso, Storm? — murmurou à sua orelha. — Vou ser professor universitário.

6

O princípio Barnaski

— Veja bem, Marcus, às vezes as palavras se encaixam, mas outras vezes são desnecessárias e insuficientes. Chega uma hora em que algumas pessoas não querem mais ouvi-lo.
— O que se deve fazer então?
— Agarrá-las pelo colarinho e apertar suas gargantas com o cotovelo. Bem forte.
— Por quê?
— Para estrangulá-las. Quando as palavras perdem o poder, saia por aí distribuindo pancada.

No início de agosto de 2008, diante dos novos elementos apurados pela investigação, o escritório do promotor do estado de New Hampshire apresentou um novo relatório ao juiz encarregado do caso, concluindo que Luther Caleb era o assassino de Deborah Cooper e Nola Kellergan, que fora raptada, espancada até a morte e enterrada em Goose Cove. Em consequência desse relatório, o juiz convocou Harry para uma audiência urgente, quando declarou sem efeito as acusações que pesavam contra ele. Esta última reviravolta imprimia ao caso as cores de um grande folhetim de verão: Harry Quebert, o escritor-celebridade que caíra em desgraça por seu passado, estava finalmente inocentado, após correr o risco da pena de morte e ver sua carreira ser arruinada.

Luther Caleb alcançou uma sórdida notoriedade póstuma, o que fez sua vida ser devassada nos jornais e seu nome ser inscrito no panteão dos grandes criminosos da história dos Estados Unidos. A atenção geral não demorou a concentrar-se exclusivamente nele. Sua vida foi vasculhada, as revistas semanais retraçavam sua história pessoal, abusando de fotos de arquivos compradas de pessoas próximas a ele: os anos despreocupados em Portland, o talento para a pintura, a agressão que sofrera, a descida aos infernos. Sua necessidade de pintar mulheres nuas deixou o público em polvorosa e psiquiatras foram entrevistados para dar explicações suplementares: essa era uma patologia conhecida? Aquilo poderia pressagiar a sequência trágica dos acontecimentos? Um vazamento na esfera da polícia culminou na divulgação de fotos do quadro encontrado na casa de Elijah Stern, abrindo caminho para as especulações mais mirabolantes: todos se perguntavam por que Stern, um homem poderoso e respeitado, autorizara aquelas sessões de pintura de uma menina de quinze anos, nua?

Olhares reprovadores voltavam-se para o promotor estadual, a quem alguns acusavam de ter agido sem refletir e precipitado o desastre Quebert. Outros chegavam a especular que, ao assinar o fatídico relatório de agosto, o promotor assinara o fim da própria carreira. Este último foi, em parte, salvo por Gahalowood, que, na condição de responsável pelo inquérito em nome da polícia, assumiu plenamente suas responsabilidades, convocando uma entrevista coletiva para esclarecer que, embora tenha sido ele quem prendera Harry Quebert, fora ele também quem promovera sua libertação, e que isso não era nem um paradoxo nem uma falha, mas prova do funcionamento correto da justiça.

— Não prendemos ninguém por engano — declarou ele aos jornalistas, que acorreram em massa. — Tivemos nossas suspeitas e as dissipamos. Agimos com coerência nas duas situações. Este é o trabalho da polícia.

E, para explicar por que foram necessários todos aqueles anos para identificar o culpado, mencionou sua teoria das circunvoluções: Nola era o elemento central em cuja órbita gravitavam diversos outros elementos. Descartando um a um, fora possível descobrir o assassino. Esse trabalho, contudo, só pôde ser feito graças à descoberta do corpo.

— Os senhores afirmam que levamos trinta e três anos para elucidar esse assassinato — lembrou aos que o ouviam —, entretanto, na realidade, foram apenas dois meses. Antes disso, não havia corpo, logo não havia assassinato. Apenas uma garota desaparecida.

Quem parecia não entender direito a situação era Benjamin Roth. Uma tarde, quando cruzei por acaso com ele na seção de cosméticos de um dos grandes shopping centers de Concord, ele me interpelou:

— Não entendo. Ontem fui visitar Harry no motel, mas nem a retirada das acusações parece alegrá-lo.

— Ele está abatido — expliquei.

— Abatido? Ganhamos e ele está abatido?

— Está abatido porque ela está morta.

— Mas faz trinta e três anos que ela morreu.

— Só agora está efetivamente morta.

— Não entendo o que quer dizer, Goldman.

— Isso não me admira.

— Enfim, passei lá para visitá-lo e pedir que tomasse uma decisão com relação à casa: os caras do seguro estão comigo, eles vão se encarregar de tudo, mas preciso que ele fale com um arquiteto e que decida o que quer fazer. Ele parece completamente desinteressado. Tudo o que conseguiu me dizer foi: "Leve-me até lá." Então fomos até lá. Você não imagina o tanto de tralha que ainda tem lá! Ele deixou tudo lá, móveis e objetos intactos. Diz que não precisa de mais nada daquilo. Ficamos mais de uma hora lá dentro. Uma hora que foi para o espaço com meus honorários de seiscentos dólares. Mostrei o que era possível restaurar, principalmente entre seus móveis antigos. Sugeri derrubar uma das paredes para ampliar a sala e também aludi à possibilidade de processar o estado pelo prejuízo moral causado por todo esse episódio e reivindicar uma bela grana. Mas ele não reagiu. Propus então que contratasse uma firma de mudanças para levar o que restara intacto e pôr tudo num guarda-móveis, comentei que ele tivera sorte até agora, porque não chovera nem aparecera qualquer ladrão, mas ele respondeu que não valia a pena. Aliás, acrescentou que não tinha a menor importância se o roubassem, pois assim pelo menos os móveis seriam úteis para alguém. Está entendendo alguma coisa, Goldman?

— Sim. A casa não tem mais serventia alguma para ele.

— Não tem mais serventia? E por quê?

— Porque ele não tem mais ninguém por quem esperar.

— Esperar? Mas quem ele esperaria?

— Nola.

— Mas Nola está morta!

— Justamente.

Roth deu de ombros.

— No fundo — confessou ele —, eu tinha razão desde o início. A jovem Kellergan era uma vadia. Passou pela mão da cidade inteira e Harry foi simplesmente o palhaço nesse circo, o doce romântico com cara de otário, que deu um tiro no pé escrevendo palavras de amor, até mesmo um livro inteiro, para ela.

Ele soltou uma gargalhada untuosa.

Aquilo era demais. Com um gesto rápido e uma só mão, agarrei-o pelo colarinho da camisa e imprensei-o contra a parede, derrubando frascos de perfume, que se espatifaram no chão; em seguida, pressionei meu antebraço livre em seu pescoço.

— Nola mudou a vida de Harry! — exaltei-me. — Sacrificou-se por ele! Eu o proíbo de sair repetindo por aí que ela era uma vadia.

Ele tentou se desvencilhar, mas não havia nada que pudesse fazer; eu ouvia o fiozinho de sua voz esganada. As pessoas se aglomeraram à nossa volta, seguranças surgiram e acabei soltando-o. Seu rosto ficou vermelho feito um tomate, a camisa, amarfanhada.

— Você... você... você está louco, Goldman! — balbuciou. — Você está louco! Louco igual a Quebert! Posso processá-lo, fique sabendo!

— Faça o que quiser, Roth!

Furioso, ele bateu em retirada e, ao se afastar, ainda gritou:

— Foi você que falou que ela era uma vadia, Goldman! Ou isso não estava nos seus escritos? Tudo isso é culpa sua!

Eu queria justamente que o meu livro reparasse o desastre causado pela divulgação daquelas páginas. Faltava um mês e meio para o lançamento oficial e Roy Barnaski estava a mil por hora: ele me ligava várias vezes ao dia para externar seu entusiasmo.

— Tudo perfeito! — exclamou ele, em uma de nossas conversas. — *Timing* perfeito! O relatório do promotor saindo agora, toda essa balbúrdia, é um golpe de sorte incrível, pois daqui a três meses teremos as eleições presidenciais e ninguém terá mais qualquer interesse pelo seu livro, nem por toda essa história. Saiba que a informação é um fluxo ilimitado num espaço limitado. Se a massa de informações é exponencial, o tempo que cada um lhe dedica é restrito e inextensível. O mortal comum lhe dedica o quê, uma hora por dia? Vinte minutos de jornal gratuito no metrô de manhã, meia hora na internet no trabalho e, à noite, antes de dormir, quinze minutos de CNN. E, para preencher esse lapso temporal, temos um material infinito! O que acontece de coisas nojentas no mundo é um colosso, mas ninguém fala delas porque não há tempo. Não é possível falar de Nola Kellergan e do Sudão, ninguém tem tempo para isso, entende? Duração da atenção: quinze minutos de CNN à noite. Depois as pessoas querem assistir à sua série na televisão. A vida é uma questão de prioridades.

— Você é cínico, Roy — respondi.

— Não, meu querido, não! Pare de me acusar de todos os males! Só estou sendo realista. Já você é um caçador de borboletas, um sonhador que percorre as estepes em busca de inspiração. Mas poderia escrever uma obra-prima sobre o Sudão que eu não publicaria. Porque as pessoas estão se lixando para isso! Se lixando! Você pode me considerar um crápula, mas tudo o que eu faço é satisfazer a demanda. Todo mundo lava as mãos para o Sudão, e é assim que as coisas são. Hoje, fala-se em Harry Quebert e Nola Kellergan em toda parte e devemos aproveitar: em dois meses, o assunto será o novo presidente, e seu livro deixará de existir. Mas terá vendido tanto que você estará em sua nova casa nas Bahamas, levando uma vida fácil.

Não havia nada a dizer: Barnaski tinha o dom de monopolizar o espaço da mídia. Todo mundo já falava do livro, e, quanto mais falava, mais ele fazia com que falassem, multiplicando as campanhas publicitárias. *O caso Harry Quebert*, o livro de um milhão de dólares, como a imprensa o apresentava. Pois bem, me dei conta de que a soma astronômica que ele me oferecera, e sobre a qual manifestara-se ruidosamente na mídia, era na realidade um investimento publicitário: em vez de gastar dinheiro em divulgação ou cartazes, utilizara-o como forma de atrair a atenção de todos. Não escondeu isso, aliás, quando lhe perguntei a respeito, explicando-me sua teoria: segundo ele, com o advento da internet e das redes sociais, as regras comerciais haviam ido para o espaço.

— Imagine, Marcus, quanto custa um único espaço publicitário no metrô de Nova York. Uma fortuna. Pagamos uma dinheirama por um cartaz que não só tem validade limitada, como será visto por um número restrito de gente: é preciso que essas pessoas estejam em Nova York e usem aquela linha de metrô naquela estação naquele determinado espaço de tempo. Ao passo que, agora, basta despertar o interesse de uma maneira ou de outra, criar o *buzz* como se diz, fazer com que falem de você, contar com as pessoas para falarem de você nas redes sociais: assim, você tem acesso a um espaço publicitário gratuito e ilimitado. Diversas pessoas ao redor do mundo inteiro, involuntariamente, incumbem-se de fazer sua publicidade em escala global. Não é inacreditável? Os usuários do Facebook não passam de homens-sanduíche que trabalham de graça. Seria estúpido não usá-los.

— E foi o que você fez, não é?

— Dando-lhe um milhão de dólares? Foi. Pague a um sujeito um salário da NBA ou da NHL para escrever um livro e pode ter certeza de que todo mundo falará dele.

Em Nova York, a sede da Schmid & Hanson fervilhava. Equipes inteiras haviam sido mobilizadas para trabalhar na produção e no acompanhamento do livro. Recebi por FedEx um aparelho para conferências telefônicas que me permitia, da suíte do Regent's, participar de todo tipo de reunião realizada em Manhattan. Reuniões com a equipe de marketing, encarregada da divulgação do livro, reuniões com a equipe de arte, encarregada da criação da capa, reuniões com a equipe jurídica, encarregada de estudar todos os aspectos legais relacionados ao livro, e, por fim, reuniões com uma equipe de *ghost-writers*, que Barnaski recrutava para alguns de seus autores famosos e que queria me empurrar de qualquer jeito.

Reunião telefônica número dois: Com os *ghost-writers*
— O livro tem que estar terminado daqui a três semanas, Marcus — repetiu Barnaski pela décima vez. — Em seguida, teremos dez dias para a revisão e uma semana para a impressão. O que significa que, em meados de setembro, invadiremos o país. Vai conseguir?

— Vou, Roy.

— Se precisar, iremos imediatamente — berrou do fundo da sala o chefe dos *ghost-writers*, um tal de François Lancaster. — Embarcamos no próximo avião para Concord e amanhã já estaremos aí para ajudá-lo.

Eu ouvia os outros grunhirem que sim, estariam aqui amanhã e seria ótimo.

— Ótimo mesmo seria me deixarem trabalhar — respondi. — Farei este livro sozinho.

— Mas eles são craques — insistiu Barnaski. — Nem você notará a diferença!

— É, nem você notará a diferença — repetiu François. — Por que teima em trabalhar quando pode fazer isso?

— Não se preocupe, cumprirei o prazo.

Reunião telefônica número quatro: Com a equipe de marketing
— Sr. Goldman — disse Sandra do marketing —, precisamos de fotos suas durante o desenvolvimento do livro, fotos de arquivo em que apareça com Harry, fotos de Aurora. E também suas anotações para escrever o livro.

— Sim, todas as suas anotações! — reforçou Barnaski.

— Está bem... Mas... Por quê? — indaguei.

— Gostaríamos de publicar um livro sobre o seu livro — explicou Sandra. — Como um diário de bordo, ricamente ilustrado. É um best-seller garantido, pois todos que comprarem seu livro vão querer o diário, e vice-versa. Você verá.

Suspirei.

— Não acha que neste momento tenho mais o que fazer do que preparar um livro sobre o livro que ainda não terminei?

— Ainda não terminou? — gritou Barnaski, histérico. — Estou mandando agora mesmo os *ghost-writers*!

— Não mande ninguém! Pelo amor de Deus, me deixe terminar meu livro em paz!

Reunião telefônica número seis: Com os *ghost-writers*
— Escrevemos que, ao enterrar a menina, Caleb chora — disse François Lancaster.

— Como assim, *escrevemos*?

— É, ele enterra a garota e chora. As lágrimas escorrem até o túmulo. Forma lama. É uma bela cena, você vai ver.

— Tenha santa paciência! Por acaso eu pedi que escrevessem uma bela cena sobre Caleb enterrando Nola?

— Quer dizer... Não... Mas o Sr. Barnaski falou...

— Barnaski? Alô, Roy, você está aí? Alô? Alô?

— Ehh... Sim, Marcus, estou aqui...

— Que porra é essa?

— Não fique nervoso, Marcus. Não posso correr o risco de que o livro não fique pronto a tempo. Então pedi a eles que fossem em frente, para prevenir. Simples precaução. Se não gostar, descartaremos as contribuições deles. Mas imagine só se não tiver tempo de terminar! É a nossa boia de salvação!

Reunião telefônica número dez: Com a equipe jurídica
— Bom dia, Sr. Goldman, aqui quem fala é Richardson, do jurídico. Pois bem, acabamos de fazer um estudo e somos categóricos: o senhor pode mencionar nomes próprios no livro. Stern, Pratt, Caleb. Tudo o que o senhor fala consta no relatório do promotor, que é reproduzido pela mídia. Estamos blindados, não corremos qualquer tipo de risco. Não há nem invenção, nem difamação, apenas fatos.

— E não é só isso, você tem carta branca para acrescentar cenas de sexo e orgias sob forma de fantasia ou sonho — acrescentou Barnaski. — Certo, Richardson?

— Perfeitamente. Aliás, eu já tinha lhe comunicado isso. Seu personagem pode sonhar que está tendo relações sexuais, o que libera, sem risco de processo, o sexo no livro.

— É isso aí, um pouco mais de sexo, Marcus — engatou Barnaski. — Outro dia, François me disse que seu livro é muito bom, mas é uma pena que não seja mais picante. Na época, ela tem quinze anos e Quebert, trinta e poucos! Capriche no molho! Algo *caliente*, como dizem no México.

— Mas você está completamente pirado, Roy! — exclamei.

— Você estraga tudo, Goldman — suspirou Barnaski. — Ninguém mais aguenta historinhas de donzelas.

Reunião telefônica número doze: Com Roy Barnaski
— Alô, Roy?

— Como assim, *Roy*?

— Mãe?

— Markie?

— Mãe?

— Markie? É você? Quem é Roy?

— Merda, errei o número.

— Errou o número? Ele liga para a mãe, diz *merda* e fala que errou o número?

— Não foi minha intenção, mãe. Estava simplesmente ligando para Roy Barnaski e disquei seu número mecanicamente. Estou com a cabeça longe.

— Ele liga para a mãe porque está com a cabeça longe... Está ficando cada vez melhor. Você dá a vida e o que recebe em troca? Nada.

— Sinto muito, mãe. Dê um beijo no papai. Ligo de volta.

— Espere!

— O quê?

— Não tem nem um minuto para a coitada da sua mãe? Sua mãe, que fez você tão bonito e um grande escritor, não merece alguns segundos do seu tempo? Lembra-se do pequeno Jeremy Johnson?

— Jeremy? Lembro, estudamos juntos na escola. O que tem ele?

— A mãe dele morreu. Lembra? Pois bem, não acha que ele gostaria de poder pegar o telefone e falar com a mãezinha querida dele que está no céu com os anjos? Não existe linha telefônica para o céu, Markie, mas existe para Newark! Procure se lembrar disso de vez em quando.

— Jeremy Johnson? Mas a mãe dele não morreu! Isso era o que ele queria que todos pensassem, porque ela tinha pelos escuros no rosto que pareciam barba e todas as crianças zombavam dele. Era por isso que ele dizia que a mãe tinha morrido e que aquela mulher era sua babá.

— O quê? A babá barbuda dos Johnson era a mãe?

— Era, mãe.

Ouvi minha mãe se agitando e chamando meu pai.

— Nathan, dê um pulinho aqui depressa. Há uma fofoca que você *precisa* saber: a mulher de barba na casa dos Johnson era a mãe! Como assim, *você sabia*? E por que nunca me disse nada?

— Agora preciso desligar, mãe. Tenho uma reunião telefônica.

— O que é uma reunião telefônica?

— É uma reunião que acontece pelo telefone.

— Por que nós não fazemos reuniões telefônicas?

— Reuniões telefônicas são coisa de trabalho, mãe.

— Quem é esse Roy, meu querido? É o homem nu que se esconde no seu quarto? Pode falar tudo, estou preparada para ouvir o que for. Por que faz reuniões telefônicas com esse homem nojento?

— Roy é meu editor, mãe. Você o conhece, encontrou com ele em Nova York.

— Sabe, Markie, falei sobre os seus problemas sexuais com o rabino. Ele disse que...

— Chega, mãe. Agora vou desligar. Mande um beijo para o papai.

* * *

Reunião telefônica número treze: Com a equipe de arte
Houve um *brainstorming* para escolher a capa do livro.
— Poderia ser uma foto sua — sugeriu Steven, chefe do setor.
— Ou de Nola — sugeriu outra pessoa.
— Uma foto de Caleb pegaria bem, não acham? — arriscou um terceiro.
— E se colocássemos uma foto da mata? — acrescentou um assistente.
— É, alguma coisa de sombrio e angustiante não ficaria mal — disse Barnaski.
— Ou algo sóbrio? — sugeri, por fim. — Uma vista de Aurora e, em primeiro plano, duas sombras, silhuetas não identificáveis mas que sugerissem Harry e Nola, caminhando lado a lado pela estrada.
— Cuidado com o sóbrio — disse Steven. — O sóbrio entedia. E o que entedia não vende.

Reunião telefônica número vinte e um: Com as equipes jurídica, de arte e de marketing
Ouvi a voz de Richardson, do jurídico:
— Quer donuts?
— Hein? Eu? Não — respondi.
— Não foi a você que ele ofereceu — disse Steven, do setor de arte. — Foi à Sandra do marketing.
Barnaski encrespou:
— Será que poderiam parar de comer e de ficar interrompendo a conversa oferecendo café quente e bolinhos uns aos outros? Estamos aqui brincando de comidinha ou produzindo um best-seller?

Enquanto meu livro avançava a passos largos, o inquérito sobre o assassinato do chefe Pratt estagnava. Gahalowood havia até recrutado alguns investigadores do setor de Homicídios, mas eles não estavam tendo progressos. Não havia qualquer indício, qualquer vestígio passível de ser explorado. Tivemos uma longa conversa a esse respeito num bar de caminhoneiros na saída da cidade, onde Gahalowood ia às vezes se refugiar e jogar sinuca.
— É o meu refúgio — disse ele, estendendo-me o taco para começar uma partida. — Tenho vindo muito aqui nos últimos tempos.
— Não foi fácil, hein?

— Agora está tudo certo. Pelo menos conseguimos resolver o caso Kellergan, é o que importa. Ainda que tenhamos jogado mais merda no ventilador do que eu pensava. O promotor acaba fazendo o papel de vilão, como sempre. Porque o promotor é eleito.

— E você?

— O governador está satisfeito, o chefe de polícia está satisfeito, logo, todo mundo está satisfeito. A propósito, o alto-comando cogita criar um departamento de casos não elucidados e queriam que eu participasse.

— Casos não elucidados? Mas não é frustrante não ter o criminoso nem a vítima? No fundo, tudo não passa de uma história de mortos.

— É uma história de vivos. No caso de Nola Kellergan, o pai tem o direito de saber o que aconteceu à filha, sem contar que, por um engano lamentável, Quebert quase conheceu a ira do tribunal. Cabe à justiça concluir seu trabalho, mesmo anos após os fatos.

— E Caleb? — perguntei.

— Na minha opinião, era um sujeito com uma grande perturbação mental. Sabe, em casos como esse, ou estamos lidando com um criminoso em série, ou se trata de um surto de loucura. Mas não houve casos similares ao de Nola na região durante os dois anos que antecederam e sucederam seu desaparecimento.

Aquiesci.

— O único ponto que ainda me intriga — disse Gahalowood — é Pratt. Quem o matou? E por quê? Subsiste uma incógnita nessa equação, e receio muito que nunca vamos conseguir desvendá-la.

— Continua pensando em Stern?

— São apenas suspeitas. Já expus minha teoria, mas ainda persistem zonas sombrias em relação a Luther. Qual é a ligação entre os dois? E por que Stern não mencionou o desaparecimento do carro? Algumas coisas estão estranhas. Será que ele teria algum envolvimento a distância? É possível.

— Você não lhe fez essa pergunta? — perguntei.

— Fiz, claro. Ele me recebeu duas vezes, de forma bastante educada. Disse que se sentiu melhor depois de ter me revelado o episódio do quadro. Deu a entender que, eventualmente, autorizava Luther a usar o Chevrolet Monte Carlo preto em caráter privado, pois seu Mustang azul estava nas últimas. Não sei se isso é verdade, mas, em todo caso, a explicação bate com o restante. Tudo se encaixa. Faz dez dias que esmiúço a vida de Stern e não encontro nada. Também entrei em contato com Sylla Mitchell para saber o que foi feito do Mustang do irmão, e ela me disse que não faz a menor ideia. O carro sumiu. Não tenho nada contra Stern, nada que aponte seu envolvimento.

— Por que um homem como Stern permitiria ser completamente dominado pelo motorista? Cedendo a seus caprichos, colocando um carro à sua disposição... Alguma coisa me escapa.

— A mim também, escritor, a mim também.

Arrumei minhas bolas no feltro da mesa de sinuca.

— Daqui a duas semanas devo terminar o livro — falei.

— Já? Você escreve rápido.

— Nem tanto. Se ouvir dizer que foi um livro escrito em dois meses, saiba que, na verdade, precisei de dois anos.

Ele sorriu.

No fim de agosto de 2008, dando-me inclusive o luxo de estar adiantado com relação ao prazo, terminei de escrever *O caso Harry Quebert*, livro que, dois meses mais tarde, faria um sucesso estrondoso.

Era hora de voltar a Nova York, onde Barnaski preparava-se para dar a largada na grande fase de divulgação do livro, com sucessivas sessões de fotos e encontros com jornalistas. Por um acaso do calendário, deixei Concord no antepenúltimo dia de agosto. Na estrada, fiz um desvio por Aurora para ir visitar Harry no motel. Estava, como sempre, sentado em frente à porta do quarto.

— Estou a caminho de Nova York — falei.

— Então é um adeus...

— Um "até logo". Vou voltar em breve. Limparei seu nome, Harry. Dê-me alguns meses e será novamente o escritor mais respeitado do país.

— Por que está fazendo isso, Marcus?

— Porque você fez de mim o que sou.

— Porra! Acha então que tem uma espécie de dívida comigo? Faço de você um escritor, mas, como aos olhos da opinião pública eu mesmo não sou mais um, está tentando me retribuir o que lhe dei?

— Não, estou defendendo-o porque sempre acreditei em você. Sempre.

Estendi um envelope pesado para ele.
— O que é isso? — perguntou Harry.
— Meu livro.
— Não vou lê-lo.
— Quero sua aprovação antes de publicar. Este livro é seu.
— Não, Marcus. É seu. E é aí que está o problema.
— Que problema?
— Suponho que seja um livro magnífico.
— E por que isso é um problema?
— É complicado, Marcus. Um dia, você vai entender.
— Mas entender o quê, santo Deus? Fale, porra! Fale!
— Um dia, você vai entender.
Houve um longo silêncio.
— O que fará agora? — acabei perguntando.
— Não ficarei aqui.
— Aqui onde? Neste motel, em New Hampshire, nos Estados Unidos?
— Quero ir para o paraíso dos escritores.
— Paraíso dos escritores? Que droga de lugar é esse?
— O paraíso dos escritores é o lugar onde você reescreve a vida como gostaria de tê-la vivido. Pois a força dos escritores, Marcus, está no fato de que eles decidem o fim do livro. Eles têm o poder de fazer viver ou fazer morrer, o poder de mudar tudo. Os escritores têm na ponta dos dedos uma força que, não raro, não percebem. Basta-lhes fechar os olhos para mudar o curso de uma vida. Marcus, o que teria acontecido naquele 30 de agosto de 1975 se...?
— Não podemos mudar o passado, Harry. Tire isso da cabeça.
— Mas como tirar isso da cabeça?
Deixei o original na cadeira a seu lado e fiz menção de ir embora.
— Seu livro é sobre o quê? — perguntou ele então.
— É a história de um homem que amou uma garota. Ela sonhava pelos dois. Queria que vivessem juntos, que ele se tornasse um grande escritor, professor universitário, e que tivessem um cachorro da cor do sol. Um dia, porém, essa garota desapareceu. Nunca foi encontrada. O homem, por sua vez, ficou em casa, esperando. Tornou-se um grande escritor, professor universitário e teve um cachorro da cor do sol. Fez exatamente tudo o que ela lhe pedira, e esperou por ela. Nunca mais amou ninguém. Esperou, fielmente, que ela voltasse. Mas ela nunca voltou.

— Porque ela está morta!
— Sim. Mas agora esse homem pode vencer o seu luto.
— Não, é tarde demais! Ele agora tem sessenta e sete anos!
— Nunca é tarde demais para amar novamente.

Fiz um sinal amistoso com a mão.

— Até logo, Harry. Ligo quando chegar a Nova York.
— Não ligue. É melhor assim.

Desci as escadas externas, que davam acesso ao estacionamento. Quando estava me preparando para entrar no carro, ouvi-o gritar na minha direção, da balaustrada do andar superior:

— Que dia é hoje, Marcus?
— Dia 30 de agosto, Harry.
— E que horas são?
— Quase onze da manhã.
— Faltam mais de oito horas, Marcus!
— Oito horas para quê?
— Para as sete da noite.

Como eu não estava entendendo nada, perguntei:

— O que acontecerá às sete da noite?
— Temos um encontro, ela e eu, você sabe perfeitamente disso. Ela virá. Olhe, Marcus! Olhe onde estamos! Estamos no paraíso dos escritores. Basta escrever e tudo pode mudar.

30 de agosto de 1975, no paraíso dos escritores

Ela decidiu evitar a estrada, preferindo seguir por beira-mar. Era mais prudente. Apertando o original nos braços, correu pelo cascalho e pela areia. Estava quase na altura de Goose Cove. Mais três ou quatro quilômetros de caminhada e chegaria ao motel. Consultou o relógio: passara um pouco das seis horas. Dentro de quarenta e cinco minutos estaria lá. Às sete, como combinado. Foi em frente e chegou às imediações de Side Creek Lane, julgando que aquele local era um ponto apropriado para transpor a faixa de floresta até a estrada. Subiu por uma sucessão de pedras entre a praia e a floresta, e, em seguida, atravessou as fileiras de árvores, tomando cuidado para não se arranhar nem rasgar seu belo vestido vermelho nos arbustos. Através da vegetação, percebeu uma casa ao longe: na cozinha, uma mulher preparava uma torta de maçã.

Saiu na estrada. Imediatamente antes de ela sair da mata, um carro passou velozmente. Era Luther Caleb, que retornava a Concord. Ela seguiu pela estrada por mais três quilômetros e logo chegou ao motel. Eram sete em ponto. Esgueirou-se pelo estacionamento e subiu a escada externa. O quarto 8 ficava no andar superior. Subiu os degraus de quatro em quatro e deu uma leve batida na porta.

Acabavam de bater. Ele levantou-se precipitadamente da cama, onde estava sentado, e foi abrir.

— Harry! Harry querido! — exclamou ela, ao vê-lo surgir no vão da porta.

Ela pulou em seu pescoço e cobriu-o de beijos. Ele a ergueu.

— Nola... Você está aqui. Você veio! Você veio!

Ela olhou para ele com uma expressão estranha.

— Claro que sim, que pergunta!

— Devo ter cochilado e tive um pesadelo... Eu estava neste quarto e a esperava. Esperava e nada de você chegar. E eu esperava, esperava, esperava. E você nunca chegava.

Ela se aconchegou em seu peito.

— Que pesadelo horrível, Harry! Agora estou aqui! Estou aqui para sempre!

Abraçaram-se demoradamente. Ele lhe ofereceu as flores que estavam de molho na pia.

— Não trouxe nada? — perguntou Harry, ao perceber que ela estava sem bagagem.

— Nada. Para ser mais discreta. Compraremos o que for necessário no caminho. Mas peguei o original.

— E eu que o procurei em toda parte!

— Estava comigo. Eu o li... Adorei, Harry. É uma obra-prima!

Abraçaram-se novamente, depois ela disse:

— Vamos embora! Vamos depressa! Imediatamente.

— Imediatamente?

— É, quero ir para longe daqui. Por favor, Harry, não quero correr o risco de sermos encontrados. Vamos imediatamente.

Anoitecia. Era 30 de agosto de 1975. Duas silhuetas deixaram sorrateiramente o motel e desceram depressa a escada que dava acesso ao estacionamento, onde entraram num Chevrolet Monte Carlo preto. Era possível perceber o carro seguindo pela estrada e tomando a direção norte. Avançava velozmente, desaparecendo no horizonte. Dali a pouco não se distinguia mais sua forma, tinha virado um ponto preto, depois uma mancha imperceptível. Ainda vislumbrou-se por um instante o minúsculo ponto de luz desenhado pelos faróis, antes de ele sumir por completo.

Eles partiam rumo à vida.

TERCEIRA PARTE

O paraíso dos escritores
(Publicação do livro)

5

A garota que abalou os Estados Unidos

— Um novo livro, Marcus, é uma nova vida que começa. É também um momento de grande altruísmo: você oferece, a quem estiver disposto a conhecer, uma parte sua. Alguns vão adorar, outros, detestar. Alguns vão tratá-lo como celebridade, outros, desprezá-lo. Alguns sentirão inveja, outros, terão interesse. Não é para eles que você escreve, Marcus. E sim para todos aqueles que, graças a Marcus Goldman, terão tido um bom momento em seu dia a dia. Você me dirá que isso não é nada de mais e, não obstante, já é muito. Alguns escritores querem mudar o mundo. Mas quem realmente pode mudar o mundo?

Todo mundo falava do livro. Eu não conseguia andar em paz pelas ruas de Nova York, nem dar uma corridinha pelas aleias do Central Park, sem que os passantes me reconhecessem e exclamassem: "Ei, é o Goldman! É aquele escritor!" Havia inclusive quem arriscasse passos de corrida para me seguir em busca de respostas para as perguntas que os atormentavam: "O que você disse no seu livro é verdade? Harry Quebert fez mesmo aquilo?" No bar do West Village que eu frequentava, alguns fregueses não se constrangiam mais em se sentar à minha mesa para me questionar: "Estou lendo o seu livro, Sr. Goldman, e não consigo parar! O primeiro já era bom, mas este agora! É verdade que recebeu um milhão de dólares para escrevê-lo? Quantos anos o senhor tem? Só trinta? Trinta anos! E já com essa grana!" Até o porteiro do meu prédio, que eu via avançar na leitura a cada vez que eu entrava ou saía, acabou me acuando demoradamente em frente ao elevador, assim que terminou o livro, para externar sua indignação: "Ah, então foi isso que aconteceu com Nola Kellergan? Que horror! Mas como é que pode chegar a esse ponto? Hein, Sr. Goldman, como é possível uma coisa dessas?"

Desde o dia do lançamento, *O caso Harry Quebert* era o número um na lista dos mais vendidos em todo o país e prometia ser o best-seller do ano no continente norte-americano. Era notícia em toda a mídia: televisão, rádio, jornais. Os críticos, o tempo todo no meu encalço, não me poupavam elogios, afirmando que meu novo livro era um grande romance.

Logo após seu lançamento, embarquei numa maratona para promovê-lo, que, apressada pelas eleições presidenciais, me levou aos quatro cantos dos Estados Unidos no intervalo de apenas duas semanas. Barnaski considerava que este era o limite da janela cronológica antes que os olhares se voltassem na direção de Washington para a eleição de 4 de novembro. De volta a Nova York, num ritmo frenético, eu ainda percorri os estúdios de televisão para responder ao entusiasmo generalizado, o qual se estendera até a casa de meus pais, onde curiosos e jornalistas batiam incessantemente à porta. A fim de proporcionar-lhes um pouco de sossego, presenteei meus pais com um trailer, a bordo do qual poderiam realizar um de seus velhos sonhos: ir até Chicago e descer a rota 66 até a Califórnia.

Uma reportagem do *The New York Times* chamou Nola de "a garota que abalou os Estados Unidos". E, sem exceção, as cartas de leitores que eu recebia manifestavam o mesmo sentimento: todos haviam se comovido com a história daquela menina infeliz e maltratada que recuperara o sorriso ao conhecer Harry Quebert e que, do alto de seus quinze anos, lutou por ele e lhe permitiu escrever *As origens do mal*. A propósito, alguns especialistas em literatura insinuavam não ser possível ler o livro dele adequadamente senão a partir do meu; passaram inclusive a sugerir-lhe uma nova abordagem, na qual Nola não representava mais um amor impossível, mas a onipotência sentimental. Foi assim que *As origens do mal*, que, quatro meses antes, havia sido recolhido de quase todas as livrarias do país, via agora suas vendas decolarem novamente. Pensando no Natal, a equipe de marketing de Barnaski preparava um box com tiragem limitada contendo *As origens do mal*, *O caso Harry Quebert* e uma análise de texto sugerida por um certo François Lancaster.

Quanto a Harry, não tive mais notícias suas desde que eu saíra do Sea Side Motel. Nem por isso deixara de tentar falar com ele inúmeras vezes, porém seu celular estava sempre desligado e, quando eu ligava para o motel e pedia que transferissem para o quarto 8, ninguém atendia. De modo geral, também não tive mais contato algum com Aurora, e talvez tenha sido melhor assim; não tinha a menor vontade de saber como o livro fora recebido por lá. Sabia simplesmente, por intermédio do departamento jurídico da Schmid & Hanson, que Elijah Stern insistia em processá-los, qualificando de difamatórias as passagens alusivas a ele, em especial aquelas em que eu me indagava não só acerca das razões que o levaram a aceder ao pedido de Luther de que Nola posasse nua, mas também por ele nunca ter avisado à polícia sobre o desaparecimento de seu Chevrolet Monte Carlo preto. Em todo caso, liguei para ele antes da publicação do livro, para colher sua versão dos fatos, mas ele não teve a dignidade de me atender.

A partir da terceira semana de outubro, exatamente como Barnaski previra, as eleições presidenciais tomaram de assalto o espaço da mídia. O assédio que eu vinha sofrendo diminuiu drasticamente e senti certo alívio por isso. Acabara de viver dois anos estafantes: meu primeiro sucesso, a doença dos escritores, e depois, por fim, meu segundo livro. Estava exaurido e sentia uma real necessidade de tirar umas férias. Como não tinha vontade de ir sozinho e queria agradecer a Douglas pelo apoio, comprei duas passagens para as Bahamas, ao melhor estilo férias entre amigos, o que eu não fazia desde os tempos de colégio. Guardei a surpresa para uma noite em que ele veio à minha casa assistir a esportes na televisão. Entretanto, para minha grande decepção, ele declinou o convite.

— Seria o máximo — justificou-se —, mas já marquei de ir com Kelly para o Caribe nessa data.

— Kelly? Continua com ela?

— Claro. Não sabia? Estamos planejando ficar noivos. Vou justamente pedi-la em casamento.

— Ah, que maravilha! Fico bastante contente por vocês dois. Meus parabéns.

Devo ter feito uma expressão um pouco triste, pois ele falou:

— Marc, você tem tudo que qualquer um gostaria de ter na vida. Já passou da hora de arrumar uma companhia.

Concordei.

— É que… Faz séculos que não tenho um relacionamento sério — aleguei.

Ele sorriu.

— Não se preocupe com isso.

Foi essa conversa que nos levou, dois dias depois, à noite da quarta-feira, 22 de outubro de 2008, quando tudo degringolou.

Douglas tinha intermediado um encontro meu com Lydia Gloor, que, segundo seu agente, continuava caída por mim. Ele me convenceu a lhe telefonar e marcamos um encontro num bar do Soho. Às sete em ponto, Douglas passou lá em casa para me dar apoio moral.

— Ainda não está pronto? — constatou ele, ao me ver sem camisa quando abri a porta.

— Não consigo decidir a camisa… — respondi, agitando dois cabides à minha frente.

— Vista a azul, ficará ótimo.

— Tem certeza de que não é um erro sair com Lydia, Doug?

— Você não vai se casar, Marc. Só vai tomar um drinque com uma garota bonita pela qual sente atração e que também se sente atraída por você. Cabe a você verificar se a química continua.

— E depois do drinque, fazemos o quê?

— Reservei uma mesa para vocês num restaurante italiano da moda, pertinho do bar. Envio uma mensagem com o endereço.

Sorri.

— O que eu faria sem você, Doug?

— Para que servem os amigos, afinal?

Nesse instante, recebi uma ligação no celular. Provavelmente não teria atendido se não tivesse visto na tela do aparelho o nome de Gahalowood.

— Alô, sargento? É um prazer ouvi-lo.

A voz dele não estava boa.

— Boa noite, escritor, desculpe atrapalhar…

— Não está atrapalhando nada.

Parecia muito contrariado. Falou:

— Escritor, acho que estamos com um problema gigantesco.

— O que houve?

— É sobre a mãe de Nola Kellergan. Aquela que no seu livro você disse que espancava a filha.

— Louisa Kellergan, sim. Qual é o problema?
— Você tem acesso à internet? Preciso lhe enviar um e-mail.

Fui até a sala e liguei o computador. Abri minha caixa de entrada sem perder contato com Gahalowood. Ele acabara de me enviar uma foto.

— É sobre o quê? — perguntei. — Está me deixando preocupado.
— Abra a imagem. Lembra-se de ter comentado sobre o Alabama?
— Sim, claro que me lembro. Foi de lá que os Kellergan vieram.
— Fizemos merda, Marcus. Esquecemos completamente de investigar sobre o Alabama. E bem que você tinha falado!
— O que é que eu falei?
— Que precisávamos descobrir o que havia acontecido no Alabama.

Cliquei na imagem. Era a foto de uma lápide num cemitério, sobre a qual liam-se os seguintes dizeres:

LOUISA KELLERGAN
1930-1969
ESPOSA E MÃE AMADA

Meu queixo caiu.

— Pelo amor de Deus! — balbuciei. — O que significa isso?
— Que a mãe de Nola morreu em 1969, ou seja, seis anos antes do desaparecimento da filha!
— Quem lhe enviou esta foto?
— Um jornalista de Concord. Isso vai sair na primeira página de todos os jornais amanhã, escritor, e sabe como é: em menos de três horas, o país inteiro decretará que o seu livro e a sua investigação não têm qualquer fundamento.

Naquela noite, não houve jantar com Lydia Gloor. Douglas arrancou Barnaski de uma reunião de negócios, Barnaski arrancou Richardson, do departamento jurídico, de casa, e formamos um comitê de crise particularmente tempestuoso numa sala de reunião da Schmid & Hanson. A foto era na realidade uma cópia, feita pelo *Concord Herald*, do negativo descoberto por um jornal local da região de Jackson. Barnaski acabara de passar duas horas tentando convencer o chefe da redação do *Concord Herald* a desistir de usar aquela imagem na primeira página da edição do dia seguinte, mas foi em vão.

— Imagine o que as pessoas dirão quando souberem que o seu livro é um monte de mentiras! — berrou ele para mim. — Mas, porra, Goldman, não checou as fontes?

— Não sei mais, isso não faz sentido algum! Harry falava da mãe! Referiu-se a ela em mais de uma ocasião. Não estou entendendo nada. A mãe espancava Nola! Ele me disse isso! Ele falou em açoites, simulações de afogamento...

— E agora, qual é a posição de Quebert?

— Ele está inacessível. Tentei falar com ele pelo menos dez vezes esta noite. De toda forma, faz quase dois meses que não tenho notícias dele.

— Tente de novo! Se vire! Fale com alguém que possa lhe dar respostas! Encontre uma explicação para eu dar aos jornalistas quando eles caírem em cima de mim amanhã de manhã.

Às dez em ponto, acabei ligando para Erne Pinkas.

— Mas afinal de onde você tirou que a mãe estava viva? — perguntou ele.

Fiquei inebriado. Acabei dando uma resposta estúpida:

— Ninguém me falou que ela estava morta!

— Mas ninguém falou que estava viva!

— Falou, sim! Harry falou.

— Então ele mentiu. O velho Kellergan apareceu sozinho em Aurora com a filha. Nunca houve mãe.

— Não estou entendendo nada! Tenho a impressão de que estou louco. O que vão pensar de mim agora?

— Que você é um escritor de merda, Marcus. Pois saiba que, aqui, ninguém engoliu aquilo direito. Passamos um mês vendo você se pavonear nos jornais e na televisão. Todos perceberam que estava falando bobagem.

— Por que ninguém me avisou?

— Avisar? Para dizer o quê? Indagar se por acaso você não se equivocara referindo-se a uma mãe que estava morta na época dos fatos?

— Qual foi a causa da morte?

— Não faço ideia.

— Mas e a música? E as surras? Tenho testemunhas que confirmaram tudo.

— Testemunhas de quê? De que o reverendo ligava a vitrola às alturas para desferir uma surra fenomenal na filha? Pois bem, disso todos nós desconfiávamos. Mas no seu livro você diz que o velho Kellergan escondia-se na garagem enquanto a mãe espancava a menina. Ora, o problema é que a mãe nunca pôs os pés em Aurora, pois morreu antes de eles se mudarem. Então, como podemos acreditar no que você afirma no restante do livro? E você tinha prometido incluir meu nome nos agradecimentos...

— Mas eu fiz isso!

— Você escreveu, entre outros nomes: *E. Pinkas, Aurora*. Eu queria o meu nome em caixa alta. Queria que falassem de mim.

— O quê? Mas...

Ele desligou na minha cara. Barnaski olhava para mim com um olho pérfido. Apontou um dedo ameaçador em minha direção.

— Goldman, você vai pegar o primeiro voo para Concord amanhã e nos tirar desse atoleiro.

— Roy, se eu for a Aurora, serei linchado.

Ele deu uma risada forçada e declarou:

— Dê-se por satisfeito se eles se limitarem a linchá-lo.

A garota que abalou os Estados Unidos seria fruto da imaginação de um cérebro doente em crise de inspiração? Como tal detalhe pudera ser tão grosseiramente desconsiderado? A notícia do *Concord Herald*, reproduzida por toda a mídia, semeava dúvidas quanto à verdade sobre *O caso Harry Quebert*.

Na manhã da sexta-feira, 23 de outubro, peguei um voo para Concord, chegando lá no início da tarde. Aluguei um carro no aeroporto e fui diretamente para o quartel-general da polícia estadual, onde Gahalowood me aguardava. Ele resumiu para mim o que descobrira sobre o passado da família Kellergan no Alabama.

— David e Louisa Kellergan casaram-se em 1955 — explicou ele. — Ele já era pastor de uma paróquia próspera, e sua mulher o ajudou a expandi-la ainda mais. Nola nasceu em 1960. Não há nada a ser assinalado nos anos seguintes. Contudo, durante uma noite da primavera de 1969, um incêndio devasta a casa deles. A garotinha é salva das chamas por um triz, mas a mãe morre. Algumas semanas depois, o reverendo deixa Jackson.

— Algumas semanas? — espantei-me.

— Exatamente. E mudam-se para Aurora.

— Mas então por que Harry me falou que Nola era espancada pela mãe?

— Devemos crer que era o pai.
— Não, não! — exclamei. — Harry me disse que era a mãe! A mãe! Tenho inclusive as gravações!
— Vamos ouvir essas gravações — sugeriu Gahalowood.
Eu levara comigo os CDs. Espalhei-os pela mesa de trabalho de Gahalowood e tentei me situar pelas etiquetas das capinhas. Eu fizera uma classificação bastante precisa, por cada entrevistado e data, no entanto, não conseguia encontrar aquela gravação em particular. Foi então que, ao esvaziar completamente minha bolsa, encontrei um último CD, sem data, que me escapara. Inseri-o imediatamente no aparelho.
— Estranho — observei. — Por que não coloquei data nesse?
Liguei o aparelho. Ouvi minha voz anunciando que estávamos numa terça-feira, 1º de julho de 2008. Eu gravara Harry no locutório da prisão.

— *Foi esta a razão que o fez considerar ir embora? O que exatamente os levou a planejar a fuga da noite de 30 de agosto?*
— *Isso, Marcus, foi consequência de uma história terrível. Está gravando agora?*
— *Estou.*
— *Vou lhe contar então um episódio muito grave. Para que entenda. Mas não quero que seja divulgado.*
— *Pode contar comigo.*
— *Pois saiba que, durante a semana que passamos em Martha's Vineyard, em vez de fingir que estaria com uma amiga, Nola simplesmente fugira. Fora embora sem dizer nada a ninguém. Quando a reencontrei, no dia seguinte ao nosso retorno, estava completamente abatida. Disse que a mãe a espancara. Seu corpo estava coberto de marcas. Ela chorava. Nesse dia, contou que a mãe costumava castigá-la por coisas pequenas. Que dava uma surra nela com régua de ferro, impondo-lhe também aquele absurdo que eles fazem em Guantánamo, as simulações de afogamento: enchia uma tina com água, agarrava a filha pelo cabelo e mergulhava sua cabeça. Dizia que era para libertá-la.*
— *Libertá-la?*
— *Libertá-la do mal. Uma espécie de batismo, acho. Jesus no Jordão ou algo do gênero. No início, eu não podia acreditar naquilo, mas*

as provas eram óbvias. Perguntei então: "Mas quem lhe fez isso?" "Minha mãe." "E por que seu pai não reagiu?" "Papai se tranca na garagem e fica escutando música nas alturas. Faz isso quando minha mãe me castiga. Ele não quer ouvir." Nola não aguentava mais, Marcus. Ela não aguentava mais. Eu quis checar essa história, visitar os Kellergan. Aquilo precisava parar. Mas Nola suplicou que eu não fizesse nada, dizendo que teria problemas terríveis, que seus pais certamente a levariam para longe da cidade e nunca mais nos veríamos. Aquela situação, contudo, não podia mais perdurar. Então, no final de agosto, por volta do dia 20, decidimos ir embora. Depressa. E em segredo, é claro. Marcamos a partida para o dia 30 de agosto. Pretendíamos ir até o Canadá, atravessar a fronteira de Vermont. Para a Colômbia Britânica talvez, morar num bangalô de madeira. Levar uma vida boa à beira de um lago. Ninguém nunca saberia.

— Então foi por isso que planejaram fugir juntos?

— Foi.

— Mas por que não quer que eu divulgue isso?

— Ah, Marcus, isso é só o início da história. Pois, em seguida, descobri algo terrível sobre a mãe de Nola...

(Barulho de campainha.) A voz de um guarda anuncia o fim da visita.

— Continuamos na próxima vez, Marcus. Até lá, por favor, guarde isso para você.

— E o que ele havia descoberto sobre a mãe de Nola? — perguntou Gahalowood, impaciente.

— Não me lembro da continuação — respondi, atordoado, procurando entre os outros CDs.

Calei-me subitamente, lívido, e exclamei:

— Não é possível!

— O quê, escritor?

— Essa foi a última gravação de Harry! É por isso que o CD está sem data! Eu tinha esquecido completamente. Nunca terminamos essa conversa! Porque logo depois disso vieram à tona as revelações sobre Pratt, e Harry não quis mais que eu gravasse, então passei a anotar as entrevistas num caderno. Mais tarde, houve o vazamento das minhas anotações e Harry se aborreceu comigo. Como pude ser tão imbecil?

— É imprescindível que falemos com Harry — declarou Gahalowood, pegando seu casaco. — Precisamos saber o que ele havia descoberto sobre Louisa Kellergan.

E seguimos para o Sea Side Motel.

Para nossa grande surpresa, não foi Harry, e sim uma loura alta que abriu a porta do quarto 8. Fomos então procurar o recepcionista, que nos explicou simplesmente:

— Não há nenhum Harry Quebert que tenha se hospedado aqui recentemente.

— Isso é impossível — repliquei. — Ele passou várias semanas hospedado aqui.

A pedido de Gahalowood, o recepcionista consultou o registro dos últimos seis meses. Foi categórico, e repetiu:

— Nenhum Harry Quebert.

— Isso é impossível — exaltei-me. — Estive com ele aqui! Um senhor alto, com cabelo branco desalinhado.

— Ah, ele! De fato, havia esse homem, que circulava pelo estacionamento. Mas ele não se hospedou em quarto algum aqui.

— Ele estava no quarto 8! — exasperei-me. — Sei disso, eu o vi várias vezes sentado diante da porta.

— Sim, ele costumava se sentar diante da porta. Cansei de lhe pedir que fosse embora, mas todas as vezes que fazia isso ele me entregava uma nota de cem dólares! A esse preço, ele podia ficar sentado o tempo que quisesse. Ele dizia que ficar aqui lhe trazia boas recordações.

— E desde quando não o vê mais? — perguntou Gahalowood.

— Deixe-me ver... De algumas semanas para cá. Lembro que, no dia em que ele se foi, me entregou outra nota de cem para que, se alguém telefonasse e pedisse para falar com o quarto 8, eu fingisse transferir a ligação e deixasse tocar. Ele parecia estar com bastante pressa. Foi logo depois da briga...

— Briga? — vociferou Gahalowood. — Que briga? Que história de briga é essa, agora?

— Bem, o colega de vocês brigou com um sujeito. Um velhote que veio até aqui de carro, exclusivamente para fazer um escarcéu. Foi animado. Houve gritos e tudo o mais. Eu estava prestes a intervir quando o velhote acabou entrando no carro para ir embora. Foi nesse momento que o colega de vocês resolveu ir embora também. De toda forma, eu o teria posto para fora porque não gosto quando rola confusão. Os hóspedes se queixam e depois perco o emprego.

— Mas qual foi o motivo dessa briga?

— Algo relacionado a uma carta. Acho. "Era você!", berrou o velhote para o colega de vocês.

— Uma carta? Que carta?

— Mas como quer que eu saiba?

— E depois disso?

— O velhote foi embora e o colega de vocês fez o mesmo.

— E seria capaz de reconhecê-lo?

— O velhote? Não, acho que não. Mas pergunte a seus colegas da polícia. Porque ele voltou, aquele magrelo esquisito. Tive a impressão de que ele queria a pele do colega de vocês. Sei como funcionam as investigações, não perco uma série na televisão. O colega de vocês já tinha dado o fora, mas percebi que havia alguma coisa estranha. Então eu mesmo liguei para os policiais. Duas patrulhas rodoviárias chegaram logo depois e deram uma dura nele. Depois deixaram ele ir. Falaram que não era nada.

Gahalowood ligou na mesma hora para a central para solicitar a identidade de um indivíduo abordado recentemente pela polícia rodoviária no Sea Side Motel.

— Ligarão de volta assim que obtiverem a informação — disse ele, ao desligar.

Eu não estava entendendo nada. Passei a mão pelo cabelo e exclamei:

— É um absurdo! Isso é um absurdo!

O recepcionista olhou para mim com uma expressão estranha e perguntou:

— O senhor é o Sr. Marcus?

— Sou, por quê?

— Porque o seu colega deixou um envelope para o senhor. Disse que um rapaz viria pegá-lo e com certeza diria: "É um absurdo! Isso é um absurdo!" Ele pediu que, se esse cara viesse, eu lhe entregasse isso.

Estendeu-me um envelope pardo, no qual havia uma chave.

— Uma chave? — questionou Gahalowood. — Nada além disso?

— Nada.

— Mas é a chave de quê?

Examinei atentamente sua forma. E, num estalo, matei a charada.
— Do escaninho da academia de ginástica de Montburry!

Vinte minutos mais tarde, estávamos no vestiário da academia. Dentro do escaninho 201 havia um maço de papéis amarrados, acompanhado de uma carta escrita a mão.

Caro Marcus,
Se estiver lendo estas linhas, é certamente porque seu livro provocou uma grande celeuma e você precisa de respostas.
Isto pode lhe interessar. Este livro é a verdade.
Harry

O maço de papéis era um original datilografado, não muito grosso, cujo título era:

AS GAIVOTAS DE AURORA
Por Harry L. Quebert

— O que significa isso? — quis saber Gahalowood.
— Não faço ideia. Parece um romance inédito de Harry.
— O papel é velho — constatou ele, examinando as páginas com atenção.

Folheei rapidamente o original.
— Nola falava de gaivotas — comentei. — Harry dizia que ela adorava gaivotas. Deve ter uma ligação.
— Mas por que ele fala em verdade? Será que conta o que aconteceu em 1975?
— Não sei.

Decidimos adiar a análise do original para mais tarde e partir para Aurora. Minha chegada foi notada. Transeuntes evidenciavam-me seu desprezo e me interpelavam. Em frente ao Clark's, Jenny, furiosa com a descrição que eu fizera de sua mãe e recusando-se a acreditar que o pai era o autor dos bilhetes anônimos para Harry, insultou-me publicamente.

A única pessoa que aceitou conversar conosco foi Nancy Hattaway, a quem fomos encontrar em sua loja.
— Não estou entendendo — disse Nancy. — Nunca mencionei a mãe de Nola.

— Mas comentou sobre as marcas que reparou em Nola. E contou sobre o episódio em que ela ausentou-se de casa uma semana inteira, quando lhe disseram que Nola estava doente.

— Mas só havia o pai. Foi ele quem negou meu acesso à casa quando Nola evaporou durante aquela fatídica semana de julho. Nunca aludi à mãe.

— A senhora mencionou golpes com régua de ferro nos seios dela. Lembra-se?

— Dos golpes, sim. Mas nunca disse que era a mãe que batia nela.

— Gravei suas palavras! Foi no dia 26 de junho. Tenho o CD comigo, veja a data.

Liguei o gravador:

— *É estranho o que está dizendo sobre o reverendo Kellergan, Sra. Hattaway. Eu o encontrei há poucos dias e, para falar a verdade, ele me pareceu ser um homem tranquilo.*

— *Ele pode até passar essa impressão. Pelo menos em público. Ele já havia pedido ajuda para reerguer a paróquia de St. James, relegada ao abandono, após ter feito, pelo que parece, milagres no Alabama. E é verdade que, logo depois que ele assumiu, o templo de St. James passou a ficar cheio todos os domingos. Mas, afora isso, é difícil dizer o que realmente acontecia na casa dos Kellergan...*

— *O que quer dizer?*

— *Nola era espancada.*

— *O quê?*

— *Isso mesmo, severamente espancada. E eu me lembro de um episódio terrível, Sr. Goldman. Do início do verão. Foi a primeira vez que eu via aquelas marcas no corpo de Nola. Tínhamos ido a Grand Beach dar um mergulho. Nola parecia triste, eu achava que era por causa de um garoto. Havia aquele Cody, um cara do segundo ano que dava em cima dela. E então ela me confessou que sofria maus-tratos em casa, que diziam que ela era uma garota má. Perguntei-lhe a razão disso e ela disse que era por causa de incidentes no Alabama, recusando-se a entrar em detalhes. Mais tarde, na praia, quando ela se despiu, vi que tinha marcas horríveis de golpes nos seios. Perguntei na mesma hora que barbaridade era aquela e o senhor não imagina o que ela me respondeu: "Foi a mamãe, ela me bateu no sábado, com uma régua de ferro.*" *Eu, então, evidentemente estupefata, achei que não tinha escutado direito. Mas ela persistiu: "É verdade. É ela que me diz que sou uma garota má." Nola parecia desesperada e não insisti. Depois de Grand Beach, fomos até a minha casa e passei pomada em seus seios. Aconselhei-a a procurar alguém para falar da mãe, com a enfermeira do colégio, por exemplo, a Sra. Sanders. Mas Nola disse que não queria mais tocar no assunto.*

— Aqui! — exclamei, interrompendo a gravação. — Viu? A senhora refere-se à mãe dela.

— Não — defendeu-se Nancy. — Apenas manifesto meu espanto quando Nola menciona a mãe. Minha intenção era indicar que alguma coisa não se encaixava na casa dos Kellergan. Eu tinha certeza de que o senhor sabia que a mãe dela estava morta.

— Mas eu não sabia de nada! Quer dizer, sabia que a mãe estava morta, mas achava que havia morrido depois do desaparecimento da filha. Lembro que, na primeira vez que fui encontrá-lo, David Kellergan chegou a me mostrar uma foto da mulher. Lembro-me inclusive de ter ficado admirado com sua boa recepção. E lembro-me de ter lhe perguntado algo do gênero: "E sua mulher?" E de ele responder: "Morreu há anos."

— Pois bem, agora, ouvindo a gravação, vejo que o senhor pode ter sido induzido ao erro. É uma confusão terrível, Sr. Goldman. Sinto muito.

Prossegui com a gravação:

— *...com a enfermeira do colégio, a Sra. Sanders. Mas Nola respondeu que não queria mais tocar no assunto.*

— *O que tinha acontecido no Alabama?*

— *Não faço ideia. Nunca soube. Nola nunca me contou.*

— *Será que teria alguma relação com o fato de eles terem ido embora de lá?*

— *Não sei. Eu gostaria de poder ajudá-lo, mas não sei.*

— É tudo culpa minha, Sra. Hattaway — admiti. — Depois disso, me concentrei no Alabama...

— Então, se ela era espancada, quem batia nela era o pai? — interrogou Gahalowood.

Nancy refletiu um instante, parecia um pouco perdida. Acabou respondendo:

— Sim. Ou não. Não sei mais. Havia aquelas marcas em seu corpo. Quando eu perguntava o que tinha acontecido, ela falava que era castigada em casa.

— Castigada por quê?

— Ela não me contava. Em todo caso, não dizia que era o pai que a espancava. No fundo, ninguém sabia de nada. Minha mãe notara os machucados, um dia, na praia. Além disso, havia aquela música ensurdecedora que ele colocava para tocar em intervalos regulares. Ninguém ousava dizer, mas as pessoas desconfiavam de que Kellergan batia na filha. Tratava-se, de toda forma, do nosso pastor.

Quando acabamos nossa conversa com Nancy Hattaway, Gahalowood e eu deixamo-nos ficar um longo momento sentados num banco, diante da loja, em silêncio. Eu estava desesperado.

— A porra de um mal-entendido! — exclamei finalmente. — Tudo por causa da porra de um mal-entendido! Como pude ser tão burro?

Gahalowood tentou me consolar.

— Calma, escritor, não seja tão rígido consigo mesmo. Todos nos deixamos enganar. Estávamos tão arrebatados pelo fio de nossa investigação que não enxergamos o óbvio. Bloqueios acontecem.

Nesse instante, seu celular tocou. Ele atendeu. Era do quartel-general da polícia estadual.

— Eles descobriram o nome do velhote que foi ao motel — sussurrou ele, enquanto escutava a telefonista.

Fez então uma careta. Em seguida, afastou o aparelho do ouvido e disse:

— Era David Kellergan.

Como sempre, a música reverberava na casa de número 245 da Terrace Avenue: o velho Kellergan estava em casa.

— Precisamos saber de qualquer maneira o que ele queria com Harry — disse Gahalowood, saindo do carro. — Mas, por misericórdia, escritor, deixe-me conduzir a conversa!

Quando a polícia foi ao Sea Side Motel fazer a diligência, encontrou uma espingarda de caça no carro de David Kellergan. Como ele tinha porte de arma, não foi importunado. Explicou estar a caminho do clube de tiro e ter parado para tomar um café no restaurante de lá. Os agentes não tinham motivos para detê-lo e deixaram-no ir.

— Arranque os neurônios dele, sargento — falei, enquanto caminhávamos pela aleia pavimentada que dava acesso à casa. — Fiquei curioso com essa história da carta... No entanto, Kellergan me garantiu que mal conhecia Harry. Acha que ele mentiu para mim?

— É o que vamos descobrir, escritor.

Imagino que o velho Kellergan nos viu chegar, porque, antes mesmo de tocarmos a campainha, armado com sua espingarda, ele abriu a porta. Estava fora de si e parecia com gana de me matar.

— Você maculou a memória de minha mulher e de minha filha! — pôs-se a berrar. — Você está fodido! Seu grande filho da puta!

Gahalowood tentou acalmá-lo, pediu que largasse a arma, explicando que estávamos ali justamente para entender o que havia acontecido com Nola. Os passantes, alertados pelos gritos e pelo barulho, acorreram para ver o que estava acontecendo. Dali a pouco, uma roda de curiosos formou-se diante da casa, enquanto o velho Kellergan continuava a vociferar e Gahalowood me fazia sinal para sairmos de fininho. Duas patrulhas da polícia de Aurora chegaram, com todas as sirenes ligadas. Travis Dawn saiu de um dos veículos, visivelmente pouco contente de me ver.

— Não acha que já criou bastante confusão nesta cidade? — disse.

Depois perguntou a Gahalowood se havia uma boa razão que justificasse a presença da polícia estadual em Aurora sem que ele fosse informado previamente. Como eu sabia que nosso tempo era contado, gritei para David Kellergan:

— Responda, reverendo: o senhor colocava a música nas alturas e descia a mão na menina, hein?

Ele agitou novamente a espingarda.

— Nunca levantei a mão para ela! Ela nunca foi espancada! Você é um merda, Goldman! Vou contratar um advogado e levá-lo à justiça!

— Ah, é? E por que ainda não fez isso? Hein? Por que ainda não está no tribunal? Por acaso tem medo de que desvendemos seu passado? O que aconteceu no Alabama?

Ele cuspiu na minha direção.

— Sujeitos da sua laia não conseguem entender, Goldman!

— O que aconteceu com Harry Quebert no Sea Side Motel? O que está nos escondendo?

Nesse instante, Travis começou a mugir, ameaçando comunicar o fato aos superiores de Gahalowood, e tivemos de ir embora.

Seguimos em silêncio para Concord. Por fim, Gahalowood acabou dizendo:

— O que falta, escritor? O que estava à nossa frente e não vimos?

— Agora sabemos que Harry sabia de alguma coisa sobre a mãe de Nola e não me contou.

— E podemos supor que o Sr. Kellergan sabe que Harry sabe. Mas o quê, porra?

— Sargento, acha que o Sr. Kellergan pode estar envolvido nessa história?

A imprensa se deliciava.

Nova reviravolta no Caso Harry Quebert: incoerências descobertas no relato de Marcus Goldman põem em xeque a credibilidade de seu livro, incensado pela crítica e apresentado pelo magnata da edição norte-americana Roy Barnaski como o relato exato dos acontecimentos que levaram ao assassinato da jovem Nola Kellergan em 1975.

Eu não podia voltar a Nova York enquanto não elucidasse aquele caso e fui procurar asilo na minha suíte do Regent's de Concord. A única pessoa a quem informei minha localização foi Denise, para que pudesse me manter informado da evolução dos fatos em Nova York e dos últimos desdobramentos sobre o fantasma da Sra. Kellergan.

Naquela noite Gahalowood me convidou para jantar em sua casa. Suas filhas mobilizavam-se para a campanha de Obama e incumbiram-se de animar a refeição. Deram-me adesivos para colar no carro. Mais tarde, na cozinha, Helen, a quem eu ajudava a lavar a louça, percebeu que eu não estava com uma cara boa.

— Não entendo o que fiz — expliquei. — Como pude ser ingênuo a esse ponto?

— Deve haver uma boa razão, Marcus. Sabe, Perry confia muito em você. Segundo ele, você é uma pessoa excepcional. Faz trinta anos que o conheço e ele nunca usou esse termo para falar de ninguém. Tenho certeza de que você não fez nenhuma besteira e de que há uma explicação racional para todo esse caso.

Nessa noite, Gahalowood e eu ficamos fechados durante longas horas em seu escritório, estudando o original que Harry deixara para mim. Foi assim que descobri um livro inédito: *As gaivotas de Aurora*, um romance magnífico em que Harry descrevia seu relacionamento com Nola. Não havia qualquer menção a datas, mas eu calculava ter sido escrito posteriormente a *As origens do mal*. Pois, se neste último ele narrava o amor impossível que jamais se concretizara, em *As gaivotas de Aurora* ele expunha como Nola o inspirara, como nunca deixara de acreditar nele e o incentivara, transformando-o no escritor que ele viera a ser. Contudo, no fim deste romance, Nola não morre: poucos meses após o sucesso, o personagem central, cujo nome é Harry, enriquecido, desaparece e vai para o Canadá, onde, numa casa bonita à beira de um lago, Nola o espera.

Às duas da manhã, Gahalowood fez um café para a gente e perguntou:

— Mas, no fundo, o que ele está tentando nos dizer com esse livro?

— Ele está imaginando sua vida se Nola não estivesse morta — expliquei. — Este livro é o paraíso dos escritores.

— Paraíso dos escritores? Que porra é essa?

— É quando o poder da escrita volta-se contra você. Você não sabe mais se os seus personagens existem somente na sua cabeça ou se vivem de fato.

— E em que isso nos ajuda?

— Não faço ideia. A menor ideia. É um livro excelente e ele nunca o publicou. Por que o guardou no fundo da gaveta?

Gahalowood deu de ombros.

— Talvez não tenha ousado publicá-lo porque citava uma garota desaparecida — sugeriu.

— Talvez. Mas *As origens do mal* também citava Nola e isso não o impediu de oferecê-lo às editoras. E por que escreveu para mim: *este livro é a verdade?* A verdade sobre o quê? Sobre Nola? O que ele quer dizer? Que Nola nunca esteve morta e mora numa cabana de madeira?

— Isso não faria sentido algum — opinou Gahalowood. — As análises eram categóricas: o esqueleto encontrado é de fato o dela.

— E então?

— E então não avançamos muito, escritor.

Na manhã seguinte, Denise telefonou avisando que uma mulher ligara para a Schmid & Hanson e haviam encaminhado a ligação para ela.

— Ela queria falar com você — explicou Denise —, disse que era muito importante.

— Importante? Era sobre o quê?
— Ela disse que frequentava a escola com Nola Kellergan, em Aurora. E que Nola falava da mãe.

Cambridge, Massachusetts, sábado, 25 de outubro de 2008

Ela figurava como Stefanie Hendorf no anuário de 1975 do colégio de Aurora; duas fotos separavam a dela e a de Nola. Estava entre aquelas cujo rastro Erne Pinkas não encontrara. Por ter se casado com um homem de origem polonesa, chamava-se agora Stefanie Larjinjiak e morava numa bela casa em Cambridge, subúrbio chique de Boston. Foi até lá que Gahalowood e eu fomos para encontrá-la. Tinha quarenta e oito anos, a idade que Nola teria. Uma bela mulher, casada duas vezes, mãe de três filhos, que lecionara história da arte em Harvard e agora se dedicava exclusivamente à sua galeria de arte. Crescera em Aurora, tinha sido da turma de Nola, Nancy Hattaway e algumas outras pessoas que eu conhecera durante minha investigação. Ao ouvi-la evocar sua vida de outrora, pensei tratar-se de uma sobrevivente. Havia Nola, assassinada aos quinze anos, e havia Stefanie, que tivera o direito de viver, abrir uma galeria de arte e até mesmo casar-se duas vezes.

Na mesa de centro da sala, ela espalhara algumas fotos que encontrara de quando era jovem.

— Estou acompanhando o caso desde o início — explicou. — Lembro-me perfeitamente do dia em que Nola desapareceu, nunca esqueci, assim como, imagino, todas as garotas da minha idade que moravam em Aurora na época. Então, quando eles encontraram o corpo dela e Harry Quebert foi preso, é claro que fiquei bastante envolvida. Que história... Gostei muito do seu livro, Sr. Goldman. Nele, o senhor descreve Nola com precisão. Graças ao senhor, pude reencontrá-la um pouco. É verdade que vão fazer um filme?

— A Warner Bros. pretende comprar os direitos — respondi.

Ela nos mostrou as fotos: uma festa de aniversário da qual Nola participara. Em 1973. E prosseguiu:

— Nola e eu éramos bem próximas. Era uma menina adorável. Todo mundo gostava dela em Aurora. Sem dúvida porque as pessoas ficavam tocadas com a imagem que ela e o pai transmitiam: o amável pastor viúvo e sua filha devotada, sempre risonhos, sem se queixar nunca. Lembro-me, quando eu aprontava alguma, de minha mãe dizer: "Espelhe-se na pequena Nola! Coitada, o Bom Deus ceifou a mãe dela e, mesmo assim, ela continua sendo gentil e agradecida."

— Meu Deus — exclamei —, como não me dei conta de que a mãe dela estava morta? E a senhora disse que gostou do livro? Deve ter se perguntado que tipo de escritor de araque eu era!

— Que nada. Muito pelo contrário! Cheguei a pensar que era premeditado de sua parte. Porque eu vivi isso com Nola.

— Como assim, *viveu isso*?

— Um dia, aconteceu uma coisa muito estranha. Um incidente que fez com que eu me afastasse de Nola.

Março de 1973

O casal Hendorf era dono da mercearia da rua principal. Às vezes, depois da escola, Stefanie levava Nola até lá e, às escondidas, iam para o estoque empanturrar-se de guloseimas. Foi o que fizeram naquela tarde: escondidas atrás dos sacos de farinha, comeram jujuba até ficarem com dor de barriga, tapando a boca com a mão para não serem ouvidas. Porém, subitamente, Stefanie notou que alguma coisa não estava bem com Nola. Seu olhar mudara, ela não escutava mais.

— Tudo bem, Nola? — perguntou Stefanie.

Não houve resposta. Stefanie repetiu a pergunta e, por fim, Nola disse:

— Eu... eu... preciso voltar.

— Já? Mas por quê?

— Mamãe quer que eu volte.

Stefanie achou que não tinha ouvido direito.

— Hein? Sua mãe?

Nola levantou-se, em pânico. Repetiu:

— Preciso ir!

— Mas... Nola! Sua mãe já morreu!

Nola dirigiu-se precipitadamente para a porta do estoque e, como Stefanie tentava segurá-la pelo braço, ela se voltou e a agarrou pelo vestido.

— Minha mãe! — berrou ela, aterrada. — Você não sabe o que ela faz comigo! Quando sou má, sou castigada!

E saiu correndo.

Stefanie permaneceu aturdida por um bom tempo. À noite, em casa, contou a cena à mãe, mas a Sra. Hendorf não acreditou numa palavra sequer. Fez-lhe um afago na cabeça.

— Não sei de onde você tira todas essas histórias, minha querida. Agora pare de dizer besteira e vá lavar as mãos. Seu pai acabou de chegar e está com fome. Vamos jantar.

No dia seguinte, na escola, Nola parecera tranquila e agia como se nada tivesse acontecido. Stefanie não ousou mencionar o episódio da véspera. Cismada, acabou indo falar diretamente com o reverendo Kellergan, dez dias mais tarde. Foi encontrá-lo em seu escritório na paróquia, onde ele a recebeu muito amavelmente, como sempre. Ofereceu-lhe xarope de bordo, depois escutou-a com atenção, julgando que ela fora procurá-lo em sua condição de pastor. Mas, assim que lhe contou o que havia presenciado, ele tampouco acreditou nela.

— Você não deve ter ouvido direito — disse ele.

— Sei que parece loucura, reverendo. Mas, mesmo assim, é verdade.

— Mas não faz sentido. Por que Nola diria esse tipo de tolice? Não sabe que a mãe dela está morta? Você quer fazer nós todos sofrermos, é isso?

— Não, mas...

David Kellergan quis encerrar a conversa, só que Stefanie insistiu. O semblante do reverendo alterou-se de repente, ela nunca o vira daquele jeito: pela primeira vez, o caloroso pastor tinha uma expressão carrancuda, quase assustadora.

— Não quero mais ouvi-la falar dessa história! — intimou-a. — Nem comigo, nem com ninguém, entendeu? Caso contrário, direi a seus pais que você é uma menina mentirosa. E direi também que a peguei roubando no templo, que roubou cinquenta dólares. Não quer ter problemas, quer? Então seja uma boa garota.

Stefanie interrompeu seu relato. Manuseou por um instante as fotos antes de me dirigir a palavra.

— Então não toquei mais no assunto — admitiu ela. — Mas nunca me esqueci desse episódio. Ao longo dos anos, acabei me convencendo de que não ouvira direito, não entendera direito, e que nada daquilo havia acontecido. Até que o seu livro é publicado e nele reencontro aquela mãe implacável bem viva. Não posso lhe dizer o que isso me causou; o senhor tem um talento raro, Sr. Goldman. Alguns dias atrás, quando os jornais começaram a espalhar que o senhor falava disparates, tomei a decisão de procurá-lo. Porque sei que diz a verdade.

— Mas que verdade? — perguntei. — A mãe estava morta o tempo todo.

— Sei disso. Mas também sei que o senhor tem razão.

— Por acaso acha que Nola era espancada pelo pai?

— Era o que diziam, de qualquer jeito. Na escola, todos notavam as marcas em seu corpo. Mas quem ia rebelar-se contra o nosso reverendo? Em Aurora, em 1975, ninguém se intrometia na vida dos outros. E depois, aquela era uma outra época. Todo mundo levava uma bofetada de vez em quando.

— Algum outro elemento lhe vem à mente? — perguntei ainda. — Com relação a Nola ou ao livro?

Ela refletiu por um instante.

— Não — respondeu. — A não ser que… É quase divertido descobrir depois de todos esses anos que era por Harry Quebert que Nola estava apaixonada.

— O que quer dizer com isso?

— Sabe, eu era uma menina muito ingênua… Depois desse episódio, passei a conviver menos com Nola. Mas, no verão em que ela desapareceu, eu a vi bastante. Durante esse verão de 1975, trabalhei feito uma louca na loja de meus pais, que, na época, ficava em frente à agência dos correios. E imagine o senhor que eu esbarrava com Nola o tempo inteiro. Ela ia mandar cartas. Fiquei sabendo disso porque, de tanto vê-la passar em frente à loja, acabei perguntando. Um dia, ela acabou deixando escapar seu propósito. Contou que estava loucamente apaixonada por alguém e que eles se correspondiam. Nunca ousou me dizer quem era. Eu achava que era Cody, um garoto do segundo ano, membro do time de basquete. Nunca consegui ver o nome do destinatário, mas, certa vez, notei que era em Aurora. Eu me perguntava qual era o sentido de se corresponder com um morador de Aurora estando em Aurora.

Quando saímos da casa de Stefanie Larjinjiak, Gahalowood olhou para mim com os olhos arregalados e circunspectos.

— Mas o que é que está acontecendo, escritor? — perguntou.

— Era o que eu ia lhe perguntar, sargento. O que acha que devemos fazer agora?

— O que deveríamos ter feito há muito tempo: ir a Jackson, no Alabama. A pergunta certa, que você deveria ter feito há muito tempo, escritor, é: o que aconteceu no Alabama?

4

Sweet Home Alabama

— Quando estiver chegando ao fim do livro, Marcus, ofereça ao leitor uma reviravolta de última hora.
— Por quê?
— Por quê? Ora, porque é sempre bom deixar o leitor sem fôlego até o desfecho. É como no jogo de cartas: devemos sempre guardar alguns trunfos para o final.

Jackson, Alabama, 28 de outubro de 2008

E desembarcamos no Alabama.
Ao chegarmos ao aeroporto de Jackson, fomos recebidos por um jovem da polícia estadual, Philip Thomas, que Gahalowood contatara poucos dias antes. Ele nos esperava na área de desembarque, uniformizado, teso, chapéu enfiado até os olhos. Cumprimentou Gahalowood com deferência, depois, olhando para mim, ergueu ligeiramente o chapéu.
— Já não o vi em algum lugar? — perguntou ele. — Na televisão?
— Talvez — respondi.
— Vou ajudá-lo — interveio Gahalowood. — É do livro dele que todo mundo está falando. Tome cuidado, ele é capaz de causar uma confusão que você não faz ideia.
— Então a família Kellergan é aquela descrita em seu livro? — indagou o oficial Thomas, tentando disfarçar o espanto.

— Exatamente — Gahalowood respondeu mais uma vez por mim. — Fique longe desse sujeito, oficial. Eu mesmo, por exemplo, levava uma vida tranquila até conhecê-lo.

O oficial Thomas levava muito a sério seu trabalho. Havia preparado, a pedido de Gahalowood, um pequeno dossiê sobre os Kellergan, no qual demos uma olhada em um restaurante ainda nas imediações do aeroporto.

— David J. Kellergan nasceu em Montgomery, em 1923 — expôs Thomas. — Lá, estudou teologia, antes de se tornar pastor e vir para Jackson oficiar no seio da paróquia Mt. Pleasant. Casou-se com Louisa Bonneville em 1955. Moravam numa casa em um bairro sossegado, na zona norte da cidade. Em 1960, Louisa Kellergan deu à luz uma filha, Nola. Nada mais a ser assinalado. Era uma família pacata e religiosa do Alabama. Até uma tragédia, em 1969.

— Uma tragédia? — repetiu Gahalowood.

— Houve um incêndio. Uma noite, a casa pegou fogo. Louisa Kellergan morreu nesse incêndio.

Thomas anexara ao dossiê cópias de reportagens da época.

Incêndio fatal em Lower Street
Uma mulher morreu ontem à noite devido a um incêndio em sua casa, em Lower Street. Segundo os bombeiros, uma vela acesa pode ter dado origem à tragédia. A casa foi totalmente destruída. A vítima é mulher de um pastor das redondezas.

O relatório da polícia indicava que, na noite de 30 de agosto de 1969, em torno da uma hora da manhã, quando o reverendo David Kellergan velava à cabeceira de um paroquiano agonizante, Louisa e Nola foram surpreendidas por um incêndio enquanto dormiam. Assim que chegou à calçada de sua casa, o reverendo percebeu a intensa fumaça. Correu para dentro: o andar superior já ardia em chamas. Mesmo assim conseguiu alcançar o quarto da filha; encontrou-a na cama, semi-inconsciente. Levou-a para o jardim, pois queria em seguida voltar para resgatar a mulher, mas o incêndio alastrara-se para a escada. Os vizinhos, alertados pelos gritos, acorreram, mas nada puderam fazer. Quando os bombeiros chegaram, o andar superior inteiro estava em chamas; labaredas saíam pelas janelas e devoravam o telhado. Louisa Kellergan foi encontrada morta, asfixiada. O relatório policial concluiu que uma vela acesa provavelmente ateara fogo às cortinas e depois o incêndio se alastrara depressa para o restante da casa, toda feita de madeira. A propósito, o reverendo esclareceu em seu depoimento que, antes de dormir, a mulher costumava acender uma vela aromatizada na cômoda.

— A data! — exclamei, lendo o relatório. — Veja a data do incêndio, sargento!

— Porra, 30 de agosto de 1969!

— O oficial que conduziu o inquérito alimentou por muito tempo suspeitas contra o pai — explicou Thomas.

— Como sabe disso?

— Conversei com ele. Chama-se Edward Horowitz. Está aposentado agora. Passa os dias consertando seu barco, em frente à casa onde mora.

— Podemos visitá-lo? — perguntou Gahalowood.

— Já agendei um encontro. Ele vai nos receber às três horas.

O inspetor aposentado Horowitz estava diante de sua casa, impassível, polindo com esmero o casco de um barco de madeira. Como o tempo ameaçava virar, ele levantara a porta da garagem para formar um abrigo. Convidou-nos a pescar uma cerveja num fardo rasgado jogado no chão e conversou conosco sem interromper seu trabalho, embora indicasse que tínhamos toda a sua atenção. Discorreu então sobre o incêndio na casa dos Kellergan e repetiu o que já sabíamos depois de ler os autos da polícia, sem entrar em maiores detalhes.

— No fundo, esse incêndio foi uma história bem estranha — concluiu ele.

— Como assim? — indaguei.

— Por muito tempo pensamos que David Kellergan ateara fogo na própria casa e matara a mulher. Não há prova alguma de sua versão dos fatos: como por milagre ele chegara a tempo de salvar a filha, mas tarde demais para salvar a mulher. Era tentador acreditar que ele mesmo botara fogo na casa. Ainda mais que, poucas semanas depois, ele deixou a cidade de mala e cuia. A casa pega fogo, a mulher morre e ele se manda. Havia algo de nebuloso naquilo, mas nunca obtivemos qualquer prova que o apontasse como culpado.

— É o mesmo esquema do desaparecimento da filha — constatou Gahalowood. — Em 1975, Nola sai de circulação: provavelmente é assassinada, mas nenhuma prova permite afirmar isso com certeza.

— Em que está pensando, sargento? — perguntei. — Que o reverendo teria matado a mulher e depois a filha? Acha que erramos o culpado?

— Se for este o caso, seria uma catástrofe — gaguejou Gahalowood. — Quem poderíamos interrogar, Sr. Horowitz?

— Difícil dizer. Podem dar uma passada na igreja de Mt. Pleasant. Talvez eles tenham um registro dos paroquianos, alguns conheceram o reverendo Kellergan. Mas trinta e nove anos depois dos acontecimentos... Perderão um tempo terrível.

— Não temos mais tempo — rosnou Gahalowood.

— Sei que David Kellergan era muito próximo de uma espécie de seita pentecostal da região — continuou Horowitz. — Os loucos de Deus que vivem em comunidade numa propriedade agrícola a uma hora daqui. Foi para lá que o reverendo foi depois do incêndio. Sei disso porque era aonde eu ia quando precisava interrogá-lo para o meu inquérito. E foi lá que ele ficou até ir embora. Peçam para falar com o pastor Lewis. Ele continua lá. É um tipo de guru para eles.

O pastor Lewis a que se referia Horowitz dirigia a Comunidade da Nova Igreja do Salvador. Fomos ao local na manhã seguinte. O oficial Thomas veio nos buscar no Holiday Inn de beira de estrada no qual tínhamos reservado dois quartos — um pago pelo estado de New Hampshire, o outro por mim mesmo — e nos conduziu a uma propriedade gigantesca, em grande parte constituída por lavouras. Depois de nos perdermos numa estrada margeada por mudas de milho, cruzamos com um sujeito num trator, que nos guiou até um grupo de casas e indicou a do pastor.

Lá, fomos amavelmente recebidos por uma mulher gentil e gorda, que nos instalou num gabinete, no qual, minutos depois, o supracitado Lewis veio nos encontrar. Eu sabia que ele devia estar na casa dos noventa anos, mas parecia ter vinte a menos. Seu semblante, por sinal, nada tinha de antipático, ao contrário da descrição feita por Horowitz.

— São da polícia? — perguntou ele, cumprimentando-nos um a um.

— Polícias dos estados de New Hampshire e do Alabama — enfatizou Gahalowood. — Estamos investigando a morte de Nola Kellergan.

— Tenho a impressão de que as pessoas parecem não ter outro assunto ultimamente.

Enquanto apertava a minha mão, considerou-me por um instante e disse:

— O senhor não é...?

— É, é ele, sim — respondeu Gahalowood, irritado.

— Então... O que posso fazer pelos senhores, cavalheiros?

Gahalowood iniciou o interrogatório.

— Pastor Lewis, se não me engano, o senhor conheceu Nola Kellergan.

— Sim. Para falar a verdade, conheci bem os pais dela. Pessoas encantadoras. Muito próximas de nossa comunidade.

— O que quer dizer com "nossa comunidade"?

— Somos uma corrente pentecostal, sargento. Nada mais. Temos ideais cristãos e os compartilhamos. Sim, sei que há quem afirme que somos uma seita. Recebemos a visita das assistentes sociais duas vezes por ano, as quais vêm checar se as crianças são escolarizadas, corretamente nutridas ou maltratadas. Também vêm verificar se temos armas ou se somos racistas. Isso é totalmente ridículo. Todas as nossas crianças frequentam a escola municipal, nunca tive uma espingarda na vida e participo ardorosamente da campanha eleitoral de Barack Obama em nosso condado. O que desejam saber, precisamente?

— O que aconteceu em 1969 — respondeu Gahalowood.

— A Apollo 11 pousou na Lua — respondeu Lewis. — Vitória importante dos Estados Unidos contra o inimigo soviético.

— Sabe muito bem a que me refiro. O incêndio na casa dos Kellergan. O que aconteceu de fato? O que aconteceu com Louisa Kellergan? — insistiu Gahalowood.

Embora eu não tivesse pronunciado uma palavra, Lewis fitou-me demoradamente e dirigiu-se a mim.

— Vi muito o senhor na televisão nos últimos tempos, Sr. Goldman. Acho que é um bom escritor, mas como não se informou sobre Louisa? Pois imagino ser esta a razão pela qual está aqui, certo? Seu livro não se mantém de pé, e, sendo bem direto, imagino que o pânico o tenha dominado. Correto? O que veio procurar aqui? A justificativa para suas mentiras?

— A verdade — repliquei.

Ele abriu um sorriso triste.

— A verdade? Mas qual, Sr. Goldman? A de Deus ou a dos homens?

— A sua. Qual é a sua verdade sobre a morte de Louisa Kellergan? David Kellergan matou a esposa?

O pastor Lewis levantou-se da poltrona na qual estava sentado e foi fechar a porta da sala, que ficara entreaberta. Em seguida posicionou-se em frente à janela e contemplou o lado de fora. Essa cena me lembrou imediatamente da nossa visita ao chefe Pratt. Gahalowood me fez um sinal, indicando que ele ia falar.

— David era um homem muito bom — sussurrou Lewis.

— Era? — questionou Gahalowood.

— Faz trinta e nove anos que não o vejo.

— Ele espancava a filha?

— Não! Não. Era um homem de coração puro. Um homem de fé. Quando apareceu em Mt. Pleasant, os bancos da igreja estavam vazios. Seis meses depois, ele lotava o salão nas manhãs de domingo. Nunca seria capaz de fazer mal algum à esposa ou à filha.

— Então quem eram eles? — perguntou Gahalowood, melifluamente. — Quem eram os Kellergan?

O pastor Lewis chamou sua esposa. Pediu chá com mel para todos. Voltou a se sentar na poltrona e nos fitou alternadamente. Tinha o olhar enternecido e a voz, calorosa. Disse:

— Fechem os olhos, senhores. Fechem os olhos. Estamos agora em Jackson, no Alabama, em 1953.

Jackson, Alabama, janeiro de 1953

Era uma história como os americanos gostam. Um dia, no começo de 1953, um jovem pastor de Montgomery entrou no prédio carcomido da igreja de Mt. Pleasant, no centro de Jackson. Era um dia de temporal: litros d'água despencavam do céu, as ruas eram varridas por borrascas de rara violência. As árvores chacoalhavam, jornais voavam pelos ares, arrancados do entregador que se refugiava na marquise de uma fachada, enquanto os pedestres corriam de abrigo em abrigo para avançar pela intempérie.

O pastor empurrou a porta da igreja, que, impelida pelo vento, abriu-se num estrondo; o interior estava escuro e gélido. Ele avançou lentamente pelos bancos enfileirados. A chuva infiltrava-se pelo teto esburacado, formando poças esparsas no chão. O lugar estava deserto, não havia um fiel sequer e não se percebia qualquer sinal de ocupação. No lugar dos círios, subsistiam apenas algumas carcaças de cera. Foi até o altar e, voltado para o púlpito, colocou o pé no primeiro degrau da escada de madeira para subir.

— Não faça isso!

A voz que acabara de surgir do nada o assustou. Ele se virou e viu então um homenzinho roliço sair da escuridão.

— Não faça isso — repetiu. — As escadas têm cupim, corre o risco de quebrar o pescoço. O senhor é o reverendo Kellergan?

— Sim — respondeu David, constrangido.

— Bem-vindo à sua nova paróquia, reverendo. Sou o pastor Jeremy Lewis, dirijo a Comunidade da Nova Igreja do Salvador. Com a saída de seu antecessor, me pediram para cuidar da congregação. Agora ela é sua.

Os dois homens trocaram um aperto de mão caloroso. David Kellergan tiritava.

— Está tremendo? — constatou Lewis. — Ora, está morrendo de frio! Venha, há uma cafeteria na esquina. Vamos tomar um belo gole e então conversamos.

Foi assim que Jeremy Lewis e David Kellergan se conheceram. Sentados na cafeteria mais próxima, aguardaram o temporal passar.

— Ouvi dizer que Mt. Pleasant não ia bem. — David Kellergan sorriu, um pouco desorientado. — Mas devo dizer que não esperava por isso.

— Pois é. Não vou mentir: está prestes a assumir as rédeas de uma paróquia em estado lastimável. Os paroquianos não aparecem mais, pararam de fazer doações. O prédio está em ruínas. Trabalho é o que não falta. Espero que isso não o assuste.

— O senhor verá, reverendo Lewis, isso é pouco para me assustar.

Lewis sorrira. Já tinha sido seduzido pela forte personalidade e pelo carisma de seu jovem interlocutor.

— É casado? — perguntou ele.

— Não, reverendo Lewis. Solteiro, ainda.

O novo pastor Kellergan passou seis meses visitando cada domicílio da paróquia para se apresentar aos fiéis e convencê-los a voltar aos bancos de Mt. Pleasant aos domingos. Em seguida, levantou fundos para reformar o telhado do templo e, como não servira na Coreia, participou do esforço de guerra criando um programa de reinserção para os veteranos. Mais tarde, alguns se ofereceram como voluntários para preparar refeições na sala paroquial contígua. Pouco a pouco, a vida comunitária foi se reestabelecendo, a igreja de Mt. Pleasant recuperou seu esplendor e, então, David Kellergan passou a ser considerado a estrela em ascensão de Jackson. Os membros da paróquia viam-no na política. Afirmavam que ele tinha todas as condições para fazer a administração da cidade deslanchar. Talvez, no futuro, pudesse aspirar a um mandato federal. Senador, quem sabe. Potencial ele tinha.

Uma noite, no fim de 1953, David Kellergan foi jantar num pequeno restaurante próximo ao templo. Sentou-se no balcão, como costumava fazer. A seu lado, uma jovem mulher, que ele não notara, virou-se de repente e, reconhecendo-o, sorriu para ele.

— Bom dia, reverendo — cumprimentou ela.

Ele retribuiu o sorriso com certa formalidade.

— Desculpe-me, senhorita, mas por acaso nos conhecemos?

Ela caiu na risada e brincou com os cachos louros.

— Faço parte de sua paróquia. Meu nome é Louisa. Louisa Bonneville.

Envergonhado por não reconhecê-la, ele corou, e ela riu mais ainda. Ele acendeu um cigarro para reconquistar certa compostura.

— Posso pegar um? — perguntou ela.

Ele estendeu-lhe o maço.

— Não conte a ninguém que eu fumo, hein, reverendo? — pediu Louisa.

Ele sorriu.

— Prometo.

Louisa era filha de um homem influente da paróquia. David e ela começaram a se encontrar. Logo se apaixonaram. Todo mundo dizia que eles formavam um belo e alegre par. Casaram-se no verão de 1955. Respiravam felicidade. Queriam ter vários filhos, pelo menos seis, três meninos e três meninas, crianças alegres e risonhas que dariam vida à casa de Lower Street para a qual o jovem casal Kellergan acabara de se mudar. Mas Louisa não estava conseguindo engravidar. Consultou diversos especialistas, a princípio sem sucesso. Finalmente, no verão de 1959, seu médico lhe comunicou a boa nova: estava grávida.

Em 12 de abril de 1960, no hospital geral de Jackson, Louisa Kellergan deu à luz seu primeiro e único rebento.

— É uma menina — anunciou o médico a David Kellergan, que perambulava no corredor.

— Uma menina! — exclamou o reverendo Kellergan, irradiando felicidade.

Correu para se juntar à mulher, que segurava a recém-nascida no peito. Ele abraçou-a e olhou para o bebê de olhos ainda fechados. Já dava indícios de que teria o cabelo louro, como a mãe.

— Que tal a chamarmos de Nola? — sugeriu Louisa.

Por achar o nome muito bonito, o reverendo concordou.

— Bem-vinda, Nola — disse à filha.

Durante os anos seguintes, a família Kellergan foi citada como exemplo em diversas ocasiões. A bondade do pai, a brandura da mãe e a filha maravilhosa. David Kellergan dava tudo de si: fervilhava de ideias e planos, sempre apoiado pela mulher. Nos domingos de verão, costumavam fazer um piquenique na Comunidade da Nova Igreja do Salvador, por amizade ao pastor Jeremy Lewis, com quem David Kellergan mantivera laços estreitos desde que tinham se conhecido, quase dez anos antes, naquele dia de temporal. Todas as pessoas que conviveram com eles nesse período admiravam a felicidade da família Kellergan.

— Nunca vi pessoas tão felizes como eles — exclamou o pastor Lewis. — David e Louisa transbordavam de amor um pelo outro. Era uma loucura, como se o Senhor os houvesse concebido para se amarem. E eram pais formidáveis. Nola era uma garotinha extraordinária, cheia de vida, muito agradável. Era uma família que inspirava e infundia uma esperança eterna na raça humana. Era bonito de ver. Sobretudo naquele Alabama pútrido da década de 1960, atormentado pela segregação.

— Mas tudo virou pó — disse Gahalowood.

— Exatamente.

— Como?

Houve um longo silêncio. O pastor Lewis pareceu se desfigurar. Levantou-se novamente, agoniado, e deu alguns passos no recinto.

— Por que ressuscitar tudo isso? — perguntou ele. — Faz tanto tempo...

— Reverendo Lewis, o que aconteceu em 1969?

O pastor virou-se para uma grande cruz pregada na parede. E nos disse:

— Nós a exorcizamos. Mas a coisa desandou.

— O quê? — exclamou Gahalowood. — Do que está falando?

— Da menina... Da menina Nola. Nós a exorcizamos. Mas foi uma catástrofe. O demo parecia enraizado nela.

— O que está tentando nos dizer?

— O incêndio... A noite do incêndio. Naquela noite, as coisas não aconteceram exatamente como David Kellergan contou à polícia. Ele estava mesmo junto a uma paroquiana moribunda. E, ao voltar para casa, em torno da uma hora da manhã, deparou-se com a casa em chamas. Mas... Como disse... As coisas não aconteceram do jeito que David Kellergan contou à polícia.

30 de agosto de 1969

Mergulhado num sono profundo, Jeremy Lewis não ouviu a campainha tocar. Foi sua mulher, Matilda, quem abriu a porta e foi acordá-lo logo em seguida. Eram quatro da manhã.

— Jeremy, acorde! — disse ela, com lágrimas nos olhos. — Aconteceu uma tragédia... O reverendo Kellergan está aqui... Houve um incêndio. Louisa... ela morreu!

Lewis pulou da cama. Encontrou o reverendo na sala, aturdido, arrasado, aos prantos. A filha estava a seu lado. Matilda levou Nola para dormir no quarto de hóspedes.

— Deus do céu! O que aconteceu, David? — perguntou Lewis.

— Houve um incêndio... A casa pegou fogo. Louisa está morta. Ela está morta!

David Kellergan não se conteve mais; desamparado numa poltrona, deixou as lágrimas correrem pelo seu rosto. Seu corpo inteiro tremia. Jeremy Lewis serviu-lhe um uísque duplo.

— E Nola? Tudo bem? — perguntou.

— Sim, graças a Deus. Os médicos a examinaram. Ela não tem nada.

Os olhos de Jeremy Lewis ficaram marejados.

— Meu Deus... David, que tragédia. Que tragédia!

Pousou as mãos nos ombros do amigo para reconfortá-lo.

— Não entendo o que aconteceu, Jeremy. Eu estava com uma paroquiana à beira da morte. Quando voltei, a casa pegava fogo. As chamas já estavam imensas.

— Foi você quem salvou Nola?

— Jeremy... Preciso lhe contar uma coisa.

— O que é, afinal? Diga, confie em mim!

— Jeremy... Quando cheguei em casa, havia aquelas chamas... Todo o andar de cima queimava! Eu queria subir para resgatar minha mulher, mas as escadas já estavam em brasa! Não pude fazer nada! Nada!

— Céus... E Nola então?

David Kellergan reagiu com certo mal-estar.

— Eu disse à polícia que subi até o andar de cima, resgatei Nola de casa e não consegui voltar para buscar minha mulher...

— E essa não é a verdade?

— Não, Jeremy. Quando cheguei, a casa ardia em chamas. E Nola... Nola estava cantando no portão.

Na manhã seguinte, David Kellergan isolou-se com a filha no quarto de hóspedes a fim de lhe explicar que sua mãe morrera.

— Querida — começou ele —, lembra-se de ontem à noite? Do fogo, lembra-se?

— Lembro.

— Aconteceu algo muito grave. Muito grave e muito triste, que vai fazer você sofrer muito. Mamãe estava no quarto quando houve o incêndio e não conseguiu sair.

— É, eu sei. Mamãe morreu — contou Nola. — Ela era má. Então botei fogo no quarto dela.

— O quê? Mas o que você está dizendo?

— Fui até o quarto dela e ela estava dormindo. Achei que ela parecia muito má. Mamãe malvada! Malvada! Eu queria que ela morresse. Então peguei a caixa de fósforos na cômoda dela e botei fogo nas cortinas.

Nola sorriu para o pai, que lhe pediu para repetir. E Nola repetiu. Nesse instante, David Kellergan ouviu o assoalho estalar e se virou. O pastor Lewis viera saber notícias da criança e tinha acabado de ouvir a conversa.

Eles se trancaram no gabinete.

— Foi Nola quem ateou fogo na casa? Nola matou a mãe? — perguntou Lewis, perplexo.

— Shh! Não fale tão alto, Jeremy! Ela... ela... disse que botou fogo na casa, mas, Senhor, isso não pode ser verdade!

— Será que Nola estava possuída pelos demônios? — perguntou Lewis.

— Pelos demônios? Não, não! É verdade que a mãe dela e eu às vezes observávamos um comportamento estranho, mas nada de cruel.

— Nola matou a mãe, David. Você já se deu conta da gravidade da situação?

David Kellergan tremia. Chorava, sua cabeça rodava, as ideias revolviam-se em sua cabeça. Sentiu vontade de vomitar. Jeremy Lewis estendeu-lhe uma cestinha de lixo para que ele pudesse se aliviar.

— Não diga nada à polícia, Jeremy, eu suplico!

— Mas é muito grave, David!

— Não conte nada! Pelo amor de Deus, não conte nada. Se a polícia ficar sabendo, Nola acabará numa casa de detenção ou Deus sabe onde. Ela só tem nove anos...

— Então precisamos tratá-la — disse Lewis. — Nola está possuída pelo Demo, temos de curá-la.

— Não, Jeremy! Isso, não!

— Temos de exorcizá-la, David. É o único jeito de livrá-la do Mal.

— Eu a exorcizei — admitiu o pastor Lewis. — Durante vários dias, tentamos expulsar o demônio do corpo dela.

— Que delírio é esse? — murmurei.

— Ora! — exclamou Lewis, pondo-se de pé. — Por que está sendo tão cético? Nola não era Nola: o Diabo tinha possuído seu corpo!

— O que o senhor fez com ela? — explodiu Gahalowood.

— Em geral, orações são suficientes, sargento!

— Deixe-me adivinhar: nesse caso, não foram suficientes!

— O Demo era forte! Mergulhamos sua cabeça numa pia de água benta, para acabar com aquilo.

— As simulações de afogamento — interferi.

— Mas também não foi suficiente. Então, para acuar o Demo e fazer com que ele abandonasse o corpo de Nola, nós o espancamos.

— Bateram na criança? — indignou-se Gahalowood.

— Não, na criança, não: no Demo!

— Você é louco, Lewis!

— Precisávamos libertá-la! E achávamos ter conseguido. Mas Nola começou a ter todo tipo de crise. Ela e o pai passaram um tempo em nossa casa e a menina ficou incontrolável. Começou a ver a mãe.

— Quer dizer que Nola tinha alucinações? — perguntou Gahalowood.

— Pior: passou a desenvolver uma espécie de dupla personalidade. Acontecia-lhe de se tornar a própria mãe e punir-se pelo que havia feito. Um dia, encontrei-a aos berros no banheiro. Havia enchido a banheira e segurava o cabelo com as mãos rígidas, forçando-se a afundar a cabeça na água gelada. Aquilo não podia mais continuar daquele jeito. Então David resolveu mudar-se para longe. Para muito longe. Disse que precisava deixar Jackson, deixar o Alabama, que a distância e o tempo certamente contribuiriam para a melhora de Nola. Por essa época eu ouvira dizer que a paróquia de Aurora estava procurando um novo pastor e não hesitei. Foi assim que ele acabou indo se enfiar na outra ponta do país, em New Hampshire.

3

Dia da Eleição

— Sua vida será marcada por grandes acontecimentos. Mencione-os em seus livros, Marcus. Pois, caso estes acabem sendo um desastre, terão pelo menos o mérito de registrar algumas páginas da História.

Excerto da edição do Concord Herald, *de 5 de novembro de 2008*

BARACK OBAMA ELEITO O 44º PRESIDENTE DOS ESTADOS UNIDOS
O candidato democrata Barack Obama vence as eleições presidenciais que disputava com o republicano McCain e torna-se o 44º presidente dos Estados Unidos. O estado de New Hampshire, que dera a vitória a George W. Bush em 2004, retorna às fileiras democratas [...]

5 de novembro de 2008

No dia seguinte à eleição, Nova York estava em festa. O povo havia comemorado a vitória democrata nas ruas até tarde da noite, como se para exorcizar os demônios do último mandato duplo republicano. Quanto a mim, só participei do fervor popular por intermédio da televisão do escritório, onde estava confinado fazia três dias.

Naquela manhã, Denise chegou ao escritório às oito horas com um suéter Obama, uma xícara Obama, um *bottom* Obama e um pacote de adesivos Obama.

— Ah, já está aí, Marcus — disse ela, ao entrar na sala e ver tudo aceso. — Foi para a rua ontem à noite? Que vitória! Trouxe adesivos para você pôr no carro.

Enquanto falava, deixou suas coisas na mesa, ligou a cafeteira e desativou a secretária eletrônica. Então, ao ver o estado da sala, arregalou os olhos e exclamou:

— Marcus, pelo amor de Deus, o que aconteceu aqui?

Eu estava sentado na minha poltrona e contemplava uma das paredes que eu passara parte da noite descascando, fazendo anotações e esquemas de investigação. Ouvira novamente, do início ao fim, as gravações de Harry, Nancy Hattaway e Robert Quinn.

— Alguma coisa neste caso está me escapando — concluí. — E isso está me tirando do sério.

— Você passou a noite aqui?

— Passei.

— Ah, Marcus, e eu achei que você estivesse na rua, se divertindo um pouco. Faz muito tempo que não sai para se distrair. É o seu livro que o atormenta?

— É o que descobri semana passada que me atormenta.

— E o que você descobriu?

— Pois então, não tenho certeza. O que devemos fazer quando constatamos que uma pessoa que sempre admiramos e tomamos como exemplo nos traiu e mentiu para nós?

Ela pensou um pouco e respondeu:

— Isso já aconteceu comigo. Com meu primeiro marido. Encontrei-o na cama com minha melhor amiga.

— E o que você fez?

— Nada. Não falei nada. Não fiz nada. Estávamos nos Hamptons, tínhamos viajado com a minha melhor amiga e o marido dela para passar o final de semana num hotel à beira-mar. No sábado, no fim do dia, fui passear na praia. Sozinha, pois meu marido disse que estava cansado. Voltei bem mais cedo que o esperado. Passear sozinha não era tão divertido, afinal de contas. Fui para o quarto, abri a porta e vi os dois na cama. Ele em cima dela, da minha melhor amiga. É incrível, com esses cartões de hoje em dia dá para entrar nos quartos sem fazer qualquer barulho. Eles não me viram nem me ouviram. Observei-os por alguns instantes, meu marido se sacudindo todo para fazê-la gemer feito uma cadelinha, depois fechei sorrateiramente a porta do quarto, fui vomitar no banheiro da recepção e saí para continuar meu passeio. Retornei uma hora mais tarde: meu marido estava no bar do hotel tomando gim e rindo com o marido da minha melhor amiga. Não falei nada. Jantamos todos juntos. Fingi que nada tinha acontecido. À noite, ele dormiu feito uma pedra, reclamando que não fazer nada o deixava esgotado. Não falei nada. Não falei nada durante seis meses.

— E acabou pedindo o divórcio...
— Não. Ele me trocou por ela.
— E você se arrepende de não ter agido?
— Todos os dias.
— Portanto, eu deveria agir. É o que está tentando me dizer?
— Sim. Aja, Marcus. Não seja um grande tolo como eu.
Sorri.
— Você é tudo, menos uma tola, Denise.
— Marcus, o que aconteceu semana passada? O que você descobriu?

Cinco dias antes

No dia 31 de outubro, o professor Gideon Alkanor, grande especialista em psiquiatria infantil da Costa Leste, a quem Gahalowood conhecia bem, confirmou o que agora era uma evidência: Nola sofria de graves distúrbios psiquiátricos.

No dia seguinte a nosso retorno de Jackson, Gahalowood e eu fomos de carro até Boston, onde Alkanor nos recebeu em seu consultório no Chidren's Hospital. Com base nos elementos que lhe havíamos previamente transmitido, julgou possível estabelecer um diagnóstico de psicose infantil.

— Grosso modo, o que isso significa? — resmungou Gahalowood.

Alkanor tirou os óculos e limpou as lentes demoradamente, como se para refletir sobre o que diria. Acabou virando-se na minha direção:

— Isso significa que acho que tem razão, Sr. Goldman. Li seu livro algumas semanas atrás. À luz do que o senhor descreve e dos elementos que Perry me reportou, eu diria que às vezes Nola perdia a noção da realidade. Foi provavelmente num desses momentos de crise que ela ateou fogo no quarto da mãe. Naquela noite de 30 de agosto de 1969, Nola vê que sua relação com a realidade é falsa: quer matar a mãe, porém, naquele momento crucial, matar, para ela, não significa nada. Ela consuma um gesto de cujo alcance não tem consciência. A esse primeiro episódio traumático, acrescenta-se depois o do exorcismo, cuja recordação pode perfeitamente ter sido o deflagrador das crises de dupla personalidade, quando Nola torna-se a mãe que ela mesma matou. E é aí que tudo se complica: quando Nola perdia a noção da realidade, a recordação da mãe e de seu ato vinham assombrá-la.

Fiquei momentaneamente sem reação.

— Então o senhor quer dizer que...

Alkanor assentiu antes que eu pudesse terminar minha frase e declarou:

— Nola castigava a si mesma durante os momentos de descompensação.

— Mas o que pode acarretar essas crises? — perguntou Gahalowood.

— Possivelmente oscilações emocionais significativas, como um episódio estressante, uma melancolia profunda. O que o senhor descreve em seu livro, Sr. Goldman: o encontro com Harry Quebert, por quem ela era perdidamente apaixonada, depois a rejeição por parte dele, o que inclusive a leva a tentar o suicídio. Eu diria que estamos num esquema que pode ser chamado de "clássico". Quando as emoções se intensificam, ela descompensa. E quando descompensa, vê a mãe, que vem castigá-la pelo que lhe fez.

Durante todos esses anos, Nola e a mãe eram a mesma pessoa. Precisávamos confirmar isso com o Sr. Kellergan e, na noite de sábado, 1º de novembro de 2008, fomos em comitiva ao número 245 da Terrace Avenue: éramos Gahalowood, eu e Travis Dawn, a quem havíamos informado nossas descobertas no Alabama e cuja presença Gahalowood solicitara para tranquilizar David Kellergan.

Quando ele veio ao nosso encontro no portão de casa, foi logo avisando:

— Não tenho nada a dizer. Nem aos senhores, nem a ninguém.

— Eu é que tenho certas coisas a lhe dizer — adiantou-se Gahalowood. — Sei o que aconteceu no Alabama em agosto de 1969. Sei do incêndio, sei de tudo.

— O senhor não sabe de nada.

— Deveria escutá-los — interveio Travis. — Deixe-nos entrar, David. Conversaremos melhor dentro de casa.

David Kellergan acabou cedendo; fez com que entrássemos e nos levou até a cozinha. Serviu-se de uma xícara de café sem nos oferecer, e sentou-se à mesa. Gahalowood e Travis acomodaram-se à sua frente, enquanto eu continuei de pé, retraído.

— Afinal, do que se trata? — perguntou Kellergan.

— Fui a Jackson — explicou Gahalowood. — Interroguei o pastor Jeremy Lewis. Sei o que Nola fez.

— Cale a sua boca!

— Ela sofria de psicose infantil. Era propensa a crises de esquizofrenia. Em 30 de agosto de 1969, ela ateou fogo ao quarto da mãe.

— Não! — berrou David Kellergan. — Está mentindo!

— Naquela noite, o senhor encontrou Nola cantando no portão. E acabou percebendo o que havia acontecido. Exorcizou-a. Pensando que lhe faria bem. Mas isso foi um desastre. Ela ficou suscetível a surtos de dupla personalidade, durante os quais tentava punir a si mesma. Então o senhor mudou-se para bem longe do Alabama, atravessou o país na esperança de deixar todos os fantasmas para trás, mas o fantasma de sua mulher perseguiu-os porque continuava existindo na cabeça de Nola.

Uma lágrima rolou em seu rosto.

— Esses surtos eram frequentes — balbuciou ele. — Eu não podia fazer nada. Ela se batia. Ela era a filha e a mãe. Flagelava-se, depois suplicava a si mesma que parasse.

— Então o senhor colocava a música e se trancava na garagem, porque aquilo era insuportável.

— Sim! Sim! Insuportável! E eu não sabia o que fazer. Minha filha, minha filha querida estava muito doente.

Ele começou a soluçar. Travis o observava, aterrado diante do que acabara de descobrir.

— Por que não providenciou um tratamento para ela? — perguntou Gahalowood.

— Eu tinha medo de que a tirassem de mim. Que a internassem! E, depois, com o tempo as crises foram se espaçando. Durante alguns anos cheguei a pensar que a lembrança do incêndio estava se atenuando e que as crises sumiriam completamente. Ela foi melhorando aos poucos. Até o verão de 1975. De repente, sem mais nem menos, ela se viu novamente às voltas com surtos violentos.

— Por causa de Harry — disse Gahalowood. — O encontro com Harry foi uma sobrecarga emocional para ela.

— Foi um verão pavoroso — disse o Sr. Kellergan. — Eu pressentia a chegada das crises. Quase podia prevê-las. Era atroz. Ela infligia-se golpes de régua nos dedos e nos seios. Enchia uma tina com água e mergulhava a cabeça ali, suplicando que a mãe parasse. E a mãe, por intermédio de sua própria voz, xingava-a de todos os nomes.

— E os primeiros afogamentos, foram vocês mesmos que os realizaram?

— Jeremy Lewis jurava que era a única coisa a ser feita! Corria o boato de que Lewis era exorcista, mas nós dois nunca conversamos sobre isso. Então, subitamente, ele decretou que o Demônio tinha se apossado do corpo de Nola e que tínhamos a obrigação de libertá-la. Aceitei só para que ele não denunciasse Nola à polícia. Jeremy era completamente louco, mas o que mais eu podia fazer? Eu não tinha escolha… Prendem-se crianças neste país!

— E as fugas? — indagou Gahalowood.

— Vez por outra ela fugia. Em certa ocasião, ficou fora por uma semana inteira. Eu me lembro bem, foi no final de julho de 1975. Mas o que eu devia fazer? Ligar para a polícia? Para falar o quê? Que minha filha naufragava na loucura? Decidi esperar até o final da semana, antes de dar o alerta. Passei uma semana à sua procura, noite e dia. E então ela voltou.

— E o que aconteceu em 30 de agosto?

— Ela teve uma crise aguda. Eu nunca a tinha visto naquele estado. Tentei acalmá-la, mas sem sucesso. Então fui me enfurnar na garagem para trabalhar naquela maldita moto. Coloquei a música o mais alto possível. Fiquei escondido a maior parte da tarde. O resto, vocês sabem: quando fui vê-la, ela não estava mais lá… A primeira coisa que fiz foi sair para dar uma busca pelo bairro, quando ouvi rumores de que uma garota ensanguentada fora vista nas proximidades de Side Creek. Então entendi que a situação era grave.

— O que pensou?

— Para ser sincero, a princípio pensei que Nola havia fugido de casa carregando as marcas da autoflagelação. Pensei que Deborah Cooper talvez tivesse visto Nola em plena crise. Afinal de contas, era dia 30 de agosto, data do incêndio de nossa casa em Jackson.

— Já tinha lhe acontecido de ter crises violentas em datas análogas?

— Não.

— Então o que pode haver desencadeado um surto desse tipo?

David Kellergan hesitou um instante antes de responder. Travis Dawn compreendeu que ele precisava de um estímulo para falar.

— Se sabe de algo, David, deve nos dizer. É muito importante. Faça isso por Nola.

— Quando entrei em seu quarto naquele dia e ela não estava lá, encontrei um envelope aberto em sua cama. Um envelope endereçado a ela. Continha uma carta. Acho que foi essa carta que provocou a crise. Era uma carta de rompimento.

— Uma carta? Mas o senhor nunca mencionou essa carta! — exclamou Travis.

— Porque a carta era de um homem cuja escrita indicava claramente que ele não estava na idade de viver uma história de amor com a minha filha. O que você queria? Que a cidade toda pensasse que Nola era uma garota fácil? Naquele momento, eu tinha certeza de que a polícia a encontraria e a levaria para casa. E então eu providenciaria um tratamento para ela! Definitivamente!

— E quem era o autor dessa carta de rompimento? — perguntou Gahalowood.

— Harry Quebert.

Ficamos todos boquiabertos. O velho Kellergan se levantou e desapareceu momentaneamente, voltando em seguida com uma caixa de papelão abarrotada de cartas.

— Encontrei isso depois do desaparecimento, escondido em seu quarto, embaixo de uma tábua solta. Nola se correspondia com Harry Quebert.

Gahalowood pegou uma carta ao acaso e deu uma olhada rápida nela.

— Como sabe que era Harry Quebert? — questionou ele. — Não estão assinadas.

— Porque... porque essas são as cartas que aparecem no livro dele.

Vasculhei a caixa de papelão: de fato continha a correspondência de *As origens do mal*, pelo menos as cartas recebidas por Nola. Havia de tudo: cartas sobre eles dois, cartas da clínica de Charlotte's Hill. Eu reencontrei aquela caligrafia límpida e perfeita do manuscrito e fiquei literalmente aterrado: tudo aquilo era de fato real.

— Eis a fatídica última carta — disse o velho Kellergan, estendendo um envelope a Gahalowood.

Ele a leu e depois me passou.

Minha querida,

Esta é minha última carta. Estas são minhas últimas palavras. Escrevo para dizer adeus.

A partir de hoje, não haverá mais "nós".

Os apaixonados se separam e não se veem mais, e assim terminam as histórias de amor.

Sentirei sua falta, querida. Sentirei muito a sua falta.

Meus olhos choram. Tudo arde em mim.

Nunca mais nos veremos; sentirei muitas saudades. Espero que seja feliz.

Convenci a mim mesmo de que eu e você éramos um sonho e que agora devo despertar.

Sentirei sua falta pelo resto da vida.

Adeus. Amo-a como nunca mais amarei.

— Esta carta é a que aparece na última página de *As origens do mal* — explicou o Sr. Kellergan.

Assenti. Eu reconhecia o texto. Estava perplexo.

— Desde quando sabe que Harry e Nola se correspondiam? — perguntou Gahalowood.

— Só faz algumas semanas que descobri isso. No supermercado, deparei com *As origens do mal*. Tinham acabado de recolocá-lo à venda. Não sei por quê, comprei um exemplar. Precisava ler aquele livro, para tentar entender. Logo tive a impressão de já ter visto aquelas palavras em algum lugar. É impressionante a força da memória. Então, depois de muito matutar, tudo ficou claro: eram as cartas que eu encontrara no quarto de Nola. Não tocava nelas havia trinta anos, mas as deixara gravadas em algum lugar dentro de mim. Fui relê-las, e foi quando entendi... Aquela carta imunda, sargento, fez minha filha enlouquecer de sofrimento. Pode ser que Luther Caleb tenha matado Nola, mas, para mim, Quebert é tão culpado quanto ele: sem aquela crise, talvez ela não tivesse fugido de casa nem cruzado com Caleb.

— Então foi por isso que o senhor foi encontrar Harry no motel... — deduziu Gahalowood.

— Sim! Durante trinta e três anos me perguntei quem havia escrito aquelas cartas malditas. E, esse tempo todo, a resposta estava nas bibliotecas de todos os Estados Unidos. Fui até o Sea Side Motel e nós discutimos.

Minha raiva era tanta que vim aqui pegar minha espingarda, porém, quando voltei ao motel, ele havia desaparecido. Acho que o teria matado. Ele sabia que ela era frágil e levou-a ao limite!

Caí das nuvens.

— O que o senhor quer dizer com "*ele sabia*"? — perguntei.

— Ele sabia tudo sobre Nola! Tudo! — exclamou David Kellergan.

— Está dizendo que Harry tinha conhecimento dos surtos psicóticos de Nola?

— Sim! Eu sabia que Nola costumava ir à casa dele com a máquina de escrever. Ignorava o restante da história, obviamente. Inclusive, achava bom que ela conhecesse o escritor. Estávamos no período de férias e aquilo a ocupava. Até esse escritor infernal vir tirar satisfação comigo porque achava que minha mulher a espancava.

— Harry foi procurá-lo durante o verão?

— Sim. Em meados de agosto. Poucos dias antes do desaparecimento de Nola.

15 de agosto de 1975

Estava no meio da tarde. Da janela de seu gabinete, o reverendo Kellergan avistou um Chevrolet preto parar no estacionamento da paróquia. Viu Harry Quebert sair e dirigir-se apressadamente à entrada principal do prédio. Perguntou-se qual podia ser o motivo da visita dele — desde que chegara a Aurora, Harry nunca pusera os pés na igreja. Kellergan ouviu o barulho dos batentes da porta de entrada, em seguida, o de passos no corredor e, alguns instantes depois, viu-o surgir na moldura da porta de seu gabinete, que estava aberta.

— Bom dia, Harry — cumprimentou-o. — Que surpresa boa.

— Bom dia, reverendo. Incomodo?

— Nem um pouco. Entre, por favor.

Harry entrou e fechou a porta atrás de si.

— Está tudo bem? — perguntou o reverendo Kellergan. — O senhor está com uma cara…

— Vim conversar sobre Nola…

— Ah, que assunto oportuno: eu queria lhe agradecer. Sei que ela costuma ir à sua casa e volta sempre muito entusiasmada. Espero que isso não lhe cause transtornos… Graças a você ela se mantém entretida nas férias.

Harry estava de cara fechada.

— Ela esteve lá hoje de manhã — contou ele. — Estava aos prantos. Contou tudo sobre a sua mulher...

O reverendo ficou lívido.

— Sobre... sobre a minha mulher? O que Nola disse?

— Que ela a espanca! Que mergulha a cabeça da filha numa tina com água gelada!

— Harry, eu...

— Acabou, reverendo. Sei de tudo.

— Harry, é mais complicado que isso... Eu...

— Mais complicado? Por quê? Pretende me convencer de que há uma boa razão que justifique esses abusos? Hein? Vou chamar a polícia, reverendo. Vou acabar com tudo.

— Não, Harry... Não faça isso...

— Ah, vou fazer sim, reverendo. O que acha? Que não ousarei denunciá-lo por ser um homem da Igreja? Ora, o senhor não é nada! Que tipo de gente permite que a mulher espanque a filha?

— Harry... me escute, por favor. Acho que há um terrível mal-entendido e que deveríamos conversar com calma.

— Não sei o que Nola havia dito a Harry — explicou o reverendo. — Ele não foi o primeiro a desconfiar de que alguma coisa estava fora dos eixos, porém, até aquele momento, eu só tivera de lidar com amigos de Nola, crianças de cujas perguntas eu me esquivava com facilidade. Mas aquele caso era diferente. Então fui obrigado a confessar que a mãe de Nola só existia na cabeça dela. Supliquei que não comentasse com ninguém, mas ele insistiu em se meter no que não lhe dizia respeito, me dizendo o que eu devia fazer com minha própria filha. Queria que eu providenciasse um tratamento para ela! Mandei-o ir pastar... E então, uma semana depois, ela desapareceu...

— E o senhor evitou cruzar com Harry durante trinta anos — deduzi. — Porque os dois eram os únicos que conheciam o segredo de Nola.

— Compreendam, ela era minha única filha! Eu queria que todos guardassem uma boa recordação dela. Que não pensassem que era louca. Aliás, ela não era louca! Apenas frágil! E depois, se a polícia soubesse a verdade sobre suas crises, não teria empreendido todas aquelas buscas para encontrá-la. Pensariam tratar-se apenas de uma desequilibrada em fuga!

Gahalowood virou-se para mim.

— O que tudo isso significa, escritor?

— Que Harry mentiu para nós: ele nunca a esperou no motel. Ele queria terminar. Sabia desde sempre que terminaria com ela. Nunca planejou fugir com ela. Em 30 de agosto de 1975, Nola recebeu uma última carta de Harry, na qual ele lhe dizia que iria embora sem ela.

Após as revelações do velho Kellergan, Gahalowood e eu retornamos imediatamente ao quartel-general da polícia estadual, em Concord, para comparar a carta com a última página do original encontrado com Nola: eram idênticas.

— Ele tinha planejado tudo! — exclamei. — Sabia que a deixaria. Sempre soube.

Gahalowood aquiesceu.

— Quando ela propôs que fugissem, ele sabia que não iria com ela. Não pretendia complicar-se com uma garota de quinze anos.

— Por outro lado, ela leu o original — assinalei.

— Certo, mas ela acreditava num romance. Não sabe que Harry tinha escrito a história deles de ponta a ponta e que o fim já estava selado: Harry não a queria. Stefanie Larjinjiak revelou que eles se correspondiam e que Nola aguardava a chegada do carteiro. Na manhã de sábado, dia da fuga, quando imagina que vai partir rumo à felicidade com o homem de sua vida, ela vai dar uma última checada na caixa de correio. Quer certificar-se de que não há alguma carta esquecida com informações importantes que podem comprometer a fuga. No entanto, encontra aquela mensagem, anunciando o fim de tudo.

Gahalowood examinou o envelope que continha a última carta.

— De fato, há o endereço no envelope, mas nem sinal de selo ou de lacre — disse ele. — Foi deixado diretamente na caixa de correio.

— Você quer dizer por Harry?

— Sim. Sem dúvida ele o deixou à noite, antes de fugir para bem longe. Fez isso provavelmente no último minuto, na noite de sexta para sábado. Para que ela não fosse ao motel. Para que entendesse que não haveria encontro algum. No sábado, ao descobrir sua carta, ela volta para casa, furiosa, desestabiliza-se, entra em surto e martiriza o próprio corpo. O velho Kellergan, em pânico, tranca-se mais uma vez na garagem. Quando se recobra, Nola faz a associação com o texto do livro. Quer explicações. Pega o original datilografado e segue para o hotel. Espera que não seja verdade, que Harry esteja lá. No trajeto, porém, encontra Luther. A coisa degringola.

— Mas então por que Harry voltou para Aurora no dia seguinte ao desaparecimento?

— Ele fica sabendo que Nola desapareceu. Deixara aquela carta para ela; entra em pânico. Decerto preocupa-se com ela, provavelmente sente-se culpado, mas imagino que também tenha medo de que alguém encontre a carta ou o original e isso lhe traga problemas. Prefere estar em Aurora para acompanhar a evolução dos fatos, talvez até para escamotear provas que julga comprometedoras.

Eu precisava encontrar Harry. Precisava falar com ele de qualquer jeito. Por que me havia feito acreditar que esperara Nola, quando lhe escrevera uma carta de despedida? Gahalowood iniciou uma busca geral, com base nos extratos de cartões de crédito e ligações telefônicas. Mas o cartão de crédito dele fora cancelado e o celular, desativado. Consultando o banco de dados das alfândegas, descobrimos que ele passara pelo posto de Milbrooke, em Vermont, e entrara no Canadá.

— Então ele atravessou a fronteira do Canadá — disse Gahalowood. — Por que o Canadá?

— Ele acha que lá é o paraíso dos escritores — respondi. — No original que ele deixou comigo, *As gaivotas de Aurora*, ele termina lá, com Nola.

— Pode ser, mas devemos lembrar que o livro dele não conta a verdade. Não só Nola está morta, como parece que ele nunca cogitou fugir com ela. Em todo caso, deixou com você esse original, no qual Nola e ele se encontram no Canadá. Então, onde está a verdade?

— Não estou entendendo nada! — exasperei-me. — Droga, por que é que ele fugiu?

— Porque tem algo a esconder. Mas ainda não sabemos exatamente o quê.

Ainda não sabíamos disso naquele momento, mas muitas surpresas nos aguardavam. Dois fatos importantes logo viriam trazer respostas às nossas perguntas.

Naquela mesma noite, comuniquei a Gahalowood que pegaria um voo para Nova York no dia seguinte.

— Como assim, *um voo para Nova York*? Mas você está completamente louco, escritor, estamos chegando lá!

Sorri.

— Não estou abandonando o caso, sargento. Mas está na hora.

— Na hora de quê?

— De votar. Os Estados Unidos têm um encontro marcado com a História.

Naquele 5 de novembro de 2008, ao meio-dia, enquanto Nova York continuava a comemorar a chegada de Obama ao poder, eu tinha um jantar marcado com Barnaski, no Pierre. A vitória democrata deixara-o de bom humor.

— Adoro os negros! — disse-me ele. — Adoro os negros bonitos! Se for convidado para ir à Casa Branca, me leve com você! Muito bem, afinal o que tem de tão importante a me dizer?

Contei-lhe o que descobrira sobre Nola e seu diagnóstico de psicose infantil, e seu rosto se iluminou.

— Então, nas cenas em que você descreve os maus-tratos infligidos pela mãe, é na verdade Nola quem se flagela?

— Exatamente.

— Isso é formidável! — berrou ele pelo restaurante. — Seu livro pertence a um gênero precursor! O próprio leitor entra num estado de demência, uma vez que o personagem da mãe existe sem existir de fato. Você é um gênio, Goldman! Um gênio!

— Não, simplesmente caí feito um patinho nessa história. Deixei-me enganar por Harry.

— Harry sabia disso?

— Sabia. E depois desapareceu da face da terra.

— Como assim?

— Ele está inacessível. Pelo que parece, atravessou a fronteira do Canadá. Seu único rastro é uma mensagem cifrada e um original inédito inspirado em Nola.

— Você detém os direitos?

— Não entendi.

— Sobre o original inédito, você detém os direitos? Compro de você!

— Porra, a questão não é essa, Roy!

— Ah, me desculpe. Só fiz uma pergunta.

— Mas tem um detalhe faltando. Tem uma coisa que eu não entendi. Essa história de psicose infantil, Harry que desaparece. Falta uma peça no quebra-cabeça, eu sei, mas estou perdido.

— Você é um grande angustiado, Marcus, e, acredite em mim, a angústia não serve para nada. Consulte o doutor Freud e peça uma receita de calmantes. Quanto a mim, tratarei de convocar a imprensa e preparar um comunicado sobre a doença da menina. Faremos todo mundo acreditar que sabíamos de tudo desde o início, mas que essa era a cereja do bolo: uma maneira de mostrar que a verdade nem sempre está onde parece estar e nunca é bom ater-se às primeiras impressões. Os que o desancaram vão desempenhar um papel ridículo e todos dirão que você é um grande precursor. Consequentemente, voltarão a falar do seu livro e venderemos uma batelada deles. Porque, com uma jogada dessas, até as pessoas que não tinham qualquer intenção de comprá-lo não resistirão à curiosidade de saber como você descreveu a mãe da menina. Goldman, você é um gênio; o almoço é por minha conta.

Não me animei e retorqui:

— Não estou convencido, Roy. Queria mais um tempo para apurar.

— Mas você nunca está convencido, meu velho! Não temos tempo de "apurar", como você diz. Você é um romântico, acha que o tempo que passa tem um sentido, mas o tempo que passa é dinheiro que se ganha ou dinheiro que se perde. Sou um fervoroso partidário da primeira alternativa. Por outro lado, imagino que você saiba, mas desde ontem temos um novo presidente, bonito, negro e muito popular. Segundo meus cálculos, ouviremos falar dele incessantemente durante uma boa semana. Uma semana em que o espaço será ocupado exclusivamente por ele. É inútil, portanto, nos comunicarmos com a mídia durante esse período, na melhor das hipóteses teríamos direito a uma reles notinha na seção dos cachorros atropelados. Dessa forma, só falarei com a imprensa daqui a uma semana, o que lhe dá um pouco de tempo. A menos, é claro, que uma equipe de sulistas de chapéus bicudos extermine o novo presidente, o que nos impediria de ter a primeira página por um mês inteiro. Isso mesmo, um mês inteiro. Imagine o desastre: dentro de um mês será época do Natal e então ninguém mais prestaria atenção a nossas histórias. Daqui a uma semana, portanto, divulgaremos a história da psicose infantil. Suplementos nos jornais, essa coisa toda. Se eu tivesse uma margem um pouco maior, publicaria com urgência um livro para os pais, do tipo *Como detectar a psicose infantil* ou *Como evitar que seu filho seja a nova Nola Kellergan e queime você vivo enquanto dorme*. Venderia horrores. Mas, enfim, não temos tempo.

Eu dispunha de apenas uma semana antes de Barnaski abrir a boca. Uma semana para entender o que ainda me escapava. Passaram-se então quatro dias; quatro dias estéreis. Eu ligava incessantemente para Gahalowood, que já se dizia derrotado. A investigação chegara a um impasse, não avançava. Entretanto, na noite do quinto dia, um incidente viria mudar mais uma vez o curso da investigação. Era 10 de novembro, pouco depois da meia-noite. Ao fazer uma patrulha de rotina, o guarda rodoviário Dean Forsyth lançou-se numa perseguição a um veículo na estrada Montburry-Aurora, após constatar que ele avançara o sinal e estava acima da velocidade permitida. A ocorrência poderia ter se resumido a uma contravenção banal se o comportamento do motorista do veículo, que parecia agitado e transpirava abundantemente, não houvesse intrigado o policial.

— De onde está vindo, senhor? — perguntara o oficial Forsyth.
— Montburry.
— O que fazia lá?
— Estava... estava na casa de amigos.
— Como eles se chamam?

A hesitação e o fulgor de pânico estampados no olhar do motorista despertaram novas suspeitas no oficial Forsyth. Ele apontou a lanterna para o rosto do homem e observou um arranhão em sua face.

— O que houve no seu rosto?
— Foi o galho baixo de uma árvore que eu não vi.

O oficial não se convenceu.

— Por que estava em alta velocidade?
— Eu... eu sinto muito. Estava com pressa. Tem razão, eu não deveria...
— Por acaso bebeu, cavalheiro?
— Não.

Com efeito, o bafômetro não apontou presença de álcool. Os documentos do veículo estavam em ordem e, varrendo o interior com o facho da lanterna, o agente não viu qualquer caixa de remédios vazia ou outra embalagem, como costumava encontrar nos bancos traseiros de carros de drogados. Contudo, tinha uma intuição: alguma coisa lhe dizia que aquele homem estava ao mesmo tempo agitado e calmo demais para não ser investigado. Captou então o que lhe escapara: suas mãos estavam sujas, os sapatos, cobertos de lama, e as calças, encharcadas.

— Saia do carro, senhor — intimou Forsyth.
— Por quê? Hein? O que houve? — balbuciou o motorista.

— Obedeça e saia do carro.

O homem hesitou, e, irritado, o oficial Forsyth decidiu arrancá-lo do carro à força e detê-lo por resistência à autoridade. Conduziu-o ao posto central da polícia do condado, onde ele próprio encarregou-se das fotografias regulamentares, depois de fazer a extração eletrônica das impressões digitais. A informação que surgiu então na tela do computador deixou-o atordoado por um instante. Em seguida, a despeito de já ser uma e meia da manhã, tirou o telefone do gancho, considerando que a descoberta que acabara de fazer era suficientemente importante para tirar da cama o sargento Perry Gahalowood, da Divisão de Homicídios da polícia estadual.

Três horas mais tarde, em torno das quatro e meia da manhã, foi a minha vez de ser acordado pelo telefone.

— Escritor? É Gahalowood. Onde está?

— Sargento? — respondi, ainda anestesiado. — Estou na minha cama, em Nova York, onde queria que eu estivesse? O que houve?

— Capturamos o nosso pássaro — disse ele.

— Desculpe, não entendi.

— O incendiário da casa de Harry... Nós o prendemos esta noite.

— Quem é?

— Está sentado?

— Estou totalmente deitado.

— Melhor assim. Porque vai levar um susto.

2

Fim da linha

— Às vezes você será vencido pelo desânimo, Marcus. Isso é normal. Eu lhe disse que escrever é como lutar boxe, mas também é como correr. É por isso que toda hora eu o despacho para a rua: se tiver a força moral de fazer corridas longas, sob chuva e frio, se tiver forças para continuar até o fim, se empenhar nisso todas as suas energias e todo o seu coração, e alcançar seu objetivo, então você será capaz de escrever. Nunca deixe o cansaço ou o medo o impedirem. Ao contrário, use-os para avançar.

Embarquei num voo para Concord naquela mesma manhã, completamente zonzo diante do que acabara de saber. Aterrissei à uma da tarde e, meia hora depois, um táxi deixou-me em frente ao quartel-general da polícia. Gahalowood veio me buscar na recepção.

— Robert Quinn! — exclamei, ao vê-lo, como se ainda não acreditasse. — Então foi Robert Quinn que ateou fogo à casa? Era ele afinal quem enviava os bilhetes?

— Isso mesmo, escritor. As impressões digitais no galão de gasolina eram dele.

— Mas por quê?

— Se eu soubesse... Ele não abriu a boca. Se recusa a falar.

Gahalowood me conduziu à sua sala e me ofereceu café. Explicou que a Divisão de Homicídios empreendera buscas na casa dos Quinn nas primeiras horas da manhã.

— O que encontraram? — perguntei.
— Nada — respondeu Gahalowood. — Absolutamente nada.
— E a mulher dele? O que disse?
— Isso é que é estranho: chegamos lá às sete e meia. Impossível acordá-la. Ela dormia profundamente, nem ao menos notara a ausência do marido.
— Ele costuma drogá-la.
— Como assim, *drogá-la*?
— Robert Quinn, quando quer sossego, dá soníferos à mulher para fazê-la dormir. É bem provável que ele tenha feito isso esta noite para que ela não desconfiasse de nada. Mas desconfiar de quê? O que ele pretendia fazer no meio da noite? E por que estava coberto de lama? Será que ele andou enterrando algo?
— Nisso reside todo o mistério... Se ele não confessar, não tenho como acusá-lo de grande coisa.
— De toda forma, temos o galão de gasolina.
— O advogado dele já está dizendo que Robert encontrou-o na praia. Que recentemente ele foi dar um passeio, viu o galão na areia e jogou-o entre os arbustos para tirá-lo do caminho dos passantes. Precisamos de mais provas, caso contrário esse tal advogado nos dará uma rasteira.
— Quem é o advogado?
— Não vai acreditar.
— Diga logo.
— Benjamin Roth.
Suspirei.
— Acha então que Robert Quinn é o assassino de Nola Kellergan?
— Digamos que tudo é possível.
— Deixe-me falar com ele.
— Nem pensar.
Nesse instante, um homem entrou no gabinete sem bater e o sargento Gahalowood pôs-se imediatamente em posição de sentido. Era Lansdane, chefe da polícia estadual. Seu semblante estava contrariado.
— Passei a manhã pendurado ao telefone com o governador, jornalistas e esse advogado insuportável, Roth.
— Jornalistas? A respeito de quê?
— Do sujeito que vocês detiveram ontem à noite.
— Sim, senhor. Acho que temos uma pista importante.
O chefe pousou uma mão amiga no ombro de Gahalowood.

— Perry... Não podemos mais continuar.
— Como assim?
— Essa história não tem fim. Vamos ser sinceros, Perry: você muda de culpado como se mudasse de camisa. Roth disse que vai fazer um escândalo. O governador quer que isso acabe logo. Está na hora de arquivar o caso.
— Mas, chefe, temos elementos novos! A morte da mãe de Nola, Robert Quinn, que prendemos. Estamos à beira de descobrir algo!
— Primeiro foi Harry Quebert, depois Caleb, agora o pai, ou esse Quinn, ou Stern, ou Nosso Senhor. O pai, o que temos contra ele? Nada. Stern? Nada. Esse Robert Quinn? Nada.
— Temos o maldito galão de gasolina...
— Roth afirma que será fácil persuadir qualquer juiz quanto à inocência de Quinn. Pretende indiciá-lo formalmente?
— Claro.
— Então vai perder, Perry. Vai perder de novo. Você é um bom policial, Perry. Sem dúvida o melhor. Mas às vezes é preciso saber a hora de desistir.
— Mas, chefe...
— Não vá destruir seu fim de carreira, Perry... Não cometerei a afronta de retirá-lo abruptamente do caso. Por amizade, vou lhe dar vinte e quatro horas. Amanhã, às cinco da tarde, você virá me encontrar na minha sala e me comunicará oficialmente que está arquivando o caso Kellergan. Assim, terá vinte e quatro horas para dizer a seus colegas que prefere recuar e salvar as aparências. Tire uns dias de folga depois, viaje com a família no final de semana, você bem merece.
— Chefe, eu...
— É preciso aprender a desistir, Perry. Até amanhã.

Lansdane saiu do gabinete e Gahalowood deixou-se cair na poltrona. Como se não bastasse, recebi uma ligação de Roy Barnaski no meu celular.
— Olá, Goldman — saudou-me displicentemente. — Amanhã completa uma semana, você deve saber.
— Uma semana de quê, Roy?
— Uma semana. O prazo que lhe dei antes de divulgar para a imprensa os últimos desdobramentos sobre Nola Kellergan. Esqueceu? Imagino que não tenha descoberto nada de novo.
— Escute, estamos com uma pista, Roy. Talvez fosse bom adiar essa coletiva de imprensa.

— Francamente, Goldman... Pistas, pistas e mais pistas... Mas são pistas imaginárias, porra! Vamos, já está na hora de acabar com essa embromação. Convoquei a imprensa amanhã às cinco da tarde. Conto com sua presença.

— Impossível. Estou em New Hampshire.

— O quê? Goldman, você é a atração! Preciso de você!

— Sinto muito, Roy.

Desliguei.

— Quem era? — perguntou Gahalowood.

— Barnaski, meu editor. Ele quer convocar a imprensa amanhã no final do dia para a grande revelação: tornar pública a doença de Nola e dizer que meu livro é genial, pois trouxe à tona a dupla personalidade de uma garota de quinze anos.

— Muito bem, eu diria que amanhã, no fim do dia, teremos oficialmente fracassado.

Gahalowood tinha vinte e quatro horas; não queria ficar de braços cruzados. Sugeriu irmos a Aurora interrogar Tamara e Jenny para tentar saber mais sobre Robert.

No caminho, ele ligou para Travis a fim de avisá-lo de nossa chegada. Fomos encontrá-lo em frente à casa dos Quinn. Ele estava totalmente perplexo.

— Então são mesmo as impressões digitais de Robert no galão? — perguntou ele.

— Sim — respondeu Gahalowood.

— Inacreditável! Mas por que ele teria feito isso?

— Não sei...

— Você... você acha que ele está envolvido no assassinato de Nola?

— Nesse estágio, não podemos desconsiderar mais nada. Como Jenny e Tamara estão?

— Mal. Muito mal! Estão sob o impacto do choque. E eu também. Isso é um pesadelo! Um pesadelo!

Ele se sentou no capô de sua viatura, desarvorado.

— O que foi? — indagou Gahalowood, que percebeu que algo não ia bem.

— Sargento, desde hoje de manhã não penso em outra coisa... Essa história me trouxe um monte de lembranças.

— Que tipo de lembranças?

— Robert Quinn demonstrava estar profundamente interessado na investigação. Naquela época, eu me encontrava muito com Jenny, almoçava na casa dos Quinn aos domingos. Ele não parava de me interpelar sobre a investigação.

— Eu achava que era a mulher dele que insistia no assunto, não?

— À mesa, sim. Porém, assim que eu chegava, Robert me servia uma cerveja na varanda e me colocava contra a parede. Tínhamos um suspeito? Tínhamos uma pista? Depois do almoço, acompanhava-me até meu carro e conversávamos mais um pouco. Não era fácil me livrar dele.

— Está querendo dizer...

— Não estou afirmando nada. Mas...

— Mas o quê?

Ele remexeu o bolso do uniforme e pegou uma foto.

— Encontrei isso hoje de manhã num álbum de família que Jenny guarda lá em casa.

A foto mostrava Robert Quinn ao lado de um Chevrolet Monte Carlo preto, em frente ao Clark's. No verso, era possível ler: *Aurora, agosto de 1975.*

— O que significa isso? — vociferou Gahalowood.

— Fiz a mesma pergunta a Jenny. Naquele verão, segundo ela, o pai queria comprar um carro novo, mas não sabia qual modelo ao certo. Ele visitara as concessionárias da região e, nos finais de semana, fizera vários *test drives* para escolher.

— Entre eles um Monte Carlo preto?

— Entre eles um Monte Carlo preto — confirmou Travis.

— Está querendo me dizer que, no dia do desaparecimento de Nola, Robert Quinn poderia estar ao volante desse carro?

— Sim.

Gahalowood passou a mão na cabeça. Pediu para ficar com a foto.

— Travis — disse ele em seguida —, precisamos falar com Tamara e Jenny. Elas estão em casa?

— Sim, claro. Venham. Estão na sala.

Tamara e Jenny estavam prostradas no sofá. Por mais de uma hora, tentamos fazê-las falar, mas estavam tão chocadas que eram incapazes de somar dois mais dois. Por fim, entre dois soluços, Tamara conseguiu detalhar a noite da véspera. Ela e Robert haviam jantado bem cedo, depois ficaram vendo televisão.

— Notou alguma coisa estranha no comportamento do seu marido? — perguntou Gahalowood.

— Não... Quer dizer, sim, ele queria porque queria que eu tomasse uma xícara de chá. Eu não queria, mas ele repetia: "Beba, amorzinho, beba. É uma infusão diurética, lhe fará bem." Acabei bebendo aquela maldita infusão. E adormeci no sofá.

— Isso foi a que horas?

— Eu diria que em torno das onze da noite.

— E depois?

— Depois, apaguei. Dormi feito uma pedra. Quando acordei, eram sete e meia da manhã. Eu ainda estava no sofá e policiais estavam batendo à porta.

— Sra. Quinn, é verdade que seu marido cogitou comprar um Chevrolet Monte Carlo preto?

— Eu... Não sei mais... Sim... Talvez... Mas... Acham que ele pode ter molestado a menina? Acham que foi ele?

Ao dizer essas palavras, correu para o banheiro para vomitar.

Aquela conversa não levava a lugar algum. Saímos de mãos abanando e com o tempo correndo contra nós. No carro, sugeri a Gahalowood que confrontasse Robert com a foto do Monte Carlo preto, que era uma prova acachapante.

— Não adiantaria nada — respondeu ele. — Roth sabe que Lansdane está no limite e provavelmente já instruiu Quinn a jogar com o relógio. Quinn não vai abrir o bico. E teremos fracassado. Amanhã, às cinco da tarde, o inquérito será arquivado e seu amigo Barnaski fará seu número diante das emissoras de televisão de todo o país. Robert Quinn ganhará liberdade e seremos ridicularizados pelo país inteiro.

— A menos que...

— A menos que aconteça um milagre, escritor. A menos que a gente descubra o que se passava na cabeça de Quinn ontem à noite para estar tão apressado. A esposa disse que dormiu às onze horas. Ele foi detido por volta da meia-noite. Temos o lapso de uma hora. Pelo menos sabemos que ele estava nas redondezas. Mas onde?

Gahalowood só via uma coisa a fazer: irmos até o local onde Robert Quinn fora detido e tentar rastrear suas andanças. Inclusive se dera ao luxo de arrancar o oficial Forsyth de seu dia de folga para que ele nos levasse até o local. Fomos encontrá-lo uma hora mais tarde, na saída de Aurora. Ele nos guiou até um trecho da estrada de Montburry.

— Foi aqui — disse ele.

A estrada era reta, cercada pela vegetação. Aquilo não nos ajudava em nada.

— O que aconteceu exatamente? — perguntou Gahalowood.

— Eu vinha de Montburry. Patrulha de rotina. Quando de repente aquele carro surgiu na minha frente.

— Como assim, *surgiu*?

— No entroncamento, quinhentos ou seiscentos metros adiante.

— Que entroncamento?

— Eu não saberia dizer qual estrada passa por ali, mas com certeza é um entroncamento, há inclusive um ponto de ônibus. Sei que é um ponto porque é o único que tem nesse trecho.

— Aquele ponto ali adiante, certo? — perguntou Gahalowood, olhando mais à frente, para a direção apontada.

— Aquele mesmo — confirmou Forsyth.

Repentinamente, tudo se precipitou na minha cabeça. Exclamei:

— É a estrada do lago!

— Que lago? — indagou Gahalowood.

— É o entroncamento da estrada que leva ao lago de Montburry.

Fomos até lá e viramos na estrada do lago. Cem metros depois, chegamos ao estacionamento. As redondezas do lago estavam num estado lamentável; os recentes temporais de outono haviam castigado as margens. Era lama pura.

Terça-feira, 11 de novembro de 2008, 8 horas da manhã

Um destacamento de viaturas da polícia chegou ao estacionamento do lago. Fazia algum tempo que Gahalowood e eu esperávamos dentro do carro. Ao ver as caminhonetes das equipes de mergulhadores da polícia, perguntei:

— Tem certeza disso, sargento?

— Não. Mas não temos escolha.

Era nossa última cartada; o fim da linha. Robert Quinn certamente estivera ali. Chafurdara na lama para alcançar a beira do lago e jogar alguma coisa dentro d'água. Era esta, pelo menos, a nossa hipótese.

Saímos do carro para ir ao encontro dos mergulhadores, que se preparavam. O chefe de equipe passou-lhes instruções e foi confabular com Gahalowood.

— O que estamos procurando, sargento? — perguntou.

— Tudo. Qualquer coisa. Documentos, uma arma. Não faço ideia. Alguma coisa associada ao caso Kellergan.

— O senhor sabia que este lago é um lixão? Se puder ser mais preciso...

— Acho que o que procuramos está suficientemente em evidência para que seus homens não tenham dúvida quando virem. Mas ainda não sei o que é.

— E em que altura do lago, na sua opinião?

— Próximo às margens. A distância de um arremesso a partir da beira, digamos. Eu privilegiaria a zona oposta do lago. Nosso suspeito estava coberto de lama e com um arranhão no rosto, que deve ter sido causado por um galho baixo. Certamente quis esconder seu objeto num ponto onde não passasse pela cabeça de ninguém vascular. Imagino, portanto, que ele tenha ido até a margem frontal, que é cercada por arbustos e amoreiras.

As buscas tiveram início. Posicionamo-nos na margem, não longe do estacionamento, e vimos os mergulhadores desaparecerem na água. Estava um frio glacial. A primeira hora passou sem que nada acontecesse. Permanecemos ao lado do chefe dos mergulhadores, escutando as raras comunicações pelo rádio.

Às nove e meia, Lansdane ligou para Gahalowood e começou a espinafrá-lo. Gritou tão alto que pude ouvir a conversa.

— Diga que isso não é verdade, Perry!

— Não é verdade o quê, chefe?

— Você mobilizou mergulhadores?

— Sim, senhor.

— Você está completamente louco. Está se queimando. Eu poderia suspendê-lo por esse tipo de iniciativa! Estou convocando uma coletiva de imprensa para as cinco horas. Você estará aqui. Você mesmo é quem vai anunciar o arquivamento do inquérito. Terá que se virar com os jornalistas. Não serei mais seu escudo, Perry! Não aguento mais isso!

— Entendido, senhor.

Ele desligou. Ficamos em silêncio.

Outra hora escoou; as buscas permaneciam infrutíferas. Gahalowood e eu, apesar do frio, não havíamos arredado pé de nosso posto de observação. Acabei dizendo:

— Sargento, e se...

— Fique quieto, escritor. Por favor. Não fale nada. Poupe-me dos seus questionamentos e de suas dúvidas.

Esperamos mais algum tempo. Subitamente, o rádio do chefe dos mergulhadores chiou de maneira incomum. Algo acontecera. Os mergulhadores subiram à superfície; alvoroçados, todos acorreram à beira do lago.

— O que está havendo? — perguntou Gahalowood ao chefe dos mergulhadores.

— Encontraram! Encontraram!

— Mas encontraram o quê?

A cerca de dez metros da margem, os mergulhadores tinham acabado de retirar do lodo um colt .38 e um colar de ouro com o nome NOLA gravado.

Ao meio-dia desse mesmo dia, instalado atrás do espelho descascado de uma sala de interrogatório do quartel-general da polícia estadual, assisti à confissão de Robert Quinn, depois de Gahalowood ter lhe mostrado a arma e o colar encontrados no lago.

— Era isso que estava fazendo ontem à noite? — perguntou a ele, num tom de voz quase ameno. — Livrando-se de provas comprometedoras?

— Como... Como encontrou isso?

— Fim da linha, Sr. Quinn. Fim da linha para o senhor. O Monte Carlo preto: era o senhor, não era? Um veículo de concessionária, sem registro. Ninguém teria chegado ao senhor se não tivesse tido a ideia estúpida de tirar uma foto ao lado dele.

— Eu... Eu...

— Por quê, hein? Por que matou a garota? E aquela pobre mulher?

— Não sei. Acho que eu não era mais eu. Na realidade, foi um acidente.

— O que aconteceu?

— Nola caminhava pela beira da estrada e eu ofereci uma carona. Ela aceitou, entrou no carro... E depois... Eu me sentia sozinho, no fundo. Tive vontade de acariciar um pouco seu cabelo... Ela fugiu pela mata. Eu tive que ir atrás dela para pedir que não contasse nada a ninguém. Então ela refugiou-se na casa de Deborah Cooper. Fui forçado. Caso contrário, elas teriam falado... Foi... foi um momento de desatino!

E desmoronou.

Tão logo deixou a sala de interrogatório, Gahalowood telefonou para Travis avisando que Robert Quinn assinara uma confissão completa.

— Haverá uma coletiva de imprensa às cinco da tarde — disse ele. — Não queria que você soubesse pela televisão.

— Obrigado, sargento. Eu... O que devo dizer a minha mulher?

— Não faço ideia. Mas avise-a assim que puder. A notícia terá o efeito de uma bomba.

— Avisarei.

— Chefe Dawn, poderia eventualmente vir a Concord para alguns esclarecimentos sobre Robert Quinn? Quero evitar constrangimentos à sua mulher e à sua sogra.

— Sem problema. Neste momento estou de serviço, estão me aguardando para fazer a ocorrência de um acidente. E preciso falar com Jenny. O melhor seria hoje à noite ou amanhã.

— Não se preocupe, venha amanhã. Nada mais tem pressa agora.

Gahalowood desligou. Sua expressão estava serena.

— E agora? — perguntei.

— Agora eu o convido para comer alguma coisa. Acho que merecemos.

Almoçamos na cafeteria do quartel-general. Gahalowood parecia pensativo: não tocou no prato. Guardara os autos do inquérito que tinham sido deixados em cima da mesa, e, ao longo de quinze minutos, não desviou os olhos da foto de Robert e do Monte Carlo preto. Interroguei-o:

— O que o está atormentando, sargento?

— Nada. Só estou me perguntando por que Quinn portava uma arma... De acordo com seu depoimento, ele esbarrou com a menina por acaso ao fazer uma curva com o carro. Mas... ou ele havia premeditado tudo, o carro e a arma, ou encontrou Nola por acaso, e então me pergunto qual o motivo de estar com uma arma e onde a conseguiu.

— Acha que ele premeditou tudo e quis minimizar na hora da confissão?

— É possível.

Voltou a contemplar a foto. Aproximou-a do rosto para estudar os detalhes. Subitamente, notou alguma coisa. Seu olhar alterou-se no mesmo instante. Perguntei:

— O que há, sargento?

— A manchete...

Passei para o outro lado da mesa para olhar a foto. Ele apontou com o dedo para uma pilha de jornais ao fundo da imagem, ao lado do Clark's. Observando atentamente, era possível ler a manchete:

NIXON RENUNCIA

* * *

— Richard Nixon renunciou em agosto de 1974! — exclamou Gahalowood. — Esta foto não pode ser de agosto de 1975!

— Mas então quem escreveu a data errada no verso da foto?

— Não faço ideia. Mas isso significa que Robert Quinn está mentindo. Ele não matou ninguém!

Gahalowood saiu apressado da cafeteria e correu escadaria acima, transpondo os degraus de quatro em quatro. Segui-o pelos corredores até alcançar a ala das celas. Ao chegar lá, ele pediu para ver Robert Quinn imediatamente.

— Quem está protegendo? — gritou Gahalowood, assim que o avistou atrás das grades de sua cela. — O senhor não fez *test drive* em nenhum Monte Carlo preto em agosto de 1975! Está acobertando alguém e quero saber quem é! Sua mulher? Sua filha?

Robert parecia desesperado. Sem se mexer no banquinho estofado onde estava sentado, murmurou:

— Jenny. Estou protegendo Jenny.

— Jenny? — repetiu Gahalowood, pasmo. — Foi sua filha que...

Pegou o celular e discou um número.

— Para quem está ligando? — perguntei.

— Travis Dawn. Para que ele não avise à mulher. Se ela souber que o pai confessou tudo, vai entrar em pânico e fugir.

Travis não atendeu o celular. Gahalowood ligou então para a delegacia de Aurora para que os colocassem em contato via rádio.

— Aqui fala o sargento Gahalowood, da polícia estadual de New Hampshire — disse ao oficial de plantão. — Preciso falar urgentemente com o chefe Dawn.

— O chefe Dawn? Ligue para o celular dele. Ele não está de serviço hoje.

— Como assim? Liguei há pouco e ele disse que estava fazendo a ocorrência de um acidente.

— Impossível, sargento. Repito: ele não está de serviço hoje.

Lívido, Gahalowood desligou e, sem titubear, lançou um alerta geral.

Travis e Jenny Dawn foram detidos poucas horas mais tarde no aeroporto de Boston-Logan, onde se preparavam para embarcar num voo com destino a Caracas.

Era tarde da noite quando Gahalowood e eu deixamos o quartel-general da polícia de Concord. Uma multidão de jornalistas aguardava nas proximidades da saída do prédio e acabamos sendo cercados. Abrimos caminho sem fazer qualquer comentário e mergulhamos no carro de Gahalowood. Rodamos em silêncio. Perguntei:

— Aonde vamos, sargento?

— Não sei.

— O que os policiais fazem numa hora como esta?

— Vão beber. E os escritores?

— Vão beber.

Ele nos levou até o bar que frequentava, na saída de Concord. Nós nos sentamos no balcão e pedimos uísques duplos. Atrás de nós, uma tarja na tela da televisão estampava a notícia:

OFICIAL DA POLÍCIA DE AURORA
CONFESSA O ASSASSINATO DE NOLA KELLERGAN

1

A verdade sobre o caso Harry Quebert

— O último capítulo de um livro, Marcus, deve ser sempre o mais bonito.

Nova York, quinta-feira, 18 de dezembro de 2008
Um mês após a descoberta da verdade

Foi a última vez que o vi.
    Eram nove horas da noite. Eu estava em casa, escutando meus CDs, quando ele tocou a campainha. Abri a porta e nos encaramos por bastante tempo, em silêncio. Por fim, ele disse:
    — Boa noite, Marcus.
    Após um segundo de hesitação, respondi:
    — Achei que você tivesse morrido.
    Ele balançou a cabeça em sinal de aprovação.
    — Não passo de um fantasma.
    — Quer um café?
    — Quero, sim. Está sozinho?
    — Estou.
    — Já está na hora de arranjar alguém.
    — Entre, Harry.
    Fui à cozinha preparar o café. Ele esperou na sala, nervoso, remexendo nos porta-retratos alinhados nas prateleiras da estante. Quando voltei com

o bule e as xícaras, ele examinava uma foto em que ambos aparecíamos, tirada no dia da minha formatura em Burrows.

— É a primeira vez que venho à sua casa.
— O quarto de visita está à sua espera. Há várias semanas.
— Sabia que eu viria, não é?
— Sabia.
— Você me conhece bem, Marcus.
— Amigos sabem essas coisas.

Ele sorriu melancolicamente.

— Obrigado pela hospitalidade, Marcus. Mas não ficarei.
— Por que veio, então?
— Para me despedir.

Tentei disfarçar minha angústia e servi as xícaras de café.

— Se me abandonar, não terei mais amigos — falei.
— Não diga isso. Mais que um amigo, eu o amei como a um filho, Marcus.
— Eu o amei como a um pai, Harry.
— Apesar da verdade?
— A verdade não muda nada do que sentimos um pelo outro. Este é o grande drama dos sentimentos.
— Tem razão, Marcus. Quer dizer então que descobriu tudo?
— Descobri.
— Como soube?
— Acabei compreendendo.
— Você era o único capaz de me desmascarar.
— Então era a isso que você se referia no estacionamento do motel. O motivo de ter afirmado que nada mais seria igual entre nós. Você sabia que eu descobriria tudo.
— Sabia.
— Como pôde chegar a esse ponto, Harry?
— Nem eu mesmo sei...
— Tenho os vídeos dos interrogatórios de Travis e Jenny Dawn. Quer ver?
— Quero. Por obséquio.

Ele se sentou no sofá. Inseri um DVD no aparelho e apertei o botão. Jenny apareceu na tela. Fora filmada de frente para a câmera, numa sala do quartel-general da polícia do estado de New Hampshire. Ela chorava.

* * *

Trecho do interrogatório de Jenny E. Dawn

Sargento P. Gahalowood: Sra. Dawn. Há quanto tempo sabia?
Jenny Dawn (soluçando): Eu... eu nunca desconfiei de nada. Nunca! Até o dia em que encontraram o corpo de Nola em Goose Cove. A cidade entrou em alvoroço. O Clark's vivia apinhado: fregueses, jornalistas vindo fazer perguntas. Um inferno. No fim, aquilo me incomodou e fui para casa descansar mais cedo do que fazia normalmente. Havia um carro desconhecido no meio-fio. Quando entrei em casa, ouvi vozes. Reconheci a do chefe Pratt. Ele discutia com Travis. Eles não notaram minha presença.

12 de junho de 2008

— Fique calmo, Travis! — gritou Pratt. — Ninguém vai notar nada, você vai ver.

— Como pode ter tanta certeza disso?

— Vai cair tudo nas costas do Quebert! O corpo estava ao lado da casa dele! Tudo depõe contra ele!

— E se o julgarem inocente, porra?!

— Não vai acontecer. Nunca mais toque nesse assunto, entendido?

Jenny percebeu a movimentação e se escondeu na sala. Viu o chefe Pratt sair da casa. Assim que ouviu o carro arrancar, correu até a cozinha, onde encontrou o marido, aterrado.

— O que está acontecendo, Travis? Ouvi toda a conversa! O que está me escondendo? O que está escondendo sobre Nola Kellergan?

Jenny Dawn: Foi então que Travis me contou tudo. Ele me mostrou o colar, disse que o havia guardado para nunca se esquecer do que fizera. Peguei aquele colar, falei que me encarregaria de tudo. Queria proteger meu marido, queria proteger meu casamento. Sempre fui sozinha, sargento. Não tenho filhos. A única pessoa que tenho é Travis. Não queria correr o risco de perdê-lo... Tinha grandes esperanças de que o inquérito logo fosse encerrado e Harry, indiciado... Mas então Marcus Goldman começou a revolver o passado, certo de que Harry era inocente. Ele tinha razão, mas eu não podia permitir que fizesse isso. Não podia permitir que descobrisse a verdade. Por isso, resolvi enviar alguns bilhetes a ele... Botei fogo naquele maldito Corvette. Mas ele não ligava para as minhas advertências! Foi quando resolvi incendiar a casa.

Trecho do interrogatório de Robert Quinn

Sargento P. Gahalowood: Por que fez isso?
Robert Quinn: Pela minha filha. Ela parecia extremamente apreensiva com a agitação que tomara conta da cidade após a descoberta do corpo de Nola. Percebi que ela estava preocupada, que se comportava de forma bizarra. Ausentava-se do Clark's sem motivo. No dia em que os jornais publicaram o texto de Goldman, ela soltou fogo pelas ventas. Era quase assustador. Ao sair do banheiro dos funcionários, eu a vi sair de fininho pela porta de serviço. Decidi segui-la.

Quinta-feira, 10 de julho de 2008

Ela parou o carro na trilha da floresta e, saindo desajeitadamente, pegou o galão de gasolina e o spray. Tomara o cuidado de colocar luvas de jardinagem para não deixar qualquer impressão digital. Ele a seguia de longe e com dificuldade. Quando atravessou o caminho das árvores, ela já havia pichado o Range Rover e despejava gasolina na varanda.

— Jenny! Pare! — gritou seu pai.

Ela se apressou a riscar um fósforo e a atirá-lo no chão. A entrada da casa pegou fogo no mesmo instante. Assustada com a intensidade das chamas, ela foi obrigada a recuar vários metros, protegendo o rosto. Seu pai agarrou-a pelos ombros.

— Jenny! Você enlouqueceu!

— Você não é capaz de entender, pai! O que está fazendo aqui? Vá embora! Vá embora!

Ele arrancou o galão das mãos dela.

— Fuja! — ordenou ele. — Fuja antes que seja tarde demais!

Ela desapareceu na mata e voltou para o carro. Ele precisava livrar-se do galão, mas o pânico o impedia de pensar. Por fim, correu até a praia e o escondeu entre as moitas.

* * *

Trecho do interrogatório de Jenny E. Dawn

Sargento P. Gahalowood: E depois disso?

Jenny Dawn: Supliquei a meu pai para que ficasse fora do caso. Eu não queria que ele se envolvesse.

Sargento P. Gahalowood: Mas ele já estava envolvido. O que fez então?

Jenny Dawn: Depois que o chefe Pratt confessou ter obrigado Nola a praticar sexo oral, a pressão em cima dele aumentou. Ele, que no início mostrava-se tão confiante, estava prestes a surtar. Ia dar com a língua nos dentes. Precisávamos nos livrar dele. E recuperar a arma.

Sargento P. Gahalowood: Ele tinha guardado a arma...

Jenny Dawn: Sim. Era sua arma de serviço. Esse tempo todo...

Trecho do interrogatório de Travis S. Dawn

Travis Dawn: Nunca me perdoarei pelo que fiz, sargento. Faz trinta e três anos que só penso nisso. Trinta e três anos que isso me assombra.

Sargento P. Gahalowood: O que me escapa é por quê, sendo policial, você guardou o colar, que é uma prova contundente.

Travis Dawn: Eu não podia me livrar dele. Esse colar era a minha punição. A evocação do passado. Desde 30 de agosto de 1975, não há um dia que se passe sem que eu me tranque em algum lugar para contemplar o colar. E depois, qual era o risco de alguém encontrá-lo?

Sargento P. Gahalowood: E Pratt?

Travis Dawn: Ia abrir o bico. Vivia aterrorizado depois que o senhor descobriu sobre ele e Nola. Um dia, ele me ligou: queria me ver. Fomos nos encontrar em uma praia. Ele me disse que ia contar tudo, que queria fazer um acordo com o promotor, e me recomendou fazer o mesmo, pois, cedo ou tarde, a verdade acabaria vindo à tona. Naquela mesma noite, fui procurá-lo no hotel. Intimei-o a refletir. Mas ele se recusou. Mostrou o velho colt .38, que ele guardava na gaveta da mesa de cabeceira, e falou que iria levá-lo para o senhor no dia seguinte. Ele ia falar, sargento. Esperei que virasse de costas e matei-o com um golpe de cassetete. Peguei o revólver e fugi.

Sargento P. Gahalowood: Um golpe de cassetete? Como fez com Nola!

Travis Dawn: Sim.

Sargento P. Gahalowood: Com a mesma arma?

Travis Dawn: Sim.

Sargento P. Gahalowood: Onde está?

Travis Dawn: É meu cassetete de serviço. Foi o que Pratt me ensinou na época: ele me disse que a melhor maneira de esconder a arma de um crime é deixá-la à vista e ao alcance de todos. O colt e o cassetete que carregávamos na cintura enquanto procurávamos Nola eram as armas do crime.

Sargento P. Gahalowood: Então por que acabou se livrando delas? E como Robert Quinn se viu de posse do revólver e do colar?

Travis Dawn: Jenny me pressionou. E cedi. Ela não pregava o olho para dormir desde a morte de Pratt. Estava no limite. Falou que nós não devíamos guardar as armas em nossa casa, que, se o inquérito sobre a morte de Pratt chegasse até nós, estaríamos perdidos. Acabou me convencendo. Minha intenção era jogá-las no mar, onde ninguém encontrasse. Mas Jenny entrou em pânico e, sem me consultar, precipitou-se. Pediu ao pai que se encarregasse de tudo.

Sargento P. Gahalowood: Por que o pai?

Travis Dawn: Acho que ela não confiava em mim. Eu não consegui me desfazer do colar por trinta e três anos, então ela tinha medo de que eu não fosse capaz. Ela sempre confiou cegamente no pai, julgava-o o único capaz de ajudá-la. E depois, ele estava acima de qualquer suspeita... Robert Quinn, o sujeito boa-praça.

9 de novembro de 2008

Jenny entrou como um furacão na casa dos pais. Sabia que o pai estava sozinho. Encontrou-o na sala.

— Papai! — gritou. — Papai, preciso de ajuda!

— Jenny? O que está acontecendo?

— Não faça perguntas. Preciso que se livre disso.

Estendeu-lhe um saco plástico.

— O que é?

— Não pergunte. Não abra. É muito grave. Você é o único que pode me ajudar. Livre-se disso em algum lugar onde ninguém nunca consiga encontrar.

— Está com problemas?

— Estou. Acho que sim.

— Pois pode deixar comigo, querida. Fique tranquila. Farei tudo que estiver ao meu alcance para protegê-la.

— Por favor, não abra o saco, papai. Limite-se a se livrar dele para sempre.

Contudo, assim que a filha saiu, Robert abriu o saco. Em pânico ao descobrir o que havia lá dentro, temendo que a filha fosse uma assassina, decidiu que, tão logo anoitecesse, iria jogar seu conteúdo no lago de Montburry.

Trecho do interrogatório de Travis S. Dawn

> *Travis Dawn:* Quando eu soube da prisão do Sr. Quinn, percebi que estava ferrado. Que precisava agir. Ruminei que o melhor a fazer seria incriminá-lo. Pelo menos provisoriamente. Eu sabia que ele queria proteger a filha e que resistiria por um ou dois dias. Tempo suficiente para que Jenny e eu fôssemos para um país que não nos extraditasse. Fui atrás de uma prova contra Robert. Vasculhei os álbuns de família que Jenny guarda na esperança de encontrar uma foto de Robert e Nola e escrever no verso alguma coisa comprometedora. E não é que me deparo com uma foto em que ele aparece ao lado de um Monte Carlo preto? Que coincidência excepcional! Escrevi a data, agosto de 1975, a caneta e levei-a para o senhor.
>
> *Sargento Gahalowood:* Chefe Dawn, está na hora de nos contar o que realmente aconteceu em 30 de agosto de 1975...

— Desligue, Marcus — gritou Harry. — Eu suplico, desligue! Não suporto ouvir isso.

Desliguei a televisão na mesma hora. Harry chorava. Levantou-se do sofá e apoiou a cabeça no vidro da janela. Do lado de fora, a neve caía em grandes flocos. A cidade, iluminada, era uma visão magnífica.

— Sinto muito, Harry.

— Nova York é uma cidade extraordinária — murmurou ele. — Volta e meia me pergunto o que teria sido da minha vida se eu tivesse ficado aqui em vez de ir para Aurora no início do verão de 1975.

— Nunca teria conhecido o amor — respondi.

Ele contemplou a noite.

— Como você descobriu, Marcus?

— Descobri o quê? Que não foi você que escreveu *As origens do mal*? Pouco depois da prisão de Travis Dawn. A imprensa começou a avançar no caso e, alguns dias mais tarde, recebi uma ligação de Elijah Stern. Ele queria me ver com urgência.

Sexta-feira, 14 de novembro de 2008
Propriedade de Elijah Stern, periferia de Concord, New Hampshire

— Obrigado por ter vindo, Sr. Goldman.

Elijah Stern me recebeu em seu escritório.

— Fiquei surpreso com sua ligação, Sr. Stern. Pensava que não gostasse muito de mim.

— O senhor é um rapaz talentoso. É verdade o que dizem os jornais a respeito de Travis Dawn?

— É, sim, senhor.

— É de uma sordidez...

Aquiesci, depois falei:

— Eu me enganei do início ao fim sobre Caleb. Sinto muito.

— O senhor não se enganou. Se entendi direito, foi sua tenacidade que, no final, permitiu à polícia elucidar o caso. Temos esse policial que só zela por você... Perry Gahalowood é o nome dele, se não me engano.

— Pedi a meu editor que retirasse de circulação *O caso Harry Quebert*.

— Fico feliz em saber. Vai escrever uma versão corrigida?

— É provável. Ainda não sei de que forma, mas a justiça será feita. Lutei pelo nome de Quebert. Lutarei pelo de Caleb.

Ele sorriu.

— Justamente, Sr. Goldman. É sobre isso que eu queria conversar. Devo-lhe a verdade. E compreenderá por que não o censuro por ter, durante alguns meses, julgado Luther culpado: eu mesmo vivi trinta e três anos com a íntima convicção de que Luther havia matado Nola Kellergan.

— Sério?

— Eu tinha certeza absoluta disso. Absoluta.

— Por que nunca contou à polícia?

— Eu não queria matar Luther pela segunda vez.

— Não entendo o que está tentando me dizer, Sr. Stern.

— Luther tinha uma obsessão por Nola. Não arredava o pé de Aurora, ficava espreitando a menina...

— Sei disso. Sei que o surpreendeu em Goose Cove. O sargento Gahalowood me contou.

— Pois acho que subestima a amplitude da obsessão de Luther. Naquele mês de agosto de 1975, ele passava os dias em Goose Cove, escondido na mata, espionando Harry e Nola, na varanda e na praia, principalmente. Em toda parte! Estava enlouquecendo, sabia tudo sobre eles! Tudo! Não tinha outro assunto. Dia após dia, me contava o que eles tinham feito, o que haviam dito. Ele me contou toda a história deles: que haviam se conhecido na praia, que trabalhavam num livro, que haviam passado juntos uma semana inteira fora. Ele sabia tudo! Tudo! Aos poucos, percebi que ele estava vivendo uma história de amor por intermédio deles. O amor que ele não poderia mais viver devido à sua aparência física repulsiva, ele vivia por procuração. A ponto de eu não vê-lo mais durante o dia! Eu mesmo era obrigado a dirigir o carro para comparecer a meus compromissos!

— Desculpe interrompê-lo, Sr. Stern, mas uma coisa me escapa: por que não demitiu Luther? Quer dizer, parece um contrassenso: temos a impressão de que é o senhor que obedece a seu empregado quando ele exige o direito de pintar Nola ou, pura e simplesmente, deixa-o na mão e vai passar o dia em Aurora. Queira desculpar minha pergunta, mas o que havia entre os senhores? Por acaso estavam...

— Apaixonados? Não.

— Mas então por que tinham essa relação estranha? O senhor é um homem poderoso, não é do tipo que se curva a qualquer um. E, não obstante, nesse caso...

— Porque eu tinha uma dívida com ele. Eu... Eu... Já vai entender. Luther, como eu ia dizendo, estava obcecado por Harry e Nola e pouco a pouco as coisas degeneraram. Um dia, ele voltou todo arrebentado. Disse que um policial de Aurora o havia enchido de porrada porque o surpreendera vadiando e também que uma garçonete do Clark's registrara queixa contra ele. Aquela história parecia estar prestes a transformar-se em uma catástrofe. Intimei-o a não botar mais os pés em Aurora, sugeri que tirasse umas férias, que se afastasse por um tempo, que fosse para a casa de sua família no Maine ou para qualquer outro lugar. Eu pagaria todas as despesas...

— Mas ele recusou — adivinhei.

— Não só recusou, como pediu um carro emprestado, porque, segundo ele, seu Mustang azul já dava muito na vista. Recusei, evidentemente, disse que aquilo precisava de um basta. E ele então gritou: "Você não entende, Eli! Eles vão embora! Dentro de dez dias fugirão juntos e para sempre! Para sempre! Decidiram isso na praia! Decidiram ir embora no dia 30! No dia 30, desaparecerão para sempre. Eu só queria poder me despedir de Nola, são meus últimos dias com ela. Não pode me privar dela quando sei que vou perdê-la." Não cedi. Fiquei de olho nele. E depois houve aquele fatídico 29 de agosto. Nesse dia procurei Luther por toda parte. Mas ele tinha desaparecido. Seu Mustang estava parado no lugar habitual. Por fim, um de meus empregados abriu o bico e contou que Luther saíra com um carro meu, um Monte Carlo preto. Luther alegara que eu havia autorizado e, como todo mundo sabia que eu lhe emprestava tudo, ninguém ousou fazer mais perguntas. Isso me deixou louco. Fui imediatamente revistar o quarto dele. E deparei com aquele quadro de Nola, o que me deu vontade de vomitar, e, então, escondidas numa caixa embaixo da cama, encontrei todas essas cartas... Cartas que ele tinha roubado... Trocadas entre Harry e Nola, que claramente ele fora roubar nas caixas de correio. Então fiquei esperando por ele e, quando voltou, no final do dia, tivemos uma discussão terrível...

Stern calou-se e fitou o vazio.

— O que aconteceu? — perguntei.

— Eu... eu queria que ele parasse de ir lá, entende? Queria que aquela obsessão por Nola findasse! Ele não queria ouvir nada! Nada! Dizia que Nola e ele estavam mais unidos do que nunca! Que ninguém poderia impedi-los de ficar juntos. Perdi a cabeça. Acabamos brigando, trocamos socos e eu o acertei. Eu o agarrei pelo colarinho, gritei, bati nele. Chamei-o de caipira. Ele acabou indo parar no chão, apalpou o nariz, que estava sangrando. Eu fiquei petrificado. E ele falou... Ele falou...

Stern era incapaz de prosseguir. Esboçou um gesto de asco.

— O que ele falou, Sr. Stern? — insisti, para que ele não perdesse o fio da história.

— Ele falou: "Foi você!" Gritou: "Foi você! Foi você!" Fiquei atônito. Ele bateu em retirada, foi pegar alguns pertences no quarto e saiu com o Chevrolet sem que eu pudesse reagir. Ele tinha... Ele tinha reconhecido a minha voz.

Stern começara a chorar. Cerrara os punhos de raiva.

— Ele tinha reconhecido a sua voz? — repeti. — O que isso quer dizer?

— Houve... Houve uma época em que eu costumava me encontrar com velhos colegas de Harvard. Uma espécie de fraternidade idiota. Costumávamos passar os finais de semana no estado do Maine: dois dias em grandes hotéis, bebendo, comendo lagosta. Nossa diversão era brigar, bater em pobres-diabos. Dizíamos que os caras do Maine eram caipiras e nossa missão na terra era exterminá-los. Não tínhamos nem trinta anos, éramos filhinhos de papai, ricos e pretensiosos. Éramos um pouco preconceituosos, infelizes, violentos. Inventamos um jogo: o *field goal*, que consistia em chutar a cabeça de nossas vítimas como se fosse uma bola de futebol americano. Um dia, em 1964, na periferia de Portland, estávamos muito animados e alcoolizados. Cruzamos com um rapaz na estrada. Eu é que estava ao volante... Parei e sugeri que nos divertíssemos um pouco...

— O senhor é o agressor de Caleb?

Ele explodiu:

— Sou! Sou! Nunca me perdoei por isso! Acordamos no dia seguinte em nossa suíte, num hotel de luxo, com uma ressaca infernal. Os jornais noticiavam a agressão: o rapaz estava em coma. A polícia estava freneticamente à nossa caça; fomos alcunhados a *gangue dos field goals*. Combinamos nunca mais tocar no assunto, enterrar aquela história em nossas memórias. Mas não adiantou, eu vivia atormentado: não pensei em outra coisa nos dias e meses seguintes. Estava completamente obcecado. Comecei a frequentar Portland, para saber o que teria acontecido ao rapaz que havíamos martirizado. Passaram-se dois anos. Um dia, sem aguentar mais, decidi oferecer-lhe um emprego e uma chance de dar a volta por cima. Fingi ter furado um pneu, pedi sua ajuda e contratei-o como motorista. Dei tudo o que ele queria... Improvisei um ateliê de pintura na varanda da minha casa, dei-lhe dinheiro, um carro de presente, mas nada foi suficiente para aplacar minha culpa. Eu queria sempre fazer mais por ele! Após destruir sua carreira de pintor, financiei todas as exposições possíveis, além de permitir que passasse dias a fio pintando. E então ele começou a dizer que se sentia sozinho, que ninguém se importava com ele. Alegava que a única coisa que podia fazer com uma mulher era pintá-la. Queria pintar mulheres louras, dizia que lhe faziam lembrar sua noiva da época, antes da agressão. Contratei um batalhão de prostitutas louras para posar para ele. Um dia, contudo, em Aurora, ele encontrou Nola. E se apaixonou. Afirmava que era a primeira vez que amava novamente desde a ex-noiva. Mas em seguida Harry chegou, o escritor genial e bem-apessoado. O que Luther almejava ter sido. E Nola se apaixonou por Harry... Nesse momento Luther decidiu que também queria ser Harry... O que queria que eu fizesse? Eu roubara a vida dele, confiscara tudo que ele tinha. Podia impedi-lo de amar?

— Logo, tudo isso era para tirar o peso da consciência?

— Chame como quiser.

— Em 29 de agosto... O que aconteceu em seguida...

— Quando Luther descobriu que havia sido eu que... Bem, ele fez as malas e fugiu no Chevrolet preto. Imediatamente fui a seu encalço. Queria explicar. Queria que ele me perdoasse. Mas era impossível encontrá-lo. Eu o procurei o dia inteiro e parte da noite. Em vão. Eu não parava de me recriminar. Esperei que ele voltasse por iniciativa própria. Nesse ínterim, no final do dia seguinte o rádio noticiou o desaparecimento de Nola Kellergan. O suspeito estava num Chevrolet preto... Não preciso ser mais claro que isso. Decidi nunca mais tocar no assunto, com a intenção de que nunca viessem a suspeitar de Luther. Ou, talvez, porque no fundo eu era tão culpado quanto Luther. É por esse motivo que não tolerei quando o senhor veio aqui ressuscitar os mortos. Mas acontece que, no fim, e igualmente graças ao senhor, fiquei sabendo que Luther não matou Nola. É como se eu também não a tivesse matado. O senhor aliviou a minha consciência, Sr. Goldman.

— E o Mustang?

— Na garagem, coberto por uma lona. Faz trinta e três anos que o escondo na garagem.

— E as cartas?

— Guardei-as também.

— Eu gostaria de vê-las, por favor.

Stern tirou um quadro da parede, deixando visível a porta de um pequeno cofre-forte, que ele abriu. Dali de dentro, tirou uma caixa de sapatos abarrotada de cartas. Foi assim que descobri toda a correspondência entre Harry e Nola, a que permitiria a criação de *As origens do mal*. Reconheci de imediato a primeira carta: era justamente a que abria o livro. Aquela carta de 5 de julho de 1975, transbordante de tristeza, que Nola escrevera ao ser rejeitada por Harry, quando soube que ele passara a noite do quatro de julho com Jenny Dawn. Naquele dia, ela prendera no vão da porta um envelope contendo a carta e duas fotos tiradas em Rockland. Uma delas mostrava uma nuvem de gaivotas à beira-mar. A segunda era uma foto dos dois, juntos, durante o piquenique.

— Cacete, como Luther pôs as mãos em tudo isso? — perguntei.

— Não sei — respondeu Stern. — Mas não me admiraria que ele tivesse invadido a casa de Harry.

Refleti: ele podia perfeitamente ter subtraído aquelas cartas durante os poucos dias em que Harry se ausentara de Aurora. Mas por que Harry nunca tinha me contado que as cartas haviam sumido? Pedi para levar a caixa e Stern me autorizou. Então fui invadido por uma dúvida atroz.

Fitando Nova York, Harry chorava em silêncio, escutando meu relato.

— Quando vi aquelas cartas — expliquei —, minha cabeça deu um nó. Voltei a pensar no seu original, o que você deixou no escaninho da academia: *As gaivotas de Aurora*. E enxerguei o que não conseguira ver esse tempo todo: não há gaivotas em *As origens do mal*! Como uma coisa dessas pudera me escapar por tanto tempo: não havia nem sinal de gaivota! Ora, você tinha jurado que colocaria gaivotas! Foi nesse instante que compreendi que não era você quem tinha escrito *As origens do mal*. O livro que você escreveu durante o verão de 1975 foi *As gaivotas de Aurora*. Foi esse livro que você escreveu e Nola datilografou. Tive a confirmação disso quando pedi a Gahalowood para comparar a letra das cartas que Stern me entregou com a do bilhete escrito no original encontrado com Nola. Quando ele me disse que os resultados batiam, percebi que você havia me usado completamente ao pedir que eu queimasse o seu malfadado manuscrito. Não era sua letra... Você não escreveu o livro que o transformou num escritor famoso! Você o roubou de Luther!

— Cale a boca, Marcus!

— Estou errado? Você roubou um livro! Qual é o maior crime que um escritor pode cometer? *As origens do mal*: foi por isso que deu esse título ao livro! E eu que não entendia por que um título tão sombrio para uma história tão bela! Mas o título nada tem a ver com o livro, e sim com você. A propósito, você não cansava de repetir: um livro não tem a ver com palavras, tem a ver com pessoas. Esse livro é a origem do mal que o corrói desde essa época, o mal dos remorsos e da impostura!

— Pare, Marcus! Cale-se agora!

Ele chorava. Continuei:

— Um dia, Nola deixou um envelope na porta de Goose Cove. Foi em 5 de julho de 1975. Um envelope contendo fotos de gaivotas e uma carta, escrita no papel de carta preferido dela, na qual falava de Rockland e dizia que nunca o esqueceria. Isso aconteceu no período em que você se esforçava para evitá-la a todo custo. Essa carta, porém, nunca chegou às suas mãos, porque Luther, que espionava a casa, apoderou-se dela assim que Nola saiu. Foi dessa forma que, a partir desse dia, ele passou a se corresponder com Nola. Ele respondeu à carta fingindo ser você. Ela respondia pensando estar escrevendo para você, mas ele interceptava as cartas em sua caixa de correio. E lhe escrevia de volta, sempre se fazendo passar por você. Então era por isso que ele rondava Goose Cove. Nola pensava estar se correspondendo com você e as cartas que ela trocou com Luther Caleb transformaram-se em *As origens do mal*. Ora, Harry, francamente! Como pôde…

— Eu estava em pânico, Marcus! Naquele verão, eu padecia para escrever. Achava que nunca mais iria conseguir. Estava escrevendo esse livro, *As gaivotas de Aurora*, mas considerava-o péssimo. Nola dizia que o adorava, mas nada era capaz de me acalmar. Eu tinha crises de fúria incontroláveis. Ela datilografava minhas páginas manuscritas, eu as relia e rasgava tudo. Ela suplicava que eu parasse, dizia: "Não faça isso, você é brilhante. Por misericórdia, termine o livro! Harry querido, não suportarei se não terminá-lo!" Mas eu estava sem confiança. Achava que nunca me tornaria um escritor. E então, um dia, Luther Caleb bateu à minha porta. Sem saber a quem procurar, viera atrás de mim: escrevera um livro e estava na dúvida se valia a pena submetê-lo a uma editora. Entenda, Marcus, ele me julgava um grande escritor nova-iorquino, contava com a minha ajuda.

20 de agosto de 1975

— Luther?

Harry não disfarçou o espanto ao abrir a porta.

— Pom… Pom tia, Harry.

Houve um silêncio embaraçoso.

— Posso fazer alguma coisa por você, Luther?

— É uma fisita convitencial. Para um confelho.
— Um conselho? Estou ouvindo. Quer entrar?
— Oprigato.

Os dois homens instalaram-se na sala. Luther estava nervoso. Trouxera um grosso envelope, que apertava contra o corpo.

— Então, Luther. O que há?
— Eu... eu escrefi um lifro. Um lifro de amor.
— É mesmo?
— É. E não fei fe é pom. Guer tizer, gomo vazer para um lifro figar pom bara ser bubligado?
— Não sei. Mas se acha que fez o melhor que pôde... Trouxe o texto com você?
— Fim, mas é um evemblar manuscrido — desculpou-se Luther. — Acapo de me tar conda. Denho uma fersão dadilografata, mas me encanei de envelobe ao sair de gasa. Guer eu fá puscá-lo e gonfersemos debois?
— Não, me mostre o que trouxe.
— É gue...
— Vamos, não seja tímido. Tenho certeza de que sua letra é legível.

Ele estendeu o envelope. Harry puxou as folhas de papel e folheou algumas, admirado com a perfeição da caligrafia.

— É a sua letra?
— É.
— Puxa vida, eu diria que... É... é uma caligrafia incrível. Como faz isso?
— Não fei. É minha ledra.
— Se não fizer objeção, deixe-o comigo. Para que eu possa ler. Direi o que acho com sinceridade.
— Fério?
— Claro.

Luther aceitou de bom grado e foi embora. Contudo, em vez de deixar Goose Cove, escondeu-se na mata e, como sempre fazia, esperou Nola. Ela chegou pouco depois, alegre, pensando na partida próxima. Não percebeu a silhueta dissimulada nas moitas, à sua espreita. Entrou na casa pela porta principal, sem tocar a campainha, como fazia agora todos os dias.

— Harry querido! — chamou ela, para anunciar sua chegada.

Não houve resposta. A casa parecia deserta. Chamou de novo. Silêncio. Atravessou a sala de jantar e a sala de estar, mas não o encontrou. Não estava no escritório. Nem na varanda. Desceu então a escada até a praia e gritou seu nome. Será que tinha ido dar um mergulho? Quando trabalhava demais, ele costumava fazer isso. Mas também não havia ninguém na praia. Começou a entrar em pânico: onde, afinal, ele poderia estar? Voltou para casa, chamou-o novamente. Ninguém. Passou revistando todos os cômodos do primeiro andar, depois subiu. Ao abrir a porta do quarto, encontrou-o sentado na cama, lendo um maço de papéis.

— Harry? Você estava aqui? Faz dez minutos que estou procurando-o em toda parte...

Ele se assustou ao ouvir sua voz.

— Desculpe, Nola, estava lendo... Não a ouvi.

Ele se levantou, empilhou os papéis que segurava nas mãos e guardou-os numa gaveta da cômoda.

Ela abriu um sorriso.

— E o que lia de tão cativante que sequer me ouviu berrar seu nome pela casa?

— Nada importante.

— É a continuação do romance? Me mostre!

— Nada importante, eu lhe mostrarei quando for a hora.

Ela fitou-o, petulante.

— Tem certeza de que está tudo bem, Harry?

Ele riu.

— Está tudo bem, Nola.

Foram para a praia. Ela queria ver as gaivotas. Abriu bem os braços, como se tivesse asas, e correu, descrevendo grandes círculos.

— Eu gostaria de poder voar, Harry! Só mais dez dias! Daqui a dez dias estaremos voando! Vamos embora desta cidade maldita para sempre!

Acreditavam estar sozinhos na praia. Nem Harry nem Nola desconfiavam de que, além dos rochedos, no meio da mata, Luther Caleb os espiava. Ele esperou que os dois entrassem novamente em casa para sair de seu esconderijo. Percorreu a aleia de Goose Cove correndo e alcançou seu Mustang, na trilha florestal paralela. Voltou para Aurora e estacionou o carro em frente ao Clark's. Precipitou-se para o interior: precisava falar com Jenny de qualquer jeito. Alguém precisava saber. Ele tinha um mau pressentimento. Mas Jenny não estava com vontade alguma de vê-lo.

— Luther? Não deveria estar aqui. — Foram suas palavras quando ele surgiu diante do balcão.

— Venny... Finto muido pela oudra manhã. Eu não deberia der abertato seu praço como viz.

— Fiquei toda roxa depois...

— Finto muido.

— Você precisa ir embora agora.

— Não, esbere...

— Registrei uma queixa contra você, Luther. E Travis falou que, se você aparecer por aqui, é para eu avisá-lo e você terá que se ver com ele. O melhor é ir embora antes que ele o veja aqui.

O gigante pareceu decepcionado.

— Vofê deu gueixa condra mim?

— Dei. Você me deixou muito assustada naquele outro dia...

— Mas brefiso lhe gomunicar uma goisa imbordande.

— Nada é importante, Luther. Vá embora...

— É a resbeido de Harry Guebert...

— Harry?

— É, dica-me o gue bensa de Harry Guebert...

— Por que está me falando dele?

— Gonvia nele?

— Se confio? Claro. Por que está me fazendo essa pergunta?

— Brefiso lhe condar uma goisa...

— Me contar uma coisa? O que é, afinal?

Quando Luther estava prestes a responder, uma viatura policial surgiu no largo em frente ao Clark's.

— É Travis! — exclamou Jenny. — Corra, Luther, corra! Não quero que tenha problemas.

— É muito simples — disse Harry —, era o livro mais genial que eu já tinha lido. E eu juro que não sabia que era para Nola! O nome dela não aparecia. Era uma história de amor extraordinária. Nunca mais estive com Caleb. Não tive oportunidade de lhe devolver o manuscrito. Pois rebentaram os acontecimentos que você já sabe. Quatro semanas depois, fiquei sabendo que Luther Caleb morrera num acidente de trânsito. E eu detinha o manuscrito do que sabia ser uma obra-prima. Decidi então assumir sua autoria. Foi assim que assentei minha carreira e minha vida em uma mentira. Como eu podia imaginar que o livro faria todo aquele sucesso? Sucesso que atormentaria minha vida! Toda a minha vida! E então, decorridos trinta e três anos, a polícia encontra Nola e aquele original no meu jardim. No meu jardim! Nesse momento, tive tanto medo de perder tudo que afirmei ter escrito aquele livro para ela.

— Medo de perder tudo? Preferiu ser acusado de assassinato a revelar a verdade sobre o livro?

— Preferi, sim! Porque toda a minha vida é uma mentira, Marcus!

— Então Nola nunca roubou esse original de você. Disse isso para certificar-se de que ninguém colocaria em dúvida que você era o autor.

— Exatamente. Mas então de onde surgiu o original que ela trazia consigo?

— Luther o deixou na caixa de correio de Nola — expliquei.

— Na caixa de correio de Nola?

— Luther sabia que você fugiria com Nola, ouviu vocês dois conversando na praia. Sabia que Nola iria embora sem ele e é assim que termina sua história: com a partida da heroína. Ele escreve uma última carta para ela, uma carta em que lhe deseja uma vida feliz. E essa carta está presente no manuscrito que ele levará para você em seguida. Luther sabia de tudo. Só que, no dia da partida, provavelmente na madrugada de 29 para 30 de agosto, ele sente necessidade de juntar as pontas: quer terminar sua história com Nola tal qual termina seu livro. Então deixa uma última carta na caixa de correio dos Kellergan. Ou melhor, um último embrulho. A carta de despedida e o original de seu livro, para que ela saiba como ele a ama. E como sabe que não a verá nunca mais, escreve na capa: *Adeus, Nola querida*. Certamente ficou de sentinela até o amanhecer, para ter certeza de que seria de fato Nola a checar a correspondência. Como sempre fazia. Nola, porém, ao encontrar a carta e o original, pensou que o remetente era você. Achou que você não viria mais. Descompensou-se. Teve um surto.

Harry desmoronou, com as mãos no coração.

— Conte, Marcus! Conte você. Quero que sejam suas palavras! Suas palavras são sempre as mais apropriadas! Conte o que aconteceu naquele 30 de agosto de 1975.

30 de agosto de 1975

Certo dia, no final de agosto, uma menina de quinze anos foi assassinada em Aurora. Chamava-se Nola Kellergan. Todas as descrições que ouvirem a seu respeito vão apresentá-la transbordante de vida e de sonhos.

Seria difícil limitar as causas de sua morte aos acontecimentos de 30 de agosto de 1975. Talvez, no fundo, tudo tenha começado muitos anos antes. Ao longo da década de 1960, quando seus pais não enxergam a doença da filha. Numa noite de 1967, talvez, quando um rapaz acaba sendo desfigurado por uma gangue de *bad boys* doidões e um deles, remoído pelo remorso, tenta comprar uma consciência aproximando-se secretamente da vítima. Ou naquela noite de 1969, quando um pai decide se calar quanto ao segredo da filha. Ou talvez tudo tenha começado numa tarde de junho de 1975, quando Harry Quebert conhece Nola e os dois se apaixonam.

É a história de pais que não querem enxergar a verdade sobre seus filhos.

É a história de um rico herdeiro que, em seus anos de juventude, com um pé na delinquência, destruiu os sonhos de um jovem e, desde então, vive atormentado pelo que fez.

É a história de um homem que sonha tornar-se um grande escritor e deixa-se lentamente consumir pela ambição.

Ao amanhecer do dia 30 de agosto de 1975, um carro estacionou em frente ao número 245 da Terrace Avenue. Luther Caleb tinha vindo se despedir de Nola. Estava alucinado. Não sabia mais se eles tinham se amado ou se sonhara; não sabia mais se haviam de fato escrito todas aquelas cartas. Mas sabia que Nola e Harry haviam planejado fugir naquele dia. Ele também queria deixar New Hampshire e ir para longe, bem longe de Stern. Estava confuso: o homem que lhe restituíra o prazer de viver era o mesmo que o havia destruído. Aquilo era um pesadelo. A única coisa que importava naquele momento era terminar sua história de amor. Devia entregar a última carta a Nola. Ele a escrevera já fazia quase três semanas, desde o dia em que ouvira Harry e Nola planejarem sua fuga para 30 de agosto. Correra para terminar o livro, chegara até mesmo a submeter o manuscrito a Harry Quebert: queria saber se valia a pena publicá-lo. Porém, nada mais valia a pena agora. Havia inclusive desistido de pegar de volta o manuscrito. Guardara uma cópia datilografada, providenciara uma bela encadernação para Nola. Aquele sábado, 30 de agosto, foi o dia em que ele deixou a última carta na caixa de correio dos Kellergan, a qual iria selar a história deles, bem como o original, para que Nola se lembrasse dele. Que título daria ao livro? Não fazia ideia. Mas nunca haveria livro, então por que lhe atribuir um título? Limitara-se a uma dedicatória na capa, desejando-lhe boa viagem: *Adeus, Nola querida.*

Estacionado na rua, esperava o dia nascer. Esperava que ela saísse de casa. Queria apenas certificar-se de que seria ela a encontrar o original. Desde que tinham começado a trocar cartas, era sempre ela que vinha buscar a correspondência. Esperou; dissimulou-se o melhor que pôde: ninguém podia vê-lo, principalmente o paspalho do Travis Dawn, caso contrário, o comeria vivo. Já apanhara o suficiente na vida.

Às onze horas, ela afinal saiu. Olhou em volta, como sempre. Estava radiante. Usava um vestido vermelho, deslumbrante. Correu para a caixa de correio, sorriu ao ver o envelope e o embrulho. Apressou-se a ler a carta e, subitamente, vacilou. Refugiou-se então dentro de casa, chorando. Não iriam embora juntos, Harry não a esperaria no motel. Sua última carta era uma carta de despedida.

Trancou-se no quarto e desabou na cama, prostrada pelo sofrimento. Por quê? Por que ele a rejeitava? Por que a tinha feito acreditar que se amariam para sempre? Ela folheou o original: que livro então era aquele do qual ele nunca lhe falara? Suas lágrimas escorriam pelo papel, manchando-o. Eram suas cartas, todas as cartas dos dois estavam ali, bem como a última, que rematava o livro: ele mentira para ela o tempo todo. Nunca planejara fugir com ela. Nola estava com dor de cabeça, debulhava-se em lágrimas. Queria morrer, de tanto sofrimento.

A porta do quarto se abriu suavemente. O pai a tinha ouvido chorar.

— O que aconteceu, querida?

— Nada, papai.

— Não diga que não foi *nada*, estou vendo que aconteceu alguma coisa...

— Ah, papai! Estou tão triste! Tão triste!

Ela se atirou no pescoço do reverendo.

— Solte-a! — gritou subitamente Louisa Kellergan. — Ela não merece amor! Solte-a, David, eu lhe peço!

— Pare, Nola... Não comece com isso outra vez!

— Cale-se, David! Você é um traste! Foi incapaz de agir! Agora sou obrigada a terminar o trabalho com minhas próprias mãos.

— Nola! Pelo amor de Deus! Acalme-se! Acalme-se! Não vou mais permitir que se flagele.

— Deixe-nos, David! — explodiu Louisa, empurrando o marido com rispidez.

Ele recuou para o corredor, impotente.

— Venha cá, Nola! — gritava a mãe. — Venha cá! Agora vai aprender!

A porta se fechou. O reverendo Kellergan estava paralisado. Impossível não ouvir o que acontecia do outro lado.

— Mamãe, tenha piedade! Pare! Pare!

— Tome isso! Este é o destino das garotas que mataram a mãe.

E o reverendo correu para a garagem e ligou a vitrola, colocando o volume no máximo.

Por todo o dia a música reverberou dentro de casa e nos arredores. Os passantes lançavam um olhar desaprovador em direção às janelas. Alguns trocavam olhares cúmplices: sabiam o que acontecia nos Kellergan quando havia música.

Luther não se mexera. Sempre ao volante do Chevrolet, dissimulado entre as fileiras de carros estacionados ao longo das calçadas, não desgrudava os olhos da casa. Por que ela chorara? Sua carta não tinha lhe agradado? E seu livro? Também não gostara dele? Por que o choro? Ele se dedicara tanto! Havia escrito para ela um livro de amor, e o amor não devia fazer chorar.

Ela ficou assim até as seis da tarde. Não sabia mais se devia esperá-la sair novamente ou se devia tocar a campainha da casa. Queria vê-la, lhe pedir que não chorasse. Foi quando a viu irromper no jardim: ela saíra pela janela. Ela espreitou a rua para certificar-se de que ninguém a vira e avançou discretamente pela calçada. Carregava uma bolsa a tiracolo. Dali a pouco, começou a correr. Luther arrancou.

O Chevrolet preto parou a seu lado.

— Luther? — perguntou Nola.

— Não chore... Fó fim te tizer bra não chorar.

— Ah, Luther, aconteceu uma coisa tão triste comigo... Leve-me com você! Leve-me com você!

— Para onde vai?

— Para longe do mundo.

Sem sequer esperar a resposta de Luther, ela pulou no banco do carona.

— Em frente, meu bom Luther! Preciso chegar ao Sea Side Motel. É impossível que ele não me ame! Nós dois nos amamos como ninguém mais!

Luther obedeceu. Nem ele nem Nola perceberam a viatura policial que surgia no entroncamento. Travis Dawn acabara de passar pela enésima vez em frente à casa dos Quinn, esperando que Jenny estivesse sozinha para lhe dar as rosas silvestres que colhera. Incrédulo, viu Nola entrar num carro desconhecido. Reconhecera Luther ao volante. Observou o Chevrolet afastar-se e esperou um pouco até segui-lo: não podia perdê-lo de vista, mas não podia colar em sua traseira. Afinal, sua intenção era entender o que levava Luther a passar tanto tempo em Aurora. Será que ia espionar Jenny? Por que Nola estava no carro dele? Ele tinha alguma intenção de cometer um crime? Enquanto rodava, pegou o microfone do rádio de bordo: queria chamar reforços para ter certeza de que conseguiria encurralar Luther se a abordagem falhasse. Mas logo voltou atrás: não pretendia estorvar-se com algum colega. Queria resolver a situação à sua maneira: Aurora era uma cidade pacata, e ele queria que continuasse assim. Daria uma lição em Luther, uma lição que ele nunca iria esquecer. Era a última vez que ele botava os pés lá. E perguntou-se novamente como Jenny pudera se apaixonar por aquele monstro.

— Foi você quem escreveu aquelas cartas? — insurgiu-se Nola, no carro, ao ouvir as explicações de Caleb.

— Voi...

Ela enxugou as lágrimas com o dorso da mão.

— Luther, você é louco! Não se rouba a correspondência dos outros! É errado o que você fez!

Ele baixou a cabeça, envergonhado.

— Finto muido... Eu me fentia tão fovinho...

Ela pousou uma mão amiga em seu ombro forte.

— Ah, Luther, não importa! Porque isso significa que Harry está me esperando! Ele está me esperando! Nós dois vamos embora juntos!

Ao pensar isso, seu semblante se iluminou.

— Vofê tem zorte, Nola. Vofê ama... Ifo guer gizer gue nunca esdarão fovinhos.

Avançavam agora pela estrada. Passaram em frente ao entroncamento da entrada de Goose Cove.

— Adeus, Goose Cove! — exclamou Nola, feliz. — Essa casa é o único lugar de Aurora do qual guardo boas recordações.

Ela começou a rir. À toa. E Luther riu também. Ele e Nola se despediriam, mas o fariam em bons termos. De repente, ouviram uma sirene de polícia atrás do carro. Chegavam à orla da floresta, ponto no qual Travis decidira interceptar Caleb para dar-lhe um corretivo. Ninguém os veria na mata.

— É o Trafis! — gritou Luther. — Fe ele nos algançar, é o nosso vim.

Nola entrou em pânico no mesmo instante.

— A polícia, não! Ah, Luther, eu imploro, faça alguma coisa!

O Chevrolet acelerou. Era um modelo potente. Travis soltou um palavrão e, pelo alto-falante, intimou Luther a parar e estacionar no acostamento.

— Não pare! — suplicou Nola. — Corra! Corra!

Luther pisou fundo. O Chevrolet distanciou-se um pouco da viatura de Travis. Depois de Goose Cove, a estrada trazia algumas curvas: Luther as fez bem fechadas e aproveitou para ganhar um pouco mais de distância. Ouviu a sirene se afastar.

— Ele fai chamar revorfos — comentou Luther.

— Se ele nos alcançar, nunca vou conseguir ir embora com Harry!

— Endão famos fuvir pela mada. A mada é imenfa. Ninguém nos engondrará lá. Vofê poterá alcanfar o Fea Fide Model. Fe me begarem, Nola, não tirei nata. Não tirei gue vofê estafa gomico. Afim, vofê poterá fuvir gom Harry.

— Ah, Luther...

— Promeda guartar meu lifro! Promeda guartá-lo gomo uma lembranfa te mim!

— Prometo!

Com estas palavras, Luther deu uma guinada brusca no volante e o carro embrenhou-se nas moitas da orla da floresta até imobilizar-se atrás dos densos arbustos de amoreiras. Saíram desabalados.

— Gorra! — ordenou Luther a Nola. — Gorra!

Atravessaram a mata, desbravando os espinheiros. Ela rasgou o vestido e arranhou o rosto.

* * *

Travis xingou de novo. Não via mais o Chevrolet preto. Acelerou e não notou a lataria preta dissimulada pela vegetação. Seguiu reto pela estrada.

Eles corriam pela mata. Nola à frente e Luther, atrás, com mais dificuldade, devido à corpulência, para esgueirar-se por entre os galhos baixos.
— Gorra, Nola! Não bare! — gritava ele.
Sem se darem conta, haviam se aproximado da mata. Estavam na orla de Side Creek Lane.
Pela janela de sua cozinha, Deborah Cooper olhava na direção da mata. Subitamente, pensou ter percebido um movimento. Olhou mais atentamente e viu uma garota, correndo a toda velocidade, perseguida por um homem. Precipitou-se para o telefone e discou o número da polícia.

Travis acabara de parar no acostamento da estrada quando recebeu a chamada da central: uma garota fora avistada nas proximidades de Side Creek Lane, aparentemente sendo perseguida por um homem. O oficial confirmou o recebimento da mensagem e imediatamente fez meia-volta em direção a Side Creek Lane, com as luzes piscando e a sirene soando. Após um quilômetro e meio, seu olhar foi atraído por um reflexo luminoso: um para-brisa! Era o Chevrolet preto, dissimulado entre os arbustos! Ele parou e, de arma em punho, aproximou-se do veículo: estava vazio. Retornou logo em seguida ao carro e se apressou para a casa de Deborah Cooper.

Eles pararam próximo à praia, para recuperar o fôlego.
— Acha que foi o suficiente? — perguntou Nola a Luther.
Ele apurou os ouvidos: não havia qualquer barulho.
— Deferíamos esberar um bougo aqui — disse ele. — Na mada esdamos brodegidos.
O coração de Nola batia forte. Ela pensava em Harry. Pensava na mãe. Sentia saudades da mãe.

— Uma garota de vestido vermelho — explicou Deborah ao oficial Dawn.
— Corria em direção à praia. Havia um homem em seu encalço. Não vi direito. Mas era bem forte.
— São eles — disse Travis Dawn. — Posso usar seu telefone?
— Claro.
Travis ligou para a casa do chefe Pratt.

— Chefe, sinto muito atrapalhar a sua folga, mas estou metido num caso estranho. Vi Luther Caleb em Aurora...

— De novo?

— Pois é. Só que, dessa vez, ele obrigou Nola Kellergan a entrar no seu carro. Tentei interceptá-lo, mas ele me despistou. Fugiu pela mata com a jovem Nola. Parece ter agredido a menina, chefe. Sozinho, na mata fechada, não posso fazer nada.

— Puta merda. Fez bem em me ligar! Estarei aí num minuto.

— Iremos para o Canadá. Amo o Canadá. Moraremos numa casa bonita, à beira de um lago. Seremos muito felizes.

Luther sorriu. Sentado num tronco seco, escutava os sonhos de Nola.

— É um pélo blano — aprovou ele.

— É sim. Que horas são?

— Guase guinze bara as fete.

— Então tenho que ir. Marcamos às sete horas, no quarto 8. De toda forma, agora estamos fora de perigo.

Nesse instante, porém, ouviram ruídos. Em seguida, vozes.

— A polícia! — espantou-se Nola.

O chefe Pratt e Travis vasculhavam a mata; percorriam a orla, próximo à praia. De cassetetes em punho, avançavam pela floresta.

— Fá empora, Nola — disse Luther. — Fá empora, figarei aqui figiando.

— Não! Não posso abandonar você!

— Fá, carampa! Fá! Derá dempo te chegar ao model. Harry esdará lá! Vuja, debressa! Vuja o mais rábido bossífel! Vuja e feja feliz.

— Luther, eu...

— Adeus, Nola. Feja feliz. Ame o meu lifro como eu gueria que vofê me amafe.

Ela chorava. Acenou para ele com a mão e desapareceu entre as árvores.

Os dois policiais avançavam num passo célere. Ao fim de algumas centenas de metros, avistaram uma silhueta.

— É Luther! — rosnou Travis. — É ele!

Estava sentado no tronco. Não se mexera. Travis pulou sobre ele e agarrou-o pelo colarinho.

— Onde está a garota? — gritou o oficial, sacudindo-o.
— Gue garoda? — perguntou Luther.
Tentava calcular mentalmente o tempo que Nola levaria para chegar ao motel.
— Onde está Nola? O que fez com ela? — insistiu Travis.
Como Luther não respondia, o chefe Pratt, vindo por trás, agarrou uma das pernas dele e, desferindo-lhe um golpe violento com o cassetete, fez com que se ajoelhasse.

Nola ouviu um grito. Interrompeu imediatamente seus passos e sentiu um calafrio. Haviam encontrado Luther e o estavam espancando. Hesitou por uma fração de segundo: precisava voltar, apresentar-se para os policiais. Seria muito injusto Luther ter problemas por causa dela. Quis voltar ao tronco, mas, subitamente, sentiu uma mão agarrando seu ombro.
— Mamãe? — perguntou ela.

Com ambos os joelhos fraturados, Luther jazia no solo, gemendo. Travis e Pratt revezavam-se nos chutes e golpes de cassetete.
— O que fez com Nola? — berrava Travis. — Machucou a garota? Hein? Você é um tarado filho da puta, não é? Você abusou dela!
Luther gritava sob os golpes, suplicando que os policiais parassem.

— Mamãe?
Louisa Kellergan sorriu amorosamente para a filha.
— O que está fazendo aqui, minha querida? — perguntou a mãe.
— Fugi.
— Por quê?
— Porque vou encontrar Harry. Eu o amo muito.
— Não deve abandonar seu pai sozinho. Seu pai seria muito infeliz sem você. Não pode ir embora assim…
— Mamãe… Mamãe, sinto muito pelo que fiz com você.
— Está perdoada, minha querida. Mas agora deve parar de se fazer mal.
— Está bem.
— Promete?
— Prometo, mamãe. O que devo fazer agora?
— Volte para casa. Seu pai precisa de você.

— Mas... e Harry? Não quero perdê-lo.
— Não vai perdê-lo. Ele vai esperá-la.
— É verdade?
— Sim. Ele vai esperá-la até o fim da vida.

Nola ouviu mais gritos. Luther! Saiu correndo de volta para o tronco. Gritou, gritou com toda sua força para que os golpes cessassem. Surgiu por entre os arbustos. Luther estava estendido, morto. De pé, à sua frente, o chefe Pratt e o oficial Travis observavam o corpo, aturdidos. Havia sangue em toda parte.

— O que vocês fizeram? — berrou Nola.
— Nola? — exclamou Pratt. — Mas...
— Vocês mataram Luther!

Investiu contra o chefe Pratt, que a repeliu com uma bofetada. Seu nariz sangrou na mesma hora. Ela tremia de medo.

— Desculpe, Nola, não queria machucá-la — balbuciou Pratt.

Ela recuou.

— Vocês... vocês mataram Luther!
— Espere, Nola!

Ela saiu em disparada. Travis tentou agarrá-la pelo cabelo, arrancando-lhe um tufo de cachos louros.

— Alcance-a, pelo amor de Deus! — berrou Pratt para Travis. — Alcance-a!

Ela desabalou por entre os arbustos, arranhando o rosto, e atravessou a última fileira de árvores. Uma casa. Uma casa! Precipitou-se para a porta da cozinha. Seu nariz continuava sangrando. Agora o rosto também sangrava. Deborah Cooper, em pânico, abriu a porta para ela e a pôs para dentro.

— Socorro — gemeu Nola. — Peça ajuda.

Deborah Cooper correu outra vez para o telefone a fim de avisar à polícia.

Nola sentiu uma mão tapar sua boca. Com um gesto violento, Travis a ergueu. Ela se debatia, mas ele a apertava com muita força. Não teve tempo de sair da casa: Deborah Cooper já retornava à sala. Soltou um grito de pavor.

— Não se preocupe — balbuciou Travis. — Sou da polícia. Está tudo bem.

— Socorro! — gritou Nola, tentando se desvencilhar. — Eles mataram um homem! Esses policiais assassinaram um homem! Há um homem morto na floresta!

Transcorreu um tempo cuja duração é impossível dizer. Deborah Cooper e Travis encararam-se em silêncio: ela não ousou correr para o telefone, ele não ousou fugir. Em seguida, um disparo de arma de fogo ressoou e Deborah desabou no chão. O chefe Pratt acabara de liquidá-la com sua arma de serviço.

— Você está louco! — gritou Travis. — Completamente louco! Por que fez isso?

— Não tínhamos escolha, Travis. Sabe o que teria acontecido conosco se a velha abrisse o bico...

Travis tremia.

— E agora, o que vamos fazer? — perguntou ele.

— Não tenho ideia.

Nola, aterrorizada, reunindo a energia do desespero, aproveitou-se desse momento de vacilação para livrar-se da gravata de Travis. Antes que o chefe Pratt tivesse tempo de reagir, pulou para fora da casa pela porta da cozinha. Mas perdeu o equilíbrio nos degraus e caiu. Levantou-se prontamente, porém a mão forte do chefe agarrou o cabelo dela. Nola deixou escapar um grito e mordeu o braço de Travis, que estava próximo a seu rosto. O chefe a soltou, contudo ela não teve tempo de fugir, pois Travis desferiu-lhe um golpe de cassetete que atingiu a parte posterior do seu crânio. Ela desmoronou. Ele recuou, apavorado. Havia sangue em toda parte. Ela estava morta.

Travis permaneceu por um instante debruçado sobre o corpo. Sentia ânsias de vômito. Pratt tremia. Na mata, só se ouviam os passarinhos.

— O que vamos fazer, chefe? — murmurou Travis, atônito.

— Calma. Não é hora de entrar em pânico.

— Sim, chefe.

— Precisamos nos livrar de Caleb e de Nola. Isso tudo significa a cadeira elétrica, entende?

— Sim, chefe. E Cooper?

— Vamos fazer com que acreditem que houve um assassinato. Um roubo que acabou mal. Faça exatamente o que eu mandar.

Travis começou a chorar.

— Sim, chefe. Farei tudo que for preciso.

— Você disse ter visto o carro de Caleb nas imediações da estrada.

— Sim. Está com a chave na ignição.

— Ótimo. Colocaremos os corpos dentro do carro. E você se livra deles, certo?

— Certo.

— Assim que você sair daqui, para não levantar suspeitas sobre nós, chamarei reforços. Não podemos vacilar, ok? Quando a cavalaria chegar, você estará longe. Na confusão, ninguém vai notar sua ausência.

— Está bem, chefe... Mas acho que a velha Cooper ligou outra vez para a emergência.

— Merda! Chega de perder tempo!

Eles arrastaram os corpos de Luther e Nola até o Chevrolet. Em seguida, Pratt disparou pela floresta, na direção da casa de Deborah Cooper e das viaturas da polícia. Pelo rádio de bordo, avisou à central que acabara de encontrar Deborah Cooper assassinada com um tiro.

Travis instalou-se ao volante do Chevrolet e arrancou. No momento em que saía da mata, cruzou com uma patrulha do escritório do xerife, enviada como reforço pela central após a segunda ligação de Deborah Cooper.

Pratt estava em vias de se comunicar com a central quando ouviu uma sirene de polícia aproximando-se. O rádio reportava uma perseguição na estrada entre uma viatura do escritório do xerife e um Chevrolet Monte Carlo preto, localizado nas imediações de Side Creek Lane. O chefe Pratt imediatamente informou que iria dar cobertura. Arrancou, ligou a sirene e seguiu pela trilha florestal paralela. Ao sair na estrada, por um triz não colidiu com Travis. Os dois entreolharam-se por um instante: estavam apavorados.

Durante a perseguição, Travis, ao fazer um desvio brusco, conseguiu despistar a viatura do auxiliar do xerife. Voltou à estrada, na direção sul, e pegou a bifurcação em Goose Cove. Pratt continuava grudado em sua traseira, fingindo persegui-lo. Pelo rádio, dera posições falsas, afirmando estar na estrada de Montburry. Desligou a sirene, embrenhou-se na alameda da entrada de Goose Cove e alcançou-o na frente da casa. Os dois homens saíram dos carros, em pânico, aos berros.

— Ficou louco? Parar aqui?! — berrou Pratt.

— Quebert não está em casa — esclareceu Travis. — Soube que vai se ausentar da cidade por um tempo; ele contou a Jenny Quinn, que me disse.

— Pedi barreiras em todas as estradas. Fui obrigado.

— Merda! Merda! — gemeu Travis. — Estou encurralado! O que faremos agora?

Pratt olhou à sua volta. Notou que a garagem estava vazia.

— Coloque o carro lá dentro, tranque a porta e volte correndo para Side Creek Lane pela praia. Lá, finja que está revistando a casa de Cooper. Quanto a mim, vou voltar para a perseguição. Vamos nos livrar dos corpos hoje à noite. Tem um uniforme no carro?

— Tenho.

— Troque-se. Você está todo sujo de sangue.

Quinze minutos mais tarde, enquanto Pratt, próximo a Montburry, cruzava com as patrulhas que chegavam como reforços, Travis, de uniforme, cercado por colegas de todo o estado, bloqueava o perímetro de Side Creek Lane, onde o corpo de Deborah Cooper acabara de ser encontrado.

No meio da noite, Travis e Pratt retornaram a Goose Cove. Enterraram Nola a vinte metros da casa. Pratt, junto com o capitão Rodik, da polícia estadual, já estabelecera o perímetro de buscas: sabia que Goose Cove estava fora dele, ninguém viria procurá-la ali. Ela ainda estava com a bolsa a tiracolo e, sem sequer examinar o que havia ali dentro, eles a sepultaram.

Depois que o buraco foi tapado, Travis instalou-se novamente no Chevrolet preto e, com o cadáver de Luther no porta-malas, desapareceu pela estrada. Atravessou a fronteira de Massachusetts. No trajeto, foi parado em duas barreiras policiais.

— Documentos do veículo — disseram os policiais ambas as vezes, nervosos ao verem o carro.

E, nas duas oportunidades, Travis agitou sua insígnia.

— Polícia de Aurora, colegas. Estou justamente no encalço do nosso homem.

Os policiais cumprimentaram o colega com deferência, desejando-lhe boa sorte.

Ele dirigiu até um lugarejo no litoral, que conhecia bem. Sagamore. Pegou a estrada que margeava o oceano, incrustada nos penhascos de Sunset Cove. Chegou a um estacionamento deserto. De dia, a vista era magnífica; mais de uma vez, quisera levar Jenny até lá para um passeio romântico. Parou o carro, colocou Luther no assento do motorista, despejou aguardente barata em sua boca. Em seguida, pôs o carro em ponto morto e empurrou: ele começou a rolar lentamente pela ribanceira relvada, antes de despencar pelo paredão rochoso e, com um estrondo metálico, desaparecer no vazio.

Retornou então à estrada e caminhou algumas centenas de metros. Um carro o aguardava no acostamento. Ele se sentou no assentou do carona. Suava em bicas e estava coberto de sangue.

— Está feito — comunicou a Pratt, instalado ao volante.

O chefe arrancou.

— Nunca mais vamos falar sobre o que aconteceu, Travis. E quando o carro for encontrado, teremos que abafar o caso. Não haver culpado é a única maneira de não sermos importunados. Entendeu?

Travis balançou a cabeça. Enfiou a mão no bolso e apertou o colar que secretamente arrancara do pescoço de Nola antes de enterrá-la. Um belo colar de ouro com o nome dela gravado.

Harry voltara a se sentar no sofá.

— Então eles mataram Nola, Luther e Deborah Cooper.

— Exatamente. E maquinaram para que o caso nunca fosse elucidado. Admita, Harry, você sabia que Nola tinha surtos psicóticos, não SABIA? E, na época, chegou a falar com o reverendo Kellergan...

— Eu desconhecia o episódio do incêndio. No entanto, quando fui procurar o Sr. Kellergan para censurá-lo pelos maus-tratos infligidos a Nola, percebi que ela tinha suas fragilidades. Apesar da promessa que eu lhe fizera de não interpelar seus pais, não podia ficar de braços cruzados, entende? Foi quando descobri que o casal Kellergan resumia-se somente ao reverendo, viúvo havia seis anos e completamente impotente diante da situação. Ele... ele se negava a encarar a verdade de frente. Eu tinha que tirar Nola de Aurora e levá-la para fazer um tratamento.

— Então a fuga era para que ela se submetesse a um tratamento...

— Para mim, esta se tornara a razão. Teríamos consultado bons médicos, ela teria ficado boa! Era uma garota extraordinária, Marcus! Ela teria feito de mim um grande escritor e eu teria varrido seus pensamentos funestos! Ela me inspirou, ela me guiou! Ela me guiou durante toda a minha vida! Sabe disso, não é? Sabe disso melhor que ninguém!

— Sei, Harry. Mas por que não me contou a verdade?

— Mas eu pretendia contar! Teria contado, se o seu livro não tivesse vazado. Para mim, você havia traído minha confiança. Estava com raiva de você. Acho que quis mesmo que o seu livro fosse um fracasso: eu sabia que mais ninguém o levaria a sério depois daquela história da mãe. É, foi isso: eu quis que seu segundo livro fosse um fracasso. Como o meu, no fundo.

Ficamos em silêncio por um momento.

— Sinto muito, Marcus. Sinto por tudo. Deve estar decepcionado comigo...

— Não.

— Sei que está. Você depositou tanta esperança em mim. E construí minha vida em cima de uma mentira!

— Sempre o admirei pelo que você era, Harry. E pouco importa para mim ter sido você ou outra pessoa que escreveu o livro. O homem que você é me ensinou sobre a vida. E isso ninguém pode negar.

— Não, Marcus. Nunca mais me verá com os mesmos olhos de antes! E sabe disso. Não passo de um grande embuste! Um impostor! É por isso que eu lhe dizia que não poderíamos mais ser amigos: está tudo terminado. Está tudo terminado, Marcus. Você está se tornando um escritor fantástico e eu não sou mais nada. Você é um escritor de verdade, enquanto eu nunca fui um. Você lutou pelo seu livro, lutou para recuperar a inspiração, transpôs o obstáculo! Eu, quando estive na mesma situação, enganei.

— Harry, eu...

— A vida é assim, Marcus. E sabe que eu tenho razão. Você não conseguirá mais olhar na minha cara. E eu não poderei mais olhar para você sem sentir uma inveja transbordante e destruidora, porque você venceu onde eu fracassei.

Ele me abraçou forte.

— Harry — murmurei —, não quero perdê-lo.

— Você sabe se virar muito bem, Marcus. Tornou-se um ser humano magnífico. Um escritor magnífico. Sairá dessa com um pé nas costas! Sei disso. Agora nossos caminhos se bifurcam para sempre. Chamam a isso destino. Meu destino nunca foi ser um grande escritor. Ainda assim, tentei mudá-lo: roubei um livro, sustentei uma mentira durante trinta anos. Mas o destino é indômito: sempre acaba triunfando.

— Harry...

— Já o seu destino, Marcus, sempre foi ser escritor. Eu sempre soube disso. E sempre soube que o momento que vivemos agora iria chegar.

— Você sempre será meu amigo, Harry.

— Marcus, termine seu livro. Esse livro sobre mim, termine-o. Agora que descobriu tudo, conte a verdade ao mundo inteiro. A verdade nos libertará a todos. Escreva a verdade sobre *O caso Harry Quebert*. Livre-me do mal que me devora há trinta anos. É o último pedido que lhe faço.

— Mas como? Não posso apagar o passado.

— Não, mas pode mudar o presente. Este é o poder dos escritores. O paraíso dos escritores, lembra-se? Tenho certeza de que saberá como agir.

— Harry, foi você que me fez crescer! Que fez de mim o que eu me tornei!

— Isso não passa de uma ilusão, não fiz nada, Marcus. Você soube crescer sozinho.

— Não! Não é verdade! Segui seus conselhos! Segui seus trinta e um conselhos! Foi assim que escrevi meu primeiro livro! E o seguinte! E escreverei todos os outros! Seus trinta e um conselhos, Harry! Você se lembra?

Ele sorriu com melancolia.

— Claro que sim, Marcus.

Burrows, Natal de 1999

— Feliz Natal, Marcus!

— Um presente! Obrigado, Harry. O que é?

— Abra. É um MiniDisc. Pelo visto, essa é a mais recente novidade tecnológica. Você passa a vida anotando tudo o que eu lhe digo, depois perde as anotações e sou obrigado a repetir tudo. Pensei que assim você poderia gravar tudo.

— Ótimo. Vá em frente.

— O quê?

— Me dê um primeiro conselho. Gravarei escrupulosamente cada conselho seu.

— Está bem. Que tipo de conselho?

— Não sei... Conselhos para escritores. E para pugilistas. E para homens.

— Tudo isso? Muito bem. Quantos vai querer?

— No mínimo cem!

— Cem? Preciso guardar alguns comigo para ter coisas a lhe ensinar depois.

— Sempre terá coisas a me ensinar. Você é O Grande Harry Quebert.

— Vou lhe dar trinta e um conselhos. Eles serão dados ao longo dos próximos anos. Não direi todos ao mesmo tempo.

— Por que trinta e um?

— Porque trinta e um anos é uma idade importante. Os dez nos moldam como criança. Os vinte, como adulto. Os trinta farão de você um homem, ou não. E trinta e um anos significa que você superou essas fases. Como se imagina com trinta e um anos?

— Igual a você.

— Ah, não diga besteira. Em vez disso, grave. Vou fornecê-los em ordem decrescente. Conselho número trinta e um: este será um conselho sobre livros. Pronto, lá vai, 31: o primeiro capítulo, Marcus, é essencial. Se os leitores não gostarem dele, não vão ler o resto do livro. Como pretende começar o seu?

— Não sei, Harry. Acha que um dia vou conseguir fazer isso?

— Isso o quê?

— Escrever um livro.

— Tenho certeza que sim.

Ele olhou fixo para mim e sorriu.

— Você vai fazer trinta e um anos, Marcus. Pronto, conseguiu: tornou-se um homem formidável. Ser *O Formidável* não era nada, mas ser um homem formidável foi o coroamento de uma longa e magnífica luta contra si mesmo. Estou muito orgulhoso de você.

Ele vestiu o casaco e amarrou o cachecol.

— Aonde vai, Harry?

— Preciso ir agora.

— Não vá! Fique!

— Não posso...

— Fique, Harry! Fique mais um pouco!

— Não posso.

— Não quero perder você!

— Adeus, Marcus. De toda a minha vida, você foi o encontro mais bonito.

— Aonde vai?

— Tenho que esperar Nola em algum lugar.

Ele me deu um abraço apertado.

— Encontre o amor, Marcus. O amor dá sentido à vida. Quando amamos, somos mais fortes! Somos maiores! Vamos mais longe!

— Harry! Não me abandone!

— Adeus, Marcus.

Ele se foi. Deixou a porta aberta atrás de si e assim ela ficou por bastante tempo. Foi a última vez que vi meu mestre e amigo Harry Quebert.

Maio de 2003, final do campeonato universitário de boxe

— Está pronto, Marcus? Dentro de três minutos, subimos ao ringue.

— Estou morrendo de medo, Harry.

— Tenho certeza disso. Melhor assim: quando não sentimos medo, é impossível vencer. Não se esqueça, lute como se escreve um livro... Lembra-se? Capítulo um, capítulo dois...

— Sim. Um, série de *jabs*. Dois, saraivada de socos...

— Muito bem, campeão. Então, preparado? Rá, estamos na final do campeonato, Marcus! Na final! E pensar que ainda há pouco você só lutava com sacos de pancada, e agora está na final do campeonato! Ouça o locutor: "Marcus Goldman e seu técnico Harry Quebert, da universidade de Burrows." Somos nós! Vamos lá!

— Espere, Harry...

— O que foi?

— Tenho um presente para você.

— Um presente? Tem certeza de que é o momento apropriado?

— Absoluta. Quero que o receba antes da luta. Está na minha mochila, pegue. Não posso lhe dar por causa das luvas.

— É um CD?

— Sim, uma compilação! Suas trinta e uma frases mais importantes. Sobre o boxe, a vida e os livros.

— Obrigado, Marcus. Estou profundamente comovido. Pronto para a luta?

— Mais do que nunca...

— Então vamos.

— Espere, ainda há outra pergunta que me intriga...

— Marcus! Está na hora!

— Mas é importante! Escutei outra vez todas as nossas gravações e você nunca me respondeu.
— Tudo bem, vá em frente. Sou todo ouvidos.
— Harry, como sabemos que um livro está terminado?
— Os livros são como a vida, Marcus. Nunca terminam de verdade.

EPÍLOGO

Outubro de 2009
(Um ano após a publicação do livro)

— Um bom livro, Marcus, não se mede somente pelas últimas palavras, e sim pelo efeito coletivo de todas as palavras que as precederam. Cerca de meio segundo após terminar o seu livro e ler a última palavra, o leitor deve se sentir invadido por uma sensação avassaladora. Por um instante fugaz, ele não deve pensar senão em tudo que acabou de ler, admirar a capa e sorrir, com uma ponta de tristeza pela saudade que sentirá de todos os personagens. Um bom livro, Marcus, é um livro que lamentamos ter terminado.

Praia de Goose Cove, 17 de outubro de 2009

— Corre o boato de que está com um novo livro pronto, escritor.
— É verdade.

Eu estava com Gahalowood; sentados de frente para o mar, tomávamos uma cerveja, admirando o pôr do sol no horizonte.

— O novo grande sucesso do prodigioso Marcus Goldman! — exclamou o sargento. — É sobre o quê?

— Sem dúvida, você vai lê-lo. A propósito, você está no livro.

— Sério? Posso dar uma olhada?

— Nem em sonho, sargento.

— Em todo caso, se for ruim, quero meu dinheiro de volta.

— Goldman devolve o seu dinheiro, sargento.

Ele riu.

— Escritor, me diga que ideia foi essa de reconstruir a casa e transformá-la num albergue para jovens escritores?

— Uma ideia qualquer.

— *Casa dos Escritores Harry Quebert.* Imponente, pelo menos eu acho. No fundo, vocês, escritores, são um povo que leva a vida na flauta. Vir para cá admirar o mar e escrever livros, também queria ter essa profissão... Viu a matéria no *The New York Times* de hoje?

— Não.

Ele pegou no bolso um recorte de jornal e o desdobrou. Leu:

— *Encarte*: As gaivotas de Aurora, *o novo romance que você não pode deixar de ler. Luther Caleb, acusado indevidamente pelo assassinato de Nola Kellergan, era acima de tudo um escritor genial, cujo talento desconhecíamos. As edições Schmid & Hanson rendem-lhe justiça, publicando, a título póstumo, o romance fulgurante que ele escreveu sobre o caso entre Nola Kellergan e Harry Quebert. Esse romance magnífico narra como Harry Quebert inspirou-se em seu relacionamento com Nola Kellergan para escrever* As origens do mal.

Interrompeu-se e desatou a rir.

— Qual é a graça, sargento? — perguntei.

— Nada. Só que você é absolutamente genial, Goldman! Genial!

— Ninguém melhor que a polícia para fazer justiça, sargento.

Terminamos nossas cervejas.

— Volto amanhã para Nova York — falei.

Ele balançou a cabeça.

— Passe por aqui de vez em quando. Para dar um oi. Quer dizer, minha mulher é que ia adorar.

— Será um prazer.

— Aliás, você não me disse: qual é o título do seu novo livro?

— *A verdade sobre o caso Harry Quebert.*

Ele ficou pensativo. Voltamos para os nossos carros. Uma revoada de gaivotas rasgou o céu, por um instante seguidas por nossos olhares. Gahalowood ainda me perguntou:

— E agora, o que vai fazer, escritor?

— Um dia Harry me aconselhou: "Dê sentido à sua vida. Duas coisas dão sentido à vida: os livros e o amor." Eu descobri os livros. Graças a Harry, descobri os livros. Agora, vou atrás do amor.

A UNIVERSIDADE DE BURROWS

homenageia

MARCUS P. GOLDMAN

Vencedor do campeonato universitário de boxe
Ano de 2003

E seu treinador:

Harry L. Quebert

AGRADECIMENTOS

Agradeço do fundo do coração a ERNE PINKAS, de Aurora, em New Hampshire, pela valiosa ajuda.

No âmbito das polícias estaduais de New Hampshire e do Alabama, agradeço ao sargento Perry Gahalowood (Divisão de Homicídios da polícia estadual de New Hampshire) e ao oficial Philip Thomas (Destacamento Rodoviário da polícia estadual do Alabama).

Por fim, agradecimentos especiais vão para a minha assistente Denise, sem a qual eu não teria terminado este livro.

SUMÁRIO

O dia do desaparecimento (sábado, 30 de agosto de 1975)   9

PRÓLOGO
Outubro de 2008 (Trinta e três anos após o desaparecimento)   11

PRIMEIRA PARTE
A DOENÇA DOS ESCRITORES
(Oito meses antes da publicação do livro)   15

31. Nos abismos da memória   17
30. *O Formidável*   37
29. É ilegal apaixonar-se por uma garota de quinze anos?   56
28. A importância de saber cair
    (Universidade de Burrows, Massachusetts, 1998-2003)   74
27. Ali onde plantaram hortênsias   92
26. N-O-L-A
    (Aurora, New Hampshire, sábado, 14 de junho de 1975)   115
25. Sobre Nola   124
24. Recordações do feriado nacional   142
23. Os que a conheceram bem   154
22. Inquérito policial   175
21. Da dificuldade do amor   190
20 O dia do *garden-party*   205
19. O caso Harry Quebert   219
18. Martha's Vineyard
    (Massachusetts, final de julho de 1975)   241

17. Tentativa de fuga   256
16. *As origens do mal*
    (Aurora, New Hampshire, 11 a 20 de agosto de 1975)   278
15. Antes da tempestade   297

SEGUNDA PARTE
A CURA DOS ESCRITORES
(Redação do livro)   315

14. O fatídico 30 de agosto de 1975   317
13. A tempestade   330
12. Aquele que pintava quadros   353
11. À espera de Nola   367
10. À procura de uma garota de quinze anos
    (Aurora, New Hampshire, 1º a 18 de setembro de 1975)   379
9. Um Monte Carlo preto   392
8. O informante   413
7. Depois de Nola   435
6. O princípio Barnaski   445

TERCEIRA PARTE
O PARAÍSO DOS ESCRITORES
(Publicação do livro)   461

5. A garota que abalou os Estados Unidos   463
4. *Sweet Home Alabama*   486
3. Dia da Eleição   499
2. Fim da linha   515
1. A verdade sobre o caso Harry Quebert   527

EPÍLOGO
Outubro de 2009 (Um ano após a publicação do livro)   563

Agradecimentos   569

- intrinseca.com.br
- @intrinseca
- editraintrinseca
- @intrinseca
- @editoraintrinseca
- intrinsecaeditora

tipografia	MINION
papel de capa	CARTÃO SUPREMO ALTA ALVURA 250 G/M²
papel de miolo	HYTLE 60 G/M²
impressão	CORPRINT
reimpressão	MAIO DE 2025
1ª edição	MAIO DE 2014